PIĄTY STUDENT

Powieści JOHNA KATZENBACHA

W słusznej sprawie

Wojna Harta

Analityk

Opowieść szaleńca

Ofiara

Profesor

Czerwone Kapturki Numer 1, Numer 2, Numer 3

JOHN KATZENBACH

PIĄTY STUDENT

Przekład
MACIEJ NOWAK-KREYER

Redaktor serii
Małgorzata Cebo-Foniok

Korekta
Jacek Złotnicki
Halina Lisińska

Projekt graficzny okładki
Małgorzata Cebo-Foniok

Zdjęcie na okładce
© Africa Studio/Shutterstock

Tytuł oryginału
The Dead Student

Druk
EDIT Sp. z o.o.

ISBN 978-83-241-5588-0

Warszawa 2015. Wydanie I

Wydawnictwo AMBER Sp. z o.o.
02-952 Warszawa, ul. Wiertnicza 63
tel. 620 40 13, 620 81 62

www.wydawnictwoamber.pl

A jak nas skrzywdzicie, nie mamyż się mścić za to?
Jeżeliśmy we wszystkiem innem do was podobni,
to i w tem chcemy wam dorównać.

William Szekspir *Kupiec wenecki*
(przeł. J. Paszkowski)

Część 1

ROZMOWA MARTWYCH LUDZI

Ćma zrozumiał, że:

Uzależnienie i morderstwo mają ze sobą wiele wspólnego.

W obu przypadkach ktoś w końcu będzie chciał, żebyś wyznał:

Jestem mordercą.

Albo:

Jestem uzależniony.

W obu przypadkach masz wreszcie ulec jakiejś wyższej instancji.

W przypadku zwykłego mordercy jest nią prawo. Gliniarze, sędziowie, może więzienna cela. W przypadku przeciętnego uzależnionego – Bóg, Jezus, Budda albo po prostu coś silniejszego od prochów czy alkoholu. Temu po prostu musisz ulec. To jedyny sposób, aby wyjść. Pod warunkiem, że chcesz wyjść.

Nigdy nie uważał, że przyznanie się do winy lub ustępstwo to część jego emocjonalnego makijażu. Wiedział, że jest nią uzależnienie. Co do zabijania, nie miał pewności, jednak ustalił, że już niedługo się dowie.

1

Timothy Warner znalazł ciało swojego stryja tylko dlatego, że rano obudził się z intensywnym i przerażająco znajomym łaknieniem, wewnętrzną pustką, która buczała głęboko i bez przerwy, niczym głośny, fałszywy akord zagrany na gitarze elektrycznej. Najpierw miał nadzieję, że to jakaś resztka snu o bezkarnym obalaniu kolejnych lufek zmrożonej wódki. Wtedy przypomniał sobie, że nie pije już dziewięćdziesiąt dziewięć dni, i uświadomił, że jeżeli chce dotrwać do stu, musi bardzo się postarać, aby przebrnąć ten dzień na trzeźwo. I dlatego, kiedy tylko stopami dotknął zimnej podłogi obok łóżka, i jeszcze zanim zerknął przez okno, jaka jest pogoda, albo jeszcze zanim przeciągnął ramiona nad głową, próbując tak wmusić trochę siły w zmęczone mięśnie, już sięgnął po iPhone'a, klikając aplikację podliczającą jego trzeźwość. Wczorajsze dziewięćdziesiąt osiem przeskoczyło na dziewięćdziesiąt dziewięć.

Przez chwilę wpatrywał się w cyfry. Już nie czuł oszałamiającej satysfakcji, nie czuł nawet odrobiny radości z sukcesu. Tamten entuzjazm minął. Teraz rozumiał, że licznik stanowi tylko kolejne przypomnienie, że ciągle ryzykuje – błędem, rezygnacją, tym, że się pomyli, potknie.

A wtedy byłby już martwy.

Może nie tak od razu, ale wcześniej czy później. Czasem myślał, że trzeźwość jest takim chwianiem się na krawędzi wysokiego klifu, kiedy w głowie kręci się od patrzenia pod nogi, prosto w Wielki Kanion, a ciałem bez przerwy szarpie wicher. Wystarczy mocny podmuch, żeby runąć głową w dół.

Wiedział o tym tyle, ile mógł wiedzieć każdy.

Po drugiej stronie pokoju stało tanie lustro, wysokie na trzy czwarte, w czarnych ramach i oparte o ścianę jego niewielkiego mieszkania, zaraz obok drogiego roweru, którym jeździł na zajęcia – samochód oraz prawo jazdy stracił przy okazji ostatniego niepowodzenia. Teraz miał na sobie tylko luźną bieliznę, stał i patrzył na swoje ciało.

Tak naprawdę wcale nie podobało mu się to, co widział.

Kiedyś był szczupły i muskularny, teraz zrobił się chudy jak trup. Tylko żebra i mięśnie, do tego kiepski tatuaż ze smutną twarzą klauna na lewym ramieniu, pamiątka po pijackiej nocy. Kruczoczarne włosy nosił długie, potargane. Ciemne brwi i ujmujący, trochę krzywy uśmiech sprawiały, że wyglądał na milszego, niż sądził, że naprawdę jest. Nie miał pojęcia, czy jest przystojny, chociaż dziewczyna, którą uważał za naprawdę piękną, powiedziała mu kiedyś, że tak. Miał długie, chude ręce oraz nogi biegacza. W liceum był rezerwowym skrzydłowym drużyny futbolowej i wzorowym uczniem, takim gościem, do którego chodziło się po pomoc przed sprawdzianem z chemii albo kiedy trzeba było oddać niebezpiecznie zaległy esej z angielskiego. Jeden z największych zawodników z drużyny, olbrzym grający na pierwszej linii, skradł mu cztery litery ze środka imienia, tłumacząc, że po prostu Tim albo Timmy nie pasują do jego często nawiedzonego wyglądu. „Moth", czyli Ćma, przyjęło się, czym Timothy Warner zbytnio się nie przejął, bo uważał, że ćmy mają sporo zalet i ryzykują lot niebezpiecznie blisko płomieni, pchane obsesją poszukiwania światła. Od tamtej pory rzadko używał pełnego imienia, wyjąwszy różne formalne okazje, spotkania rodzinne czy mityngi anonimowych alkoholików, kiedy przedstawiał się słowami: „Cześć, jestem Timothy i jestem alkoholikiem".

Nie sądził, żeby jego będący gdzieś daleko rodzice albo tak bardzo odizolowani starszy brat i siostra w ogóle pamiętali to licealne przezwisko. Jedyną osobą, która używała go regularnie i z czułością, był jego stryj, do którego numer pospiesznie teraz wybierał, patrząc na swoje odbicie. Ćma wiedział, że musi chronić się przed sobą samym, a telefon do stryja stanowił całkiem niezły pierwszy krok do samoocalenia.

Tak jak się spodziewał, usłyszał automatyczną sekretarkę: „Tutaj doktor Warner. Obecnie jestem u pacjenta. Proszę zostawić wiadomość, odezwę się niezwłocznie".

– Stryju Edzie, tutaj Ćma. Dzisiaj od rana naprawdę strasznie mnie ciśnie. Muszę pójść na spotkanie. Możesz do mnie przyjść, do Redemptora Jeden, dzisiaj tak na szóstą wieczorem? Zobaczymy się i może będziemy mogli potem pogadać. Myślę, że jakoś dam radę przetrzymać ten dzień.

Nie wiedział, że to ostatnia taka krucha obietnica.

Nie wiedział o tym również stryj.

Może, pomyślał Ćma, powinienem iść na południowe spotkanie w klubie studenckim na uniwersytecie albo na poranne spotkanie na tyłach sklepu Armii Zbawienia, tylko sześć ulic stąd. A może po prostu lepiej wpełznąć z powrotem do łóżka, naciągnąć sobie kołdrę na głowę i schować się tak aż do spotkania o szóstej.

Najbardziej odpowiadały mu spotkania wczesnym wieczorem w Pierwszym Kościele Redemptorystów, który razem ze stryjem w skrócie nazywali Redemptorem Jeden, z wygody i po to, żeby dać świątyni nazwę egzotycznego kosmolotu. Przychodził tam regularnie, tak jak wielu prawników, lekarzy oraz innych profesjonalistów, którzy woleli wyznawać swoje żądze w zacisznej, wyłożonej boazerią kościelnej sali spotkań, na mięciutkich, obitych sztuczną skórą sofach – a nie tam, gdzie zwykle odbywały się takie spotkania, czyli w niskich piwnicznych izbach, na składanych metalowych krzesełkach i w ostrym świetle znad głowy. Bogaty fundator przez alkohol stracił kiedyś brata i to za jego pieniądze były te wygodne siedzenia oraz świeża kawa. Redemptor Jeden robił wrażenie miejsca ekskluzywnego. Ćma, jak na razie, pozostawał tam najmłodszy.

Dawni pijacy i byli nałogowcy, którzy zjawiali się w Redemptorze Jeden, pochodzili z dalekich światów, o których Ćmie ciągle kiedyś opowiadano i do których miał kiedyś trafić. A przynajmniej ci, którzy przypuszczalnie nie znali go dobrze, uważali, że powinien zostać lekarzem, prawnikiem albo odnoszącym sukcesy biznesmenem.

Ale niepijącym lekarzem, uzależnionym prawnikiem albo naćpanym biznesmenem.

Ręka lekko mu zadrżała. Pomyślał sobie: Nikt przecież nie powie dzieciakowi, że jak dorośnie, to ma też szansę zostać pijakiem albo ćpunem. Nie w starym, dobrym USA. Nie w Kraju Wielkich Możliwości. Tutaj mu powiemy, że jak dorośnie, to może zostać prezydentem. Ale i tak znacznie więcej ludzi kończy jako pijacy.

Łatwo było dojść do tego wniosku.

Uśmiechnął się krzywo, dodając w myślach: A pewnie ten jeden czy dwa dzieciaki, którym naprawdę ktoś powiedział, że będą pijakami, są później tak zmotywowani, żeby tego uniknąć, że w końcu zostają prezydentami.

Zostawił iPhone'a na blacie w łazience, żeby usłyszeć, jeśli ktoś będzie dzwonił, a potem wskoczył pod gorący, buchający parą prysznic. Miał nadzieję, że gęsty szampon i parząca woda zmyją zaskorupiałe warstwy niepokoju.

Na wpół już wysechł, kiedy zabrzęczał telefon.

– Stryj Ed?

– Cześć, Ćma, właśnie odebrałem twoją wiadomość. Masz kłopoty?

– Mam kłopoty.

– Duże kłopoty?

– Jeszcze nie. Po prostu, no wiesz, chce mi się. Trochę mną trzepie.

– Czy stało się coś konkretnego, wiesz, coś, co spowodowało…

Ćma wiedział, że stryj zawsze się interesował tym leżącym u podstaw „dlaczego", bo pomagało mu w ustaleniu opartego na nim „co".

– Nie. Nie wiem. Nic. Ale dzisiaj rano od razu to poczułem, jak tylko otworzyłem oczy. Jak gdybym po przebudzeniu zobaczył na skraju łóżka upiora, który tam sobie siedzi i się na mnie gapi.

– Okropne – powiedział stryj. – Ale ty znasz tego upiora. – Zamilkł, robiąc taką charakterystyczną, psychiatryczną pauzę. Odmierzał słowa niczym staranny stolarz obliczający wymiary. – Myślisz, że jest sens czekać do szóstej? Co ty na to, żeby się zobaczyć wcześniej?

– Mam zajęcia przez prawie cały dzień. Powinienem dać radę.

– Jeżeli w ogóle pójdziesz na te zajęcia.

Ćma zamilkł. No jasne.

– Jeżeli – kontynuował stryj – nie wyjdziesz teraz z mieszkania, nie skręcisz ostro w lewo i nie polecisz od razu do tego dużego sklepu z gorzałą na LeJeune Road. Wiesz, tego z takim cholernie wielkim czerwonym i mrugającym neonem, który zna każdy pijak w hrabstwie Dade. No i mają tam darmowy parking.

Ostatnie słowa zabarwił pogardą i sarkazmem.

Ćma znowu nie odpowiedział. Zastanowił się: Czy przypadkiem właśnie tego nie chciałem zrobić? Możliwe, że gdzieś w jego głębi czaiła się odpowiedź „tak", której nie słyszał jeszcze wyraźnie, ale która była już gotowa, aby huknąć. Stryj doskonale wiedział o tej wewnętrznej rozmowie, jeszcze zanim do niej w ogóle doszło.

– Myślisz, że dasz radę skręcić w prawo, szybciutko pedałować na tym swoim rowerze i pojechać prosto na uczelnię? Myślisz, że dasz radę wytrzymać przez te wszystkie zajęcia… Co masz dzisiaj rano?

– Seminarium dla zaawansowanych o dzisiejszym znaczeniu zasad Jeffersona. Czy to, co ten wielki człowiek powiedział i zrobił dwieście pięćdziesiąt lat temu, wciąż jeszcze znajduje jakieś zastosowanie. Potem, po lunchu, dwie godziny obowiązkowego wykładu ze statystyki.

Stryj ponownie mu przerwał, a Ćma wyobraził sobie, że Ed się uśmiecha.

– Dobra, Jefferson zawsze jest cholernie ciekawy. Niewolnice i seks. Szalenie sprytne wynalazki i niesamowita architektura. W porządku, ale te zajęcia ze statystyki dla zaawansowanych to jest nuda. Jak się w ogóle w nie wpakowałeś, skoro robisz doktorat z historii Stanów Zjednoczonych? Co ma piernik do wiatraka? Czegoś takiego chyba nie da się wytrzymać na trzeźwo?

Ten żart często się pojawiał. Ćma lekko się uśmiechnął.

– Piernik do wiatraka ma mąkę – oznajmił, a jako historyka bawiło go, że użył młodzieżowego żartu, który już dawno wyszedł z mody.

– A może pójdźmy na kompromis? – zaproponował stryj. – Spotkamy się w Redemptorze Jeden o szóstej, tak jak mówiłeś. Ale wcześniej pójdziesz na lunchowe spotkanie w kampusie. W południe. Jak tam się zjawisz, to do mnie zadzwonisz. Na tym spotkaniu nawet nie musisz wstawać i w ogóle otwierać gęby, jeżeli nie będziesz miał ma to ochoty. Po prostu tam bądź. Zadzwoń do mnie też, jak stamtąd wyjdziesz. Potem zadzwoń znowu, kiedy pójdziesz na zajęcia ze statystyki. I kiedy z nich wyjdziesz. A za każdym razem nie rozłączaj się, dopóki nie usłyszę w tle ględzenia prowadzącego spotkanie. To właśnie mam usłyszeć. Miły, spokojny i nudny wykład. A nie brzęk szkła.

Ćma wiedział, że stryj to stary alkoholik i świetnie zna te niezliczone wymówki, wyjaśnienia i wykręty od wszystkiego poza kolejnym drinkiem. Jego ciąg trzeźwych dni liczył już dobrych parę tysięcy. Może z siedem. Ćma uważał ten wynik za naprawdę imponujący. Stryj Ed był kimś więcej niż dobroczyńcą. Był niczym Wergiliusz dla pijackiego Dantego. Ćma wiedział, że stryj Ed uratował mu życie i że zrobił to więcej niż jeden raz.

– Dobra – powiedział. – To spotykamy się o szóstej?

– Tak. Zajmij mi jakieś wygodne miejsce, bo mogę się spóźnić kilka minut. Wypadła mi nagła wizyta późnym popołudniem.

– Ktoś taki jak ja? – zapytał Ćma.

– Ćma, mój chłopcze. Nie ma nikogo drugiego takiego jak ty – odparł stryj, przeciągając samogłoski w udawanym południowym akcencie. – Niiii. Raczej jakaś zdołowana mężatka z przedmieść, taka o smutnych oczach, której właśnie kończą się pigułki i panikuje, bo jej terapeuta pojechał na urlop. Potrzebuje mnie tylko do podpisania jej świętej i przemądrzałej recepty. Do zobaczenia wieczorem. I dzwoń. Za każdym razem. Pamiętaj, będę czekał.

– Zadzwonię. Dzięki, stryju Edzie.

– Nie ma sprawy.

Jednak, oczywiście, była.

Ćma dzwonił, za każdym razem przez kilka chwil bezpiecznie gadając ze stryjem o jakichś drobnostkach. Na spotkaniu w południu miał się w ogóle nie odzywać, ale pod koniec sesji, za namową młodego profesora teologii prowadzącego spotkanie, wstał i podzielił się obawami związanymi ze swoim porannym pragnieniem. Prawie wszystkie głowy wokół pokiwały ze zrozumieniem.

Po wyjściu ze spotkania wziął swój górski rower Trek 20 i zabrał na uniwersytecki stadion. Nowoczesna tartanowa bieżnia wokół boiska do piłki nożnej była pusta i chociaż znak ostrzegawczy zabraniał studentom samowolnego wchodzenia na teren obiektu, Ćma przeniósł rower nad obrotową bramką, szybko rozejrzał się na lewo i na prawo, upewniając się, że jest sam, a potem zaczął robić kolejne okrążenia.

Stopniowo zwiększał prędkość, pobudzany klekotaniem tylnych przerzutek przekładni podczas niebezpiecznych przechyłów na zakrętach, i jeszcze bezchmurnym lazurowym niebem, typowym dla zimowego popołudnia w Miami. Kiedy napierał nogami na pedały, czuł, że mięśnie prężą się pełne energii, a pragnienie usuwało się gdzieś na bok i tonęło w nim głęboko. Z czterech okrążeń nagle zrobiło się dwadzieścia. Oczy zaczynały go piec od potu. Słyszał, jak coraz mocniej dyszy z wysiłku. Był jak bokser, gdy po kolejnym prawym sierpowym przeciwnik zaczyna się wreszcie chwiać. Nie przestawaj zadawać ciosów – powiedział sobie. Zwycięstwo miał już w swoim zasięgu.

Kiedy zrobił dwudzieste ósme kółko, gwałtownie zahamował. Opony zapiszczały na czerwonej syntetycznej nawierzchni. Lada chwila mógł się zjawić ochroniarz kampusu. Ćma i tak już przegiął.

Ale co mi zrobi? Nakrzyczy na mnie? – pomyślał. Wlepi mandat za to, że próbuję być trzeźwy?

Ćma z powrotem przeniósł rower nad furtką. Potem spokojnie wrócił do żelaznego stojaka przy budynku uczelni, gdzie przypiął treka i poszedł na zajęcia ze statystyki. Mijając ochroniarza w małym białym SUV-ie, pomachał wesoło, ale kierowca nie odpowiedział. Spodziewał się, że teraz będzie śmierdział, bo pot wyschnie w klimatyzowanej sali, ale zbytnio tym nie przejmował.

Jakimś cudem ten dzień zmieniał się w całkiem zwyczajny, jednak optymistyczny.

Sto dni wydawało się nie tylko realne, ale i w zasięgu.

Zanim Ćma wszedł do Redemptora Jeden i skierował się do sali spotkań, trochę poczekał na zewnątrz, tak mniej więcej do szóstej. W kościele było już dwadzieścioro mężczyzn i kobiet, siedzących w kręgu. Każdego pozdrowił skinieniem głowy albo lekkim machnięciem ręki. W powietrzu wisiała mgiełka papierosowego dymu. Nałóg dozwolony pijakom, pomyślał Ćma. Spojrzał na zgromadzonych. Lekarz, prawnik, inżynier, profesor. Druciarz, krawiec, żołnierz, szpieg. I jeszcze on: doktorant. Z tyłu sali stał czarny dębowy stół, a na nim termos z kawą i ceramiczne kubki. Była także mała tuba z błyszczącego metalu, pełna lodu, do tego cały wybór dietetycznych napojów oraz butelkowanej wody.

Ćma znalazł sobie miejsce, na krześle obok położył swój podniszczony studencki plecak. Stali bywalcy bez trudu odgadli, że zajmuje je dla stryja. Zresztą to właśnie Ed wprowadził Ćmę do Redemptora Jeden, zgromadzenia nałogowców z wyższych sfer.

Dopiero kwadrans po rozpoczęciu spotkania, Ćma zaczął się nerwowo wiercić, nigdzie nie widząc nawet śladu stryja.

Coś tutaj nie grało, jak fałszywa nuta. Stryj Ed czasem spóźniał się kilka minut, ale kiedy mówił, że przyjdzie, to się zawsze zjawiał. Ćma bez przerwy odwracał głowę od przemawiającej akurat osoby i zerkał w stronę drzwi. Spodziewał się, że lada chwila stryj przez nie wejdzie, przepraszając za spóźnienie.

Mówca, wahając się, opowiadał o oxycontinie oraz uczuciu ciepła, jakie mu dawał. Ćma postarał się słuchać uważniej. Pomyślał, że najczęściej opowiada się właśnie o cieple. Poszczególne warianty różniły się tylko nieznacznie, w zależności od tego, czy ktoś opowiadał o lekarstwach na bazie morfiny, o metaamfetaminie domowej produkcji czy o tanim dżinie kupionym w sklepie. Gwałtowne, przyjemne ciepło, przenikające głowę i ciało, zdające się opatulać duszę. Doświadczał tego uczucia przez kilka lat własnego nałogu, podejrzewał, że jego stryj tak samo, i to przez parę dekad.

Ciepło, pomyślał Ćma. Co za obłęd, mieszkać w Miami, gdzie zawsze jest upał i jeszcze potrzebować ciepła?

Starał się skupić na przemawiającym mężczyźnie. To był inżynier – sympatyczny facet w średnim wieku, trochę przysadzisty i łysy, specjalista od tolerancji i naprężeń. Pracował dla jednej z większych firm budowlanych w mieście.

Ćma odwrócił się, słysząc otwieranie drzwi, ale weszła przez nie kobieta – asystentka prokuratora stanowego, starsza od niego pewnie z kilkanaście lat. Brunetka, zasadnicza, w dopasowanym niebieskim żakiecie i ze skórzaną aktówką zamiast modnej torebki. Nawet po pracy wydawała się starannie poukładana. Przychodziła do Redemptora Jeden od niedawna. Zjawiła się dotąd tylko na kilku spotkaniach i mówiła niewiele, więc dla stałych bywalców w dużym stopniu pozostawała zagadką. Niedawno się rozwiodła. Specjalistka od ciężkich przestępstw. Ulubiony narkotyk: kokaina. „Cześć, jestem Susan i jestem uzależniona". Teraz wymamrotała przeprosiny, nie kierując ich do nikogo konkretnego, i cicho wślizgnęła się na krzesło z tyłu sali.

Kiedy przyszła kolej na wypowiedź Ćmy, jąkał się i plątał. Spotkanie zakończyło się bez jego stryja.

Wyszedł razem z pozostałymi. Na przykościelnym parkingu wymienił kilka numerów telefonów i niedbałych uścisków, jak to zwykle po spotkaniu. Inżynier zapytał o stryja, a Ćma odpowiedział, że Ed miał się dzisiaj zjawić, ale trafił mu się nagły pacjent. Słuchający go inżynier, kardiochirurg i profesor filozofii pokiwali głowami, w specyficzny sposób typowy dla trzeźwiejących nałogowców, jak gdyby uznając, że to, co usłyszeli, zarazem jest, jak i nie jest prawdopodobne. Każdy oznajmił, że jeśli Ćma miałby ochotę pogadać, to może dzwonić.

Żaden z uczestników spotkania nie był na tyle nieuprzejmy, żeby zwrócić Ćmie uwagę na to, że po treningu na bieżni strasznie śmierdzi. Ćma był najmłodszym bywalcem Redemptora Jeden, dlatego wszyscy dawali mu taryfę ulgową. Pewnie dlatego że przypominał ich samych – tyle że sprzed dwudziestu, może więcej lat. Poza tym każdy uczestnik spotkań dobrze znał towarzyszące nałogom przykre zapachy wymiocin, odchodów i rozpaczy. To ich pewnie uodparniało na przenikliwy odór.

Ćma stał, przebierając nogami. Przyglądał się, jak pozostali odchodzą. Wciąż było ciepło, zdawało się, że wieczór opatulił się wilgotnym, grubym kocem, kryjąc Ćmę w gęstniejącym cieniu. Poczuł, że znowu się poci.

Nie był pewien, kiedy w końcu postanowił pojechać do gabinetu stryja.

Po prostu uniósł wzrok i zorientował się, że siedzi na rowerze, energicznie pedałując w tamtą stronę.

Wokół niego samochody cięły noc. Ćma miał pojedyncze czerwone światło przymocowane do ramy tylnego koła, ale wątpił, żeby wiele mu to dawało. Kierowcy z Miami dosyć swobodnie podchodzili do przepisów ruchu drogowego. Czasem można było odnieść wrażenie, że ustąpienie drogi rowerzyście stanowi dla nich albo straszliwą utratę twarzy, albo zadanie przekraczające umiejętności. Przywykł, że mniej więcej co sto metrów ktoś zajeżdża mu drogę albo o mało nie potrąca. Tak w głębi duszy nawet lubił bezustanne ryzykowanie zmiażdżeniem przez samochód.

Gabinet stryja mieścił się w niewielkim budynku, dziesięć przecznic od drogich sklepów na Miracle Mile w Coral Gables i tylko ze trzy kilometry od kampusu uniwersyteckiego. Za dzielnicą handlową trasa zmieniała się w czteropasmowy bulwar, gdzie jeżdżono zbyt szybko i gdzie za często zmieniały się światła, a z lewej i prawej strony pełno było sfrustrowanych kierowców mercedesów i bmw spieszących się do domu po pracy. Drogę dzieliła szeroka wyspa obsadzona palmami i powyginanymi drzewami mangrowymi. Sztywno wyprostowane palmy wydawały się takie purytańskie, za to stare mangrowce były prawdziwymi węzłami gordyjskimi – diabelnie zniekształcone, całe powykręcane ze starości. Obie jezdnie sprawiały wrażenie zadaszonych, stanowiły jak gdyby tunele wśród chaotycznie rosnących gałęzi. Reflektory aut wykrawały świetlne łuki w przestrzeniach między pniami.

Ćma pedałował szybko. Unikał samochodów, a czasem ignorował czerwone światło, jeśli wiedział, że zdoła bezpiecznie przejechać przez skrzyżowanie. Nie raz ktoś na niego trąbił, czasem tylko dlatego, że jako rowerzysta znalazł się na jezdni, zajmując przestrzeń, którą inni uważali za zarezerwowaną dla swoich przerośniętych SUV-ów.

Kiedy Ćma dotarł pod budynek, w którym mieścił się gabinet stryja, ciężko dyszał. Łomotał mu puls. Przypiął rower do pobliskiego drzewa. Trzypiętrowy budynek z czerwonej cegły wydawał się stary i nieciekawy, zwłaszcza w mieście pełnym ludzi młodych, nowoczesnych i fajnych. Na tyłach były szerokie okna, wychodzące na kilka bocznych uliczek, parking, samotna palma – i niewiele poza tym. Ćma zawsze uważał, że to bardzo niepozorne miejsce jak na człowieka odnoszącego takie zawodowe sukcesy.

Poszedł na tyły budynku, gdzie zobaczył srebrny kabriolet porsche stryja, stojący na parkingu.

Ćma nie miał pojęcia, co o tym wszystkim myśleć. Pacjent? Nagły wypadek?

Zawahał się, zanim ruszył na górę w stronę kawalerki. Powiedział sobie, że mógłby po prostu poczekać przy porsche, a stryj prędzej czy później sam się zjawi.

Musiało mu wypaść co ważnego. To pewnie ta wizyta, o której mówił, że przez nią się spóźni do Redemptora Jeden. Pewnie okazało się, że to coś poważniejszego niż tylko recepta na zoloft. Może jakaś mania, halucynacje. Utrata kontroli nad sobą. Zagrożenie życia. Szpital. Cokolwiek. Chciał sam uwierzyć w historyjkę, którą jeszcze niedawno opowiadał znajomym z Redemptora Jeden.

Wjechał windą na ostatnie piętro. Stanęła, skrzypiąc i z lekkim szarpnięciem. W budynku panowała cisza. Domyślił się, że żaden z kilkunastu terapeutów wynajmujących tutaj gabinety nie pracuje do późna. Tylko kilku zatrudniało sekretarki. Ich pacjenci dobrze wiedzieli, kiedy przyjść i kiedy pójść.

Przy gabinecie stryja mieściła się niewielka, niezbyt komfortowa poczekalnia ze starymi kolorowymi magazynami na stojaku. W samym gabinecie, nieco większym, stało biurko, krzesło i leżanka. Tej ostatniej stryj Ed używał już znacznie rzadziej niż kilkanaście lat temu.

Ćma cicho wszedł do poczekalni i sięgnął do przycisku dzwonka, tuż obok drzwi. Nad dzwonkiem wisiała przyklejona taśmą klejącą ręcznie napisana wiadomość dla pacjentów: „Proszę, zadzwoń głośno dwa razy, żebym wiedział, że przyszedłeś, a potem sobie usiądź".

I właśnie to zamierzał zrobić Ćma. Ale jego palec zastygł nad dzwonkiem, gdy zauważył, że drzwi do gabinetu są uchylone.

Podszedł do nich.

– Stryju Edzie? – zawołał głośno.

Potem pchnął drzwi, tak aby całkiem je otworzyć.

Oto, co Ćma zdołał zrobić:

Powstrzymał się od krzyku.

Spróbował dotknąć ciała, ale krew i tłustawa, kleista substancja mózgowa z rany ziejącej na głowie, która pochlapała biurko oraz pobrudziła białą koszulę i barwny krawat stryja, sprawiła, że jednak cofnął rękę. Nie dotknął także małego półautomatycznego pistoletu, który leżał na podłodze obok wyciągniętej prawej ręki stryja. Wydawało mu się, że palce stryja Eda zastygły jak szpony.

Wiedział, że stryj jest martwy, ale nie zdołał wypowiedzieć słowa „martwy".

Zadzwonił na 911. Trzęsąc się.

Wysłuchał swojego piskliwego głosu proszącego o pomoc i podającego adres gabinetu, a każde słowo brzmiało, jak gdyby wypowiadał je ktoś obcy.

Rozglądał się wokół, starając się zapisać wszystko w pamięci, aż to, co w siebie wchłaniał, całkiem go wyczerpało. Nic z tego, co oglądał, niczego nie wyjaśniało.

Ciężko opadł na podłogę, czekał.

Wściekłym wysiłkiem powstrzymywał łzy, gdy składał wyjaśnienia przybyłej po kilku minutach policji. Godzinę później złożył jeszcze jedno zeznanie, powtarzając wszystko, co powiedział już wcześniej, tej znanej mu tylko z imienia Susan, ubranej w niebieski żakiet asystentce prokuratura stanowego, którą wieczorem widział w Redemptorze Jeden. Nie wspomniała o tym, podając mu wizytówkę.

Poczekał, aż zjawi się na wpół karawan, na wpół ambulans patologa sądowego, i przyglądał się dwóm pracownikom w białych kombinezonach, pakującym ciało stryja do czarnego winylowego worka na zwłoki, który potem ułożyli na noszach. Dla nich to była rutyna, zajmowali się trupem z nonszalancją zawodowców. Zanim domknięto zamek worka, Ćma przez chwilę patrzył na obwiedzioną czerwienią dziurę w skroni stryja. Był pewien, że nigdy nie zapomni tego widoku.

Powtórzył: „Nie wiem", kiedy detektyw o zmęczonym głosie zapytał: „Dlaczego pański stryj chciałby się zabić?" Potem jeszcze dodał: „Był szczęśliwy. Nic mu nie dolegało. Wszystkie problemy zostawił za sobą. Przebył długą drogę".

Nagle sam zadał pytanie detektywowi:

– Dlaczego pan uważa, że on się zabił? Przecież by tego nie zrobił. Absolutnie nie ma o tym mowy.

Detektyw wydawał się nieporuszony i nie odpowiedział. Ćma rozejrzał się wokół dzikim wzrokiem, sam nie wiedząc, dlaczego jest pewien, że stryj nie popełnił samobójstwa. Coś mu jednak mówiło, że ma rację.

Odrzucił propozycję odwiezienia do domu, złożoną przez asystentkę prokuratora. Stał przy drzwiach, a technicy kryminalistyczni niedbale przeglądali gabinet. Zajęło im to kilka godzin. Spędził ten czas na próbach oczyszczenia myśli.

A potem, kiedy zniknęły już ostanie migacze policyjnych radiowozów, Ćma osunął się w wir bezradności, nie myśląc o tym, co w ogóle robi, a może myśląc, że to właśnie ostatnia rzecz, jaka została mu do zrobienia. Potem ruszył poszukać czegoś do picia.

2

Jesteś zabójczynią.

Nie, nie jestem.

Owszem, jesteś. Zabiłaś go. Albo ją. Ty to zrobiłaś. Nikt inny. Ty sama, właśnie ty. Zabójczyni. Morderczyni.

Nie zrobiłam tego. Nie zrobiłam. Nie mogłabym. Nie tak naprawdę.

Owszem, mogłabyś. I to zrobiłaś. Zabójczyni.

Tydzień po poddaniu się aborcji Andy Candy leżała w pozycji embrionalnej, skulona wśród różowych falban i pastelowych poduch, w małej sypialni skromnego domu, w którym się wychowała. Candy nie było jej prawdziwym imieniem, tylko dziecięcym przezwiskiem, którym od urodzenia zwracał się do niej kochający, a teraz już zmarły ojciec. Ojciec miał na imię Andrew, a ona miała być chłopcem i otrzymać je po nim.

Jej nazwisko brzmiało Martine, było wymawiane z delikatnym francuskim akcentem i stanowiło pamiątkę po przodkach przybyłych do Ameryki prawie sto pięćdziesiąt lat temu. Kiedyś Andy Candy marzyła o wyjeździe do Paryża. Chciała złożyć hołd swoim korzeniom, zobaczyć wieżę Eiffla, jeść kruszące się croissanty i słodkie ciasteczka, a może nawet romansować ze starszym mężczyzną, tak jak w filmach Nowej Fali. To była jedna z wielu miłych fantazji o tym, co zrobi, gdy tylko skończy uniwersytet ze świeżutkim dyplomem z literatury angielskiej w kieszeni. Na ścianie sypialni miała nawet kolorowy plakat z trzymającą się za ręce parą zakochanych spacerujących nad październikową Sekwaną. Plakat promował uproszczoną wizję miasta pokazywaną przez biura podróży – „Paryż, miasto kochanków" – którą Andy Candy kiedyś uważała za całkowicie prawdziwą. Tak naprawdę to nawet nie mówiła po francusku i właściwie nie znała nikogo, kto by mówił, nigdy nie wyjeżdżała do jakiegoś pięknego miejsca, wyjąwszy wycieczkę szkolną do Montrealu, na spektakl *Czekając na Godota*. Poza nauczycielami nie słyszała nikogo mówiącego po francusku.

Jednak w każdym języku Andy Candy była teraz pełna bólu, łez, straszliwej rozpaczy i bez przerwy spierała się sama ze sobą. Raz była składającym dłonie suplikantem z udręką błagającym o wybaczenie, a chwilę potem ciskała na siebie gromy, bardziej nawet niż gorliwy oskarżyciel. Robiła to jak zimny, nieubłagany inkwizytor.

Nie miałam wyboru. Żadnego. Naprawdę. Co ja mogłam zrobić?

Każdy ma jakiś wybór. Wiele wyborów. Wybrałaś źle i dobrze o tym wiesz.

Nie, wcale nie. Nie miałam innego wyjścia. Zrobiłam to, co było trzeba. Bardzo mi przykro, bardzo, bardzo, bardzo, ale tak było trzeba.

To takie łatwe, morderczyni. Ta-kie ła-twe. A dla kogo tak było trzeba?

Dla każdego.

Naprawdę dla każdego? Jesteś pewna? Co za kłamstwo. Kłamczucha. Zabójczyni. Kłamczucha-zabójczyni.

Andy Candy przytulała podniszczonego pluszowego misia. Naciągnęła na głowę ręcznie wykonaną kołdrę ozdobioną czerwonymi sercami i żółtymi kwiatami, jak gdyby chciała w ten sposób odciąć się od furii wewnętrznego sporu. Czuła w sobie dwie walczące ze sobą części: jedną marudną i pełną skruchy, drugą natarczywą. Chciałaby znowu być dzieckiem. Zadygotała, zaszlochała i przyszło jej do głowy, że tuląc wypchanego pluszaka, może jakoś zrzuci z siebie minione lata, powędruje z powrotem do czasów, kiedy wszystko było znacznie prostsze. Zupełnie jakby chciała ukryć się w swojej przeszłości, tak aby przyszłość nie zdołała jej dostrzec i wytropić.

Andy Candy zatopiła twarz w sztucznym futrze zabawki i łkała, starając się zdusić płacz, żeby nikt nie mógł jej podsłuchać. Potem uniosła pluszowego zwierzaka do jednego ucha, a do drugiego przytknęła zaciśniętą pięść, jakby chciała się odciąć się od dźwięków wewnętrznej kłótni.

To nie była moja wina, ja byłam ofiarą. Wybaczcie mi. Proszę. Nigdy.

Matka Andy Candy przesunęła palcami po krucyfiksie wiszącym na szyi, a potem dotknęła środkowego C na klawiaturze panina. Palce zawisły nad kością słoniową mniej więcej tak jak palce Adriena Brody'ego w jej ulubionym filmie *Pianista*. Nie wydając żadnego dźwięku, zamknęła oczy i grała nokturn Chopina. Wcale nie musiała słyszeć nut, aby słuchać muzyki.

Jej dłonie przetaczały się nad rzędem błyszczących klawiszy niczym grzywy fal na oceanie.

Jednocześnie wiedziała, że w swojej sypialni jej córka zanosi się teraz niepohamowanym szlochem. Tych dźwięków również nie słyszała, ale podobnie do muzyki Chopina i one miały krystaliczną czystość. Westchnęła głęboko, i położyła dłonie na kolanach, jak gdyby właśnie skończyła recital i czekała na oklaski. Chopin wybrzmiał, zastąpiony koncertem smutku, o którym wiedziała, że trwa teraz gdzieś na tyłach domu.

Wzruszyła ramionami i obróciła się na stołku. Następny uczeń miał przyjść dopiero za pół godziny, więc miała czas, aby pójść do Andy i ją pocieszyć. Jednak w ciągu ostatniego tygodnia próbowała to zrobić wiele razy, a wszystkie uściski, głaskanie po plecach, gładzenie po włosach i delikatnie wypowiadane słowa kończyły się tylko jeszcze większymi łzami. Dała sobie spokój z racjonalnym: „Gwałt na randce to nie twoja wina...”; czułym: „ Nie możesz się sama karać...”; i wreszcie nawet z całkiem praktycznym: „Słuchaj, Andy, nie możesz się tutaj chować. Musisz się pozbierać i stawić czoło życiu. Wydanie na świat niechcianego dziecka to dopiero grzech...”

Nie wiedziała, czy sama wierzy w te ostatnie słowa.

Spojrzała na podniszczoną kanapę w salonie, gdzie usadowiły się psy: na pół mops, na pół pudel, szczeniak o głupkowatym wyglądzie i złocistej sierści i smutnooki chart. W spojrzeniu czworonogów było pytanie: „I co teraz? I co ze spacerem?” Kiedy na nie popatrzyła, zaczęły merdać trzema ogonami różnych kształtów i rozmiarów.

– Teraz nie ma spaceru – oznajmiła. – Później.

Psy przygarnął jej mąż, weterynarz o miękkim sercu, ratując przed uśpieniem. Nadal merdały ogonami, chociaż, jak sądziła, zrozumiały powód przełożenia spaceru. Psy już tak mają, pomyślała. Wiedzą, kiedy jesteś szczęśliwy. I wiedzą, gdy ci smutno.

Minęło sporo czasu, od kiedy ktokolwiek mógł nazywać ten dom szczęśliwym.

– Andrea – powiedziała matka Andy Candy, znużonym tonem, w którym brzmiał już tylko brak nadziei. – Idę do ciebie.

Tak powiedziała, ale nie ruszyła się ze stołka przy pianinie.

Zadzwonił telefon.

Pomyślała, że nie powinna odbierać, chociaż nie potrafiła wytłumaczyć dlaczego. Sięgnęła jednak po słuchawkę, jednocześnie spoglądając na trzy psy, którym wskazała kierunek do miejsca, gdzie, jak wiedziała, cierpi teraz jej córka.

– Marsz do pokoju Andy Candy. Szybko. Spróbujcie ją rozweselić.

Trzy psy, wykazując się posłuszeństwem, które sporo mówiło o treserskich umiejętnościach jej męża, zeskoczyły z kanapy i z entuzjazmem ruszyły korytarzem. Wiedziała, że jeżeli drzwi do sypialni Andy Candy będą zamknięte, to zaczną szczekać. Hybryda mopsa i pudla stanie na tylnych łapach, a przednimi zacznie gorączkowo drapać, z natarczywością mówiącą: „Wpuść mnie". Jeżeli drzwi będą uchylone, szczeniak, największy z całej trójki, barkiem rozewrze je szerzej, a potem najkrótszą możliwą drogą wszystkie czworonogi pobiegną w stronę łóżka. To dobry pomysł, pomyślała matka Andy Candy. Może dzięki nim Andy poczuje się lepiej.

– Halo? – powiedziała do słuchawki.

– Pani Martine?

– Tak, słucham.

Głos po drugiej stronie wydawał się dziwnie znajomy, chociaż jakiś taki niepewny, nawet drżący.

– Mówi Timothy Warner…

Przypływ wspomnień i drobna przyjemność.

– Ćma! Ćma, ale niespodzianka…

Wahanie.

– Chciałbym… eee… zadzwonić do Andrei i pomyślałem, że może pani mogłaby mi podać numer do niej na uczelnię…

Matka Andy Candy nie odpowiedziała od razu. Jak przez mgłę przypomniała sobie, że ten Ćma, sam z dumą noszący szkolne przezwisko, zwracał się do jej córki, używając pełnego imienia. Nie zawsze, ale dosyć często mówił całe „Andrea", przez co wiele zyskiwał w oczach matki dziewczyny.

– Słyszałem o doktorze Martine – dodał ostrożnie. – Wysłałem kondolencje. Powinienem zadzwonić, ale…

Wiedziała, że chciał jeszcze coś powiedzieć, ale tak naprawdę nie było już nic więcej do powiedzenia.

– Tak, dostaliśmy je. To było bardzo miłe z twojej strony. On cię zawsze lubił. Dziękuję. Ale dlaczego teraz dzwonisz? Nie odzywałeś się od lat!

– Tak. Chyba od czterech. Może trochę krócej.

To już cztery lata minęły od śmierci jej męża na raka jelita.

– Ale dlaczego akurat teraz? – powtórzyła. Nie wiedziała, czy powinna chronić przed nim córkę. Andy Candy skończyła dwadzieścia dwa lata i większość ludzi uważała ją za dorosłą, ale tej młodej kobiecie chlipiącej w zamkniętym pokoju zdecydowanie bliżej było do dziecka. Ćma, którego znała kilka lat temu, nie stanowił większego zagrożenia, jednak cztery lata to szmat czasu i nie miała pojęcia, kim teraz się stał. Ludzie się zmieniają, pomyślała. Zaskoczył ją ten niespodziewany telefon. Czy rozmowa z pierwszym poważnym chłopakiem córki mogła jej teraz pomóc, czy raczej ją zranić?

– Ja tylko chciałem… – umilkł. Westchnął zrezygnowany. – Jeśli pani nie chce mi dać jej numeru, nic szkodzi…

– Ona jest w domu.

Kolejna krótka chwila ciszy.

– Myślałem, że właśnie kończy studia. Czy nie broni się w czerwcu?

– Miała parę komplikacji – Matka Andy Candy uznała, że to wystarczająco neutralne określenie nagłej, nieplanowanej ciąży.

– To tak jak ja – powiedział Ćma. – Właśnie dlatego chciałem z nią pozmawiać.

Matka Andy Candy umilkła. Wpatrywała się w równanie, które właśnie układało się w jej głowie. To było nawet coś więcej niż matematyka, to był podkład muzyczny do rozpędzonych emocji. Kiedyś to Ćma grał w życiu jej córki główne akordy. Wcale nie była pewna, czy nastał właściwy czas, żeby zagrał je znowu. Z drugiej strony, Andy Candy mogła się słusznie wściec, gdyby się dowiedziała, że dzwonił dawny chłopak, a matka nie dopuściła do rozmowy, kierując się źle pojmowaną potrzebą ochrony. Niepewna, jak odpowiedzieć, poszła na ostrożny matczyny kompromis:

– Wiesz co, Ćma? Zapytam, czy chce z tobą rozmawiać. Jeśli powie, że nie, to sam wiesz…

– Rozumiem. Tych kilka lat temu raczej nie rozstaliśmy się w zgodzie. Ale dziękuję. Doceniam.

– Dobrze. To poczekaj.

A jeśli obiecam, że już nigdy, przenigdy nikogo ani niczego nie zabiję, to dasz mi spokój? Proszę.

Nie składaj obietnic, których nie zdołasz dotrzymać, zabójczyni.

Psy obskoczyły Andy Candy dokładnie tak, jak im kazano. Próbowały dostać się pod pościel, do jej twarzy. Odsuwały nosami poduszkę i koce, starały się zlizać łzy. Były niepowstrzymane w swoim psim entuzjazmie. Inkwizytor z wnętrza Andy Candy jak gdyby na nowo przyczaił się w jakimś wewnętrznym cieniu, a ją obległy sapiące psy, domagające się poświęcenia im uwagi. Usta dziewczyny rozciągnęły się w nieznacznym uśmiechu i zdusiły ostatni szloch. Trudno było cierpieć, gdy lgnęły do niej kochające zwierzaki – ale zarazem trudno było nie cierpieć.

Nie słyszała matki stojącej pod drzwiami, dopóki ta się nie odezwała.

– Andy?

Natychmiastowa, automatyczna odpowiedź:

– Zostaw mnie samą.

– Telefon do ciebie.

– Nie chcę z nikim rozmawiać.

– Wiem – łagodnie odparła matka. A potem dodała: – To Ćma.

Andy Candy odetchnęła gwałtownie. W ciągu ułamków sekund zalały ją wspomnienia, dobre i szczęśliwe, ścierające się ze smutnymi i pełnymi udręki.

– Jest na linii, czeka – powtórzyła matka.

– A czy on wie… – zaczęła Andy Candy, ale przerwała, bo przecież znała odpowiedź. Oczywiście, że nie wie.

To była jedna z tych chwil, kiedy Andy Candy natychmiast zrozumiała, że jeśli powie „nie" albo „weź od niego numer, później oddzwonię" lub „powiedz, żeby zadzwonił później" to niezależnie od powodu, dla którego telefonował, ów powód wyparuje i przepadnie na zawsze. Nie była pewna, co powinna zrobić. Nurt przeszłości porwał ją niczym silny prąd odciągający od bezpiecznej plaży. Przypomniała sobie śmiech, miłość, podniecenie, przygodę, nieco bólu i trochę przyjemności, a potem wściekłość oraz taki inny rodzaj depresji, gdy ze sobą zerwali. Moja pierwsza licealna miłość, pomyślała. Moja jedyna prawdziwa miłość. To pozostawia głęboki ślad.

Miała ochotę powiedzieć matce: „Dzięki, ale nie, dziękuję bardzo. Mam już w życiu wystarczająco dużo bólu. Teraz po prostu chcę być sama. I nie zamierzam się tłumaczyć". Ale nie zrobiła tego, nie wypowiedziała żadnej z myśli rozlegających się teraz w niej echem.

– Odbiorę – powiedziała, zaskakując samą siebie. Wstała, a psy rozpierzchły się po podłodze.

Sięgnęła po telefon. Uniosła słuchawkę w stronę ucha, ale zatrzymała w pół drogi i ze złością spojrzała na matkę, która natychmiast wycofała się na korytarz, poza zasięg głosu. Andy Candy wzięła głęboki oddech, zastanawiając się przez chwilę, czy zdoła mówić tak, by głos jej nie drżał, a potem wyszeptała łagodnie:

– Ćma?

– Cześć, Andy – powiedział Ćma.

Dwa słowa, wypowiedziane z odległości wielu kilometrów i lat – jednak zarówno odległość, jak i czas skurczyły się w jedną chwilę, pędząc wspólnie niczym w trakcie eksplozji. Miała wrażenie, że Ćma nagle stanął obok w niej w tym pokoju i głaszcze po policzku. Odruchowo uniosła rękę, jak gdyby naprawdę poczuła ten dotyk.

– Minęło dużo czasu – powiedziała.

– Wiem. Ale sporo o tobie myślałem – odparł Ćma. – Ostatnio nawet jeszcze więcej. Co tam u ciebie?

– Niezbyt dobrze – odpowiedziała.

Westchnął.

– U mnie też.

– Po co w ogóle dzwonisz? – zapytała.

Andy Candy zaskoczyła własna opryskliwość. Pomyślała, że to do niej niepodobne, chociaż rozumiała także, że może postępować źle. Już samo słuchanie głosu dawnego chłopaka wypełniało ją tyloma sprzecznymi uczuciami, że nie wiedziała nawet, czy w ogóle powinna z nim rozmawiać.

– Mam problem – oznajmił.

Mówił powoli i z namysłem, co nie pasowało do Ćmy, którego pamiętała, impulsywnego, pełnego wręcz szatańskiej energii. Starała się wyczuć, jakim człowiekiem stał się w ciągu minionych lat.

– Nie – poprawił się. – Mam wiele problemów. Małych i dużych. I nie wiem, do kogo innego mógłbym się zwrócić. Niewielu jest teraz ludzi, którym mogę zaufać. Dlatego pomyślałem o tobie.

Nie wiedziała, czy to był komplement.

– Słucham – rzuciła i od razu uświadomiła sobie, że jeśli chce, żeby kontynuował, to powinna powiedzieć coś więcej. Ćma już taki był. Wystarczało lekkie szturchnięcie i od razu się otwierał. – Dlaczego najpierw nie zadzwoniłeś do…

– Mojego stryja – powiedział szybko, przerywając jej. A potem powtórzył, sam do siebie: – Mojego stryja … – Te dwa słowa wydawały się rozbrzmiewać przepełniającą je rozpaczą i goryczą. – Ufałem mu, ale on umarł.

– Przykro mi to słyszeć – odparła Andy Candy. – Był psychiatrą, prawda?

– Tak. Pamiętasz.

– Spotkałam go tylko raz albo dwa. Nie był taki jak inni z twojej rodziny. Lubiłam go. Był zabawny. Tyle pamiętam. Jak on?…

Nie musiała kończyć pytania.

– Nie tak jak twój tata. Nie chorował. Nie było szpitala ani księdza. Mój stryj się zastrzelił. A raczej tak właśnie wszyscy myślą. Cała ta moja rodzina o spiętych pośladkach i cholerne gliny.

Andy Candy milczała.

– Wątpię, żeby się zabił – podjął Ćma.

– Wątpisz?

– Tak.

– To jak…

– Jest tylko jedna inna możliwość. Myślę, że go zamordowano.

Przez chwilę milczała.

– Dlaczego tak uważasz?

– On by się nie zabił. To do niego nie pasowało. Pokonał tyle problemów, że jakiś nowy, o ile w ogóle by zaistniał, aż tak nie wytrąciłby go z równowagi. I nie zostawiłby mnie całkiem samego. Nie teraz, nie ma mowy. A skoro on tego nie zrobił musiał to zrobić ktoś inny.

Andy Candy uświadomiła sobie, że tak naprawdę to żadne wyjaśnienie. Cały ten wniosek opierał się na bardzo kruchych podstawach.

– Do mnie należy odnalezienie tego, kto go zabił – głos stał się chłodny i twardy, ledwie go poznawała. – Nikt inny nie będzie szukał. Tylko ja.

Znowu zamilkła. Ta rozmowa była całkiem inna, niż się spodziewała, nawet jeśli nie wiedziała, czego właściwie powinna się spodziewać.

– Dlaczego – zaczęła, tak naprawdę nie oczekując odpowiedzi.

– A kiedy już go znajdę, to będę musiał go zabić. Kimkolwiek jest – oznajmił Ćma.

Co za niespodziewana zaciekłość. Nie zadzwoni po gliny, czy nawet po prostu czegoś z tym nie zrobi, czegoś takiego niekreślonego, niewyraźnego, takiego naprawdę do zaaprobowania. Andy Candy była zaszokowana, zdumiona, przeraziła się. Ale nie odłożyła słuchawki.

– Potrzebuję twojej pomocy – powiedział Ćma.

Pomoc mogła oznaczać wiele rzeczy. Andy Candy opadła z powrotem na łóżko, gwałtownie, jak gdyby mocno ją pchnięto. Trzasnęła słuchawką. Nie była pewna, czy zdoła nabrać powietrza.

Zabójczyni.

Nie składaj obietnic, których nie zdołasz dotrzymać.

3

Na spotkanie wybrał miejsce, które wydawało się neutralne i miłe.

A przynajmniej nie przywoływało czegoś z przeszłości i niczego nie mówiło o jego przewidywaniach związanych z przyszłością – o ile jakakolwiek istniała. Jechał autobusem i muskał palcami fotografię przedstawiającą Andy w wieku siedemnastu lat. Szczęśliwą, zerkającą znad burgera z frytkami. Jednak odepchnął to wspomnienie.

– Cześć. Mam na imię Timothy, jestem alkoholikiem. Jestem trzeźwy od trzech dni.

– Cześć, Timothy! – odpowiedzieli zgromadzeni w Redemptorze Jeden.

Pomyślał, że cała grupa wydaje się przygnębiona tym, co się stało, ale szczerze się cieszy, że znowu z nią jest. Gdy na początku spotkania niezgrabnie wślizgnął się do środka, kilku stałych bywalców podniosło się z krzeseł i uściskało go z radością, a jeszcze paru opatuliło kondolencjami, o których wiedział, że na pewno są szczere. Miał pewność, że wszyscy dowiedzieli się o śmierci stryja i bez trudu potrafili sobie wyobrazić, w co go wepchnęła. Kiedy przyszła jego kolej aby przemówić, pomyślał sobie, że może znaczyć dla nich wszystkich więcej niż oni dla niego, chociaż dokładnie nie wiedział dlaczego.

– Całe trzy cholerne dni – powtórzył, zanim usiadł.

Ćma zapisał w swoim mentalnym kalendarzu, co robił przez dotychczasowych dziewięćdziesiąt godzin trzeźwości.

Dzień pierwszy:

Obudził się na czerwonym piachu baseballowego boiska Małej Ligi. Nie pamiętał, gdzie spędził większą część nocy. Zginął mu portfel i jeden but. Wszystko przytłaczał smród wymiocin. Nie miał pojęcia, skąd wziął siły, aby utykając, powrócić tych dwadzieścia siedem przecznic do domu. Oczywiście najpierw musiał się zorientował, gdzie w ogóle jest. Ostatnich kilka skrzyżowań przekuśtykał na stopie otartej przez chodnik do żywego mięsa. Już w mieszkaniu wysunął się z ubrania niczym wąż ze zużytej skóry i doprowadził do porządku – gorący prysznic, czesanie, potem jeszcze mycie zębów. Wszystko, co miał na sobie, wyrzucił do śmietnika. Uświadomił sobie, że od śmierci stryja minęły dwa tygodnie, a on przez ten czas ani razu nie był w domu. Nawet się cieszył z tego, że urwał mu się film, bo dzięki temu nie pamiętał, na jakich jeszcze innych boiskach spał.

Powiedział sobie, że ma się teraz zebrać do kupy, cały dzień spędził w zacienionym mieszkaniu, chory, ze skurczonym żołądkiem. Dzienne poty zmieniły się w nocne poty. Bał się wychodzić na zewnątrz, jak gdyby tuż za drzwiami czekała na niego zmysłowa, uwodzicielska syrena, kusząc, żeby wybrał się do sklepu z gorzałą albo najbliższego baru. Niczym Odyseusz z antycznych mitów próbował się przywiązać liną do masztu.

Dzień drugi:

Pod koniec dnia siedział obolały i trzęsący się na podłodze obok łóżka. Odsłuchał w końcu serię wiadomości od swoich rodziców. Byli wściekli, rozczarowani i przypuszczalnie także zmartwieni, chociaż niełatwo było to wychwycić. Nagrali mu się na sekretarce, więc z pewnością wiedzieli, gdzie zniknął, chociaż bez żadnych konkretów. Zresztą wcale nie musieli znać adresów spelun, które go przygarnęły. Dowiedział się też, że przegapił pogrzeb stryja. To wywołało u niego godzinny atak szlochu.

Zaskoczyło go trochę, że potem nie wyszedł jednak na drinka. Drżały mu ręce, ale nawet ten drobny akt oporu przeciwko nałogowi podniósł go, na duchu. Powtarzał sobie jak mantrę: Rób tak, jak robiłby stryj Ed, rób tak, jak robiłby stryj Ed. Nocą trząsł się pod cienkim kocem, chociaż w mieszkaniu panował duszny skwar, a powietrze było ciężkie i wilgotne.

Dzień Trzeci:

Rano, kiedy już zaczynał mu przechodzić łupiący ból głowy i niekontrolowane drgawki, zadzwonił do Susan, asystentki prokuratora stanowego, tej, od której dostał wizytówkę. Nie wydawała się zdziwiona, że go słyszy, ani też, że tak długo zwlekał z odezwaniem się.

– Timothy, to zamknięta sprawa, a właściwie prawie zamknięta – poinformowała spokojnie. – Właśnie czekamy na ostateczne wyniki toksykologii. Przykro mi to mówić, ale wszystko wskazuje na samobójstwo.

Nie wyjaśniła, dlaczego jest jej przykro, a Ćma nie zapytał. Odparł tylko słabym głosem:

– Ciągle w to nie wierzę. Mogę przeczytać te akta, zanim je schowacie?

– Naprawdę myślisz, że to ci pomoże? – spytała.

Było jasne, że w tym kontekście słowo „pomoże" nie miało nic wspólnego ze śmiercią jego stryja.

– Tak – odparł, ale bez przekonania. Umówił się, że przyjdzie do niej do biura, jakoś w tygodniu.

Kiedy odłożył słuchawkę, wrócił do łóżka i ponad godzinę wpatrywał się w sufit. Postanowił dwie rzeczy. Po pierwsze, jeszcze dzisiaj wieczorem wróci do Redemptora Jeden, bo właśnie tego chciałby stryj. Po drugie, zadzwoni do Andy Candy, bo gdy próbował znaleźć chociaż jedną osobę na całym świecie, która wysłuchałaby go, nie uznając przy tym za na wpół oszalałego z rozpaczy, za gadającego bez sensu pijanego głupka – to tylko ona przychodziła mu na myśl.

Ćma miał całkiem niezłe połączenie autobusowe do Matheson Hammock Park. Siedział z tyłu i na kilka centymetrów uchylił sobie szybę, aby czuć nieprzytłumiane ustawicznym, chłodnym nawiewem klimatyzacji zapachy hortensji, azalii i kerosyny, unoszące się wśród popołudniowego upału. W autobusie oprócz niego siedziało tylko kilka osób. Ćma patrzył na czarną kobietę – domyślił się, że pochodziła z Jamajki – w białym pielęgniarskim kitlu, która trzymała egzemplarz *Hiszpańskiego dla początkujących* z pozaginanymi rogami. Zauważył, że porusza ustami, ucząc się języka, którego znajomość była niezbędna, gdy się pracowało w Miami.

U stóp Ćmy leżała plastikowa reklamówka z dużą kanapką *media noche*, którą kupił na spółkę dla siebie i Andy, oraz z wodą mineralną i gazowaną lemoniadą. Pamiętał, że Andy Candy lubiła ją pić, gdy urządzali sobie pikniki w South Beach albo Bill Baggs State Park na Key Biscayne.

Nie pamiętał, żeby kiedykolwiek zabrał ją do Matheson Hammock, co w niemałym stopniu przesądziło o wyborze właśnie tego miejsca. Z parkiem nie wiązały ich żadne wspólne wspomnienia. Żadnego muskania warg, jedwabistego dotyku młodych ciał w ciepłej wodzie.

Pomyślał, że o miłosnych marzeniach najlepiej zapomnieć.

Nie wiedział, czy Andy Candy w ogóle się pojawi. Powiedziała, że przyjdzie, a teraz, kiedy stryj nie żył, była najbardziej słowną osobą, jaką w ogóle znał. Jednak tkwiący w nim realista – chociaż przyznawał, że niewiele go już pozostało – nie wyzbył się wątpliwości. Ćma zdawał sobie sprawę, że przez telefon mówił mętnie, zagadkami i pewnie brzmiał przerażająco, kiedy tak nagle wspomniał o morderstwie.

– Ja bym nie przyszedł na spotkanie ze sobą – wyszeptał, gdy autobus zatrzymał się na przystanku. Wstał i wygramolił się z wozu w blask słonecznego wczesnego popołudnia.

Ruszył szeroką ścieżką równoległą do wjazdu do parku. Po drodze, w cieniu cyprysów minęło go kilku biegaczy. Zignorował budkę z koralowca, gdzie jakaś młoda kobieta sprzedawała bilety i mapy pod dużym szyldem z napisem „Ginący habitat Florydy", pokazującym kurczące się terytoria zamieszkane przez miejscową faunę. Zatrzymał się obok palm rosnących na skraju Biscayne Bay. Para młodych Latynosów właśnie odbywała tam próbę ślubu. Ksiądz się uśmiechał i próbował rozładować napięcie dowcipami, które ani trochę nie śmieszyły żadnej z matek przyszłych nowożeńców.

Ćma czekał na skraju parkingu, na ławce, w cieniu pojedynczej palmy. Słyszał piskliwy śmiech dochodzący z krańca parku, gdzie w szerokiej, płytkiej i sztucznej lagunie mieściło się specjalne miejsce do zabaw dla małych dzieci. W blasku słońca pobliska plaża wydawała się jaśnieć srebrem.

Już miał wyciągnąć komórkę i sprawdzić, która godzina, ale zrezygnował z tego. Jeśli Andy Candy się spóźniała, nie chciał o tym wiedzieć. Liczenie na innych zawsze niesie ryzyko, pomyślał. Mogą nie przyjść. Mogą umrzeć.

Zamknął na chwilę oczy, chroniąc je przed jaskrawym blaskiem, i policzył uderzenia serca, jak gdyby sprawdzając puls własnych emocji. Kiedy otworzył powieki, zobaczył, że na parking wjeżdża mały czerwony sedan i zatrzymuje się na jego skraju. Tak jak wiele aut w Miami miał przyciemniane szyby, jednak Ćma dostrzegł jasne włosy i już wiedział, że to Andy Candy.

Wstał, zanim wysiadła z samochodu. Pomachał do niej. Odmachała.

Wyblakłe dżinsy na długich nogach, jasny podkoszulek w pastelowym niebieskim kolorze. Włosy związała z tyłu w swobodny koński ogon, co zwykle robiła przed bieganiem albo pójściem na basen. Na widok Ćmy zsunęła na czoło okulary przeciwsłoneczne. Ich spojrzenia się spotkały. Przez chwilę mierzyli się wzrokiem, starając się dostrzec wszystkie podobieństwa i zmiany. Gdy ruszyła w jego stronę, z każdym jej krokiem czuł narastające w pragnienie ucieczki.

Andy Candy o mało nie zatrzymała się w połowie drogi. Ćma wydał się jej chudy, jak gdyby te wszystkie lata od ukończenia liceum jakoś okroiły jego i tak już smukłe ciało. Zmierzwione włosy miał dłuższe, niż pamiętała, a ubranie wisiało luźno jak na wieszaku. Nie wiedziała, co ma powiedzieć. Nie była pewna, czy powinna go pocałować, uściskać po przyjacielsku, czy tylko podać rękę – czy może w ogóle nic nie robić. Nie chciała się wahać, nie chciała też wyglądać na zbyt gorliwą.

Spokojnie przeszła przez parking. Nie za szybko, nie za wolno, powtarzała sobie w myślach

Ruszył przed siebie, wychodząc z cienia palmy. Pomachaj. Uśmiechnij się. Zachowuj się normalnie, cokolwiek to znaczy, instruował się w duchu.

Spotkali się w połowie drogi

Zaczął unosić ramiona, aby ją objąć.

Pochylił się do przodu, lecz Andy Candy trzymała ręce wyciągnięte przed siebie.

Ta niezręczna pozycja zaowocowała czymś w rodzaju półdotyku. Ich ramiona spoczęły nawzajem na łokciach. Utrzymali między sobą niewielki dystans.

– Cześć, Ćma.
– Cześć, Andreo.
Uśmiechnęła się.
– Dużo czasu minęło.
Pokiwał głową.
– Powinienem… – zaczął i urwał.
Potrząsnęła głową.
– Wiesz, nie sądziłam, że jeszcze kiedyś cię spotkam. Myślałam, że po prostu poszedłeś swoją drogą, a ja swoją. W sumie tak było.
– Mamy trochę wspólnych wspomnień – zauważył.
Wzruszyła ramionami.
– Nastoletnich wspomnień. I to wszystko.
– Bardziej niż nastoletnich – odparł. – Kilka nawet całkiem dorosłych – uśmiechnął się.
– Tak, to też pamiętam – powiedziała, odwzajemniając uśmiech.
– A teraz jesteśmy tutaj – stwierdził.
– Tak. Teraz jesteśmy tutaj.
Milczeli przez chwilę.
– Kupiłem jedzenie i coś do picia – oznajmił Ćma. – Może znajdziemy sobie stół piknikowy i tam pogadamy?
– Dobrze – zgodziła się.
Kiedy tylko usiedli przy zacienionym stole, powiedział:
– Przepraszam, że mówiłem tak, wiesz, wtedy przez telefon…
– Byłeś przerażający. Prawie miałam nie przyjść.
– Kanapką dzielimy się po połowie – oznajmił. – Lemoniada jest cała dla ciebie.
Uśmiechnęła się półgębkiem.
– Pamiętałeś. Nie wiem, czy ją piłam, od kiedy… – urwała. Nie chciała powiedzieć „od kiedy zerwaliśmy", ale i tak zrozumiał, o co jej chodzi. Pchnęła kanapkę w jego stronę. – Już jadłam lunch. Ty zjedz. Wyglądasz, jakbyś marnie się odżywiał.

W jej głosie zabrzmiała surowa nuta.

Pokiwał głową, uznając trafność spostrzeżenia.

– A ty wciąż jesteś piękna. Nawet piękniejsza, niż kiedy… – nie dokończył. On też nie chciał przypominać o ich rozstaniu.

Wzruszyła ramionami.

– Wcale nie czuję się piękna – powiedziała. – Tylko trochę starsza. – I dodała z uśmiechem: – Oboje jesteśmy starsi.

Ćma ugryzł kęs kanaki, a Andy wciąż mu się przypatrywała. Pomyślał, że patrzy na niego jak właściciel zakładu pogrzebowego na nieboszczyka, któremu ma wybrać strój do trumny.

– Ćma, co się z tobą działo? – zapytała.

– Chodzi ci o…

– Tak, po tym, jak zerwaliśmy.

– Poszedłem do college'u. Dostawałem naprawdę dobre oceny. Ukończyłem college z wyróżnieniem, ale nie poszedłem na studia prawnicze, jak chciał mój tata. Zacząłem studia doktoranckie z historii Stanów Zjednoczonych, bo nie wyobrażałem sobie, żebym mógł robić coś innego. Z jego punktu widzenia badanie minionych wydarzeń jest całkowicie bezużyteczne, nawet jeśli właśnie to uwielbiam robić.

Przerwał na chwilę. Wiedział, że nie pytała go o studia.

– Zacząłem mieć problemy z alkoholem – wyznał cicho. – Mnóstwo problemów. Jestem jednym z tych, których psychiatrzy, tacy jak mój stryjek, nazywają nałogowymi pijakami. Zacząłem zaraz po opuszczeniu domu. To było jak chodzenie po cienkiej linie. Pierwszy krok – dobre oceny. Drugi krok – upić się. Trzeci krok – egzamin zdany na bardzo dobry. Czwarty krok – bardzo się upić. Wiesz, jak to jest.

– A teraz? – zapytała.

– Takie problemy zostają na zawsze – powiedział. – Ale stryj Ed mnie dopilnował, odpowiednio ustawił.

Czasem przenikliwe spojrzenie jest równie wymowne jak pytanie. I właśnie takiego spojrzenia użyła Andy, aby skłonić Ćmę, żeby mówił dalej.

– A teraz umarł. Znalazłem jego ciało.

– Zastrzelił się. Mówiłeś, że…

– Że w to nie wierzę – przerwał jej. – Kurwa, ani przez chwilę nie wierzyłem.

Nagła wulgarność stanowiła coś w rodzaju okna prosto na wściekłość, której Andy u Ćmy nie pamiętała. Dłuższą chwilę wpatrywał się w bladoniebieskie niebo. Potem znowu zmusił się do mówienia.

– Właśnie o tym mówiłem przez telefon. Ed by mnie nie zostawił. Byliśmy wspólnikami. Mieliśmy umowę. Nie wiem, może ty nazwałabyś to układem. Taką obietnicę. Nam obu to pasowało. On był trzeźwy, bo mi pomagał. Ja byłem trzeźwy, bo pomagałem jemu, pozwalając mu, żeby mi pomagał. Ciężko to zrozumieć na trzeźwo. Przepraszam, jeśli to nie ma sensu, ale tak właśnie było.

Czuł się zakłopotany, opisując siebie jako pijaka, nieważne, ile w tym było prawdy. Spojrzał na Andy. Już nie była tamtą dziewczyną z liceum, z którą przeżył swój pierwszy raz, przy okazji zabierając jej dziewictwo. Kobieta siedząca przed nim wydawała się dziełem jakiegoś artysty, który wziął szkicowy wizerunek nastolatki, a potem dodał kolor, nieco pełniejsze kształty i tak stworzył pełny portret.

Andy Candy pokiwała głową. Uderzyło ją, że prawdopodobnie nikogo w swoim życiu nie znała lepiej niż Ćmy i zarazem nikt nie był jej bardziej obcy.

– A teraz? – zapytała. – Chcesz zabić jakiegoś tajemniczego kogoś?

Ćma uśmiechnął się.

– To brzmi głupio, prawda?

Andy Candy nie odpowiedziała. Ani nie odwzajemniła uśmiechu.

– Tak właśnie planuję – oznajmił.

– Dlaczego?

– To sprawa honoru – odparł, nieco unosząc głos w szekspirowskim stylu. – Przynajmniej to mogę zrobić.

– To głupie – stwierdziła Andy Candy. – I wcale nie romantyczne. Nie jesteś gliną. Nic nie wiesz o zabijaniu.

– Szybko się uczę.

I znowu nastał okruch ciszy. Ćma odwrócił się, tak żeby widzieć morze.

– Nie spodziewałem się, że zrozumiesz – stwierdził. A to, co naprawdę chciał powiedzieć, brzmiało: „Mam dług i zamierzam go spłacić, a nie ufam nikomu innemu, zwłaszcza jakiemuś gliniarzowi czy sędziemu". Nie powiedział tego. Pomyślał, że może powinien, potem jednak doszedł do wniosku, że nie.

Andy spojrzała na te same odległe błękitne fale.

– A jednak się spodziewałeś – oznajmiła. – Inaczej byś do mnie nie zadzwonił.

Zaczęła się podnosić z miejsca. Głosy w jej głowie krzyczały: „Idź stąd! Szybko, idź!" Wydawały natarczywe, schizofreniczne polecenia, gromkie, nieznoszące sprzeciwu, Idź stąd natychmiast. Tego Ćmy, którego kochałaś, już nie ma.

– Andy – powiedział ostrożnie. – Nie wiem, do kogo innego mógłbym się jeszcze zwrócić.

Usiadła ponownie. Pociągnęła długi łyk słodkiej gazowanej lemoniady.

– Ćma, dlaczego uważasz, że mogę ci pomóc?

– Nie wiem. Po prostu pamiętam, że... – przerwał.

Spojrzała na niego, potem na morze, potem na niebo. Wyciągnęła przed siebie rękę, ale gwałtownie ją cofnęła. Musiał dostrzec ten ruch, bo z powrotem odwrócił się w jej stronę i położył swoją dłoń na jej dłoni. Przez chwilę spoglądała w dół, na ich dłonie. Czuła, jak elektryczna pamięć przenika przez skórę. Wysunęła rękę.

– Nie dotykaj mnie – powiedziała cicho, niemal szeptem.

– Przepraszam. Nie miałem zamiaru...

– Nie chcę, żeby ktokolwiek mnie dotykał. – Te słowa wypadły jej z ust, na wpół rozpaczliwe, na wpół wściekłe. Nagle wystraszyła się, że zaraz zacznie płakać i wszystko, co jej się przytrafiło, gwałtownie wypłynie na powierzchnię. Widziała, że Ćma stara się zrozumieć.

– W ogóle nie powinnam się z tobą spotykać – dodała łagodniej. – Złamałeś mi serce.

Ćma potrząsnął głową.

– Swoje serce też złamałem. Byłem głupi Andy. Przepraszam.

– Nie chcę przeprosin – odparła. Wzięła głęboki oddech, wślizgując się w uporządkowany, oficjalny ton. – Bez najmniejszych wątpliwości, to był błąd. Słyszysz mnie? Błąd. A co chcesz, żebym teraz zrobiła?

– Straciłem prawo jazdy. Możesz mnie podwieźć w kilka miejsc?

– Tak. Mogłabym to zrobić.

– A towarzyszyć mi, kiedy będę rozmawiał z paroma osobami?

– Tak. Jeśli to wszystko.

– Nie – powiedział wolno. – Jest jeszcze jedno.

– Dobra. Co?

– Jeżeli teraz uznasz, że jestem kompletnym świrem, to mi powiedz. A potem odejdź na zawsze.

Miał teraz oznajmić jedyną rzecz, którą musiał jej powiedzieć, i jedyną, którą ćwiczył, jadąc autobusem do parku.

Umilkła. Część niej nalegała: Powiedz mu to już teraz, potem wstań, wyjdź i nawet się nie oglądaj. Andy Candy poczuła się, jakby osuwała się po stromej skale, nie mogąc znaleźć uchwytu. Spojrzała na Ćmę i pomyślała, że powinna to dla niego zrobić, bo przecież kiedyś go kochała z żarliwą nastoletnią gorliwością, a pomaganie mu będzie stanowić jedyny sposób na pozbycie się wszystkich resztek tamtego uczucia, które jeszcze gdzieś w niej tkwiły.

– Dokończ kanapkę – powiedziała.

4

Łykaj spluwę, pomyślała.

Nie bez zezwolenia.

Do diabła, o tym wcale nie musi decydować ktoś inny, nieważne, jakie są zasady. Po prostu łykaj spluwę.

Susan Terry spojrzała nad swoim stołem w stronę obrońcy z urzędu, siedzącego obok klienta, chudego, wystraszonego siedemnastolatka ze śródmieścia, takiego dzieciaka-mężczyzny z ostatniej klasy liceum, którego złapano z pół kilograma marihuany w plecaku. Pod trawą miał w dodatku tani pistolet półautomatyczny kaliber dwadzieścia pięć. Kiedyś nazywano taką broń „Gorączką Sobotniej Nocy", ale teraz to określenie wyszło z użycia, bo w Miami, tak jak w innych amerykańskich miastach, każda noc mogła się okazać sobotnia.

Adwokat, jej kolega ze studiów prawniczych, był miłym facetem, który po prostu znalazł się po drugiej stronie sądowej barykady. Dziesięć lat temu przeprowadzili udaną debatę na inscenizacji rozprawy, zaliczyli też razem jakąś wpadkę. Susan wiedziała, że teraz jest bardzo przepracowany, przytłoczony. Jeżeli komukolwiek miałaby odpuścić, to właśnie jemu. Zresztą pół kilo zioła nie stanowiło jakiejś wielkiej ilości, zwłaszcza w mieście, gdzie w złotych czasach zgarniano całe tony kokainy.

Przebiegała spojrzeniem po dokumentach z aresztowania i wstępnych pismach procesowych, podczas gdy jej uszy odbierały i od razu ignorowały nieprzerwaną kakofonię wściekłych głosów i łomotu metalowych barier wypełniającą główny areszt hrabstwa. Nieustającą melodię rozpaczy.

Dzieciak jechał rowerem. Glina, który go aresztował, tłumaczył niejasno, że zatrzymał go i zrewidował, bo ten jechał „nieprawidłowo". Pomyślała, że coś takiego można powiedzieć o każdym nastoletnim rowerzyście. W sądzie dałoby się to utrzymać albo i nie.

Gliniarz zrobił jeszcze jeden błąd. Zgarnął dzieciaka na ulicy, poza szkolną „strefą wolną od narkotyków". Dwadzieścia pięć metrów dalej, a chłopak trafiłby do stanowego zakładu penitencjarnego, nieważne, jak wielką prawniczą elastycznością wykazałaby się Susan Terry.

Pewnie było tak, pomyślała, że tamten gliniarz zobaczył plecak, miał przeczucie i nie chciał dłużej czekać. Okazało się, że przeczucie go nie myliło.

W myślach przygotowywała już prawniczy wywód na temat całego zatrzymania i rewizji. Wiedziała, że adwokat robi dokładnie to samo.

W szkole dzieciak miał dobrą opinię. Przed sobą perspektywę studiów licencjackich. Może nawet na uniwersytecie stanowym, gdyby tylko podciągnął się z matematyki i dalej grał w drużynie koszykówki. Pracował na pół etatu, smażąc hamburgery w McDonaldzie, wychowywał się w pełnej rodzinie – mieszkali z nim ojciec, matka i babcia. A co najważniejsze, jeszcze nigdy go nie zatrzymano – coś niesamowitego, gdy ktoś dorasta w samym centrum Liberty City.

Ale ta spluwa to rzeczywiście był problem. Po co wiózł ją do szkoły?

Łykaj to, powtórzyła sobie. Dzieciak ma szansę.

„Łykaniem spluwy" w prokuratorskim slangu nazwano obniżenie ustawowego na Florydzie minimum trzech lat pozbawienia wolności za przestępstwo związane z bronią palną. Biuro prokuratora zaczerpnęło ten termin z gwary więziennej i używało jako zachęty do przyznania się do winy, po to by w ostatniej chwili można było skrócić listę zarzutów.

Dla policjantów z kliniczną depresją i cierpiących na psychozę wojenną weteranów z Iraku ten zwrot oznaczał coś innego.

– Sue, odpuść nam – zaproponował obrońca z urzędu. – Spójrz na dossier tego chłopaka, jest naprawdę dobre…

Wiedziała, że jej kolega ze studiów rzadko miewa klientów z „dobrym" dossier i będzie bardzo, wręcz rozpaczliwie chciał znaleźć jakieś pozytywne rozwiązanie.

– Chętnie zapomnę o rewizji dokonanej przez tamtego gliniarza. A mógłbym całkiem nieźle podeprzeć się stwierdzeniem, że stanowiła pogwałcenie praw mojego klienta. Tak czy siak, jeśli chłopak teraz pójdzie siedzieć, to wyjdzie za cztery lata. Wiesz, co się stanie w więzieniu. Nauczą go, jak być prawdziwym przestępcą, i wiesz, że to, co potem zrobi, będzie znacznie gorsze od tej działki miękkiego narkotyku, która tak naprawdę aż się prosi, żeby ją uznać za zwykłe wykroczenie.

Susan Terry zignorowała go i wpatrywała się uważnie w nastolatka.

– Po co miałeś pistolet? – spytała.

Chłopak zerknął na adwokata, który pokiwał głową.

– Teraz wszystko jest nieoficjalne. Możesz jej powiedzieć.

– Bałem się – stwierdził chłopak.

Dla Susan było w tym trochę sensu. Każdy, kto po zmroku jechał przez Liberty City, wiedział, że jest tam sporo rzeczy, których można się bać.

– No, dalej – naciskał adwokat. – Powiedz jej.

Chłopak zaczął dukać swoją historię. Uliczne gangi, transport marihuany – tylko jeden raz – dla osiedlowych zbirów, żeby dali spokój jemu i jego młodszej siostrze. Plecak i pistolet były dla faceta, który miał rozprowadzać trawę. Nie całkiem w to wierzyła, chociaż na pewno była w tym jakaś prawda. Ale czy cała? Nie, do cholery.

– Znasz nazwiska?

– Jak podam pani ich nazwiska, to oni mnie zabiją.

Susan wzruszyła ramionami. To już nie mój problem, pomyślała.

– I co teraz? Powiem ci co. Pogadaj ze swoim prawnikiem. Posłuchaj tego, co ma ci do powiedzenia, bo tylko on cię dzieli od kompletnego zrujnowania sobie życia. Zamierzam wezwać detektywa z miejskiego wydziału narkotykowego. Zanim się tutaj zjawi, sądzę, że za jakieś piętnaście minut, masz już podjąć decyzję. Jeśli podasz nam nazwiska tych skurwysynów, którzy dilują prochami na twoim osiedlu, to stąd wyjdziesz. Nieważne, że była jakaś spluwa. Ale jeśli będziesz siedział cicho, to do zobaczenia za czas jakiś, bo pójdziesz za kartki. I nie zostaniesz tym, kimkolwiek twoja mama chce, żebyś został. Właśnie taki masz teraz wybór.

Susan, bez trudu przyjęła pozę twardej babki. Bardzo lubiła słowo „skurwysyn", bo zazwyczaj szokowało podejrzanych, gdy padało z ust atrakcyjnej kobiety.

Nastolatek nerwowo poprawił się na krześle. Typowe i codzienne miejskie rozterki egzystencjalne, pomyślała. Wybierzesz jedno, to jesteś w dupie. Wybierzesz drugie, też jesteś w dupie.

Jej kolega ze studiów doskonale wiedział, o co chodziło z pokazem twardości. Praktykował własną tego wersję, od czasu do czasu i w takich samych okolicznościach. Objął klienta ramieniem w przyjacielskim, uspokajającym geście, który znaczył: „Jestem jedyną osobą na całym świecie, której możesz zaufać", i jednocześnie odezwał się do Susan:

– Wezwij tego swojego detektywa.

Susan odsunęła się od stołu.

– Tak zrobię.

Uśmiechnęła się. Wężowym uśmiechem.

– Zadzwoń do mnie później – oznajmiła prawnikowi. – Mam spotkanie i nie mogę się spóźnić.

Co ja tutaj robię? – zastanawiała się Andy Candy. Miała ochotę powiedzieć to głośno, wręcz wykrzyczeć, ale trzymała usta zamknięte. Siedziała obok Ćmy w strefie bezpieczeństwa prokuratury stanowej w Dade. Ćma trzymał dłonie na kolanach i nerwowo bębnił palcami po wyblakłych spodniach koloru khaki.

Kiedy jechali do prokuratury, mieszczącej się w podobnym do fortecy gmachu przyległym do Metro Dade Justice Building, prawie się nie odzywał. Budynek był solidny, dziewięciokondygnacyjny, już nie nowoczesny, ale jeszcze za młody na zabytek. Kojarzył się z rzeźnią przemysłową, ciągle przetwarzając niekończące się dostawy przestępstw i przestępców. Przeszli przez szerokie drzwi oraz wykrywacze metalu, wjechali windą na górę i wreszcie dotarli do strefy bezpieczeństwa, gdzie teraz czekali. Kręciło się tu mnóstwo prawników, detektywów i pracowników sądu, przez co buczenie elektrycznego systemu obsługującego bramkę uruchamianą, zza kuloodpornej szyby właściwie nie ustawało. Większość przychodzących i wychodzących zdawała się obeznana z procedurą, a prawie wszyscy gdzieś się spieszyli, śląc komunikat „nie mogę czekać", jak gdyby o winie lub niewinności decydował jakiś stoper odmierzający czas.

Andy Candy i Ćma wyprostowali się, kiedy zwalisty strażnik o grubym karku i z pistoletem kaliber dziewięć milimetrów w kaburze wywołał nazwisko Ćmy. Wyjęli dowody tożsamości.

Strażnik wskazał Andy Candy.

– Tej pani nie mam na liście – oznajmił. – To świadek?

– Pani Terry, asystent prokuratora stanowego, nie wiedziała, że ją przyprowadzę – odparł Ćma.

Strażnik wzruszył ramionami. Spisał dane Andy Candy: wzrost, wagę, kolor oczu, kolor włosów, datę urodzenia, adres, telefon, numer ubezpieczenia, numer prawa jazdy. Dokładnie przeszukał jej torebkę, a potem kazał im znowu przejść przez wykrywacz metali.

Po drugiej stronie spotkali się z sekretarką.

– Proszę za mną – powiedziała energicznie, stwierdzając rzecz oczywistą.

Poprowadziła ich labiryntem biurek, którymi zastawiono duże, centralne pomieszczenie. Wokół tej przestrzeni mieściły się wejścia do gabinetów prokuratorskich. Na wszystkich wisiały tabliczki z nazwiskiem.

Oboje jednocześnie zauważyli tabliczkę z napisem: „S. Terry. Ciężkie przestępstwa".

– Już czeka – oznajmiła sekretarka. – Proszę wejść.

Susan spojrzała na nich znad, szarego metalowego biurka, zawalonego grubymi stertami papierów. Na blacie stał przestarzały komputer. Z tyłu, obok okna wisiała tablica z listami dowodów i świadków, zebranymi w grupy pod numerami spraw zapisanymi na czerwono. Na ścianie za plecami Susan zobaczyli duży kalendarz, gdzie pozaznaczano obowiązkowe przesłuchania oraz inne wystąpienia w sądzie. Pojedyncze okno wychodzące na areszt hrabstwa wpuszczało wątły snop światła. Nie było żadnych ozdób poza kilkoma dyplomami w czarnych ramkach i paroma oprawionymi artykułami z gazet. Trzy z tych artykułów zilustrowano czarno-białym zdjęciem Susan. To było ascetycznie urządzone pomieszczenia, przeznaczone tylko do tylko jednego celu: funkcjonowania systemu sprawiedliwości.

– Cześć, Timothy – powiedziała Susan.

– Cześć, Susan – odparł Ćma.

– Kim jest twoja przyjaciółka?

Andy Candy wysunęła się do przodu.

– Nazywam się Andrea Martine – przedstawiła się, ściskając dłoń prokurator.

– Dlaczego pani tu przyszła?

– Potrzebuję pomocy – wyjaśnił Ćma. – Andy to moja stara przyjaciółka i miałem nadzieję, że zdoła mi zapewnić nieco szerszą perspektywę.

Susan przypuszczała, że jego słowa nie są ani zupełnie prawdziwe, ani też zupełnie nieprawdziwe. Ale to było bez znaczenia. Spodziewała się jedynie krótkiej, może smutnej, może nieco trudnej rozmowy, po której jej udział w sprawie dotyczącej śmierci jego stryja miał się zakończyć. Gestem zaprosiła oboje, żeby usiedli.

– Przykro mi z powodu tego, co się stało – oznajmiła. Sięgnęła pod blat i wyjęła brązową teczkę z dokumentami. – Tamtego wieczoru, kiedy zmarł twój stryj, akurat miałam dyżur. W naszym biurze jest taka zasada, że kiedy to tylko możliwe, asystent prokuratora stanowego przyjeżdża na miejsce ewentualnego zabójstwa. Pomaga to zapewnić podstawy prawne dla łańcucha dowodowego. Ale jeśli chodzi o twojego stryja, już od samego początku było jasne, że nie chodzi o morderstwo. Proszę – powiedziała, pchając teczkę w stronę Ćmy. – Sam przeczytaj.

Kiedy Ćma zaczął przeglądać akta, Susan odwróciła się w stronę komputera.

– Te zdjęcia nie są zbyt przyjemne – odezwała się do Andy Candy – Są w aktach i tutaj, na monitorze. Podobnie jak raport policji, raport zespołu specjalistów od kryminalistyki oraz wyniki sekcji i toksykologii.

Ćma zaczął wyciągać z teczki kolejne kartki.

– Wyniki badań toksykologicznych...

– Był czysty. Zero narkotyków. Zero alkoholu.

– I to ciebie nie dziwi? – zapytał Ćma.

– A dlaczego ma dziwić? – odparła Susan.

– Gdyby po tylu latach wrócił do picia, to może wpadłby w taką rozpacz, że aż by się zastrzelił. Ale nie wrócił.

Susan powiedziała ostrożnie:

– Owszem. Rozumiem, że tak możesz myśleć. Jednak badania nie wykazały nic, co by wskazywało na coś innego niż samobójstwo. Drobiny prochu w skórze świadczą, że strzał oddano z bliska, przyciskając lufę do czoła. Miejsce, gdzie na podłodze leżała broń, pasuje do upuszczenia jej przez twojego stryja po tym, jak impet wystrzału pchnął go w dół i na bok. Z gabinetu nic nie zginęło. Nie było śladów włamania. Nie było śladów walki. W kieszeni twój stryj miał portfel z ponad dwustoma dolarami w gotówce. Osobiście przesłuchałam jego ostatnią pacjentkę z tamtego dnia, która wyszła niedługo przed piątą po południu. To była stała pacjentka, odwiedzała twojego stryja co tydzień przez ostatnich osiemnaście miesięcy.

Sięgnęła po notatnik.

– Detektywi przesłuchali też wszystkich innych jego obecnych pacjentów. Do tego jego byłą żonę, jego obecnego partnera oraz paru kolegów. Nie znaleźliśmy dowodów na istnienie jakichś wrogów, nikt też ich istnienia nie sugerował. – Przewertowała kilka stron w notatniku. – Sprawdzenie finansów wykazało kilka powodów do zmartwień. Za swoje mieszkanie był winien więcej, niż rzeczywiście było warte, co w Miami nie jest czymś specjalnym. Miał jednak wystarczająco dużo w akcjach oraz inwestycjach, żeby to pokryć z górką. Nie był hazardzistą wiszącym sporą forsę bukmacherowi. Nie był winien majątku jakiemuś dilerowi. Lepiej byłoby, gdyby zostawił jakiś list, to by pomogło. Ale jest jeszcze jedna rzecz potwierdzająca nasz tok myślenia.

Kiedy Susan mówiła, wzrok Ćmy krążył chaotycznie po dokumentach. Uniósł spojrzenie. Otworzył usta, jak gdyby chciał się odezwać. Potem zmienił zdanie i powiedział co innego, niż wcześniej planował.

– Co to takiego?

– Na recepcie napisał dwa słowa.

– Jakie?

– „Moja wina" – zacytowała Susan. – Widać to na fotografii biurka. Czy pamiętasz, żebyś to zauważył, jak znalazłeś ciało?

– Nie.

Ponad blatem wręczyła Ćmie odpowiednie zdjęcie. Przyjrzał mu się dokładnie.

– Oczywiście nie jesteśmy w stanie określić, kiedy to zapisał. To mogło tam leżeć cały dzień, może nawet tydzień. Mogło też wyniknąć z tego, że się o ciebie martwił, bo w końcu dzwoniłeś do niego kilka razy, rano i po południu, mamy listę połączeń. Ale nam to wygląda na przeprosiny samobójcy.

– Wcale tak nie wygląda – rzucił Ćma. – To wygląda, jakby było nagryzmolone na szybko. Jakby w ogóle nie zamierzał tego komuś pokazywać. – Potem dodał już spokojniej: – To też może oznaczać coś innego, prawda?

– Tak, ale wątpię.

– Mówiłaś, że jego ostatnia pacjentka wyszła o piątej po południu?

– Tak. Tak naprawdę nawet trochę wcześniej.

– Stryj Ed powiedział mi, że wypadł mu jeszcze jeden, nagły przypadek. A potem miał się spotkać ze mną…

– Tak, to było w twoich zeznaniach. Ale brak zapisu o jeszcze jednej wizycie. Za to z jego kalendarza wynika, że ktoś miał przyjść następnego dnia o szóstej. Najprawdopodobniej coś mu się pomieszało.

– Był psychiatrą. Nic mu się nie mieszało.

– Oczywiście, że nie – odparła Susan. Starała się nie mówić protekcjonalnym tonem. Chociaż to, czego nie powiedziała głośno, brzmiało: Przecież to jasne jak cholera, że mu się coś pomieszało, bo napisał ‚moja wina', zanim się zastrzelił. Może nawet nie pomieszało, tylko zwyczajnie popieprzyło.

Susan spojrzała na Andy Candy. Dziewczyna w milczeniu wpatrywała się w błyszczące kolorowe zdjęcie formatu dwadzieścia na dwadzieścia pięć centymetrów, zbliżenie na stryja Eda leżącego twarzą na biurku, z kałużą krwi pod policzkiem. A niech się uczy, pomyślała prokurator.

Andy Candy jeszcze nigdy nie widziała podobnej fotografii, wyjąwszy telewizję albo filmy, jednak wtedy to się wydawało jakieś bezpieczne, bo nierealne, bo stanowiło fikcję, stworzoną, żeby uzyskać większy dramatyzm. To zdjęcie było takie szorstkie, jednoznaczne, wręcz obsceniczne. Chciało jej się rzygać, ale nie potrafiła oderwać od niego wzroku.

– Przykro mi, Timothy, ale tak to właśnie wygląda – oznajmiła Susan.

Ćma nie cierpiał tego frazesu.

– Tak by mogło wyglądać – powiedział, a w jego głosie zabrzmiało napięcie. – Nadal w to nie wierzę.

Susan machnęła ręką nad dokumentami i zdjęciami.

– Widzisz tutaj coś innego? – zapytała. – Przykro mi. Wiem, jak bliski był ci stryj. Ale depresja mogąca doprowadzić do samobójstwa często jest bardzo dobrze ukryta. Twój stryj, biorąc pod uwagę jego doświadczenie, praktykę zawodową i pozycję jako psychiatry, mógł sobie zdawać z tego sprawę. I potrafić wszystko ukryć lepiej niż większość innych ludzi.

Ćma pokiwał głową.

– To prawda – przyznał i odchylił się na krześle. – Czyli że tak to wygląda?

– Owszem – potwierdziła Susan. Nie dodała: „Chyba że ktoś gdzieś pojawi się z czymś zupełnie innym, co pokaże, że się całkowicie mylę i będę musiała zmienić zdanie, ale jest jasne jak cholera, że tak nie będzie".

– Mogę to zatrzymać?

– Zrobiłam dla ciebie kopię kilku raportów, Timothy, ale naprawdę wątpię, czy to coś da. Wiesz, co powinieneś zrobić?

Odpowiedziała na jego pytanie, zanim zdołał je zadać.

– Powinieneś iść na spotkanie AA – oznajmiła. – Wrócić do Redemptora Jeden. – Uśmiechnęła się. – Widzisz? Przyjęła się ta nazwa, którą wymyśliłeś. Idź tam, Timothy. Przychodź tam co wieczór. Wyrzuć to z siebie. Poczujesz się znacznie lepiej.

Starała się być łagodna, ale w tej jej radzie dawało się wyczuć cynizm.

Ćma w milczeniu zebrał zestaw kopii zdjęć oraz raportów przygotowany przez Susan Terry. Kilka chwil wpatrywał się w każdą fotografię, tak aby wryła mu się w pamięć, zupełnie jakby mógł wniknąć w obrazy i przenieść się do gabinetu stryja. Lekko drżały mu ręce, kiedy zatrzymał się przy zdjęciu pistoletu leżącego obok dłoni Eda. Miał już coś powiedzieć, ale zamilkł. Pospiesznie wertował fotografie, aż wreszcie dotarł do jeszcze jednego takiego zdjęcia. Przyjrzał mu się bardzo uważnie, potem szybko znalazł trzecią, podobną fotografię. Wziął wszystkie trzy i rozłożył na biurku Susan. Wskazał pierwszą: pistolet na podłodze, wyciągnięta ręka.

– Właśnie tak to pamiętam – oznajmił. Głos miał chropowaty i suchy. – I co, nikt niczego nie ruszał?

– Nie ruszał, Timothy. Specjaliści od kryminalistyki niczego nie ruszają, dopóki nie zostanie to obfotografowane, udokumentowane i zmierzone. Naprawdę bardzo na to uważają.

Wtedy wskazał drugie zdjęcie.

Biurko, dolna szuflada. Wysunięta na mniej więcej trzy centymetry.

– Tu też niczego nie ruszali?

– Nie, tak to zastali.

Trzecie zdjęcie.

Biurko, dolna szuflada. Szeroko otwarta.

Czarny, matowy półautomatyczny pistolet kaliber czterdzieści pod kilkoma rozrzuconym papierami, w brunatnej kaburze z jagnięcej skóry.

– A to?... – zapytał.

– Sama otworzyłam szufladę – odparła Susan. – Był ze mną technik, to on robił zdjęcia. To jest zapasowy pistolet, zarejestrowany na twojego stryja. Kupił go parę lat temu, kiedy charytatywnie prowadził terapię w śródmiejskiej klinice w Overtown. Chodził tam wieczorami. Dosyć szemrana okolica. Nic dziwnego, że nosił spluwę.

– Rzucił to zajęcie już jakiś czas temu – dodała po chwili – ale zatrzymał broń.

– Domyślam się, że jej nie użył.

– Timothy, w Miami mnóstwo ludzi ma kilka sztuk broni. Jedną spluwę w schowku na rękawiczki, jedną w aktówce, jedną w torebce, kolejną w szafce nocnej... Sam wiesz.

Ćma zaczął coś mówić, umilkł, potem znowu zaczął i znowu umilkł. Jeszcze chwilę wpatrywał się w zdjęcie.

– Susan, dziękuję, że poświęciłaś mi czas. Spotkamy się na mityngu – rzekł wreszcie i odwrócił się do Andy Candy. – Wiesz, ja jestem alkoholikiem – stwierdził z goryczą, wskazując na prokurator. – A Susan lubi kokainę.

– Zgadza się – bardzo chłodno stwierdziła Susan. – Ale już nie teraz.

– Zgadza się – powiedział Ćma. – Już nie teraz. Zgadza się.

Andy Candy nie do końca rozumiała, co miała oznaczać ta wymiana zdań.

– Myślę, że już pójdziemy – powiedział Ćma.

Niedbale uścisnęli sobie dłonie. Andy Candy i Ćma wyszli z biura, nie zwracając uwagi na sekretarkę. Gdy tylko je opuścili, Ćma złapał dziewczynę za nadgarstek i przyspieszył kroku, ciągnąc ją za sobą tak, jakby wcale nie wyszli przed chwilą ze spotkania, tylko okropnie się na jakieś spieszyli. Widziała, że Ćma zaciska usta, a twarz ma nieruchomą niczym maska.

Mijali strażników, jechali windą, znowu szli korytarzem obok wykrywaczy metalu, wyszli na światło dnia, przekroczyli ulicę, aż wreszcie stanęli pod starym budynkiem sądów.

Ćma cały czas ciągnął Andy Candy za sobą. Prawie musiała biec, aby dotrzymać mu kroku.

Na zewnątrz uderzyły w nich światło słońca i upał. Andy Candy zobaczyła, że Ćma nieco się kuli, jak gdyby nagle otrzymał cios. Zatrzymał się w pół kroku u dołu szerokich schodów. Nieopodal zasadzono drzewa i krzewy, żeby to miejsce nie wyglądało aż tak bardzo surowo. Bez powodzenia.

Milczeli kilka chwil. Przed nimi stary, pomarszczony dozorca ze szlauchem i dużą miotłą krzątał się przy krawężniku, uprzątając to, co Andy Candy uznała za bardzo dziwne śmieci. Na szarym cemencie widziała jakieś czerwono-brązowe strugi oraz porozrzucane pióra. Dozorca zgarnął wszystko na jeden stos, potem szufelką wrzucił na wózek na kołach. Następnie chwycił szlauch i zaczął opłukiwać sprzątane miejsce.

– Martwy kurczak – stwierdził Ćma.

– Co takiego?

– Martwy kurczak. Santeria. Wiesz, taka religia, coś w stylu wudu. Ktoś miał sprawę w sądzie, więc wynajęli *brujo*, żeby złożył pod gmachem ofiarę z kurczaka. Chodziło o to, żeby podsądnemu dopisało szczęście, sędzia zmniejszył mu wyrok czy coś w tym rodzaju.

Ćma uśmiechnął się i potrząsnął głową.

– Może też powinniśmy coś takiego zrobić.

Andy Candy wiedziała, że Ćma jest zdruzgotany śmiercią Eda, dlatego chciała być dla niego łagodna, ale też chciała już sobie iść. Miała własny smutek, z którym musiała się mierzyć, a utknęła w czymś tak emocjonalnym, graniczącym z szaleństwem, akurat gdy najbardziej potrzebowała racjonalności i rutyny.

– I o to chodziło? – zapytała, pewna, że Ćma zrozumie, że nie ma na myśli martwego kurczaka na schodach sądu.

Dostrzegła, że Ćmie drży warga. Lepiej mu pomogę przebrnąć przez to, co go teraz czeka, pomyślała. Zabiorę go na spotkanie AA. Potem zniknę na zawsze.

– Nie o to – stwierdził Ćma.

– Nie?

– Widziałaś tamte zdjęcia?

Przytaknęła.

Odwrócił się do niej. Trochę zbladł albo to jaskrawe światło słońca zmyło mu kolory ze skóry.

– Usiądź przy biurku – polecił.

– Co mam zrobić?

– Usiądź jak przy biurku, tak jak mój stryj.

Andy Candy opadła na stopień schodów, a potem wyprostowała plecy, trzymając przed sobą ręce niczym wzorowa sekretarka.

– Dobra – powiedziała.

Ćma natychmiast usiadł obok niej.

– Teraz się zastrzel – polecił.

– Co?

– To znaczy zrób tak, jak gdybyś się zastrzeliła.

Andy Candy odniosła wrażenie, że osuwa się pod powierzchnię fali, że wstrzymując oddech i tonąc, spogląda poprzez ciemniejącą wodę. W jej wnętrzu nagle na nowo rozgorzał spór, który ucichł, gdy do jej boku powrócił Ćma. Zabójczyni, usłyszała w głowie. Może powinnaś sama się zabić?

Jak kiepski aktor w prowincjonalnym spektaklu nadającym się tylko do tego, by o nim zapomnieć, złożyła dwa palce i kciuk na kształt pistoletu. Teatralnym gestem uniosła je do skroni.

– Bang – powiedziała cicho. – Coś takiego?

Ćma powtórzył jej ruchy.

– Bang – powiedział równie cicho. – To właśnie zrobił mój stryj. Widać to na zdjęciach.

Andy Candy mogła dostrzec ból w jego oczach.

– Tyle że on tego nie zrobił. – Ćma uniósł do skroni swój pistolet z palców. – Powiedz mi, Andy, dlaczego ktoś miałby sięgać do szuflady, w której trzyma broń nieużywaną od lat, częściowo ją otworzyć, a potem jednak użyć innej spluwy, która cały czas leży przed nim na biurku.

Andy spróbowała odpowiedzieć na to pytanie. Nie potrafiła.

Ćma ponownie odegrał całą pantomimę: Sięgnąć do szuflady. Zatrzymać się. Sięgnąć do blatu. Podnieść pistolet.

– Bang – powiedział po raz drugi. Nieco głośniej.

Głęboki oddech. Ćma pokręcił głową.

– Mój stryj był bardzo poukładany. Logiczny. Zawsze mi mówił, że najbardziej precyzyjni ludzie na świecie to jubilerzy, dentyści i poeci, bo wyznają zasadę oszczędnego planowania. A następni w kolejce są psychiatrzy. Bycie pijanym oznaczało bycie niechlujnym i głupim, czego nienawidził. Według Eda dochodzenie do siebie polegało na przykładaniu się do wszystkiego, co się robi. I myślę, że właśnie tego próbował mnie nauczyć.

W jego głosie złość mieszała się z rozpaczą.

– Jaki jest sens w przynoszeniu dwóch pistoletów na miejsce samobójstwa?

Umilkł, odsunął od skroni pistolet z palców i wycelował przed siebie, jak gdyby mierząc do falującego od żaru powietrza nad parkingiem.

– Zamierzam go odnaleźć i zabić – oznajmił z zaciętością w głosie.

5

– Naprawdę się martwię – oznajmił Pierwszy Student. Nawet bardziej niż martwię. Jestem naprawdę zaniepokojony.

– Co ty nie powiesz – odezwała się Druga Studentka.

– A dlaczego nie uzupełnisz tego algorytmu jeszcze o „aż wariuję ze strachu”? – powiedział Trzeci Student.

– I co dokładnie z tym zrobimy? – zapytał Czwarty Student. Starał się zachowywać spokój, bo nastrój gwałtownie zbliżał się do paniki.

– Tak naprawdę to myślę, że jesteśmy w totalnej dupie – stwierdził Pierwszy Student zrezygnowanym tonem.

– Chodzi ci o dupę w sensie akademickim, dupę w sensie emocjonalnym czy może dupę w sensie fizycznym? – zapytała Druga Studentka.

– Wszystkie trzy – odparował Pierwszy Student.

Siedzieli w kącie szpitalnego bufetu, przy kubkach gorącej kawy. Było południe, wokół nich kręciło się mnóstwo ludzi. Od czasu do czasu rozglądali się więc nerwowo.

– Biuro dziekana. Ochrona kampusu. Może chodźmy do profesora Hogana, bo jest tu specjalistą od przemocy i zaburzeń eksplozywnych. Wymyśli, co co z tym zrobić – zdecydowanym tonem stwierdziła Druga Studentka, twarda pielęgniarka z oddziału intensywnej terapii, która poszła do szkoły wieczorowej i przedzierała się teraz przez studia medyczne, opiekę nad dwojgiem małych dzieci powierzając mężowi, strażakowi. – Niech mnie szlag, jeśli pozwolę, żeby ta cała sytuacja jeszcze bardziej wymknęła się spod kontroli. Wiemy, co to za choroba. Schizofrenia. Typu paranoidalnego. Może depresja maniakalna. Jedna z tych rzeczy. Może zaburzenie eksplozywne przerywane. Nie wiem. Dlatego trzeba postawić rzeczywistą diagnozę. I to wszystko w tym temacie. Po prostu musimy coś zrobić, zanim wszyscy znajdziemy się w bagnie, które będzie miało wpływ na nasze przyszłe kariery. I to jest właśnie niebezpieczne.

Jej pragmatyzm był niewygodny dla pozostałej trójki z grupy studentów psychiatrii, którzy przecież pilnie wprawiali się w sztuce niewyciągania pospiesznych wniosków i niewyrażania szybkich opinii na temat różnych zachowań, nieważne, jak dziwacznych czy przerażających.

– Tak. Świetny plan – powiedział Pierwszy Student. – To ma nawet sens, tyle że przez to trafimy przed radę wydziału za wykroczenie akademickie. Nie można tak po prostu zacząć nagonki na innego studenta, jeżeli się nie ma zajebiście mocnych podstaw. A jest jasne jak cholera, że nie chodzi tutaj o plagiat, oszustwo albo molestowanie seksualne.

Pierwszy Student poważnie zastanawiał się nad studiowaniem prawa zamiast medycyny, co odbijało się na jego sposobie myślenia.

– Słuchajcie, my tutaj po prostu spekulujemy na temat konkretnej choroby i na temat tego, co się może stać, bo nasze wszystkie przewidywania to tak po prostu gówno prawda. Nie można rzucić jakiegoś studenta władzom uczelni na pożarcie tylko dlatego, że się myśli, że on może zrobić coś strasznego, że od czasu do czasu zachowuje się nieobliczalnie, może ma urojenia i pasuje do tych wszystkich kategorii chorobowych, które znamy, bo tak się akurat składa, że właśnie się o nich uczymy. To wszystko nie opiera się na dowodach, tylko na przeczuciach.

– A czy ktoś w tej grupie nie ma takich przeczuć? – cynicznie zapytała Druga Studentka. – Nikt nie odpowiedział. – Czy ktoś z nas nie czuje się zagrożony?

I znowu członkowie grupy milczeli. Ktoś wypił łyk kawy.

– Myślę, że mamy przesrane – oznajmił Trzeci Student po dłuższej chwili. Sięgnął do kieszeni na piersi swojego białego kitla. Tydzień temu w końcu rzucił palenie i ten gest wynikał z przyzwyczajenia. Inni od razu go zauważyli. Wszyscy przecież doskonalili się w umiejętności obserwacji. – Zgadzam się z wami. Ale musimy coś zrobić, nawet jeśli oznaczałoby to podjęcie ryzyka.

– Cokolwiek zrobimy, ja nie zamierzam zarobić oficjalnej nagany. Nie chcę, żeby coś trafiło do moich akt. Nie mogę sobie na to pozwolić – oznajmiła Druga Studentka.

– Twoje akta będą gówno warte, jeśli... – rzucił Pierwszy Student. Nie musiał kończyć.

– Dobra, w porządku – odparła Druga Studentka. – To na początek idziemy do profesora Hogana, bo to najmniej prowokacyjna rzecz, jaką możemy zrobić. – Jej głos nieco drżał. – I spotkajmy się z nim cholernie szybko. Albo niech chociaż jedno z nas się z nim zobaczy.

– Ja pójdę – oznajmił Czwarty Student. – Miałem u niego bardzo dobry. Ale wszyscy będziecie musieli mnie poprzeć, jeśli was wezwie, żebyście potwierdzili moje słowa.

Przytaknęli pospiesznie. Wszyscy czuli się zaniepokojeni, podenerwowani. Wzdrygali się przy każdym hałasie. Zwyczajny tu brzęk i grzechot naczyń, od czasu do czas jakaś głośniejsza rozmowa przy sąsiednim stole – żadna z tych rzeczy teraz nie wtapiała się łagodnie w tło. Wydawało się, że Piąty Student może w każdej chwili pojawić się w drzwiach, z pistoletem w ręku.

– Potrzebuję jakiejś listy – powiedział Czwarty Student. – Niech każdy dokładnie spisze spostrzeżenia na temat niepokojących zachowań. Bądźcie tak szczegółowi, jak się tylko da. Nazwiska. Daty. Miejsca. Świadkowie. I nie chodzi tylko o to, jak widzieliśmy, że bez żadnej konkretnej przyczyny dusi szczura laboratoryjnego. Potem zabiorę to wszystko na spotkanie z profesorem Hoganem.

– Niezwłocznie – rzucił Piewszy Student. – Wiecie tak samo dobrze jak ja, że gdy ktoś jest na krawędzi, to się może całkiem szybko stoczyć. On potrzebuje pomocy. A idąc do profesora Hogana, przypuszczalnie mu pomagamy.

Pozostali przewrócili oczyma, wpatrując się w sufit.

– Przypuszczalnie – powtórzył Pierwszy Student.

– Przypuszczalnie. Jasne – powiedział Trzeci Student.

Żadne z nich tak naprawdę nie wierzyło, że w ten sposób, chociaż odrobinę pomogą koledze, jednak wypowiadanie tego kłamstwa uspokajało. Wszyscy wiedzieli, że tak naprawdę chodzi o chronienie ich samych, ale nikt nie chciał głośno się do tego przyznać.

– Czyli wszyscy się zgadzamy? – zapytał Czwarty Student.

Szybkie spojrzenia ponad stołem, gdy członkowie grupy wzajemnie szukali poparcia.

– W porządku. Zobaczę się z profesorem Hoganem jutro rano, przed jego wykładem – ostrożnie powiedział Czwarty Student. – Wcześniej niech każdy przyniesie mi swoją listę.

Plan wydawał się prosty. Byli studentami przywykłymi do ciężkiej pracy, robienia notatek i pilnowania terminów. Cierpliwe oszacowywanie przychodziło im wręcz automatycznie, a to zadanie zdawało się niewiele od niego różnić. Ed Warner zerknął na zegar wiszący na ścianie.

– Mamy pierwszego kwietnia 1986 roku – powiedział. – Prima aprilis. Łatwo to będzie zapamiętać. Jest dokładnie druga trzydzieści po południu, a cała czwórka studentów z grupy Alfa z psychiatrii doszła właśnie do porozumienia.

Andy Candy szła kilka kroków za Ćmą, kiedy spieszył korytarzem w stronę gabinetu swojego stryja – tylko po to, aby nagle zatrzymać się na widok żółtej policyjnej taśmy grodzącej przejście. Były to dwa długie pasma z napisem „Nie wchodzić". Układały się w „X", krzyżując na tabliczce z napisem „Edward Warner, doktor nauk medycznych, psychiatra".

Ćma uniósł rękę. Andy Candy pomyślała, że zamierza zerwać taśmę.

– Ćma – powiedziała – nie powinieneś tego robić.

Jego dłoń gwałtownie opadła.

– Muszę od czegoś zacząć – oznajmił znużonym głosem.

A od czego?, pomyślała, a później uświadomiła sobie, że chyba woli nie znać odpowiedzi.

– Ćma – odezwała się tak łagodnie, jak tylko potrafiła. – Chodźmy coś zjeść, potem zawiozę cię do domu i może dasz radę się nad tym wszystkim zastanowić.

Odwrócił się do swojej dawnej dziewczyny i potrząsnął głową.

– Kiedy się nad tym wszystkim zastanawiam, to jedyne, co z tego mam, to depresja. A jak mam depresję, to jedyne, czego chcę, to się napić. – Uśmiechnął się krzywo, lekko unosząc kącik ust. – Lepiej dla mnie będzie, jeżeli pozostanę w ruchu, nawet jeśli poruszam się w złą stronę. – Uniósł palec i dotknął policyjnej taśmy. Potem sięgnął do klamki. Drzwi były zamknięte na klucz.

– Chcesz się włamać? – zapytała Andy Candy.

– Tak – odparł Ćma. – Reszta mnie wali. Gdzieś jest prawda. I zamierzam pukać o nią do wszystkich drzwi.

Uśmiechnęła się, chociaż wiedziała, że włamywanie się tutaj to nic dobrego i pewnie jest nielegalne. To, co powiedział, bardzo przypominało tego Ćmę, którego kiedyś kochała.

Wtedy umiał łączyć psychologię z praktyką i poezją, w mieszankę, która była dla niej niczym miód, słodka i nieskończenie kusząca, ale zarazem lepka, grożąca zamętem.

Ale gdy Ćma już sięgał do taśmy, za ich plecami na korytarzu otworzyły się jeszcze jedne drzwi. Słysząc to, oboje się odwrócili. W drzwiach stał nieco przysadzisty ciemnowłosy mężczyzna w średnim wieku, poprawiający właśnie poły niebieskiej marynarki. Znieruchomiał na ich widok.

– Co państwo tutaj robią? – zapytał. – Tutaj nie ma wstępu. – Mówił z silnym hiszpańskim akcentem.

– Wchodzimy do gabinetu mojego stryja – odparł Ćma.

Mężczyzna się zawahał.

– Pan to Timothy? – spytał.

– Tak, a bo co? – napastliwym tonem odpowiedział Ćma.

– Aha – powiedział mężczyzna. – Pański stryj dużo o panu opowiadał. – Ruszył w ich stronę, wyciągając dłoń. – Jestem doktor Ramirez – przedstawił się. – Mam gabinet obok pańskiego stryja, sam już nie wiem od ilu lat. Bardzo mi przykro z powodu tego, co się stało. Byliśmy przyjaciółmi i kolegami po fachu.

Ćma pokiwał głową.

– Nie widziałem pana na pogrzebie – kontynuował doktor Ramirez.

– Bo mnie na nim nie było – odparł Ćma i z nagłą, nerwową szczerością, która zaskoczyła Andy Candy, dodał: – Wpadłem w pijacki ciąg.

Doktor nie wydawał się tym poruszony.

– A jak jest teraz?

– Mam nadzieję, że znowu wszystko pod kontrolą.

– Tak. Pod kontrolą. To trudne przy takich nagłych emocjonalnych ciosach. Miałem wielu pacjentów, którym prowadziłem terapię od lat i nagle coś nieoczekiwanego ich powalało wtedy, gdy najmniej się tego spodziewali. Ale wie pan, pański stryj był bardzo dumny z waszej wspólnej trzeźwości. Między wizytami pacjentów często chodziliśmy razem na lunch i z wielką przyjemnością oraz wyraźną dumą opowiadał o pana postępach. Pisze pan doktorat z historii, prawda?

Ramirez mówił nieco kaznodziejskim tonem, jak gdyby każda wyrażana przez niego opinia miała natychmiast zostać przekuta w życiową mądrość. U niektórych ludzi podobny sposób wypowiadania się można uznać za pretensjonalny, ale u tego okrągłego psychiatry wydawał się przyjazny.

– Pracuję nad tym – powiedział Ćma.

Przez chwilę milczeli, a potem doktor Ramirez rzekł:

– No dobrze. Gdyby pan chciał porozmawiać, moje drzwi są dla pana otwarte.

– Miło z pana strony – odparł Ćma. To był taki psychiatryczny akt dobroczynności. „Wiem, że masz kłopoty, a najlepsze, co ci mogę zaproponować, to że cię wysłucham".

– Może pana o coś zapytam. – Ćma zastanowił się przez chwilę. – Doktorze, ma pan gabinet zaraz obok. Czy pan tutaj był, kiedy mój stryj…

Doktor Ramirez potrząsnął przecząco głową.

– Nie słyszałem wystrzału, jeśli o to pan pyta. Wtedy już mnie tutaj nie było. To była środa, a pański stryj w środy zwykle wychodził ostatni. Zazwyczaj kilka minut przed szóstą. W poniedziałki to ja przyjmuję pacjentów do późna, w pozostałe dni inni psychiatrzy z tego piętra zostają nieco dłużej. Jest nas tutaj pięciu, dlatego zawsze staramy się wzajemnie dopasowywać harmonogramy.

Wydawało się, że Ćma musi to sobie przetrawić.

– Czyli gdybym przyszedł do pana i zadał pytanie: „W jaki dzień mój stryj będzie sam na tym piętrze?", to pan albo ktokolwiek inny od razu by odpowiedział: „W środę". Zgadza się?

Doktor Ramirez spojrzał na Ćmę z uznaniem.

– Panie Timothy, mówi pan jak detektyw, a nie jak student historii – powiedział. – Owszem. Zgadza się.

– Doktorze, mogę panu zadać osobiste pytanie?

Ramirez wyglądał na nieco zaskoczonego. Skinął głową.

– Jak pan sobie życzy – odparł. – Tylko nie wiem, czy będę w stanie odpowiedzieć.

– Znał pan stryja Eda. Czy pan uważa, że miał skłonności samobójcze?

Doktor Ramirez zastanawiał się przez chwilę, po jego twarzy widać było, że przetwarza wspomnienia i podejrzenia. Ćma to poznawał. Właśnie coś takiego cechowało jego stryja, typowa dla psychiatry potrzeba zastanowienia się przed udzieleniem każdej odpowiedzi, rozważenia, jaki wpływ wywrą wypowiedziane słowa, dlaczego zapytano właśnie o coś takiego i co w rzeczywistości kryje się za pytaniem.

– Nie, Timothy – odpowiedział Ramirez. – Nie stwierdziłem żadnych widocznych oznak depresji, sugerujących chęć samobójstwa. Powiedziałem o tym policji, kiedy mnie przesłuchiwano. Wydaje mi się, że niewiele sobie zrobili z mojej obserwacji. Ale sam fakt, że niczego nie zauważyłem, nie oznacza jeszcze, że niczego nie było i że Edward nie ukrywał się z tym lepiej niż inni. Jednak nie dostrzegłem niczego alarmującego. A przecież na dzień przed śmiercią jadł ze mną lunch.

Umilkł, wyciągnął notatnik i pospiesznie zapisał jakieś nazwisko i adres.

– Ed wiele lat temu do niego chodził. Może…

Przerwał i sięgnął do kieszeni spodni. Wyjął pęk kluczy, poszperał wśród nich, zdjął jeden z łańcuszka i przesadnym, teatralnym gestem upuścił na dywan.

– Ojej! – powiedział z uśmiechem. – Mój zapasowy klucz do gabinetu pańskiego stryja. Musiał mi wypaść.

Potem wskazał w stronę drzwi.

– Jeśli pan zamierza się włamywać, to czy mógłby pan poczekać, aż sobie pójdę? Wolałbym nie być w to zamieszany. – Wypowiadając to oczywiste kłamstwo, uśmiechnął się pod nosem. – Przepraszam – powiedział jeszcze, jakby się usprawiedliwiając; ton jego głosu stał się zarazem smutny i ostrożny. – Nie wiem, co pan tam znajdzie, ale może to panu coś da. Powodzenia. Nie mam w zwyczaju odwracać się od ludzi szukających odpowiedzi. Kiedy już pan skończy, niech pan wsunie klucz pod dywan obok moich drzwi.

Doktor Ramirez odwrócił się do Andy Candy, lekko jej się ukłonił, a potem wycofał się korytarzem i zniknął w windzie.

Ćma i Andy siedzieli niewygodnie ściśnięci obok siebie na sofie, której Ed używał, przyjmując tych paru pacjentów, którym robił psychoanalizę. Za sobą mieli wielką barwną fotografię zachodu słońca nad parkiem Everglades. Na drugiej ścianie wisiała jaskrawa abstrakcyjna reprodukcja jakiegoś dzieła Kandinskiego. Pod kolejną ścianą stał skromny regał z książkami, głównie pozycjami z zakresu nauk medycznych. Obok biurka wisiały trzy dyplomy oprawione w ramki. To wszystko jednak niewiele mówiło, kim naprawdę był właściciel gabinetu. Andy Candy podejrzewała, że jest tak specjalnie. Ćma wpatrywał się w solidne dębowe biurko stryja. W jego spojrzeniu widać było irytację.

– Nie potrafię tego dostrzec – powiedział wolno. – Już prawie jest, a potem zaraz blaknie.

Andy Candy zatrzymała się gdzieś między próbą wyobrażenia sobie, co widzi Ćma, a odgadnięcia, co teraz zrobi.

– Co próbujesz zobaczyć?

– Jego ostatnie chwile. – Ćma nagle wstał. – Patrz, tutaj siedzi. Wie, że mamy się spotkać i że to ważne. Ale zamiast tego poświęca swój czas na napisanie „Moja wina" na receptcie, na sięgnięcie po pistolet, który nawet nie jest tym, jakiego używa od lat, i na zastrzelenie się. Gliniarze i Susan starają się nam wmówić, że właśnie tak było.

Chodził w kółko, zbliżając się do biurka i obchodząc fotel dla pacjentów, którym stryj nie robił psychoanalizy. Prawie się zakrztusił, widząc zaschnięte bordowe plamy krwi na beżowym dywanie i drewnianym blacie. Kiedy się odezwał, głos mu lekko drżał.

– Andy, tym, co chcę zobaczyć, jest ktoś na tym fotelu, z bronią w ręku. Nakłaniający mojego stryja, żeby… – przerwał w pół słowa.

– Do czego?

– Sam nie wiem.

– Kogo?

– Sam nie wiem.

Andy Candy wstała.

– Ćma, chodźmy już – powiedziała łagodnie. – Z każdą sekundą, jaką tutaj spędzasz, jest ci coraz trudniej.

Przytaknął. Miała rację.

Andy Candy zrobiła nieznaczny gest w stronę drzwi, jak gdyby zachęcając Ćmę, aby ruszył przodem. Jednak nagle przyszedł jej do głowy pewien pomysł. Zawahała się przez chwilę, potem powiedziała:

– Policja i Terry byli pewni, że to samobójstwo, prawda? Nawet z tym pistoletem na podłodze, obok twojego stryja. Czyli że pierwsze, co zrobili, to sprawdzenie wszystkich typowych podejrzanych. „Typowi podejrzani", jak tytuł jakiegoś filmu. Mówiła przecież, że właśnie tak zrobili. Sprawdzili listę jego pacjentów, pewnie też byłych pacjentów. Rozmawiali z przyjaciółmi, sąsiadami, sprawdzili, czy miał jakiś wrogów, prawda? Zanim doszli do tych swoich wniosków, wykluczyli wszystkie inne rzeczy, prawda? Prawda? – powtórzyła z zimną determinacją.

– Tak – powiedział Ćma. – Prawda i jeszcze raz prawda.

– Więc jeżeli jest tak, jak myślisz, a nie tak, jak oni myślą, to musimy sprawdzać tam, gdzie nie sprawdzali – oznajmiła Andy Candy. – Tylko to ma sens.

Sama była zaskoczona własną logiką. Albo antylogiką. Sprawdźmy tam, gdzie nie ma sensu sprawdzać. Zastanowiła się, skąd u niej taki pomysł. Ponownie wskazała otwarte drzwi gabinetu.

– Pora iść – powiedziała ostrożnie. – Jeżeli w tym pokoju naprawdę był morderca, tak jak mówiłeś, i właśnie tutaj siedział, to na pewno nie zostawił nic, co wzbudziłoby jakiekolwiek podejrzenia policji.

Aż ją zdumiał własny pragmatyzm.

6

Dwie rozmowy. Jedna wymyślona, druga prawdziwa.

Pierwsza:

– *On nas wszystkich hamuje. Musimy się go pozbyć.*

– *Dobra, złożymy skargę u dziekana. Ale ten nasz kolega z grupy wyraźnie przechodzi jakiś kryzys emocjonalny.*

– *Nie obchodzi nas, jak wielki przechodzi kryzys albo stres, albo jakie ma trudności, jakby tego nie nazwać. Jest chory. Wielki, kurwa, problem. Chuj z nim. Chcemy się go po prostu pozbyć, żeby nie zaszkodził naszym karierom.*

– *Jasne. To ma sens. Pomogę wam.*

Jeśli coś takiego naprawdę miało miejsce, to miało sens dla wszystkich poza jedną osobą.

I druga:

– *Cześć, Ed.*

Najpierw chwila pełna zakłopotania. Ed spodziewał się kogoś, a zjawił się ktoś inny. Potem brak słów. Opadająca szczęka.

– *Nie poznajesz mnie?*

Pytający znał już odpowiedź, wyraźnie widział w oczach Eda Warnera, że ten nagle go rozpoznał.

Następnie powoli i z rozmysłem wyjął pistolet z wewnętrznej kieszeni marynarki i wycelował go nad burkiem. Pistolet był mały. Kaliber dwadzieścia pięć, samopowtarzalny, na pociski o wydrążanych czubkach, rozszczepiające się po zetknięciu z celem. Robiły niezły bałagan, dlatego korzystali z nich profesjonalni zabójcy. Taką broń wybierały również przestraszone kobiety albo zaniepokojeni właściciele domów, wyobrażając sobie że uchroni ich w razie napaści przestępców w środku nocy, albo inwazji rozszalałych zombie. Przypuszczalnie nie przydałaby się ani w jednym, ani w drugim wypadku. Była to również ulubiona broń zawodowych morderców, niewielka, łatwa do ukrycia, prosta w obsłudze i zabójcza na krótkie dystanse.

– *Ed, nie sądziłeś, że jeszcze mnie kiedyś zobaczysz, prawda? Że wpadnie cię odwiedzić twój dawny kolega z grupy badawczej.*

Poszło mniej więcej tak, jak w pozostałych przypadkach. „Inaczej, ale tak samo" – łącznie z chwilą, gdy w notatniku na biurku Eda napisał „Moja wina" i wyszedł.

Jedną ze spraw, które zdumiewały Piątego Studenta, było to, jak nienaturalnie spokojny stał się przez te lata doskonalenia sztuki zabijania. Nie, żeby myślał o sobie jako o mordercy w typowym znaczeniu tego słowa. Nie miał szramy na policzku ani więziennych tatuaży. Nie był ulicznym bandziorem w workowatych dżinsach i baseballowej czapce z daszkiem. Nie był także zimnookim, profesjonalnym cynglem na usługach jakiegoś handlarza narkotyków, noszącym swoją psychopatologię niczym ubranie. Nie uważał się nawet za geniusza zbrodni, chociaż czuł pewną dumę z tego, że przez lata udoskonalił swoje umiejętności. Prawdziwi przestępcy – uważał – posiadają taki fundamentalny deficyt moralny i psychologiczny, który skłania ich do tego, aby byli takimi, jacy są. Chcą rabować, kraść, gwałcić, torturować, zabijać. Czują ku temu przymus. Chcą pieniędzy, seksu i władzy. Obsesja. Potrzeba działania nakłania ich do popełniania zbrodni. Ale nie mnie. Ja chcę tylko sprawiedliwości. Uważał, że pod względem stylu i temperamentu bliżej mu do jakiegoś klasycznego mściciela, co w jego wyobrażeniu stanowiło szczególne usprawiedliwienie popełnianych czynów.

Zatrzymał się na rogu Siedemdziesiątej Pierwszej i West End Avenue, czekając na zmianę świateł. Zahamowała jakaś taksówka, unikając zderzenia z facetem w nowym, błyszczącym cadillacu. Rozległ się krótki pisk opon, któremu towarzyszyło wzajemnie otrąbienie się klaksonami i pewnie jeszcze przekleństwa rzucane w kilku językach, które jednak nie zdołały już przebić się przez szyby aut. Muzyka miasta. Jakiś autobus wypchany ludźmi wracającymi z pracy prychnął, wypuszczając gryzące spaliny. Słychać było daleki stukot metra. Obok zakasłała kobieta pchająca wózek z dzieckiem. Uśmiechnął się do malca i pomachał mu ręką. Dziecko odwzajemniło uśmiech.

Pięcioro ludzi zrujnowało mi życie. Byli niefrasobliwi. Bezrefleksyjni. Samolubni. Skupieni na sobie, tak jak tylu zarozumiałych egoistów.

Teraz został już tylko jeden.

Sam był pewien, że nie zdołałby stawić czoło własnej śmierci, nie zdołałby nawet stawić czoło przybliżającym do niej latom, jeżeli wcześniej nie zrobiłby wszystkiego, co tylko w jego mocy, aby się zemścić.

Sprawiedliwość, pomyślał, to mój jedyny nałóg.

Oni byli rabusiami. Mordercami.

Winny. Winny. Winny. Winny. Ostatni werdykt.

Światła się zmieniły i przeszedł przez ulicę razem z kilkoma innymi pieszymi, w tym kobietą z dzieckiem w wózku, która z wprawą manewrowała na krawężnikach. Jedną z rzeczy, jakie najbardziej lubił w Nowym Jorku, było to, że automatycznie zapewniał anonimowość. Dryfował teraz w morzu ludzi: miliony ludzkich żyć, które zsumowane nic nie znaczyły. Czy ta osoba obok to ktoś ważny? Ktoś spełniony? Ktoś wyjątkowy? Ci tutaj mogli być każdym: lekarzami, prawnikami, biznesmenami albo nauczycielami. Mogli nawet być tym samym co on – katami.

Ale nikt niczego nie wiedział. Miejskie chodniki odbierały wszelkie znaki szczególne i wszelką tożsamość.

W trakcie swoich studiów nad zabijaniem – do takiego doszedł filozoficznego wniosku – podziwiał Nemezis, grecką boginię zemsty. Wierzył, że podobnie jak ona ma skrzydła i ma jej cierpliwość.

A zatem poczynił odpowiednie przygotowania, aby podążyć jej drogą.

Stał się ekspertem od broni krótkiej i w stopniu wyższym niż biegły wyszkolił w używaniu potężnego sztucera oraz kuszy. Nauczył się walki wręcz i tak wyrzeźbił swoje ciało, żeby mijające lata wywierały na nie jak najmniejszy wpływ. Ukończył Iron Man Triathlon, uczestniczył w wielu kursach kierowania pojazdem przy dużej prędkości, organizowanych przez szkoły nauki ekstremalnej jazdy. Sumiennie chodził do internisty na coroczne badania kontrolne, uzależnił się od fitness klubu i joggingu po Central Parku, zwracał uwagę na to, co je: wybierał głównie świeże warzywa, produkty z pełnym białkiem i owoce morza. Nie pił alkoholu. Co roku nawet szczepił się przeciw grypie. Pilnie studiował książki w bibliotekach, stał się też komputerowym ekspertem samoukiem. Na półkach miał mnóstwo kryminałów oraz książek o przestępstwach, z których czerpał pomysły i wiedzę na temat różnych technik kryminalnych. Pomyślał, że mógłby wykładać w Kolegium Prawa Karnego Johna Jaya.

Zrobiłem doktorat ze śmierci.

Szedł dalej na północ. Miał na sobie dopasowany ciemnoniebieski trzyczęściowy garnitur w prążki i drogie włoskie buty ze skóry. Szyję nonszalancko obwiązał białym jedwabnym szalikiem, chroniąc się przed zimnym wiatrem. W jego lotniczych lustrzanych okularach przeciwsłonecznych odbijał się blask popołudniowego słońca. To była piękna pora dnia, gdy gasnące promienie przedzierały się betonowymi i ceglanymi kanionami apartamentowców, jak gdyby nabierając prędkości przed ostatecznym prześlizgnięciem się ciemnymi wodami rzeki Hudson. Dla każdego przechodnia wyglądał pewnie jak jakiś zamożny profesjonalista wracający z biura po udanym dniu. A to, że nie miał żadnego biura i ostatnie dwie godzinny spędził na beztroskim spacerze ulicami Manhattanu, w żaden sposób nie osłabiało wizerunku, który pokazywał światu.

Piąty Student posiadał trzy różne nazwiska, trzy różne tożsamości, trzy różne domy, fikcyjne zajęcia, paszporty, prawa jazdy oraz numery ubezpieczenia, a do tego jeszcze fikcyjnych znajomych, fikcyjne upodobania, hobby, style życia. Ustawicznie przeskakiwał między nimi. Urodził się w całkiem zamożnej rodzinie: medycyna stanowiła w niej tradycyjne zajęcie, kolejne pokolenia medyków dałoby się prześledzić aż do pól bitewnych Gettysburga i Shiloh. Ojciec był znanym kardiochirurgiem, z własną praktyką w centrum miasta, cieszącym się przywilejami w najważniejszych szpitalach i niezbyt pochwalał synowskie zainteresowanie psychiatrią. Bez powodzenia tłumaczył, że prawdziwą medycynę uprawia się tylko w sterylnym kitlu, skalpelem, wśród krwi. „Oglądanie bijającego serca – na tym właśnie polega ratowanie życia" – zwykł mawiać. Mylił się. A w zasadzie nie tyle się mylił, ile był ograniczony.

Piąty Student uznał, że nazwisko, z którym przyszedł na świat, go zniewala, więc je porzucił, pozostawiając za sobą razem ze swoją przeszłością, kiedy wszystkie swoje fundusze powiernicze oraz inwestycje giełdowe przekształcał w anonimowe zagraniczne konta. To było imię jego młodości, jego ambicji, jego dziedzictwa, a potem także tego, co uznawał za swoją straszliwą klęskę. Nosił je, gdy po raz pierwszy, całkiem bezradny runął w psychozę maniakalno-depresyjną, kiedy wyrzucono go ze studiów medycznych i w kaftanie bezpieczeństwa jechał do prywatnego zakładu dla psychicznie chorych. Właśnie tego imienia używali lekarze prowadzący terapię i z tym imieniem w końcu się z niej wyłonił, rzekomo ustabilizowany – tylko po to, aby przyjrzeć się pustkowiu, którym stało się jego życie.

Gardził słowem „ustabilizowany".

Opuszczając klinikę, gdzie spędził prawie rok, był jeszcze młodym człowiekiem, ale już wiedział, że musi teraz stać się kimś nowym. Już raz umarłem. Teraz żyję ponownie.

Od dnia, w którym go wypuszczono, przez każdy kolejny rok starannie zażywał przepisaną mu codzienną dawkę psychotropów. Regularnie co sześć miesięcy chodził na piętnastominutowe wizyty u psychofarmakologa, aby mieć pewność, że niespodziewane halucynacje, niepożądana mania i niepotrzebny stres wciąż trzymane są w ryzach. Z takim samym oddaniem i rygorem, z jakimi trenował swoje ciało, ćwiczył także swoją poczytalność.

I udało mu się. Nie miał żadnych nawracających porywów szaleństwa. Stał się zrównoważony. Stabilny emocjonalnie. Poświęcił czas starannemu konstruowaniu nowych tożsamości. Każdą z tych fikcyjnych postaci zmienił w kogoś rzeczywistego.

Na Osiemdziesiątej Siódmej Zachodniej pod numerem121, w apartamencie 7B, był Brucem Phillipsem.

W Charlemont w stanie Massachusetts mieszkał w zdezelowanym podwójnym domku kempingowym przy Zoar Road, z pordzewiałą anteną satelitarną i popękanymi okiennicami oraz widokiem na fragment rzeki Deerfield, gdzie rekreacyjnie poławiano pstrągi. Znano go tam jako Blaira Munroe. To nazwisko stanowiło swoisty hołd złożony literaturze, o czym wiedział zresztą tylko on. Lubił porywające myśliwskie opowieści Sakiego, skąd zaczerpnął „Munroe'a". Dosyć niechętnie do tego prawdziwego nazwiska pisarza dodał literę „e". Z kolei „Blair" było prawdziwym nazwiskiem George'a Orwella.

Na Key West mieszkał w niewielkim, wyremontowanym za duże pieniądze domu po wytwórcy cygar z lat dwudziestych przy Angela Street i nazywał się Stephen Lewis. „Stephen" od Stephena Kinga albo Stephena Dedalusa – co jakiś czas zmieniał zdanie odnośnie literackiego pierwowzoru. „Lewis" od Lewisa Carrolla, który w rzeczywistości nazywał się Charles Dodgson.

Wszystkie nazwiska były fikcyjne, podobnie jak osoby, które do nich stworzył. Prywatny specjalista od inwestycji w Nowym Jorku. Pracownik socjalny szpitala dla weteranów w Massachusetts. Na Key West handlarz narkotykami, któremu się poszczęściło, zarobił mnóstwo forsy na jednym dużym transporcie i poszedł na emeryturę, zamiast dać się pochłonąć chciwości i w końcu trafić w ręce DEA oraz za kratki.

Co jednak dziwne, z żadną z tych osób tak naprawdę się nie utożsamiał. Myślał o sobie tylko jako o Piątym Studencie. Właśnie nim był, kiedy zmieniło się jego życie. I właśnie Piąty Student systematycznie naprawiał teraz ogromne krzywdy, tak bezmyślnie i niefrasobliwie wyrządzone mu w młodości.

Wciąż idąc na północ, szybko skręcił w lewo na Riverside Drive, aby zerknąć z parku ponad Hudson w stronę New Jersey, jeszcze zanim słońce całkowicie zajdzie. Zastanowił się, czy nie powinien zajrzeć do sklepu po drugiej stronie Broadwayu i kupić sobie na kolację opakowania sushi. Miał kolejną śmierć do starannego przestudiowania, oszacowania oraz głębokiej analizy. Taka pośmiertna konferencja z samym sobą, pomyślał. Musiał także rozważyć tę śmierć, jaka została mu do wykonania. Przedśmiertna konferencja z sobą samym. Bardzo chciał, aby ten ostatni akt stanowił coś specjalnego i żeby osoba, na którą zapoluje, miała tego świadomość. Ostatnia ofiara powinna wiedzieć, co się zbliża. Żadnych niespodzianek. Taki dialog ze śmiercią. Konwersacja, na którą nie mogłem sobie pozwolić lata temu. Jego pragnienie zawierało w sobie zarówno ryzyko, jak i wyzwanie – przez co czuł smakowite wyczekiwanie. I właśnie wtedy rachunki zostaną ostatecznie wyrównane.

Uśmiechnął się. Morderstwo jako forma psychoanalizy.

Piąty Student przystanął na ulicy i zerknął w stronę rzeki. Dokładnie tak, jak się spodziewał, błyszczący okrawek złota z ostatniego wysiłku słońca znaczył teraz powierzchnię wody.

Do nikogo i do wszystkich wokół powiedział:

– Jeszcze jeden.

Tak jak zawsze, tak jak przy realizacji wszystkich swoich planów, zamierzał działać z chirurgiczną precyzją. Teraz jednak się niecierpliwił. Żadnych przedłużających się opóźnień. To jedno zachowaliśmy na sam koniec. Zajmij się tym teraz i uwolnij swoją przyszłość.

7

Pierwsza rozmowa doktora:

Przedstawicielka handlowa oprowadzająca Jeremy'ego Hogana po domu spokojnej starości wręcz promieniała od opisów wspaniałości dostępnych mieszkańcom ośrodka. Wyśmienite posiłki (ani przez chwilę w to nie wierzył) podawane do prywatnych pokojów albo w doskonale urządzonej jadalni; nowoczesny, zadaszony basen oraz sala gimnastyczna; cotygodniowe pokazy najnowszych filmów; książkowe grupy dyskusyjne; wykłady emerytowanych sław, obecnie pensjonariuszy domu. Bulgoczący w kobiecie entuzjazm łączył się z nieco trzeźwiejszą prezentacją zestawu dostępnych usług medycznych – „Czy pan potrzebuje codziennego zastrzyku z insuliny?" – zespołu wysoko wykwalifikowanych i dyżurujących całą dobę pielęgniarek, przyrządów do rehabilitacji ruchowej, a w razie prawdziwie nagłej potrzeby szybkiego dostępu do pobliskich szpitali.

Hogan miał w głowie tylko jedno pytanie, którego nie zadał: Czy zdołam się tutaj ukryć przed mordercą?

Ludzie spotykani na korytarzach wyłożonych miękkimi dywanami zawsze byli uprzejmi. Mijali go na motorowych wózkach albo przechodząc z wolna, wsparci na balkonikach lub laskach. Słyszał wiele pytań w rodzaju „Cześć, jak się masz?" albo „Piękna pogoda, nieprawdaż?", na które tak naprawdę nie spodziewano się innej odpowiedzi niż fałszywie przyjazny uśmiech czy energiczne skinięcie głową.

Chciał odpowiedzieć: „Jak się mam? Jestem przerażony". Albo: „Tak, to piękna pogoda, w sam raz, żeby zostać zabitym".

– Jak sam pan widzi – mówiła oprowadzająca – życie tutaj wre.

Doktor Jeremy Hogan, osiemdziesiąt dwa lata, wdowiec, od dawna na emeryturze, szczupły, były koszykarz, zastanawiał się, czy ktoś z tych tak żywotnych ludzi był uzbrojony. Czy wiedział, jak obchodzić się z półautomatycznym pistoletem albo krótkolufową śrutówką dwunastką. Pomyślał, że powinien zapytać: A czy mieszka tutaj jakiś były komandos Navy Seals albo zwiadowca marines? Jakiś weteran wojenny? Ostatnich popiskiwań oprowadzającej go kobiety prawie już nie słuchał. Skrótowo opisywała finansowe zalety przeprowadzki do „luksusowego" jednopokojowego apartamentu na pierwszym piętrze, z dosyć zwyczajnym oknem wychodzącym na odległy, splątany gałęziami las. Jeremy uznał, że widok stanowił jedyną tam „luksusową" rzecz, chyba że za oznakę bogactwa uznało się uchwyty z polerowanego aluminium pod prysznicem oraz interkom bezpieczeństwa.

Uśmiechnął się, uścisnął dłoń oprowadzającej, zapowiedział, że w ciągu kilku następnych dni spotka się z nią ponownie, a jednocześnie zastanawiał się nad owym nieokreślonym strachem, który ogarnął go w takim stopniu, że pospiesznie umówił się na odwiedziny w tym ośrodku. Powiedział sobie, że przecież śmierć nie może być gorsza od niektórych rodzajów życia – nieważne, jaki rodzaj śmierci wpadnie akurat z wizytą.

Spodziewał się, że jego śmierć będzie bolesna.

Może.

I wierzył, że szybko się do niego zbliża.

Może.

Ostatecznie tym, co go martwiło, nie była sama groźba. Chodziło o podstawę, na której ta groźba się opierała.

– Czyja to wina?

– Co rozumie pan przez „winę”?
– No, czyja to wina?

Dziwne jest to, mówił sobie w myślach, powoli oddalając się od domu opieki, że spędziwszy większą część swojej kariery zawodowej tak blisko brutalnej śmierci, teraz gdy, bardzo możliwe, że stając w obliczu własnej śmierci, chyba nie mam pojęcia, co robić.

Przemoc zawsze stanowiła dla niego coś w rodzaju interesującej abstrakcji, rzecz przytrafiającą się innym ludziom, mającą miejsce gdzie indziej. Coś w sam raz nadającego się na temat studiów klinicznych. Coś, o czym mógłby napisać artykuł naukowy. A przede wszystkim coś, o czym opowiadał w salach sądowych i wykładowych.

– Przykro mi, panie mecenasie, ale nie istnieje żaden naukowy sposób przewidywania przyszłych zagrożeń. Mogę jedynie powiedzieć panu, jaki, pod względem psychiatrycznym, jest obecny stan oskarżonego. Nie wiadomo jednak, jak zareaguje na terapię, lekarstwa albo izolację.

Tak właśnie brzmiała typowa odpowiedź udzielana przez Jeremy’ego Hogana w sądzie, odpowiedź na pytanie, które zawsze zadawano, gdy był wzywany, aby zeznawać w charakterze biegłego. Potrafił sobie przypomnieć dziesiątki – nie, setki – oskarżonych siedzących na ławie sądowej i przyglądających mu się uważnie, gdy wyrażał swoją opinię o tym, w jakim byli stanie psychicznym, robiąc rzeczy, które ich tutaj przywiodły. Pamiętał, że oglądał złość, wściekłość, głęboką skruchę, a czasem smutek. Wstyd. Rozpacz. I od czasu do czasu: Nie ma mnie tutaj. I nigdy mnie tutaj nie będzie. Zawsze będę gdzie indziej. Nie możesz mnie dotknąć, bo zawsze będę mieszkał w takim miejscu wewnątrz mnie, które jest przed tobą zamknięte i do którego tylko ja mam klucz.

A chociaż wiedział, że może ta osoba naprzeciwko nawet go nie zauważa, wijąc się w krzyżowym ogniu pytań, wiedział również, że może ta osoba naprzeciwko znienawidzi go na zawsze i powoli będzie w niej wzrastać zabójcza furia.

„Może” było słowem, z którym obcował bardzo blisko.

W znacznie mniej formalny sposób przedstawiał sprawę na sali wykładowej, wśród studentów medycyny zgłębiających psychiatrię sądową.

– Słuchajcie, chłopcy i dziewczęta. Możemy wierzyć w istnienie tych wszystkich czynników potrzebnych, żeby tego albo innego pacjenta powstrzymywać od wejścia na ścieżkę przemocy. Albo na odwrót, że istnieje ścieżka, po której krocząc, silnie zareaguje na wszystko, co możemy mu zaoferować – na lekarstwa, na terapię – i w cudowny sposób rozładujemy wszystkie gwałtowne oraz niebezpieczne impulsy. Jednak nie mamy kryształowej kuli pozwalającej nam zobaczyć przyszłość. W najlepszym wypadku mamy do czynienia z taką naukową zgadywanką. To, co zadziałało na jedną osobę, może nie zadziałać na drugą. W kryminologii zawsze istnieje ten element niepewności. Możemy wiedzieć albo po prostu możemy nie wiedzieć. Ale nigdy nie mówcie o tym członkowi rodziny, policjantowi albo prokuratorowi i nigdy na sali sądowej, pod przysięgą, nie mówcie sędziemu albo ławie przysięgłych, nawet jeśli to jedyna rzecz – i naprawdę chodzi mi o to, że to jedyna rzecz – jakiej ci ludzie chcieliby się dowiedzieć.

Studenci nie cierpieli, że tak właśnie się dzieje.

Na początku chcieli dokonywać właśnie psychiatrycznego przewidywania przyszłości. Często to u nich wyśmiewał. Dopiero kiedy spędzili już jakiś czas na oddziałach psychiatrycznym o zaostrzonym rygorze, naoglądali się rozmaitych stopni paranoi oraz dzikich, pozbawionych maski impulsów, powoli zaczynali rozumieć tamte jego słowa z sali wykładowej.

No jasne, ty arogancki głupku. Uczyłeś ich o ograniczeniach, ale nigdy nie pomyślałeś, że ty też jakieś masz. Jeremy’emu Hoganowi zachciało się głośno śmiać. Jakoś tak spodobało mu się teraz szydzenie z siebie samego, drwiny i drażnienie tego swojego młodszego ja, żyjącego w pamięci.

Miałeś sporo racji. I w ogóle nie miałeś racji. Tak to właśnie wygląda.

Zjechał z podjazdu, pozostawiając dom opieki z tyłu, nikną-cy gdzieś we wstecznym lusterku. Jeremy prowadził ostrożnie. Cierpliwe spojrzenie w lewo, prawo, znowu w lewo i dopiero wtedy wjeżdżał na ulicę. Ściśle trzymał się ograniczeń prędko-ści. Z oddaniem używał kierunkowskazów. Ze sporym wyprze-dzeniem hamował przed światłami i nigdy nie przejeżdżał na żółtym, nie wspominając już o czerwonym. Jego duże czarne bmw o opływowych kształtach bez trudu rozpędziłoby się do prawie dwustu kilometrów na godzinę, jednak rzadko wymagał od auta czegoś więcej niż toczenia się w nudnym i spokojnym tempie. Czasem zastanawiał się, czy samochód tak po kryjo-mu nie jest na niego wściekły albo nie czuje się sfrustrowany w głębi automobilowej duszy. Korzystał z auta z konsekwentną nieregularnością i dlatego po dziesięciu latach wciąż wyglądało jak nowe, mając bardzo niewielki przebieg.

Zwykle jeździł starą półciężarówką, którą trzymał obok roz-walającej się stodoły przy swoim wiejskim domu. Od czasu do czasu wyprawiał się nią do sklepu. Prowadził ten wóz tak, jak przystało na dżentelmena starej daty, ale wziąwszy pod uwagę fakt, że gdzieniegdzie była poobijana, czerwony lakier wyblakł, klekotała, skrzypiała, a jedna z szyb nie chciała się ani domknąć, ani odemknąć, ten styl jazdy wydawał się całkiem odpowiedni. Bmw jest takie, jaki byłem kiedyś, pomyślał, a półciężarówka jest taka, jaki jestem teraz.

Powrót do domu, gdzieś głęboko wśród wiejskich okolic New Jersey, zajął mu godzinę. Już samo to, że New Jersey ma jakieś wiejskie okolice, niesamowicie zaskakiwało wszystkich, którzy wyobrażali je sobie jako jeden wielki parking oraz czynny całą dobę ośrodek przemysłowy doczepiony do Nowego Jorku. Tymczasem dużą część stanu zajmowały mniej zagospodarowa-ne, pofalowane i rozległe przestrzenie, pełne płowej zwierzyny, gdzie uprawiano najlepsze na świecie kukurydzę i pomidory. Dom Hogana stał tylko dwadzieścia minut drogi od Princeton i tamtejszego słynnego uniwersytetu. Zajmował dwanaście akrów, przyległych do ciągnącego się kilometrami rezerwatu przyrody, i kiedyś stanowił część wielkiej farmy.

Hogan kupił go ponad trzydzieści lat temu, kiedy wciąż jeszcze wykładał na uczelni, godzinę drogi stąd, w Filadelfii, a jego żona, malarka, mogła sobie przesiadywać na kamiennym patio z tyłu razem ze swoimi pastelami i zapełniać delikatnymi krajobrazami ich dom oraz kolekcje różnych bogaczy. Wtedy był to dom cichy i spokojny, a Jeremy znajdował w nim wytchnienie po pracy. Ale teraz to miejsce już nie nadawało się dla starszego człowieka. Zbyt wiele rzeczy ciągle się tam psuło. Schody były za wąskie i za strome. Za dużo było zarośniętych trawników i skrytych ogrodów, wymagających bezustannej pielęgnacji. Stare rury i kanalizacja ledwie działały, do tego jeszcze wysłużony system grzewczy oraz klimatyzacja, przez co zimą robiło się o wiele za chłodno, a latem o wiele za gorąco. Jeremy stale musiał się użerać z przedsiębiorcami budowlanymi chcącymi odkupić dom i na tej parceli wznieść kilka architektonicznych maszkaronów.

To było jednak miejsce, które kiedyś pokochał, które pokochała jego żona, gdzie rozrzucił jej prochy. Sama myśl, że właśnie tutaj mógłby go nękać (a może i nie mógłby) jakiś psychopatyczny morderca, nie stanowiła jeszcze wystarczającego powodu, żeby je opuszczać, nawet jeżeli nie był już w stanie wejść po schodach bez bólu przeszywającego artretyczne kolana.

Kup sobie laskę, pomyślał.

Kup sobie spluwę.

Wjechał na długi żwirowy podjazd prowadzący do drzwi wejściowych. Westchnął. Może to jest właśnie ten dzień, w którym umrę.

Jeremy zatrzymał się i zastanowił, ile to już razy podjeżdżał tak do domu. Na zdrowy rozum to przecież doskonałe miejsce na ostatni bastion, pomyślał.

Rozejrzał się wokół, szukając jakichś znaków wskazujących na obecność zabójcy. Doskonale wiedział, że to, co teraz robi, kompletnie nie ma sensu. Prawdziwy zabójca nie zostawiłby przecież pod domem auta z rejestracją MORDERCA 1.

Czekałby w cieniu, ukryty, z nożem w ręku, gotowy do skoku. Albo skryłby się za jakimś murem, wodząc za Hoganem lufą, umieszczając celownik na jego głowie, a palcem pieszcząc spust.

Zastanawiał się, czy przed śmiercią usłyszy „bang". Pewnie jakiś żołnierz znałby odpowiedź, on jednak wiedział, że niewiele w nim z żołnierza.

Jeremy Hogan wziął głęboki oddech i wygramolił się zza kierownicy. Stanął obok samochodu, wyczekując Może to właśnie teraz, pomyślał.

Może nie.

Wiedział, że w czymś się teraz znalazł. Ale na skraju tego czy w samym środku? Na początku czy na końcu? Tego już nie wiedział. Wstydził się swojej słabości: I co sobie myślałeś, jadąc do tego domu opieki? Co by ci to dało? Sądziłeś, że godząc się z tym, że jesteś stary i słaby, łatwiej się schowasz? Panie Morderco, proszę, niech pan do mnie nie strzela, nie dźga mnie nożem czy co tam pan jeszcze planuje, bo przecież i tak jestem już stary, w każdej chwili sam mogę kopnąć w kalendarz, więc po co się jeszcze kłopotać zabijaniem mnie? Zaśmiał się w głos z absurdu tych myśli. To naprawdę mocny argument w rozmowie z mordercą. A tak w ogóle to co takiego jest w tym życiu, że tak bardzo pragniesz żyć?

Zanotował sobie w pamięci, aby zadzwonić do przedstawicielki domu opieki i uprzejmie odwołać rezerwację apartamentu. Nie apartamentu, pomyślał sobie. Więziennej celi.

Zastanowił się, ile tak naprawdę zostało mu czasu. Zadawał sobie to pytanie codziennie – no, może co drugi dzień – już od ponad dwóch tygodni. Od kiedy pewnego wieczoru około dziesiątej, niedługo przed porą, kiedy zwykle kładł się spać, odebrał anonimowy telefon.

– Doktor Hogan?

– Tak. Kto mówi? – Nie rozpoznał wyświetlającego się na telefonie numeru i uznał, że pewnie ktoś chce go namówić, żeby poparł jakąś tam słuszną sprawę, lub zbiera fundusze na coś związanego z polityką. Szykował się więc, żeby od razu odłożyć słuchawkę, jeszcze zanim rozpocznie się to całe chrapliwe popiskiwanie. Później żałował, że tak nie zrobił.

– Czyja to wina?

– Słucham?

– Czyja to wina?

– Co pan rozumie przez „winę"?

– Doktorze, niech mi pan powie. Czyja to wina?

– Przepraszam, kto mówi?

– Odpowiem panu, doktorze Hogan. To pana wina. Jednak nie był pan sam. Tę hańbę podzielili inni. Rachunki już zapłacono. Może pan przejrzeć ostatnie nekrologi w „Miami Herald".

– Przepraszam, ale nie mam pojęcia, o czym pan mówi, do cholery. – Miał już rzucić słuchawką, kiedy usłyszał jeszcze:

– Następny nekrolog będzie pana. Porozmawiamy później.

Potem rozmówca się rozłączył.

Później myślał, że właśnie lodowaty ton, którym wypowiedziano słowa „następny nekrolog", przekonał go, że dzwonił morderca. Albo co najmniej ktoś wyobrażający sobie, że jest mordercą. Chropowaty, niski głos, pewnie zniekształcony jakąś elektroniką. Żadnych innych dowodów, żadnych innych wskazówek. Żadnych innych szczegółów mogących to zasugerować. Z naukowego, kryminologicznego punktu widzenia wniosek wyciągnięty przez Hogana był głupi, absolutnie niepotwierdzony, wzięty z powietrza.

Jednak przez długie lata jako sądowy psychiatra zasiadał naprzeciwko wielu morderców, zarówno kobiet, jak i mężczyzn.

I dlatego, po zastanowieniu, miał pewność.

Pierwszą reakcję stanowiło obronne odrzucenie, o którym wiedział, że to rodzaj nierozważnej chęci ochrony. Dobra, co to w ogóle było, do cholery? Kto tam wie. Pora spać.

Drugą reakcją była ciekawość. Podniósł słuchawkę, nacisnął przycisk „oddzwoń". Chciał rozmawiać z tym, kto do niego telefonował. Może powinienem mu powiedzieć, że nie mam pojęcia o czym mówi, ale chcę o tym porozmawiać. Ktoś jest winny? A dokładnie czemu winny? Tak czy owak, każdy z nas jest czemuś winny. Właśnie na tym polega życie. Nie przestawał jednak myśleć o tym, że dzwoniący pewnie wcale nie był zainteresowany filozoficzną konwersacją. Bezcielesny elektroniczny głos natychmiast oznajmił, że połączenie nie może zostać zrealizowane.

Odłożył słuchawkę i powiedział:

– Dobra, powinienem zadzwonić na policję.

Uznają mnie za jakiegoś stukniętego, roztrzęsionego i głupiego starucha, którym może i jestem. Tymczasem Jeremy Hogan miał pewność. Cała jego edukacja oraz doświadczenie mówiły, że istnieje tylko jeden powód owego telefonu. Chodziło o stworzenie atmosfery niepewności.

– No, kimkolwiek jesteś, to ci się udało – powiedział głośno.

Trzecią reakcję stanowił strach. Pójście spać nagle przestało być czymś odpowiednim. Wiedział, że z pewnością nie zaśnie. Spoglądając na słuchawkę, czuł oszołomienie, niemal zawroty głowy. Chwiejnym krokiem ruszył przez pokój. Zasiadł przed komputerem. Wziął głęboki oddech. Nawet przy tym jego sztywnym, artretycznie nieporadnym stukaniu w klawiaturę nie potrwało długo, zanim odnalazł krótki wpis w dziale nekrologów „Miami Herald", opatrzony nagłówkiem: *Znany psychiatra odebrał sobie życie. Odbył się pogrzeb.*

Jeremy uznał, że to jedyny nekrolog, jaki dałoby się powiązać z jego osobą. Wykonywał przecież ten sam zawód.

Nazwisko zmarłego nie brzmiało znajomo. Pierwszą reakcję stanowiło: Kto to? Potem gwałtownie zjawiło się: Jakiś były student? Rezydent? Stażysta? Student trzeciego roku? W głowie liczył upływające lata. Jeśli nazwisko z Internetu miało coś z nim wspólnego, to chodziło o wydarzenia sprzed trzydziestu lat. Poczuł przypływ rozpaczy – te wszystkie twarze, które przyglądały mu się z uwagą na wykładach, nawet twarze tych, którzy tak pilnie wysiadywali na jego seminariach, wszystko już było dla niego stracone. Nawet ci dobrzy studenci, którzy doszli do jakiejś pozycji i osiągnęli sukces, zostali zagrzebani głęboko w jego pamięci.

Nie rozumiem tego, pomyślał. Jakiś inny psychiatra tysiąc kilometrów stąd zabił się i to ma niby mieć coś wspólnego ze mną?

8

Ćma zrobił ponad sto przysiadów na podłodze swojego mieszkania, a potem jeszcze sto pompek. W każdym razie miał nadzieję, że sto. Stracił rachubę wśród tych wszystkich serii podnoszenia się i opadania. Był półnagi. Miał na sobie bokserki, buty do biegania i nic poza tym. Czuł, że drżą mu mięśnie ramion, prawie dając już za wygraną. Kiedy uznał, że nie wyciśnie z nich ani jednej pompki więcej, legł płasko na posadzce, dysząc ciężko i przyciskając policzek do chłodnego, wypolerowanego parkietu. Potem zebrał się w sobie, wstał. Zaczął biec w miejscu, aż ściekający pot zasłonił mu widok i zapiekł w oczy. Na swoim iPodzie słuchał rocka z lat osiemdziesiątych: Twisted Sisters, Molly Hatchet i Iggy'ego Popa. Ta muzyka miała w sobie dziwną dzikość, akurat pasującą do jego nastroju. Bezkompromisowe, mocne akordy i niestrudzone, banalne wokale przebijały się przez wątpliwości. Wierzył, że musi być równie nieustępliwy jak te dźwięki.

Kiedy uniósł kolana, starając się zwiększyć tempo biegu bez zmiany pozycji, a stopy w tenisówkach zaczęły wydawać kłapiące odgłosy, spojrzał na swój telefon komórkowy. Andy Candy miała przyjechać po niego przed południem, tak żeby zdążył na pierwsze z trzech spotkań, jakie zaplanował na ten dzień.

Nie były to spotkania w rodzaju tego, na które przyszedł wczoraj do Redemptora Jeden. Czekały go rozmowy. Rozmowy biznesowe, pomyślał. Tyle że biznes stanowiło tropienie mordercy, po to, żeby go zabić.

Ćma zatrzymał się. Pochylił się zdyszany, złapał za bokserki i wciągnął do płuc nieco panującej w mieszkaniu duchoty. Czuł się oszołomiony i roztrzęsiony, na górnej wardze miał smak potu, już nie wiedział, czy w tym wszystkim, co robił, chodziło o wypocenie alkoholu czy uporczywej chęci odwetu.

Ćma czuł się słaby, do niczego niezdolny. Nie wiedział, czy gdyby teraz do jego mieszkania weszła ufryzowana, długonoga supermodelka z South Beach w czarnym, skąpym bikini, z pożądaniem w oczach, a potem zachęcającym gestem rozpięła stanik, zdołałby cokolwiek z siebie wykrzesać. Niemal zaśmiał się w głos z ewentualnej impotencji. Pijaństwo może cię zmienić w sędziwego starca. Bezwładnego. Słabego. Chyba już Szekspir o tym pisał. Potem w wyobraźni zastąpił supermodelkę postacią Andy Candy.

Wyobraźnię zalała gwałtowna fala wspomnień. Pierwszy pocałunek. Pierwszy dotyk jej piersi. Pierwsza pieszczota jej ud. Przypomniał sobie, jak po raz pierwszy przesuwał dłoń ku jej kobiecości. Byli wtedy pod gołym niebem, na patio basenu, spleceni na niewygodnej plastikowej leżance, która wpijała im się w plecy, ale wtedy wydawała się puchowym łożem. Miał piętnaście lat, ona trzynaście. Gdzieś daleko rozbrzmiewała muzyka, nie rap albo rock, lecz, co zaskakujące, delikatny kwartet smyczkowy. Wraz z każdym milimetrem, który przebywały jego palce, spodziewał się, że Andy go powstrzyma. Wraz z każdym milimetrem, gdy tego nie robiła, jego serce biło coraz szybciej. Cieniutkie jedwabne majteczki. Elastyczna gumka. Chciał wtedy działać szybko, stosownie do pożądania, jakie odczuwał. Ale jego dotyk pozostał lekki i cierpliwy. W przeciwieństwie do pragnień i emocji.

Ćma odetchnął głośno w samotności mieszkania. Gwałtownie wyciągnął słuchawki z uszu, wyłączył iPoda. Otoczyła go cisza. Przez kilka sekund wsłuchiwał się we własny płytki oddech, pozwalając, aby zdyszanie odsunęło wspomnienia o Andrei Martine. Powiedział sobie, że powinien starannie unikać ciszy. Brak hałasu stanowił próżnię do zapełnienia, a wiedział, że najszybszy sposób zapchania takiej wyrwy to się napić. Co by go zabiło.

Pokiwał głową, jak gdyby zgadzając się z wnioskami toczonego w swoim wnętrzu prawniczego sporu, zrzucił buty do biegania i ściągnął bokserki, stając całkiem nagi. Pot błyszczał mu na czole i na piersi.

– Ćwiczenie wykonane – oznajmił głośno, niczym żołnierz wydający sobie rozkazy. – Nie każ Andy Candy czekać. Nigdy nie każ jej czekać, zawsze bądź pierwszy. W gotowości.

Wciąż nie do końca rozumiał, dlaczego ona w ogóle chce mu pomagać, ale jak dotąd chciała, co wydawało się w jego obecnym życiu jedyną stabilną rzeczą. Uważał więc, że powinien trzymać się w ryzach, tak żeby Andy wciąż przy nim była, niezależnie od tego, jak obłąkane to wszystko się wydaje. Jak gdyby nie mógł dać jej myślom możliwości zastanowienia się, o co tak naprawdę poprosił. Może, powiedział sam sobie, to, co dzisiaj zrobimy, przyniesie nam jedną albo dwie odpowiedzi.

Wiedział, że to najprawdopodobniej niczego nie da.

– Muszę się dowiedzieć – powiedział na głos takim samym szorstkim i wojskowym tonem.

Ćma czuł potrzebę pozostawania w ruchu, więc szybkim krokiem pomaszerował do łazienki i wyprostowany chwycił szczoteczkę do zębów oraz grzebień, tak jak gdyby łapał za broń.

Andy skręciła swoim małym samochodzikiem za róg, podjeżdżając do budynku, w którym mieszkał Ćma. Zobaczyła go, jak stoi przed klatką i macha na powitanie.

Z zewnątrz wszystko wyglądało całkiem zwyczajnie. Młoda kobieta zabierała do samochodu swojego chłopaka, prosto z chodnika, żeby wybrać się z nim na plażę albo do centrum handlowego. W Miami nic dziwnego.

Kiedy zwalniała, żeby się zatrzymać, zastanawiała się, czy powinna powiedzieć Ćmie, co wczoraj wieczorem zrobiła w Redemptorze Jeden. Nie wiedziała, czy postąpiła dobrze czy źle, czy to była rzecz ważna, czy może błaha.

– *Idź. Ja na ciebie poczekam.*

– Andy, to potrwa z godzinę. Może dłużej. Ludzie czasem naprawdę muszą się wygadać... – Wahanie. – Czasem ja naprawdę muszę się wygadać.

– Nie, wszystko w porządku. Nic nie szkodzi, poczekam. Mam książkę, którą chciałam poczytać.

Rozejrzał się po samochodzie.

– Jest w bagażniku – skłamała. – To taki gniot dla dziewczyn, o seksie. Burza zmysłów, nieodwzajemniona miłość i fantastyczne orgazmy. Chowam to przed mamą, bo wciąż jest taka święta.

Uśmiechnął się.

– Coś, co deprawuje twoją duszę – zażartował.

– To już byłaby trochę musztarda po obiedzie – powiedziała, tłumiąc śmiech.

Wtedy przekomarzali się i żartowali po raz pierwszy, od kiedy do niej zadzwonił.

– Dobra. To idę. Zobaczymy się za jakiś czas – oznajmił. – Na pewno chcesz czekać? Znam tam kogoś, kto może mnie odwieźć do domu...

– Przyjdziesz, kiedy przyjdziesz – powiedziała, uśmiechając się.

Przyglądała się Ćmie, jak wychodzi z samochodu, pochyla, aby się uśmiechnąć do niej szeroko zza szyby, kiedy zamykała drzwiczki, a potem szybko idzie przez parking. Patrzyła, jak przyłącza się do dwóch starszych osób, mężczyzny i kobiety, i wchodzi do kościoła. Andy Candy odczekała chwilę, potem jeszcze jedną.

A potem sama wyszła z auta.

Lepka noc opadała szybko, poprzez dostojne wianowłostki strzegące wejścia do kościoła. Andy od razu zaczęła się pocić. Zerknęła na liście i już wiedziała, że zaraz wydadzą jaskrawoczerwone kwiaty. Tutaj, na południowej Florydzie, rosło znacznie więcej niż tylko rozkołysane palmy albo powykręcane mangrowce. Rosły ogromne drzewa banian, wyglądające jak sędziwi starcy, zbyt wredni, aby umrzeć, rosły ketmie i tamaryndowce. Korzenie tego wszystkiego sięgały głęboko w porowatą, koralową skałę, na której zbudowano Miami, wysysając swój wzrost z wody w ukryciu sączącej się przez ziemię. Drzewa, pomyślała Andy, mogą żyć wiecznie. Wszystko, co zakorzeni się w Miami, mogłoby żyć wiecznie. Słońce. Deszcz. Upał. Tropikalny świat, zaraz pod tymi wszystkimi konstrukcjami, pod budowlami i całym postępem. Czasem myślała sobie, że gdyby ludzie oderwali wzrok od otaczającego ich betonu i asfaltu i chociaż na kilka sekund opuścili gardę, to przyroda odzyskałaby nie tylko ziemię, ale w ogóle całe miasto oraz wszystkich jego mieszkańców. Połknęłaby to wszystko, a potem wypluła w nicość.

Podeszła do drzwi wejściowych kościoła, otworzyła je ostrożnie i wślizgnęła się do środka. Powitały ją chłodne powietrze oraz spokój.

Andy Candy nie miała żadnego planu. Działała pod wpływem impulsu. Chciała zobaczyć. Chciała usłyszeć. Chciała spróbować zrozumieć.

Poruszała się cicho, chociaż wiedziała, że tak naprawdę wcale nie musi zachowywać się ostrożnie. Wiedziała, że jeśli po prostu przyjdzie na spotkanie, wszyscy ją chętnie powitają. Oprócz Ćmy.

Trochę to przypominało zakradanie się podglądacza pod okno. Wyobraziła sobie. że jest szpiegiem albo włamywaczem. Chciała wykraść informację. Ćma, którego kiedyś bezwarunkowo kochała, zmienił się. Chciała się przekonać, jak bardzo.

W kościele panował półmrok i było pusto, jak gdyby Jezus wziął sobie dzisiaj wolny wieczór. Mijała drewniane ławki oraz podia, złocone krucyfiksy i marmurowe posągi, szła pod czujnym spojrzeniem męczenników zastygłych na witrażach. Andy nie cierpiała kościołów. Jej matka, która czasem zastępowała w kościele organistę, a także zmarły ojciec regularnie co niedziela przychodzili na mszę i od kiedy sięgała pamięcią, ją też zaciągali. Działo się tak, dopóki nie zakochała się w Ćmie, bo wtedy nagle odmówiła uczestniczenia w nabożeństwach. Przystanęła, spojrzała na jedną z postaci na oknach – świętego Jerzego zabijającego smoka – i powiedziała sobie: I tak mnie tutaj nienawidzą, bo jestem morderczynią. Ta myśl sprawiła, że zaschło jej w gar-

dle, więc oderwała wzrok od witraży. Skradała się przed siebie, dopóki nie usłyszała szmeru głosów dochodzącego z korytarza. Po obu stronach miała jakieś puste pomieszczenia biurowe, a na skraju przejścia była niewielka poczekalnia. Obawiała się. że jej kroki stukoczą głośno i nieporadnie, nawet jeśli w rzeczywistości działo się całkiem inaczej. Andy Candy była przecież gibka i zwinna. Ćma kiedyś powiedział o niej „moja dziewczyna ninja", bo potrafiła wykradać się do niego z domu po północy, nie budząc przy tym rodziców ani nawet nie niepokojąc psów. Uśmiechnęła się szeroko na to wspomnienie.

Wślizgnęła się do poczekalni i zobaczyła w przeciwległej ścianie szerokie podwójne drzwi. Otwierały się na większy pokój, o niskim suficie, wyłożony boazerią. Dostrzegła skórzane fotele oraz sofy rozstawione w krąg na drugim skraju sali i przywarła do ściany, a potem zaczęła nasłuchiwać, zaraz po tym, gdy słabym aplauzem przyjęto czyjąś przemowę.

Wsunęła głowę, rozejrzała się – i gwałtownie cofnęła, widząc wstającego Ćmę.

– Cześć, mam na imię Timothy i jestem alkoholikiem.

– Cześć, Timothy! – padła zwyczajowa odpowiedź, chociaż dla nikogo nie był tu obcy.

– Jestem trzeźwy od piętnastu dni...

Kolejna pauza i kilka zachęt: „Dobra robota!" „Tylko tak dalej!"

– Jak wielu z was już wie, przyprowadził mnie tutaj stryj Ed. To on pierwszy pokazał mi, że mam problem, i potem jeszcze pokazał mi, jak sobie z nim radzić.

Zapadła cisza. Zgromadzeni w Redemptorze Jeden wspólnie wzięli głęboki oddech.

– Jak wiecie, stryj Ed nie żyje. Wiecie, że policja uważa, że było to samobójstwo.

Ćma przerwał. Andy Candy pochyliła się, aby wszystko dokładnie słyszeć.

– Ja tak nie uważam. Nieważne, co mówią. Ja tak nie uważam. Wy wszyscy, wszyscy tutaj, znaliście stryja Eda. Stawał

przed wami ze sto razy i opowiadał, jak radził sobie ze swoim problemem z piciem. Czy jest tutaj ktoś, kto myśli, że mógł się zabić?

Żadnej odpowiedzi.

– Ktokolwiek?

Żadnej odpowiedzi.

– Czyli, potrzebuję waszej pomocy. Teraz nawet bardziej niż kiedykolwiek.

Po raz pierwszy Andy Candy usłyszała, że głos Ćmy drży z emocji.

– Muszę pozostać trzeźwy. Muszę znaleźć tego, kto zabił mojego stryja.

Ostatnie słowa zabrzmiały wysokim tonem, jak gdyby przed zebraniem w wypowiedź zostały naciągnięte, a potem mocno związane.

– Proszę, pomóżcie mi.

Chciałaby zobaczyć tę ciszę na sali, miny zgromadzonych tam osób. Nastała długa chwila milczenia, a potem znowu usłyszała Ćmę.

– Mam na imię Timothy i jestem trzeźwy od piętnastu dni.

Wycofała się, słysząc, jak zebrani zaczynają klaskać.

– Jak minęła noc? – zapytała Andy Candy.

– Nawet w porządku. Nie spałem zbyt dobrze, ale można się było spodziewać. A ty?

– Tak samo.

Ćma już miał pytać dlaczego, ale się powstrzymał. Zresztą cisnęło mu się na usta wiele pytań. Chociażby, dlaczego Andy Candy przesiaduje w domu, skoro powinna zaraz kończyć rok akademicki? Uznał jednak, że nie namawiając Andy Candy do wyjawienia swoich tajemnic, korzysta z ostatnich pozostałych mu jeszcze resztek uprzejmości. Doszedł do wniosku, że albo kiedyś sama mu opowie, albo nie powie w ogóle. I tak powinien się cieszyć – ba, wręcz skakać z radości – że Andy w ogóle chce mu pomagać.

Poprawił się na fotelu pasażera. Ubrał się całkiem porządnie – spodnie khaki, sportowa koszula w czarne i czerwone prążki. Na kolanach trzymał swój studencki plecak, a w nim notatniki. Magnetofon. Policyjne raporty.

– Gdzie najpierw?

– Mieszkanie Eda. Dla porządku. – Uśmiechnął i jeszcze dodał: – Historycy lubią ciągle roztrząsać jedną i tę samą rzecz. Dlatego ruszajmy śladem policji. A potem…

Zamilkł. „Potem" nie było czymś, co w ogóle był w stanie badać. Jak dotąd.

9

Druga rozmowa:

Jeremy Hogan wiedział, że będzie drugi telefon.

To przekonanie opierało się nie tyle na znajomości psychologii, ile na instynkcie stanowiącym efekt długoletnich prób zrozumienia, dlaczego popełniane są przestępstwa, zamiast pytań kto, co, gdzie, zazwyczaj nękających policyjnych detektywów. Jeżeli ten morderca rzeczywiście ma obsesję na moim punkcie, to na pewno nie wystarczy mu jeden telefon – chyba że już wszystko sobie dokładnie zaplanował, a mój następny oddech będzie moim ostatnim. Albo prawie ostatnim, pomyślał.

Przegrzebywał pamięć, przywołując obrazy najróżniejszych zabójców. Była to cała galeria blizn i tatuaży, kawalkada grup etnicznych – czarni, biali, Latynosi, Azjaci, nawet jakiś Samoańczyk – a do tego bladzi ludzie słyszący głosy i ludzie zgorzkniali oraz tak zimni, że w stosunku do nich słowo „bezwzględny" wydawało się grubym niedopowiedzeniem. Przypominał sobie ludzi wijących się w łańcuchach, łkających, gdy opowiadali, dlaczego zabili, a także ludzi ryczących ze śmiechu za sprawą śmierci, jak gdyby nie było od niej lepszego i zabawniejszego żartu. Słyszał echa morderstw rzeczowo tłumaczonych jako pozbywanie się śmieci albo przewinień tak błahych jak przejście na czerwonym świetle, rozbrzmiewające wśród zbudowanych z pustaków ścian cel. Widział jaskrawe, nieosłonięte więzienne światła oraz szare stalowe meble przyśrubowane do cementowej posadzki. Widział także ludzi uśmiechających się szeroko na myśl o własnej egzekucji i takich, którzy trzęśli się z wściekłości albo drżeli ze strachu. Przypominał sobie tych, którzy patrzyli na niego przepełnieni niespełnionym pragnieniem, aby zacisnąć mu dłonie na gardle, a także innych, pragnących podnoszącego na duchu uścisku i przyjacielskiego klepnięcia w ramię. Twarze, niczym duchy zapełniły jego wyobraźnię. Niektóre nazwiska pojawiały się i znikały, jednak większość tonęła w nurcie wspomnień.

Oni nie byli ważni.

Ważne było to, co o nich powiedziałem albo napisałem.

Wziął płytki oddech, prawie rzężące i bezradne westchnienie astmatyka próbującego wypełnić zesztywniałe płuca.

Upominał sam siebie, jak gdyby z pozycji trzeciej osoby:

Po dokonaniu ekspertyzy i napisaniu raportu uznawałeś, że nie są warci, żeby dłużej o nich pamiętać.

Myliłeś się.

Jeden z nich powrócił. Tym razem bez kajdanek. Bez kaftana bezpieczeństwa. Bez zastrzyku z ativanu albo haldolu,uciszającego jego psychozę. Bez umięśnionego strażnika w kącie, bawiącego się pałką albo czekającego w sąsiednim pokoju przy monitorze. Bez czerwonego guzika alarmowego ukrytego pod blatem po twojej stronie stalowego biurka po to, żeby zapobiec zabiciu ciebie.

Teraz zdarzy się jedna z dwóch rzeczy. Albo będzie chciał zabić cię od razu, bo ten pierwszy telefon był jedynym impulsem, jakiego potrzebował, i popełnienie morderstwa w pełni go teraz usatysfakcjonuje. Albo będzie chciał jeszcze porozmawiać, drażnić cię i dręczyć, przeciągając cały spektakl, bo za każdym razem, kiedy słyszy twoją niepewność oraz strach, mile go łechcą, sprawiając, że czuje się potężniejszy, czuje, że ma większą władzę. Kiedy już dotrze do samych krańców twojego strachu, to cię zabije.

Będzie chciał uczynić wszystko, co w jego mocy, aby twoja śmierć stała się spektakularna.

Dojście do tych oczywistych, chociaż misternych wniosków zajęło mu kilka dni. Ale gdy już na niego spłynęły – gdy rozwiał się pierwszy lęk – wiedział, że tak naprawdę pozostała mu tylko jedna opcja.

Nie wolno ci uciekać. Nie wolno ci się ukrywać. To są szablonowe zagrania. Nie będziesz wiedział, jak zniknąć. To takie sprawy z tanich powieścideł.

Jednak nie możesz po prostu czekać. W tym też jesteś cholernie kiepski.

Pomóż mu raczyć się zabijaniem. Przeciągaj to, a z niego wyciągaj informacje. Kup sobie czas.

To twoja jedyna szansa.

Jeszcze nie postanowił, co zrobi z tym uzyskanym czasem.

Zrobił więc kilka rzeczy, żeby przygotować się na następny telefon. Drobnych, ale dających poczucie, że działa, a nie siedzi bezczynnie, kiedy ktoś planuje jego śmierć. Szybko wybrał się do pobliskiego sklepu z elektroniką po przystawkę do telefonu pozwalającą nagrywać rozmowy. Następnie odwiedził sklep z artykułami biurowymi, gdzie kupił kilka bloków żółtego papieru w linie oraz pudło ołówków z twardym grafitem. Teraz mógł nagrywać. Mógł robić notatki.

Urządzenie do nagrywania stanowiło rodzaj przyssawki, zbierającej oba głosy z telefonicznej rozmowy. Podłączone było do minimagnetofonu. Miało przy tym jedną prostą zaletę: nie wydawało pisku typowego dla legalnie dokonywanych nagrań.

Nie wiedział, do czego mogą posłużyć mu te nagrania, ale ich zrobienie wydawało się rozsądnym posunięciem, zdawało się mieć sens przy braku innych metod obrony. Może dopuści się jakiejś bezpośredniej, oczywistej groźby i będę miał z czym pójść na policję…

Jeremy wątpił, żeby aż tak bardzo dopisało mu szczęście. Zakładał, że dzwoniący będzie na to za sprytny. A poza tym – co gliniarze mogliby zrobić, żeby go chronić? Zaparkować radiowóz pod domem? Na jak długo? Poradzić mu, żeby sobie kupił spluwę i pitbulla?

Wiedział, że doskonale zna się na wyciąganiu informacji. Zawsze przychodziło mu to łatwo. Jednak wiedział też, że swoje przesłuchania prowadził po fakcie – przestępstwa zostały już popełnione, dokonano już aresztowań.

Rozumiał przeszłe zbrodnie. To, z czym teraz miał do czynienia, stanowiło obietnicę przyszłej zbrodni.

Jakieś prognozowanie? Niemożliwe.

Tak czy siak, kiedy zasiadł do swojego niewielkiego biurka w gabinecie na piętrze i przygotowywał pytania do drugiej rozmowy, czuł się pewny siebie. Praca była powolna, denerwująca. Wiedział, że musi dokonać podstawowej oceny psychologicznej, zadać kilka pytań, żeby określić, czy dzwoniący orientuje się w czasie, miejscu oraz okolicznościach. W ten sposób sprawdzi, czy rozmówca jest schizofrenikiem i ma halucynacje nakłaniające go do popełnienia zabójstwa. Dobrze wiedział, że akurat na to pytanie odpowiedź brzmi „nie", ale jego umysł naukowca domagał się potwierdzenia.

Wyklucz tyle chorób psychicznych, ile tylko zdołasz.

Tym jednak, co wydłużało jego przygotowania, była świadomość, że znalazł się na niezbadanym psychologicznym terytorium.

Narzędzia do oceny ryzyka tak naprawdę powstały po to, aby pracownicy socjalni mogli pomagać żonom, które czuły się zagrożone przez agresywnych mężów. Kluczową rolę odgrywał kontekst sytuacyjny, ale Hogan wiedział, że zna tylko połowę równania, swoją. Część, której potrzebował – to była część mordercy.

Jeremy Hogan siedział w niemal całkowitej ciemności, otoczony papierami, studiami akademickimi, prasą fachową, podręcznikami, których nie otwierał od lat, oraz komputerowymi wydrukami z różnych stron internetowych poświęconych rozumieniu ryzyka.

Była już noc. Jedyne źródło światła w pokoju stanowiła lampka na stole i blask monitora. Zerknął przez okno, omiatając spojrzeniem atramentowe pustkowie wokół swojego starego wiejskiego domu. Nie mógł sobie przypomnieć, czy na dole, w kuchni albo w salonie, zostawił zapalone światło.

Zestarzałem się, pomyślał. Szara mgła starzenia się czyni noc jeszcze ciemniejszą.

To jak na niego było całkiem poetyckie.

Jeremy powrócił do swoich studiów. U góry pustej strony jednego ze notatników sporządził listę:

Wygląd
Nastawienie
Zachowanie
Nastrój i afekt
Sposób mówienia
Proces myślowy
Kontekst myślowy
Percepcja
Poznanie
Ocena sytuacji

W zwyczajnych okolicznościach właśnie takie domeny emocji wysondowałby przed powrotem do profilu psychologicznego. W przypadku oskarżonego, pomyślał. Ale teraz, to ja jestem oskarżonym.

Nie było sposobu, aby ocenić wygląd albo zrobić cokolwiek innego, co wymagałoby fizycznej obserwacji rozmówcy. Zatem będzie ograniczony do tego, co zdoła wykryć w jego tonie głosu, doborze słów oraz sposobie konstrukcji wypowiedzi.

Kluczem jest język. Każde słowo musi coś ci przekazać.

Następny jest proces myślowy. W jaki sposób konstruuje swoje pragnienie zabicia ciebie? Szukaj sygnałów podkreślających znaczenie, jakie ma dla niego morderstwo. Kiedy się śmieje? Kiedy ścisza głos? Kiedy przyspiesza?

Wyobrażał sobie sporządzaną ocenę jako trójkąt. Dwa boki stanowiły sposób mówienia oraz myślenia, a on musiał znaleźć trzeci bok. To by dało mu szansę.

Kiedy już określisz, czym on jest, wtedy będziesz mógł zacząć ustalać, kim jest.

To jest gra, myślał sobie Jeremy Hogan. I cholera, lepiej od niego wiem, jak ją wygrać.

Odchylił się na krześle, zakręcił ołówkiem w dłoni, spoglądając w dół, na notatki, ustawicznie przypominając sobie, aby pozostawać częściowo naukowcem, częściowo zaś artystą, za jakiego zresztą się uważał. Uświadomił sobie, że tak naprawdę wcale nie czuje się przerażony.

Dziwne, ale czuł się niczym w obliczu wyzwania.

Uśmiechnął się więc.

W porządku, panie „Czyja To Wina", zrobił pan pierwszy ruch. Krótki, tajemniczy telefon, przez który natychmiast spanikowałem, tak jak każdy cholerny głupek, który nagle poczuje się zagrożony. Biały pionek na E4, otwarcie hiszpańskie. Przypuszczalnie najmocniejsze otwarcie, jakie istnieje.

Ale ja też potrafię grać w szachy.

Kontruję: czarny pion na C5. Obrona sycylijska.

I już nie czuję paniki.

Nawet jeśli zamierzasz w końcu mnie zabić.

Kiedy zadzwonił telefon, Jeremy był gdzieś głęboko wśród sennej, kłębiącej się mgły i elektrycznych marzeń. Przeciągnięcie siebie samego z niespokojnej krainy wizji do niespokojnej rzeczywistości zajęło mu dobrych kilka sekund. Uporczywy dzwonek zdawał się pasować raczej do koszmaru sennego niż do jawy.

Jeremy wziął kilka głębokich oddechów i obrócił stopy, stawiając je z boku łóżka. Było zimno, chociaż nie powinno.

W środku krzyknął „spokój!”, ale wiedział, że trudno będzie osiągnąć ten stan. Jedną dłonią sięgnął po telefon, a drugą wcisnął klawisz nagrywania.

Jako dzwoniący wyświetlił się „Numer nieznany”. Rzut oka na budzik przy łóżku poinformował, że jest kilka minut po piątej rano.

Sprytnie, pomyślał. Szykował to całe godziny, przygotowywał się, wiedząc, że mnie obudzi i weźmie z zaskoczenia.

Kolejny głęboki oddech. Brzmij jak ktoś otępiały, zamroczony. Ale bądź czujny, bądź gotów.

Uczynił swój głos powolnym, gęstym od nocy. Podnosząc słuchawkę, odkaszlnął. Chciał sprawić wrażenie starego i zbitego z tropu. W jego głosie miały brzmieć niepewność oraz obawa – może nawet zniedołężnienie i słabość. Pragnął jednak odpowiedzieć w taki sam sposób, jak zrobiłby to przed laty, będąc lekarzem wzywanym w środku nocy do nagłego wypadku.

– Tak, tak, tutaj doktor Hogan. Kto mówi?

Chwila ciszy, a potem:

– Doktorze, czyja to wina?

Jeremy zadrżał. Zanim opowiedział, poczekał kilka sekund.

– Wiem, że pan uważa, że to moja wina, cokolwiek by to było. Powinienem odłożyć słuchawkę. Kim pan jest?

Parsknięcie, jak gdyby pytanie było aroganckie.

– Pan już wiem, kim jestem. Co pan powie na taką odpowiedź?

– Nie jest zbyt satysfakcjonująca. Nie rozumiem. Niczego tutaj nie rozumiem, a zwłaszcza nie rozumiem, dlaczego pan chce mnie zabić. Od jak dawna…

Przerwano mu.

– Doktorze, myślałem o panu już od wielu lat.

Drgnął, słysząc taką odpowiedź.

– Od jak wielu?

„Do cholery, zganił się Jeremy Hogan. Nie bądź tak cholernie oczywisty”. Wsłuchał się w głos po drugiej stronie. Brzmiał chropowato, zdawał się wyciosany z jakiegoś straszliwego wspomnienia i zaostrzony tępym, pordzewiałym nożem. Był już prawie pewien, że dzwoniący zabójca korzysta z urządzenia do elektronicznej zmiany głosu. Czyli należy pominąć akcent, artykulację i ton. To ci się do niczego nie przyda.

– Skoro mam umrzeć za coś, co rzekomo zrobiłem…

Przywrócił swój głos do tonu mieszczącego się gdzieś między irytacją a tonem wykładowcy. Jednak zadając pytania, uważnie wsłuchiwał się w odpowiedzi.

– „Rzekomo" to świetne słowo. Ma takie ładne, prawnicze brzmienie…

Jeremy zrobił notatkę: „Wykształcony".

Podkreślił ją podwójną linią.

Dodał kolejną notatkę: „Wykształcenie nie pochodzi z więzienia ani z ulicy".

Zaryzykował:

– Więc jest pan albo moim byłym studentem, albo obiektem mojej analizy. Oblałem pana na egzaminie? A może napisałem dla sądu jakąś opinię, o której pan sądzi, że pana pogrążyła?

No, dalej, powiedz coś, co mi pomoże.

Dzwoniący milczał.

– Naprawdę myśli pan, doktorze – odezwał się wreszcie – że istnieją tylko dwie kategorie ludzi mogących mieć do pana pretensje? – Roześmiał się. – Na pewno ma pan poczucie, że prowadził pan przykładne życie. Życie pozbawione błędów. Wolne od win, jak ktoś święty.

Jeremy nie zdążył jeszcze odpowiedzieć, gdy rozmówca dodał:

– Nie sądzę.

– Dlaczego ja? – rzucił Jeremy. – I dlaczego jestem ostatni na liście?

– Bo był pan tylko częścią równania, które zrujnowało mi życie.

– Nie mówi pan jak ktoś ze zrujnowanym życiem.

– To dlatego, że udało mi się je odbudować Po jednej śmierci na raz.

– Ten człowiek, który umarł w Miami, to było samobójstwo…

– Tak mówią.

– Ale pan sugeruje, że coś innego.

– Oczywiście.

– Morderstwo.

– Słuszny wniosek.

– A może ja panu nie uwierzę. Mówi pan jak paranoik, jakby miał pan urojenia. Może pan sobie tylko wyobraża, że miał coś wspólnego z tamtą śmiercią. Myślę, że powinienem teraz odłożyć słuchawkę.

– Pański wybór, doktorze. Niezbyt mądry jak na kogoś, kto całe życie zajmował się zbieraniem informacji, ale skoro pan sądzi, że to panu pomoże…

Jeremy nie odłożył słuchawki. Poczuł, że zapędzono go w kozi róg. Zerknął na listę domen emocjonalnych. Nic mi nie da, pomyślał.

– Zamordowanie mnie sprawi, że pańskie życie stanie się kompletne.

– To pan wyciąga takie wnioski, doktorze.

Jeremy zanotował: „To nie paranoik. Socjopata?"

Pomyślał: Inny niż ci socjopaci, których dotąd poznałem, Przynajmniej tak mi się wydaje.

– Zadzwoniłem na policję. Już o wszystkim wiedzą.

– Doktorze, dlaczego pan mnie okłamuje? Dlaczego nie wymyśli pan jakiejś lepszej bajeczki, na przykład że gliniarze już tutaj są i słuchają? Śledzą połączenie i lada chwila mnie otoczą… Tak nie lepiej?

Jeremy'emu zrobiło się głupio. Zastanowił się: Skąd on wie? Obserwuje mnie? Przez chwile poczuł zimny dotyk strachu. Rozejrzał się niespokojnie po pokoju, prawie w panice. Spokojny, szyderczy ton głosu zabójcy sprawił, że powrócił do rozmowy.

– Może powinien pan zadzwonić na policję. To da panu poczucie bezpieczeństwa. Głupie, ale może sprawi, że poczuje się pan lepiej. Jak pan sądzi, jak długo będzie trwać takie samopoczucie?

– Jest pan cierpliwy.

– Ludzie, którzy za bardzo się spieszą przy odbieraniu długów, zawsze godzą się na mniej dolarów, niż im się należy. Prawda, doktorze?

Jeremi zapisał: „Nie obawia się władz". Uznał, że powinien podążyć właśnie tym tropem.

– Gliniarze, zakładając, że cię złapią…

Znowu śmiech.

– Nie sądzę, doktorze. Nie wierzy mi pan wystarczająco. A powinien.

Jeremi z wahaniem napisał: „Zarozumiały". Na chwilę zamknął oczy, zastanawiając się intensywnie. Postanowił znowu zaryzykować i wprowadził do swojego głosu nieco kpiarski ton.

– A zatem, panie Czyja To Wina, ile jeszcze czasu mi zostało?

Pauza.

– Podoba mi się to imię. Jest w sam raz.

– Ile czasu?

– Dni. Tygodnie. Miesiące. Może, może, może. Ile czasu ma każdy z nas?

Zawahanie, połączone z tym samym pozbawionym wesołości śmiechem.

– Proszę mi powiedzieć doktorze, dlaczego nie przyszło panu do głowy, że może jestem teraz tuż za pańskimi drzwiami?

Połączenie się urwało.

10

W windzie, którą Ćma i Andy Candy jechali na jedenaste piętro, przygrywała irytująca melodyjka. Oboje byli zdenerwowani, a ten hałas w tle źle na nich działał. Była to wersja symfoniczna bardzo starego, popularnego rockowego kawałka. Oboje przez chwilę nucili melodię pod nosami, nie potrafiąc dopasować do niej żadnego tytułu.

– Beatlesi? – zapytała Andy Candy. Czuła się jak na szpilkach. Zastanawiała się, czy razem z Ćmą nie wpada już w jakąś obsesję. Kiedy zerkała na niego, kojarzył się jej ze wspinaczem ryzykownie wiszącym na klifie, rozpaczliwie starającym się nie spaść i z determinacją szukającym sposobu, aby podźwignąć się w jakieś bezpieczne miejsce. I w ogóle przy tym nie zwraca uwagi, jak poprzecierane są liny i jak bardzo poluzowały się podtrzymujące go węzły. Miała wrażenie, że miotają nią jakieś prądy powietrza, nie była pewna, czy może im zaufać.

– Tak. Nie. Blisko. Może – odparł Ćma. – Na długo przed naszymi czasami.

– Ale to jakiś przebojowy kawałek – powiedziała. – Stonesi, Beatlesi, The Who, Buffalo Springfield, Jimi Hendrix. Coś, czego słuchali moi rodzice. Tańczyli w kuchni… – urwała. Chciałaby jeszcze dodać: „Teraz mama musi tańczyć sama, bo tata już nie żyje". Nie zrobiła tego, powiedziała jedynie: – A teraz to po prostu melodyjka w windzie.

Muzyka rozpraszała Ćmę. Nie był pewien, jak zareaguje na spotkanie z długoletnim partnerem życiowym stryja. Miał wrażenie, że wszystkich zawiódł i zaraz zostaną mu wypomniane błędy oraz niedoskonałości. Ale nie wiedział też, gdzie indziej mógłby rozpocząć poszukiwania.

Winda zaszurała, kiedy dotarli na właściwe piętro.

– Jesteśmy na miejscu – oznajmił Ćma. Tyle że wiedział, że to wcale nie miejsce, w którym powinni być. Andy mówiła, aby szukać tam, gdzie nie szukała policja, ale jedyne miejsca, które przychodziły mu do głowy, to takie, które policjanci już sprawdzali. Albo które już zadeptali, pomyślał.

– Jestem pewna, że to byli Beatlesi – oznajmiła Andy Candy, wychodząc z windy. W jej głosie brzmiała irytacja, chociaż nie wiadomo było, czym mogłaby się denerwować. – *Lady*

Madonna. Tyle że schrzaniona tymi ckliwymi smyczkami, obojami i całą resztą.

Drzwi do mieszkania stryja Eda otworzyły się, jeszcze zanim zdążyli zapukać. Przywitał ich uśmiechem szczupły mężczyzna o płowych włosach lekko przyprószonych siwizną. Jednak nie był to prawdziwy uśmiech, tylko takie uniesienie kącików warg, pokazujące więcej bólu niż radości.

– Cześć, Teddy – cicho powiedział Ćma.

– Ach, Ćma – odparł mężczyzna. – Dobrze cię znowu widzieć. Szkoda, że nie byłeś na…

Umilkł.

– To jest Andrea – kontynuował Ćma.

Teddy uścisnął im ręce.

– Słynna Andy Candy – powiedział. – Słyszałem o tobie od Ćmy. Niedużo, ale wystarczająco, tak kilka lat temu. Jesteś znacznie śliczniejsza, niż on by kiedykolwiek przyznał. Ćma, powinieneś popracować nad opisywaniem innych osób. – Ukłonił się lekko, ściskając dłoń Andy Candy. – Wejdźcie – wskazał drzwi. – Przepraszam za bałagan.

Wkraczając do mieszkania, zderzyli się ze ścianą światła. Okna wychodziły na Biscayne Bay, Ćma zobaczył przez nie ogromny, niezdarny prom, który wolno płynął kanałem Government Cut, mijając ekskluzywny plac zabaw bogaczy na Fisher Island. Statek kojarzył mu się z otyłym turystą. Blady błękit zatoki zdawał się płynnie przechodzić w horyzont. Ten wodny świat ujmowały w nawias wieżowce Miami Beach oraz most na Key Biscayne. Błyszczącą powierzchnię zatoki cięły kutry rybackie oraz motorówki, zostawiając za sobą białe, pieniste ślady, które szybko rozpierzchały się, sieczone falami. Jaskrawe światło słońca wlewało się do mieszkania przez rozsuwane drzwi na balkon, sięgające od sufitu do podłogi. Ćma uniósł dłoń, aby osłonić oczy, zupełnie jakby ktoś prosto mu w nie zaświecił.

Teddy to zauważył.

– Tak. To nas doprowadzało do szaleństwa. Człowiek bardzo chce mieć ładny widok, ale nie chce, żeby co rano oślepiało go wschodzące słonce. Twój stryj wypróbował dobrych kilka zasłon, czyli musiał powynajmować paru różnych dekoratorów wnętrz. Już miał dość ciągłego zmieniania okryć kanap, które blakły z minuty na minutę. Na ścianie wisiała kiedyś piękna litografia Karela Apfela i światło słońca ją uszkodziło. Dziwne, prawda? To, co ściągnęło nas do Miami, spowodowało masę niespodziewanych problemów. Dobrze, że chociaż nie musiał chodzić do dermatologa i wycinać raka skóry z twarzy i przedramion przez to, że co rano lubił sobie wypić kawę na balkonie przed pójściem do pracy.

Ćma spojrzał w bok na kartonowe pudła do połowy zapakowane dziełami sztuki pozdejmowanymi ze ścian, sprzętami kuchennymi i książkami.

– Tak naprawdę to obaj lubiliśmy wypić sobie razem kawę – powiedział Teddy lekko drżącym głosem. – Ćma, ja nie mogę tutaj dłużej zostać. To za trudne. Za dużo wspomnień.

– Stryj Ed… – odezwał się Ćma.

– Wiem, co chcesz powiedzieć – przerwał mu Teddy. – Nie wierzysz, że się zabił. Ja też mam problem, żeby w to uwierzyć. W pewnym sensie jestem po twojej stronie. On był szczęśliwy. Do diabła, my byliśmy szczęśliwi. Zwłaszcza przez ostatnich kilka lat. Praktyka świetnie mu szła. To znaczy uważał, że jego pacjenci są intrygujący, interesujący i że im pomaga, a to było wszystko, czego pragnął. I nie przejmował się, czy ktoś o mnie wie, a możesz mi wierzyć, u psychiatry to wielka rzecz. Tak się cieszył, że się ujawnił. Obaj znaliśmy tylu facetów, którzy nie mogli się przyznać kim są, przed rodziną, przed przyjaciółmi, w pracy. To są właśnie ci faceci, którzy zapijają się na śmierć, co Ed zresztą sam robił wiele lat temu, albo tacy, którzy ćpają albo do siebie strzelają. Wszystkich ich przygniata kłamstwo stające się ich życiem. Ed był spokojny. Tak mi właśnie mówił, kiedy…

Zamilkł, a po chwili powiedział z goryczą:

– „Kiedy, kiedy, kiedy”, co za kurewsko chałowe słowo. Ale Ed zawsze był też taki tajemniczy, nieodgadniony, jak gdyby coś tam klikało i łączyło się poza jego głową i jego sercem. Zawsze to w nim kochałem. I może to sprawiało, że był taki dobry w tym, co robił.

– Jakaś tajemnica? – zapytała Andy.

– U facetów takich jak my to nic nadzwyczajnego, kiedy się tak długo prowadzi nieszczęśliwe życie i ukrywa coś, co powinno być oczywiste. Myślę, że człowiek jest wtedy w takiej otchłani. Jest mnóstwo samobiczowania się. To czasem jest nawet gorsze. To istna udręka.

Teddy zastanowił się przez chwilę, a potem dodał:

– Myślę, że właśnie to mieliśmy wspólnego i to nas obu pchało do picia. Ukrywanie się. Bycie nie tym, kim się było. Wytrzeźwieliśmy, kiedy się spotkaliśmy i staliśmy tym, kim jesteśmy naprawdę. To taka domorosła psychologia, ale tak właśnie było.

Kolejna pauza.

– Twoja historia była inna, prawda, Ćma?

Andy Candy nadstawiła uważnie uszu, czekając na odpowiedź.

– Inna – odparł Ćma. – Wkurzałem się i piłem. Albo było mi smutno i piłem. Coś zrobiłem dobrze, to piłem w nagrodę. A jak coś mi się nie udało, to piłem za karę. Czasem sam nie byłem w stanie powiedzieć, czy to ja bardziej siebie nienawidziłem, czy bardziej inni mnie nienawidzili, więc się upijałem, żeby nie musieć się zastanawiać.

– Ed powiedział, że jego brat wysuwał jakieś nierozsądne... – zaczął Teddy, ale nie dokończył.

Ćma potrząsnął głową.

– Kłopot z nałogowym upijaniem się polega na tym, że wystarczają najprostsze usprawiedliwienia. Wcale nie te najbardziej złożone. I właśnie na tym polega problem. Oczywiście, pod względem psychologicznym. To taka sama domorosła psychologia, o jakiej mówiłeś.

Teddy odgarnął z oczu zabłąkany kosmyk włosów.

– Ponad dziesięć lat – powiedział, odwracając się do Andy Candy. – Spotkaliśmy się na mityngu. Wstał, powiedział, że ma już jeden dzień, potem ja wstałem, powiedziałem, że mam dwadzieścia parę, a potem wyszliśmy na kawę. Niezbyt romantyczne, co, Andy?

– Nie. Nie brzmi to romantycznie – potwierdziła. – Ale może było romantyczne.

Teddy uśmiechnął się słabo.

– Tak, masz rację. Może takie było. Pod koniec tamtego wieczoru nie byliśmy już tylko parą pijaków trzymających wystygłe latte. Śmialiśmy się z siebie.

Andy zerknęła na ścianę. Zostało na niej tylko duże czarno-białe zdjęcie Eda i Teddy'ego, niezobowiązująco obejmujących się ramionami. Widać było jeszcze inne haki, ale z nich już pozdejmowano fotografie.

Ćma zaczął być niespokojny, przebierał nogami. Bał się, że głos mu się załamie, jeśli znowu pozwoli sobie na to, żeby się rozejrzeć, i zobaczy życie stryja spakowane do pudeł.

– Teddy, gdzie mam szukać? – zapytał.

Teddy odwrócił się. Przetarł oczy.

– Nie wiem. Ale tak naprawdę, wcale nie chcę wiedzieć. Może na początku chciałem. Ale nie teraz.

To zaskoczyło Andy.

– Ty nie chcesz… – odezwała się, ale Ćma jej przerwał.

– Opowiedz mi coś o stryju Edzie, coś, czego o nim nie wiem.

– Coś, czego nie wiesz?

– Powiedz mi jakiś sekret. Coś, co przede mną ukrywał. Powiedz mi coś innego niż to, o co pytali gliniarze. Coś w ogóle z innej bajki. Sam nie wiem. Coś spoza tego zrozumiałego, zwyczajnego świata, który chce, żeby śmierć Eda była taka czysta, zgrabna, taka… samobójcza.

Teddy odwrócił spojrzenie, przenosząc wzrok z drzwi na ogrom niebieskiej wody.

– Chcesz odpowiedzi… – zaczął.

– Nie, nie szukam odpowiedzi – odparł cicho Ćma. – Gdyby wystarczała jedna odpowiedź, to zadano by już pytanie. Ja chcę popchnięcia mnie w jakimś kierunku.

– W jakim kierunku?

Ćma się zawahał, a wtedy Andy Candy nagle się wyrwało:

– W kierunku poczucia winy.

Teddy spojrzał na nią pytająco.

– Nie rozumiem, co masz na myśli.

– Stryj Ed kogoś wkurzył – powiedział Ćma. – Wkurzył na tyle, że ten ktoś go zabił i upozorował samobójstwo. Co, jak sądzę, wcale nie było trudne. Ale to musiał być ktoś z jakiegoś życia, którego się nie spodziewamy, nie z tego życia, o którym wiemy, że Ed je prowadził. Ed musiał wiedzieć, gdzieś na jakimś poziomie, że był ktoś, gdzieś, gdzie indziej… – Ćma wskazał za okno z pięknym widokiem. – Ktoś, kto chciał go zastrzelić.

Teddy milczał. Ćma dodał jeszcze:

– I po co miałby trzymać jeden pistolet w szufladzie, a potem zastrzelić się z innej spluwy?

– Wiedziałem o tym pistolecie. Tym, którego nie użył.

– Tak?

– Miał się go pozbyć. Nie wiem, dlaczego tego nie zrobił. Powiedział, że to zrobi, pewnego dnia lata temu. Wziął go ze sobą, a potem już nigdy o tym nie rozmawialiśmy. Myślę, że może wsadził go do szuflady i zapomniał.

Ćma już zaczynał zadawać następne pytanie, ale przerwał. Teddy zrobił ustami taki ruch, jak gdyby słowa Ćmy go parzyły. Był drobnym mężczyzną, takim delikatnym, rozmowa o morderstwie wydawała się czymś kompletnie mu obcym.

– Gdybyś szukał kogoś, kto był wściekły na Eda, to musiałbyś się cofnąć do czasów, zanim się spotkaliśmy i zaczęliśmy ze sobą być.

Ćma pokiwał głową.

– Wiesz, chciałbym wtedy pomóc – powiedział Teddy. – Chciałem móc powiedzieć gliniarzom: „Szukajcie właśnie tego faceta, znajdźcie mi tego faceta, to on zabił Eda. Przynieście mi jego cholerną głowę na tacy". Ale nikogo nie potrafiłem odszukać.

– Myślisz, że... – odezwał się Ćma, ale Teddy mu przerwał.

– Rozmawialiśmy – kontynuował. – Cały czas rozmawialiśmy. Każdego wieczoru. Przy tych naszych udawanych koktajlach. Sok z limonki i woda gazowana z lodem, w wysokich szklankach z małą papierową parasolką. Rozmawialiśmy przy kolacji i w łóżku. Przeczesałem pamięć, próbując sobie przypomnieć taki moment, kiedy wrócił do domu wystraszony, nieswój, może nawet w poczuciu zagrożenia. I nic. Żadnego takiego momentu, kiedy bym mu mówił: „Powinieneś uważać..." Gdyby się czegoś bał, to by coś powiedział. Wiem o tym. Dzieliliśmy się wszystkim.

Kolejne głębokie westchnienie i długa przerwa.

– Ćma, my nie mieliśmy sekretów. Dlatego nie mogę ci o żadnym powiedzieć.

– Cholera – mruknął Ćma.

– Przykro mi – rzekł Teddy.

– A zanim się spotkaliście? – zapytała Andy.

– To już bym mógł sobie wyobrazić.

– Czyli sądzisz, że możemy wykluczyć dziesięć lat, które ze sobą spędziliście? – drążyła Andy.

Teddy pokiwał głową.

– Zgadza się. Ale będzie ciężko. Będziecie musieli starannie przejrzeć ukryte części życia Eda, wciąż się cofać i cofać.

Ćma odparł w zamyśleniu.

– Jestem historykiem. Umiem to robić.

Trochę się przechwalał. Zastanowił się, czym tak naprawdę zajmuje się historyk. Dokumenty. Relacje z pierwszej ręki. Opowieści naocznych świadków. Wszystkie te zebrane informacje, które można spokojnie przestudiować.

– Zostawił jakieś notatki, listy, cokolwiek o swoim życiu?

– Nie. Policja zabrała akta jego pacjentów. Palanty. Powiedzieli, że je oddadzą, ale...

– Cholera – powtórzył Ćma.

– Widziałeś jego testament?

Ćma potrząsnął głową.

Teddy uśmiechnął się i lekko westchnął.

– Można pomyśleć, że twój tata, starszy brat Eda, powinien cię z nim zapoznać. Jasne, pewnie jest wkurzony?

– Tak naprawdę to ze sobą nie rozmawiamy.

– Ed też z nim dużo nie rozmawiał. Było między nimi piętnaście lat różnicy. Twój tata to ważniak. To wielki, twardy nadczłowiek. Sporty walki i walka w biznesie. A Ed był ciotą.

To określenie sprawiło, że Teddy prawie zachichotał.

Ćma, słuchając krótkiej charakterystyki ojca, z którym nie utrzymywał kontaktów, pomyślał: To wszystko prawda.

– Tak czy siak, Ed był wpadką – kontynuował Teddy. – Od poczęcia, przez narodziny i potem przez każdy kolejny dzień, jak sam lubił mawiać. Z dumą.

Andy usłyszała słowo „wpadka" i pomyślała, że dla niej również coś powinno znaczyć. Też miała wpadkę, tyle że to nie była wpadka, to był nieudolny, głupi błąd. Pozwoliłam, żeby mnie zgwałcił facet, którego nawet nie znałam, na imprezie, na której nawet nie powinnam być. A potem zabiłam.

Odwróciła się, aby doprowadzić się do ładu, który właśnie się z niej ześlizgiwał.

Ćma czuł przepełniające go pytania, ale zadał tylko jedno.

– Teddy, co teraz zamierzasz zrobić?

– To proste – usłyszał w odpowiedzi. – Postaram się nie wykoleić. Nawet jeśli mógłbym tego chcieć.

Sięgnął do kieszeni spodni i wyciągnął plastikowe opakowanie z pigułkami. Podniósł je niczym sommelier podziwiający etykietę na butelce wina.

– Antabus – oznajmił. – Paskudne prochy. Jeśli zacznę pić, to będę przez nie chory, i to naprawdę bardzo, bardzo chory. Nigdy wcześniej tego nie próbowałem. Ed zawsze był zdania, że mamy siłę, żeby to zrobić sami. Sam wiesz, Ćma. Ale teraz Eda już nie ma, więc do diabła z tym.

Ćma wyobraził sobie stryja, żywego, jak siedzi za biurkiem. Widział przed sobą pistolet i widział, jak Ed sięga do szuflady, gdzie leżała druga broń. To nie ma sensu. Już chciał to powiedzieć na głos, ale wtedy zobaczył łzy w oczach Teddy'ego. Powstrzymał się.

– Przepraszam, Ćma – powiedział Teddy. Głos mu się łamał, a te drgnięcia rozbrzmiewały stratą i smutkiem. – Przepraszam – powtórzył. – Nic tutaj nie jest dla mnie łatwe.

Andy Candy pomyślała, że to zdecydowanie za słabo powiedziane.

– Ćma, idź stąd. Nie chcę z tobą rozmawiać.

– Cynthio, proszę. Daj mi tylko minutę. Tylko kilka pytań.

– Kim ona jest?

– To moja przyjaciółka Andrea.

– Też jest pijaczką?

– Nie.Trochę mi pomaga. Prowadzi samochód.

– Znowu straciłeś prawo jady.

– Tak.

– Żałosne. Ćma, lubisz być pijakiem?

– Cynthio, proszę.

– Czy masz chociaż blade pojęcie, ile osób zraniłeś?

– Tak. Mam. Proszę.

Wahanie.

– Pięć minut, Ćma. Nie dłużej. Wchodź do środka.

Andy Candy nieco zaskoczyło to pełne wrogości staccato głosu ciotki Ćmy. Każdemu wypowiedzianemu słowu zdawały się towarzyszyć żużel i rozżarzone węgle. Trzymała się nieco za Ćmą, który spieszył się, aby dotrzymać kroku ciotce, kiedy z wojskową stanowczością pomaszerowała przez hol.

Dom, dwupiętrowy, otynkowany – coś nietypowego w Miami – stał w południowej części hrabstwa Dade, otoczony wysokimi majestatycznymi palmami, wypielęgnowanymi trawnikami, ze ścieżką ozdobioną bugenwillą. Wewnątrz, na białych ścianach wisiało sporo haitańskiej sztuki – duże, obłędnie kolorowe wizerunki zatłoczonych targów, łodzi rybackich wysmaganych pogodą, kwietnych kompozycji, a wszystko było takie siermiężne, rustykalne. Andy wiedział, że takie obrazy sporo kosztują. Artystyczna śmietanka Miami miała duże parcie na sztukę ludową. W każdym kącie stały nowoczesne rzeźby z ciemnego drewna, w większości o swobodnej formie. Korytarze domu aż krzyczały kontrastem kreatywności i sztywnego rozsądku. Wszystko starannie porozmieszczano, precyzyjnie aranżując, tak aby wyglądało jak na zdjęciu z kolorowego magazynu, świadczyło o elegancji. Cynthia była ubrana w sposób pasujący do wytwornego stylu. Miała na sobie luźne śnieżnobiałe spodnie z jedwabiu oraz taką samą bluzę. Buty od Manolo Blahnika stukały po posadzce z importowanych szarych kafelków. Andy Candy pomyślała, że biżuteria na szyi Cynthii jest warta więcej, niż jej matka zarabia przez rok nauki gry na pianinie.

Ćma zapytał uprzejmie:

– A jak idą interesy w świecie sztuki?

Andy Candy pomyślała, że przecież odpowiedź jest oczywista.

Ciotka Ćmy nawet na niego nie spojrzała.

– Całkiem nieźle, mimo problemów gospodarczych. Nie marnuj swoich pięciu minut, wypytując mnie o interesy.

W salonie na drogiej białej sofie obitej ręcznie tkaną bawełną siedział jakiś mężczyzna. Kiedy weszli, wstał. Był o kilka lat młodszy od ciotki Ćmy, ale równie elegancki. Ubrany w dopasowany garnitur z czesankowej wełny i jaskrawofioletową koszulę o czterech rozpiętych guzikach, co ukazywało jego bezwłosą pierś. Długie blond włosy zaczesał gładko do tyłu, jak model. Ciotka Cynthia podeszła do niego, wsunęła mu rękę pod ramię i zmierzyła spojrzeniem Ćmę oraz Andy Candy.

– Ćma, może pamiętasz mojego partnera w interesach?

– Nie – odpowiedział Ćma, chociaż go pamiętał. Raz go już spotkał, wiedział, że zajmuje się księgami rachunkowymi Cynthii i spełnianiem jej seksualnych zachcianek, obiema sprawami zapewne z taką samą nadzwyczajną chłodną pasją oraz kompetencją. Wyobraził sobie tych dwoje w łóżku. Jak oni potrafią się pieprzyć, nie psując sobie fryzur albo bez rozmazywania makijażu?

– Martin jest tutaj, na wypadek gdyby podniesiono jakieś kwestie prawne w trakcie… – zerknęła na rolexa na nadgarstku – pozostałych czterech minut.

– Prawne? – wypaliła Andy Candy.

Cynthia zwróciła się do niej chłodno:

– Być może nie raczył cię poinformować, ale jego stryj i ja nie rozstaliśmy się w zgodzie. Ed był kłamcą, zdradzał mnie i mimo uprawianego zawodu był grubiańskim i bezmyślnym człowiekiem.

Andy już miała się odezwać, ale pomyślała, że lepiej tego nie robić.

Cynthia nie zaproponowała gościom, aby usiedli, a sama ciężko opadła na nowoczesny, obity skórą fotel. Andy pomyślała, że chyba wygodniej jest stać, niż siedzieć na czymś takim. Martin stanął za Cynthią, kładąc jej dłonie na ramionach – albo żeby ją podtrzymać, albo pomasować plecy. Andy pomyślała, że każda z tych rzeczy jest równie prawdopodobna.

– Przykro mi, że tak myślisz. – powiedział Ćma. – W takim razie przejdźmy do rzeczy…

– Proszę – odrzekła ciotka, lekceważąco machając dłonią.

– Czy przez te lata, które spędziłaś ze stryjem Edem, słyszałaś, żeby kiedykolwiek czuł się czymś zagrożony albo żeby ktoś chciał mu zrobić krzywdę, albo szukał na nim zemsty…

– Chodzi ci o kogoś innego niż ja? – zapytała Cynthia. Roześmiała się, chociaż to wcale nie było zabawne.

– Tak. O kogoś innego niż ty.

– Tylko mi stała się krzywda. Tylko ja tu zostałam zdradzona. Tylko mnie porzucono. Jeśli był ktokolwiek, kto miałby powód, żeby go zastrzelić…

Umilkła. Potem wzruszyła ramionami, jakby to i tak nic nie znaczyło.

– Odpowiedź na twoje pytanie brzmi: „Nie".

– Przez te wszystkie lata…

– Pozwól, że powtórzę: „Nie".

– Czyli… – zaczął Ćma, ale przerwał mu kolejny ruch ręki.

– Podejrzewam, że byli jacyś ludzie, których spotykał w tym swoim sekretnym życiu, tym, które próbował przede mną ukryć, którzy może, sama nie wiem, nienawidzili siebie albo jego, albo czegokolwiek, i może byliby zdolni wyjąć broń i pozabijać się w jakimś ataku pijackiego użalania się nad sobą. A czasem, kiedy ostro pił i potem znikał na kilka dni, wyobrażałam sobie, że spotkało go coś strasznego. Ale raczej nie jest prawdopodobne, żeby jakiś inny, uciskany i skryty gej, którego spotkał kiedyś w barze, teraz, po latach postanowił go prześladować. Oczywiście, to zawsze jest możliwe…. – dodała, ponownie wzdrygając się, aby mową ciała pokazać, że tak naprawdę wcale nie jest możliwe. – Ale wątpię. Nikt nawet nie próbował go szantażować, bo opłaty za milczenie już by wyszły przy sądowej analizie jego finansów zrobionej przy okazji naszego rozwodu. I nigdy nie natrafił na jakieś psychopatycznego zabójcę, takiego jak we *W poszukiwaniu idealnego kochanka.* To taka książka, o której pewnie nigdy nie słyszałeś, ale która kiedyś była bardzo popularna. Wiesz, chodzi o to, że nie zdarzyło się, aby próbował poderwać jakiegoś faceta, który zamiast się z nim pieprzyć, postanowił go zabić. Trochę się czegoś takiego obawiałam, ale nie, żeby jakoś bardzo.

– Czyli nikt…

– To właśnie mówię.

– Czy może przychodzi ci do głowy ktoś…

– Nie.

– …związany z nim zawodowo albo towarzysko….

– Nie.

Ponowne machnęła ręką z lekceważeniem, jak gdyby w ten sposób potrafiła wymieść każde nieprzyjemne wspomnienie.

– Najwyraźniej źle mnie zrozumiałeś – powiedziała stanowczo. – Nie mam nic przeciwko homoseksualistom, wiele osób z mojej branży to geje. Byłam wściekła, bo Ed mnie okłamywał, cały rok na okrągło, każdego dnia, jaki ze sobą spędzaliśmy. Zdradzał mnie. Odbierał poczucie własnej wartości.

Andy Candy słuchała tego i zastanawiała się, jak to możliwe, żeby ktoś jednocześnie miał tyle racji i zarazem tak bardzo się mylił.

Ćma zamilkł. I wtedy Cynthia podniosła się z krzesła.

– A zatem, Ćma, niezależnie od tego, jak bardzo interesujące może być takie retrospektywne wejrzenie w życie mojego byłego męża – Andy Candy rozpoznała w jej słowach fałsz, wymuszany normami zachowania wyższych sfer – to sądzę, że właśnie odpowiedziałam na wszystkie twoje pytania albo przynajmniej na wszystkie pytania, na które miałam zamiar odpowiedzieć. Pora zatem, abyś sobie stąd poszedł. Sądzę, że i tak okazałam się znacznie bardziej wspaniałomyślna, niż powinnam.

Andy Candy przestąpiła z nogi na nogę. Nie lubiła ciotki Ćmy. Postanowiła trzymać buzię na kłódkę, ale teraz nie wytrzymała.

– A co z tym, co było wcześniej?

– Wcześniej niż co?

– Zanim się poznaliście.

– Był rezydentem w szpitalu uniwersyteckim. Ja byłam doktorantką na historii sztuki. Poznali nas ze sobą wspólni przyjaciele. Umawialiśmy się na randki. Powiedział mi, że mnie kocha, ale oczywiście to nie była prawda. Pobraliśmy się. Przez wiele lat okłamywał mnie i zdradzał. Rozwiedliśmy się. Nie przypominam sobie, żebyśmy kiedyś rozmawiali o naszej przeszłości, chociaż jeśli sądził, że gdzieś ktoś może czekać na to, aby móc go zabić w jakiejś odległej przyszłości, pewnie by o tym wspomniał.

Andy była pewna, że to również kłamstwo. Kłamstwo mające uciąć rozmowę ze skutecznością rzeźnickiego noża.

– Kto mógł wiedzieć… – zaczęła.

Cynthia wbiła w nią gniewne spojrzenie.

– Skoro chcesz się bawić w detektywa amatora, sama to rozgryź.

Nastała chwila ciszy, a potem Andy Candy wyrwało się:

– To brzmi tak, jakby pani go nigdy nie kochała.

– Co za głupie i dziecinne słowa – odparowała Cynthia opryskliwie. – A co ty w ogóle wiesz o miłości?

Nie czekała na odpowiedź, tylko wskazała drzwi.

Ćma zaczął szybko mówić:

– Cynthio, proszę. Czy on kiedyś wspominał o tym, że jest czemuś winny albo że stało się coś, co go martwi, albo coś, co mu spędza sen z powiek, jest jakieś nietypowe albo złe? Proszę, Cynthio, ty go dobrze znałaś. Pomóż mi.

Zawahała się.

– Tak – odezwała się wreszcie szorstkim tonem. – Męczyło go wiele spraw z przeszłości, każda z nich mogłaby doprowadzić do śmierci. Ale to pasuje do każdego z nas.

Machnęła lekceważąco dłonią.

– Jeden, dwa, trzy, cztery, pięć. Czas minął, Ćma. I twój również, panno, jak tam masz na imię. Martin pokaże wam drogę. Proszę, więcej do mnie nie przychodźcie.

Już w samochodzie Andy oddychała ciężko, a każdy oddech aż wyrywała z gorącego powietrza w aucie, jak gdyby właśnie skończyła biec w wyścigu albo przepłynęła wielki dystans pod wodą. Czuła się jak po bójce, a na pewno po czymś, co ją przypominało. Niemal zerkała na ramiona w poszukiwaniu siniaków i poruszała szczęką, jakby badając jej stan po otrzymanym ciosie. Zerknęła w stronę frontu budynku, gdzie zobaczyła Martina, księgowego i seksualną zabawkę ciotki Ćmy, stojącego posłusznie w drzwiach, by mieć absolutną pewność, że niezwłocznie stąd odjadą. Zwalczyła chęć pokazania mu środkowego palca.

– Cały czas miałam ochotę jej przywalić. Powinnam jej przywalić

– Przywaliłaś już komuś?

– Nie. Ale zawsze musi być ten pierwszy raz.

Ćma pokiwał głową, jednak zdawało się, że ogarnia go jakaś czarna chmura. Jedyne, o czym potrafił myśleć, to ile smutnych i trudnych lat przeżył jego stryj.

Andy dostrzegła te zbierające się ciemne obłoki.

– Następny etap – oznajmił. – Chcę, żebyśmy dowiedzieli się czegoś więcej.

Andy Candy zawahała się.

– Nie wiem, czy już się nie dowiedzieliśmy – odparła, łącząc w zdaniu dwa zaprzeczenia, tak że powstało potwierdzenie. – Muszę się jeszcze nad tym zastanowić, ale wydaje mi się, że ona już nam powiedziała to, co powinniśmy wiedzieć.

Ćma skinął głową. Zesztywniał na swoim fotelu.

– Skrajności – odezwał się nagle. – Ktoś, kto go kochał. Ktoś, kto go nienawidził. I jeszcze ja, ktoś, kto go idealizował.

– Czyli – oznajmiła Andy Candy z lekko drwiącym uśmiechem – porozmawiajmy teraz z kimś, kto go rozumiał.

Zastanowiła się nad tym, o czym właśnie rozmawiali. Miłość. Nienawiść. Idealizacja. Zrozumienie. Tych kilka słów stworzyłoby właśnie taki portret Eda Warnera, jakiego potrzebowali.

Wrzuciła bieg.

Są tacy ludzie, pomyślał Ćma, którzy siadają za biurkiem i tworzą wtedy nieprzekraczalny mur władzy. Są też tacy, przy których bariera biurka ledwie istnieje i jest właściwie niewidzialna.

Człowiek siedzący naprzeciwko wydwał się należeć do tej drugiej kategorii. Atletycznie zbudowany, o rzednących brązowych włosach zaczesanych gładko do tyłu i związanych z kitkę, przez co wyglądał młodziej niż na na swoje pięćdziesiąt kilka lat. Miał nawyk ustawicznego poprawiania okularów tkwiących na czubku nosa. Okulary podtrzymywał sznurek, dlatego od czasu do czasu zawieszał je sobie na piersi, robił jakieś spostrzeżenie, a potem unosił i w dosyć przypadkowy sposób umieszczał z powrotem na nosie, często nieco krzywo.

– Timothy, przykro mi, ale nie wiem, jak bardzo mogę pomoc tobie i pannie Martine w waszych poszukiwaniach. Wiesz, tajemnica lekarska i tak dalej.

– Która wygasa wraz ze śmiercią pacjenta – zauważył Ćma.

– Timothy, mówisz jak prawnik. To prawda. Ale to by także oznaczało, że na moim biurku położyłeś nakaz sądowy, czego nie zrobiłeś. I taka wizyta byłaby przeciwieństwem odwiedzenia mnie tylko po to, aby zadać kilka pytań.

Ćma od razu sobie uświadomił, że powinien być ostrożny. Uświadomił sobie także, że nie ma pojęcia, co może oznaczać bycie ostrożnym. Dlatego zaczął od pytań, które już zadał dzisiaj dwukrotnie.

– Czy pan zna kogoś albo czy może mój stryj wspominał o kimś, kto czułby do niego jakąś urazę albo od dawna zbierała się w nim jakaś złość na niego, wie pan, doktorze, do czego dążę, która w końcu mogłaby się wylać?

Psychiatra odczekał z odpowiedzią, tak jak zrobiłby to Ed Warner.

– Nie. Nikt mi nie przychodzi na myśl. A zwłaszcza żeby Ed wspominał o kimś przez te lata, które spędziliśmy na terapii.

– Przypomniałby pan sobie, gdyby jednak wspominał?

– Tak. Zawsze robimy bardzo staranne notatki na temat każdego fragmentu rozmowy, który sugeruje istnienie jakiegoś zagrożenia. Dzieje się tak z dwóch oczywistych powodów. Chcemy sami się zabezpieczyć, a poza tym to, jak ludzie reagują na rzeczywiste zagrożenia zewnętrzne lub to, co postrzegają jako zagrożenia zewnętrzne, stanowi kluczowy element każdej sytuacji terapeutycznej. Nie wspominając już o tym, że zwyczajnie możemy być etycznie zobligowani do poinformowania policji.

Doktor się uśmiechnął.

– To brzmi, jakbym prowadził wykład. – Potrząsnął głową. – Wyrażę się więc prościej. Czy miałem kiedykolwiek wrażenie, że Edowi coś grozi? Nie. Jego dawne ryzykowne zachowania, picie i przypadkowy seks bez zabezpieczeń, mogłyby do czegoś takiego doprowadzić. Ale już się skończyły, a on zjawiał się tutaj tylko po to, żeby zrozumieć, przez co przeszedł. A było tego sporo, sam zresztą wiesz.

– Pan wierzy, że popełnił samobójstwo? – wypaliła niespodziewanie Andy.

Psychiatra pokręcił głową.

– Nie widziałem się z nim od lat. Ale kiedy zakończył terapię, nie było niczego, co by wskazywało na skłonności samobójcze. Oczywiście, jak zaznaczyła policja, która od razu przyszła ze mną porozmawiać, mógł lepiej niż inni ukrywać swoje emocje, nawet przede mną, chociaż ten pomysł jakoś do mnie nie przemawia.

Ćma uznał, że to przemowa pod hasłem „krycie własnego tyłka".

Doktor umilkł, a potem jeszcze dodał:

– Timothy, dobrze go znałeś. Co ty o tym sądzisz?

– Nie ma, kurwa, mowy – odparował Ćma.

Psychiatra uśmiechnął się szeroko.

– Policja lubi się przyglądać faktom i dowodom oraz słucha tego, co się mówi w sądzie pod przysięgą. To ich rutynowy sposób, w jaki znajdują odpowiedzi na swoje pytania. Jednak w tym gabinecie, podobnie jak u twojego stryja, śledztwo wygląda zupełnie inaczej. A jak jest u historyka?

– Fakty to fakty – odparł Ćma, śmiejąc się. – Ale z biegiem lat wyślizgują się, zmieniają. Historia trochę przypomina mokrą glinę.

Doktor pokiwał głową.

– Bardzo trafnie – stwierdził – Też tak uważam. Ale to nie tyle fakty tak bardzo się zmieniają, ile sposób, w jaki je postrzegasz.

Podniósł ołówek leżący na biurku. Trzykrotnie stuknął w notatnik, a potem zaczął coś bazgrolić.

– Napisał na kartce „Moja wina" – odezwał się Ćma.

– Tak. To właśnie nie daje mi spokoju – powiedział doktor. – Intrygujący dobór słów, szczególnie u psychiatry. A co ty sądzisz na ten temat?

– Brzmi to, jakby odpowiadał na jakieś pytanie.

– Właśnie – zgodził się doktor. – Ale to jest pytanie, które zostało zadane, albo którego się spodziewał.

Puknął ołówkiem w notes, stawiając czarny znak.

– Kiedy ty prowadzisz badania historyczne, to w jaki sposób studiujesz dokument, który może ci coś powiedzieć o obiekcie tych badań? – spytał

– No, ważny jest kontekst – odparł Ćma.

Jednak pomyślał: Miejsce. Okoliczności. Powiązania z daną chwilą. Kiedy Wellington wymamrotał: „Dajcie mi Bluchera albo noc", stało się tak dlatego, iż zrozumiał, że w tej właśnie sekundzie losy bitwy zawisły na włosku. Czyli, Ed napisał słowa ‚moja wina", bo akurat wtedy ujawnił się jakiś szerszy kontekst.

– Mam jeszcze jedno pytanie – odezwał się.

Doktor skinął głową i pochylił się bardziej do przodu.

– Po co Edowi byłyby dwa pistolety? Albo nawet jeden?

Terapeuta lekko otworzył usta. Wydawało się, że przez chwilę nad czymś się zastanawia.

– Na pewno tak było? – zapytał.

– Tak.

Kolejna chwila ciszy.

– To kłopotliwa sprawa – powiedział doktor. – To coś nietypowego dla Eda. – Wyglądał, jakby te dwa pistolety reprezentowały aspekt osobowości, którego nie zdołał zgłębić. – Ta notatka. „Moja wina". Gdzie dokładnie leżała?

Ćma o tym dotąd nie pomyślał. Odpowiedział powoli, ostrożnie.

– Sądzę, że trochę na lewo od środka blatu.

– Nie na prawo?

– Nie.

Doktor pokiwał głową, sięgnął po bloczek z receptami i przytrzymał go, jakby zamierzał coś na nim zapisać. Potem spojrzał w dół, wskazując blat.

– Ale to leżało tutaj… – gestem wskazał przeciwną stronę biurka. – Może to coś znaczy, a może nie znaczy nic. Jednak jest dziwne.

Spojrzał na Andy, potem na Ćmę.

– Sądzę, że powinniście być nawet bardziej niż zaciekawieni – oznajmił.

To stwierdzenie sugerowało, że rozmowa dobiega końca, podobnie jak fakt, że doktor odchylił się, rozpierając w fotelu.

Andy Candy do tej pory milczała, ale teraz zadała pytanie:

– Jeśli nie kogoś konkretnego, to czego obawiał się Ed?

Doktor uśmiechnął się.

– Och, rozsądne pytanie – zauważył. – Pomimo swojego wykształcenia i doświadczenia Ed, tak jak wielu uzależnionych, bał się swojej przeszłości.

Andy pokiwała głową.

U Szekspira, pomyślała, jest mowa o siedmiu wiekach człowieka, od niemowlęctwa po bardzo sędziwą starość. Ed nigdy nie dotarł do tego ostatniego wieku, a pierwsze dwa są przypuszczalnie ukryte, nawet dla historyka, jak Ćma. Zatem przyjrzyjmy się wiekowi, gdy Ed stawał się dorosły.

– Czy może pan wie, dlaczego stryj Ćmy przyjechał do Miami? – zapytała.

Doktor nie odpowiedział od razu.

– Tak – rzekł wreszcie. – Przynajmniej częściowo. Przez wiele lat uciekał przed tym, kim jest, próbując uciec od rodziny, która naciskała, żeby jego studiom medycznym towarzyszyły te wszystkie zewnętrzne atrybuty prestiżu, jakie może zapewnić Liga Bluszczowa albo podobne instytucje. Domyślam się, Timothy, że tobie też taka presja nie jest obca. I tak samo było z jego małżeństwem. Rób to, czego od ciebie oczekują, a nie to, co sam byś chciał robić. W Miami to nic niezwykłego. Wiem, że jesteśmy świetną przystanią dla uchodźców z całego świata. Ale czy nie sądzicie, że jesteśmy równie dobrym miejscem dla emocjonalnych uchodźców?

Andy zobaczyła, że Ćma pochyla się do przodu. Znała ten ruch. Coś dostrzegł, pomyślała. W każdym razie miała nadzieję, że właśnie to widzi na jego twarzy.

11

Piąty Student był właśnie na tarasie z tyłu domu, gdzie wczesnym rankiem ćwiczył jogę, kiedy na podwórko wszedł niedźwiedź. Piąty Student zastygł w przybranej niedawno pozycji, nie chcąc wystraszyć zwierzęcia. Pozycja nazywała się Upadający Motyl. Czuł, że mięśnie brzucha napinają mu się z wysiłku, ale postanowił nie opuszczać ciała do poziomu podniszczonej drewnianej podłogi. Każdy nietypowy odgłos albo gwałtowny ruch mógł zaniepokoić niedźwiedzia.

Zwierzę – dwustukilogramowe, ogromne, o gabarytach i gracji starego volkswagena garbusa – najwyraźniej miało zamiar znaleźć sobie jakieś przewrócone drzewo i wygrzebać z niego przekąskę złożoną z larw oraz chrząszczy, w myśl hasła „Właśnie obudziłem się ze snu zimowego i jestem cholernie głodny". Potem pewnie chciało wycofać się między krzaki i grube drzewa otaczające skromny domek Piątego Studenta nad rzeką, aby tam poszukać konkretnego posiłku.

Łatwy strzał, pomyślał. Zaraz obok, w domku, miał winchestera kaliber trzydzieści zero sześć do polowań na jelenie. Ale to musiałby być śmiertelny strzał. W serce albo w mózg. To wielkie zwierzę. Silne. Zdrowe. Zdecydowanie zdolne do tego, żeby uciec i umierać powoli w głębi lasu, gdzie nie zdołałby go wytropić i uwolnić od cierpień. Przypomniał sobie mantrę marines: „Jeden strzał. Jedna śmierć”.

Kusiło go, aby obniżyć się na taras, poczołgać po broń, odbezpieczyć i wystrzelić. To byłby dobry trening.

Patrzył, jak niedźwiedź ogląda i odrzuca kilka gnijących okazji do posiłku. Piąty Student uznał, że dostrzega rosnącą u zwierzęcia frustrację, połączoną z determinacją. Niedźwiedź, wyraźnie wzruszając ramionami, co wyglądało, jak gdyby drgnął każdy centymetr jego eleganckiego, czarnego jak noc futra, powędrował z powrotem w las. Zadrżało kilka mijanych przez niego krzaków, a potem zniknął. Piąty Student pomyślał, że to wygląda, jakby słaby szary blask wczesnego poranka otulił i zasłonił zwierzę niczym mgła. Ciemny las ciągnął się kilometrami, poprzez strome wzgórza i opustoszałe dawne poręby, teraz rezerwat przyrody. Dom Piątego Studenta tak naprawdę był rozklekotanym podwójnym domkiem kempingowym ustawionym na pustakach, z niewielkim drewnianym tarasem przyległym do maleńkiej kuchni. Stał zaledwie sto metrów od zakrętu rzeki Deerfield. Wczesnym rankiem osadzała się na nim ta cała wilgoć, która wcześniej zbierała się nad wodą.

Uważnie nasłuchiwał przez kilka chwil, mając nadzieję, że wyłapie cichnące odgłosy niedźwiedzia, jednak niczego nie usłyszał, więc w końcu obniżył się do poziomu podłogi. Odetchnął gwałtownie, to wszystko skojarzyło mu się z długim pobytem w zanurzeniu. Wyjrzał na tylne podwórze, próbując dostrzec pozostałości porannego wtargnięcia niedźwiedzia, ale niczego nie zauważył, wyjąwszy kilka długich śladów wśród rosy, tam gdzie zwierzę postawiło łapy.

Uśmiechnął się.

Ja jestem takim samym drapieżnikiem, pomyślał. Głodnym, obudzonym ze snu zimowego, tyle że znacznie zwinniejszym i znacznie bardziej skupionym. Ale moje ślady znikają równie szybko jak ja.

Jestem takim samym drapieżnikiem.

Cierpliwym.

W kuchni za nim rozdzwonił się staroświecki nakręcany budzik. Koniec ćwiczeń. Piąty Student podźwignął się i nieco rozciągnął, a potem szybko wszedł do domku, aby się ubrać. Nawet w tym świecie na pograniczu pradziejów, gdzie za sąsiada miał niedźwiedzia, Piąty Student chlubił się swoją świetną organizacją. Skoro przeznaczył czterdzieści pięć minut na ćwiczenia, to trwały czterdzieści pięć minut. Ani sekundy krócej. Ani sekundy dłużej.

Gdy nastało przedpołudnie, zajmował się już składaniem ubrań z darów oraz ustawianiem konserw w placówce stanowiącej połączenie oddziału Armii Zbawienia i składu darmowej żywności, gdzieś na obrzeżach Greenfield, w smutnym pawilonie handlowym, w którym mieściły się jeszcze jeszcze Home Depot, McDonald's oraz zabity deskami lokal, gdzie kiedyś była księgarnia. Zgłaszał się tam na ochotnika do pracy, kiedy tylko odwiedzał Massachusetts. W wiejskiej okolicy, w której mieszkał, istniały wysepki ubóstwa, a samo miasteczko bardzo ucierpiało wskutek recesji i kryzysu.

Przed innymi współpracownikami podtrzymywał fikcję, że jest zatrudniony w szpitalu dla weteranów, czterdzieści kilometrów dalej, ścieli tam łóżka i opróżnia nocniki – a okazywane przez niego entuzjazm oraz ochota do ciężkiej pracy powstrzymywały innych od zadawania zbyt wielu pytań. Zawsze był chętny przenieść jakieś ciężkie meble albo wspiąć się po drabinie i zdjąć coś z wysokiej półki.

Od czasu do czasu Piąty Student przerywał swoje zajęcia, żeby przyglądać się ludziom odwiedzającym sklep. Wpadali tu studenci miejscowych college'ów, chcący okazyjnie kupić ubranie na zimę, czasem inni młodzi ludzie, podążający za modą na rzeczy z drugiej ręki. Zazwyczaj jednak zjawiali się ci, dla których słowa „ciężkie czasy" były czymś tak zwyczajnym, jak zmartwienia, które pożłobiły im twarze. Piątego Studenta interesowały takie osoby.

Niedługo przed przerwą na lunch zauważył, że do tego dużego budynku sklepu przypominającego magazyn wchodzi jakaś kobieta. Nie był pewien, co właściwie przykuło jego uwagę – może siedmioletnie dziecko, które za sobą ciągnęła, może nieco zakłopotany wyraz twarzy. Widział, jak kobieta się waha, już prawie stojąc w szerokich szklanych drzwiach. Pomyślał, że trzyma swoją małą córkę za rękę chyba po to, żeby sama stać pewniej, jak gdyby to właśnie dziecko stanowiło dla niej oparcie, a nie na odwrót.

Był akurat w dziale z odzieżą męską, rozwieszając garnitury z darów i upewniając się przy tym, że do tych niemodnych, znoszonych marynarek i spodni poprzyczepiane są metki z cenami. Mieli tutaj sporo nietypowych rozmiarów. Wszystko rozmiaru czterdzieści dwa, regularnego albo długiego, było zdecydowanie staroświeckie, o szerokich klapach i w paskudnych kolorach. Garnitury zbliżone do tego, co noszono współcześnie, miały zaś rozmiary niepasujące nawet na kogoś chudego jak szkielet albo grubego jak beka.

Przyglądał się, jak kobieta z córką idą do sąsiedniego działu z ubiorami dla dzieci. Pomyślał, że nieznajoma jest dziwnie piękna – miała wysokie kości policzkowe, niczym modelka, a także smutne spojrzenie. Dziewczynka była bardzo ładna, w ten żywiołowy sposób, w który dzieciom udaje się łączyć zawstydzenie i podekscytowanie. Mała wskazała na kolorowy różowy sweter z tańczącym słoniem. Matka zerknęła na cenę i pokręciła głową.

Wydawało się, że odmowa sprawia jej przykrość.

Nigdy nie sądziłaś, że to ci się przytrafi, pomyślał Piąty Student. Czyli jesteś nowa w tym świecie zaciskania pasa oraz rachunków nie do zapłacenia. Niebyt to fajne, prawda?

Piąty Student stał w odległości około trzech metrów, więc prawie nie musiał podnosić głosu.

– Możemy obniżyć cenę – zaproponował.

Kobieta odwróciła się w jego stronę. Miała intensywnie błękitne oczy i płowe włosy, które zdawały mu się nieujarzmione jak zarośla obok jego domu. Dziecko stanowiło lustrzane odbicie matki.

– Nie, wszystko w porządku... – kobieta urwała, a w jej tonie zabrzmiało: „Proszę, nie każ mi tłumaczyć, dlaczego tutaj jestem".

Piąty Student uśmiechnął się i podszedł do nich. Wyciągnął rękę ku dziecku.

– Jak masz na imię?

Dziewczynka nieśmiało uścisnęła mu dłoń.

– Suzy – powiedziała.

– Cześć, Suzy. Ładne imię dla ładnej dziewczynki. Lubisz kolor różowy?

Suzy pokiwała głową.

– A słoniki?

Kolejne przytaknięcie.

– Dobrze. Suzy, przysięgam, że od całych tygodni jesteś pierwszą młodą damą odwiedzającą nasz sklep, której podobają się zarówno kolor różowy, jak i słoniki. Odwiedziło nas już kilka młodych dam, które lubiły róż, i kilka, które lubiły słonie, ale jeszcze nigdy, przenigdy nie było tu takiej, która lubiłaby i jedno, i drugie.

Piąty Student zdjął sweter z wieszaka. Na żółtej metce widniała cena „6 dolarów". Wyjął z kieszeni koszuli duży czarny flamaster, przekreślił cenę i zamiast niej napisał „50 centów". Potem wręczył sweterek dziewczynce, następnie sięgnął do kieszeni spodni po portfel. Podał Suzy banknot jednodolarowy.

– Proszę – powiedział. – Teraz możesz sobie kupić, bo ja naprawdę lubię słoniki i też podoba mi się taki kolor.

Matka wybąkała:

– Dziękuję, pan nie musi...

Potrząsnął głową, uciszając ją.

– Pierwszy raz tutaj? – zapytał.

– Tak.

– Na początku wszystko może trochę przytłaczać. – Kiedy wypowiadał słowo „przytłaczać", wcale nie miał na myśli rozmiarów sklepu. – Jak pani sądzi, może przyda się też pani coś do jedzenia?

– Nie powinnam, to znaczy z nami jest wszystko w porządku... – przerwała gwałtownie, potrząsnęła głową. – Przydałoby się coś do jedzenia – przyznała.

– Jestem Blair – przedstawił się Piąty Student, wskazując plakietkę na swojej koszuli z pseudonimem, którego używał w Massachusetts.

– Shannon – odpowiedziała kobieta.

Uścisnęli sobie dłonie. Pomyślał, że jej dotyk jest bardzo delikatny. Ubóstwo zawsze jest takie miękkie, pełne wątpliwości i lęków. Kiedy masz pracę, to uścisk dłoni staje się pewniejszy.

– Dobra, Shannon i Suzy, pozwólcie, że wam pokażę, jak sobie radzić w dziale spożywczym. Wszystko jest tutaj za darmo. Jeśli możecie coś dać, to świetnie, ale to nie jest absolutnie konieczne. Może w przyszłości będziecie mogły tutaj wrócić i przekazać jakiś datek. Chodźcie za mną.

Pochylił się w stronę dziecka.

– Lubisz spaghetti? – zapytał.

Suzy pokiwała głową, częściowo chowając się za nogą matki.

– Róż, słoniki, spaghetti. Suzy, trafiłaś we właściwe miejsce.

Prowadząc kobietę i dziecko, pokierował ich w stronę działu spożywczego, znalazł im niewielki koszyk, następnie oprowadził wśród półek. Zadbał, żeby wzięły dwie duże puszki gotowego spaghetti z klopsikami.

– Dziękuję – powiedziała Shannon. – Naprawdę, jesteś bardzo miły.

– Taka moja praca – wesoło odparł Piąty Student. Nie tak do końca, pomyślał.

– Planuję niedługo stanąć na nogi – kontynuowała Shannon.

– Na pewno ci się uda.

– Wszystko zrobiło się takie... – zawahała się, szukając właściwego słowa – ...nieposkładane.

– Tak się właśnie domyślam – powiedział Piąty Student. Pozwolił, aby krótka chwila ciszy wzmocniła jego następne słowa.

To niezwykłe, jak krótka chwila ciszy podkreśla wypowiedź, pomyślał. Byłbym doskonałym psychiatrą.

– Porzucił nas – odezwała się, a jej głos zabarwiła gorycz. – Wyczyścił konto w banku, zabrał samochód i… – umilkła.

Zobaczył, jak przygryza wargę.

– Było ciężko – powiedziała. – Zwłaszcza dla Suzy, ona tak naprawdę nic z tego nie rozumiała.

– Tam, przy kasach – odezwał się – mają listę stanowych i miejscowych ośrodków pomocy społecznej, które mogą udzielić ci wsparcia. Mają też tam radców prawnych. Oni naprawdę mogą coś zrobić. Spotkaj się z którymś. Porozmawiaj. Obiecuję, to na pewno coś da.

Pokiwała głową.

– To było takie, sama nie wiem…

– Ale ja wiem – odparł. – To był stres. Depresja. Złość. Smutek. Zmieszanie. Strach. I to tylko na początek. Nie próbuj sobie z tym radzić sama.

Kiedy dotarł do kasy, Suzy z dumą położyła banknot dolarowy i starannie odliczyła dwie ćwierćdolarówki reszty. Piąty Student sięgnął nad ladą i wyjął z pudełka zadrukowaną kartkę. Były na niej telefony do miejsc, gdzie udzielano pomocy, oraz nazwiska terapeutów pracujących pro bono. Wręczył ją matce dziewczynki.

– Zadzwoń tam – powiedział. – Poczujesz się lepiej, jak to zrobisz.

Człowiek zawsze czuje się lepiej, kiedy zajmuje się bezpośrednio praprzyczyną własnych problemów, pomyślał.

Przy drzwiach wyjściowych pomachał matce i córce, idącym w stronę przystanku autobusowego.

To są właśnie ludzie, którym kiedyś miałem pomagać, pomyślał. Zanim wszystko mi zabrano.

Rozejrzał się dookoła, upewniając, że w pobliżu nie ma nikogo, kto mógłby go podsłuchać, a potem wyszeptał na głos, wlepiając wzrok w znikający różowy sweter:

– Pa, pa, Suzy. Mam nadzieję, że już nigdy nie znajdziesz się tak blisko mordercy.

12

Wyszedłem na głupiego i wystraszonego starca, ale przecież nie miałem innego wyjścia.

Kiedy w środku nocy na drugim krańcu linii telefonicznej zapadła cisza, Jeremy Hogan uznał, że mężczyzna chcący go zabić jest tuż obok jego domu. Działając w szaleńczo zorganizowany sposób, jak człowiek obudzony krzykiem „Pali się!", pospieszył schodami na dół, do sypialni i przysunął fotel pod tylną ścianę, niczym prowizoryczną barykadę. Następnie skulił się za nim, bacznie przyglądając się wszystkim wejściom do pokoju, tak aby pozostawać prawie niewidocznym przez duże panoramiczne okno, które, jak natychmiast uznał, pozwalało mordercy zaglądać do wnętrza domu oraz śledzić każdy ruch ofiary.

Zdjął z kominka kuty metalowy pogrzebacz. Zebrał się w sobie, gotów zaatakować mordercę, który, czego był absolutnie pewien, w każdej chwili mógł wejść frontowymi drzwiami. Intensywnie nasłuchiwał: dźwięku tłuczonego okna, kliknięcia otwieranego zamka. Kroków. Ciężkiego oddechu zabójcy, takiego jak w hollywoodzkich filmach. Czegokolwiek, co mogłoby wskazywać, że wkrótce stanie twarzą w twarz z tajemniczym mężczyzną pragnącym jego śmierci. Wśród tej gonitwy myśli założył, że zabójca wie, jak obejść system alarmowy domu, i że konfrontacja na śmierć i życie jest nie tylko nieunikniona, ale nastąpi w ciągu kilka sekund. Uznał, że zanim umrze, zdoła chociaż kilka razy machnąć pogrzebaczem.

Stawaj do walki – powtarzał jak mantrę.

Podniósł się, przerażony i zastygły w tej pozycji. Trwał tak, dopóki blask poranka nie wkradł się przez okno. Wtedy Hogan uświadomił sobie, że wciąż żyje i jest sam.

Dłoń mu zdrętwiała. Spojrzał na palce wciąż zaciskające się na rękojeści pogrzebacza. Były zmarznięte, odginał je z trudem.

Pogrzebacz wyleciał mu z ręki, z grzechotem upadł na podłogę. Wzdrygnął się, słysząc hałas. Szybko się pochylił i podniósł żelastwo. Trzymał je teraz jak huzar szablę.

„Dlaczego nie przyszło panu do głowy, że może jestem teraz tuż za pańskimi drzwiami?"

Jeremy powtórzył w myślach słowa zabójcy. Zastanawiał się, w jakim stopniu zostały przemyślane.

W jakim stopniu jest ekspertem od zastraszania?

Jeremy jeszcze nigdy nie doświadczał takiej nagłej paniki. Zalały go katastroficzne obrazy: strażak słuchający dźwięku zapadającego się sufitu, rozbitek kurczowo uczepiony jakiejś belki na pustym, szarym i sztormowym morzu, pilot lecący ponad buszem i ściskający ster, gdy silniki za nim kaszlą i gasną.

To wszytko zostawiło mu w ustach gorzki, suchy posmak. Sam sobie zadawał pytanie: Czy już coś przetrzymałeś? Czy może dopiero posmakowałeś tego, co nadejdzie?

Słowa formujące się w jego głowie wydawały się takie, jak gdyby wypowiadał je na głos. Chropowate, łamiące się, pełne udręki.

Najprawdopodobniej tylko posmakowałem – uznał.

Kiedy jego wiejski dom zalało już światło słońca, Jeremy zorientował się, że wciąż drży, ręce mu się trzęsą, mięśnie ma napięte. Chciał wczołgać się za każdy fotel i za każdą kanapę, ukryć w każdej szafce i pod każdym łóżkiem. Czuł się jak dziecko przebudzone z koszmaru, jeszcze nie do końca pewne, czy senna groza naprawdę odeszła.

Chodził ostrożnie po pokoju, starzec starannie odmierzający każdy krok. Przywarł z boku do panoramicznego okna, odsuwając zasłonę tak, aby móc przez nie wyjrzeć.

Nic. Zwykły słoneczny poranek.

Cicho przedostał się do kuchni i spojrzał przez okna nad zlewem, ponad wyłożonym kostką patio, gdzie kiedyś malowała jego żona, i ponad niewielkim trawnikiem w stronę dzikiego rezerwatu. Za każdą kępą drzew, za każdymi splątanymi krzakami mógł ukrywać się morderca. Wszystko, co kiedyś było znajome, teraz wydawało się niebezpieczne.

Po czym można poznać, że ktoś cię obserwuje?

Jeremy nie wiedział, po czym – wyjąwszy może jakieś takie lepkie, szorstkie uczucie, którego teraz doświadczał gdzieś w sobie. Uznał, że lepiej będzie, jak sobie z nim poradzi. I to szybko. Podszedł do kuchenki i zaparzył kubek kawy, mając nadzieję, że w ten sposób uspokoi skołatane nerwy.

Po chwili chwiejnym krokiem wrócił do swojego gabinetu, w jednej dłoni trzymając parujący kubek, a w drugiej pogrzebacz. Skoczył za biurko, zgarnął papiery i zaczął gryzmolić notatki, starając się przypomnieć sobie szczegóły, zastanawiając się, dlaczego są takie ulotne. Czuł się wyczerpany i dziwnie brudny, jak po pracy w ogrodzie. Wiedział, że jest blady. Wiedział, że jest spokojny. Przeczesał palcami zmierzwione włosy i przetarł oczy, niczym dziecko budzące się z drzemki.

Czy słyszałeś wystarczająco dużo, aby odpowiedzieć na kolejne pytanie?

Poczuł, że ma zesztywniały krzyż.

Doktorze, jakie to pytanie?

W jego głowie ten dialog wciąż odbijał się echem.

Masz umrzeć czy odebrać kolejny telefon?

Jeremy Hogan nadal siedział. Nie wiedział, ile czasu tak trwał, rozmyślając o tym wszystkim. Jak gdyby otwarte zakończenie jego obecnej sytuacji, niepewność co do tego, w co go uchwycono, była dla niego obca, nieznana. To przypominało wystawanie na rogu ulicy w jakimś nieznanym kraju i wsłuchiwanie się w język, którego się nie rozumiało, przy jednoczesnym ściskaniu w garści mapy, której nie potrafiło się odczytać. Czuł, że się zagubił. Znowu wyobraził sobie spanikowanego strażaka, już wcześniej goszczącego w jego myślach – ale tym razem strażak miał jego twarz, przytuloną do ziemi, krztusił się, otoczony wybuchami i jęzorami płomieni.

Nie ma wyjścia. Czyli co trzeba było zrobić?

Poddać się.

Albo:

Nie poddawać się.

Zastanowił się, czy uda mu się znaleźć jakiś sposób na utrzymanie się przy życiu, czy w ogóle tego chce.

Jestem stary. Jestem samotny. Miałem dobre życie. Zrobiłem kilka całkiem ciekawych rzeczy, odwiedziłem kilka niezwykłych miejsc, sporo osiągnąłem. Zaznałem w życiu trochę miłości. Doświadczyłem kilku naprawdę fascynujących chwil. Było – w sumie – cholernie dobrze.

Mógłbym po prostu sobie poczekać i serdecznie powitać tego zabójcę.

– Cześć. Jak ci leci? Słuchaj, jeśli możesz, zrób to szybko, bo ja nie cierpię tracić czasu.

W zasadzie to ile lat tak naprawdę by mu skradziono? Pięć? Dziesięć? I to jakich lat? Samotnych. Lat, gdy wiek kradnie coraz więcej wraz z każdym mijającym dniem.

Czym tu się martwić?

Jeremy przysłuchiwał się tej toczonej wewnątrz siebie rozmowie, jak gdyby siedział w uniwersyteckiej auli, przyglądając się debacie na jakiś ezoteryczny temat. Pierwsza opinia: powinieneś już po prostu umrzeć. Druga opinia: nie, walcz o życie.

Wziął nierówny, głęboki oddech. Przez to wszystko prawie kręciło mu się w głowie

Ale to jest mój dom i niech mnie cholera, jeśli pozwolę, żeby ktoś obcy…

Jeremy urwał tę myśl w połowie.

Wpatrywał się w kubek z kawą i leżący przed sobą pogrzebacz. Chwycił metalowy pręt, rozlewając przy tym kawę. Potem wstał, machnął nim gwałtownie, siekąc niewidzialnego napastnika.

Wyobraził sobie, jak ciężar pogrzebacza uderza w ludzkie ciało. Mocno wali w czaszkę. Rozłupuje kości. Tnie skórę.

Dobrze, pomyślał. Ale nie wystarczająco dobrze. Nie znajdziesz się aż tak blisko niego.

Bo jeśli się znajdziesz, to przypuszczalnie zostaniesz zamordowany.

Wiedział, że aby podjąć decyzję, potrzebuje pomocy, jednak nie do końca wiedział, jak o nią poprosić.

Obok przeszklonego blatu przechadzało się z wolna jeszcze dwóch mężczyzn, w ciszy przyglądających się ułożonym w gablocie rzędom broni. Uznał, że każdy, kto odwiedza ten sklep, pewnie wie więcej od niego. Na ścianach wisiała co najmniej setka karabinów i strzelb, każda sztuka zabezpieczona stalową linką. I każda kolejna wyglądała groźniej od poprzedniczki.

Nie był to duży sklep – kilka alejek regałów, na nich odzież myśliwska, przede wszystkim w różnych wzorach kamuflażu albo jaskrawopomarańczowa, mająca uchronić myśliwego przed wzięciem za zwierzynę. Sprzedawano również nowoczesne łuki i strzały, a także wypchane głowy jeleni o szklanych oczach, do powieszenia na ścianie. Każda z tych głów nosiła imponujące poroże. Jeremy nie miał pojęcia o odrostkach poroża ani o wysokości w kłębie, wiedział jednak na tyle dużo, żeby dostrzec jakąś ironię w fakcie, że im jeleń jest dostojniejszy we własnym świecie, tym bardziej wystawia się na niebezpieczeństwo w innym.

Jeremy prawie roześmiał się w głos. To było takie typowo psychiatryczne spostrzeżenie.

Powstrzymując rozbawienie, podszedł do lady. Samotny sprzedawca układał tam stos pudełek amunicji, obsługując jednego z dwóch pozostałych klientów, który z wyraźnym podziwem unosił groźnie wyglądający czarny pistolet. Sprzedawca był mężczyzną w średnim wieku, ostrzyżonym po wojskowemu, z wyraźną nadwagą i dużym tatuażem USMC na przedramieniu rozmiarów golonki. Pod pachą nosił kaburę, z której wystawała rękojeść półautomatycznego pistoletu, do tego jeszcze szary podkoszulek ze starym hsałem Narodowego Stowarzyszenia Strzeleckiego, wydrukowanym zblakłą czerwienią: „Gdy posiadanie broni jest przestępstwem, to tylko przestępcy posiadają broń".

– Pomóc w czymś? – zapytał niezbyt uprzejmie, unosząc wzrok.

– Tak – odparł Jeremy. – Myślę, że przyda mi się coś porządnego do obrony domu.

– W tych czasach każdy potrzebuje czegoś porządnego do obrony domu – stwierdził sprzedawca. – Do obrony własnej i swoich bliskich. Czego by pan sobie życzył?

– Jeszcze nie jestem pewien... – zaczął Jeremy.

– Ma pan już w domu założony alarm, prawda?

Jeremy przytaknął.

– Dobrze – powiedział sprzedawca. – A ma pan psa?

– Nie.

– Ile osób przebywa z panem w domu? To znaczy chodzi mi o to, czy dzieci albo wnuki często pana odwiedzają? Ma pan żonę? Spotyka się u pana jakiś klub czytelniczy? Dostaje pan dużo przesyłek z FedEx-u? Jak duży jest ruch uliczny pod pana domem?

– Mieszkam sam. I już nikt mnie nie odwiedza.

– A jaki to dom? Jaka okolica? Gdzie jest najbliższy posterunek policji?

Jeremy poczuł się jak na sali sądowej w krzyżowym ogniu pytań. Pozostali dwaj klienci, trzymający rozładowaną broń, zatrzymali się i zaczęli się przysłuchiwać.

– Mieszkam na wsi, w dosyć odludnej okolicy. Stary wiejski dom, niedaleko rezerwatu przyrody. Tak naprawdę to nie mam żadnych sąsiadów, przynajmniej żadnego w promieniu kilkuset metrów, i z żadnym tak naprawdę się nie przyjaźnię, dlatego też żaden do mnie nie wpada. I to jest daleko od głównej drogi. Mnóstwo drzew i krzaków, malownicza okolica. Z drogi ledwie widać mój dom.

– Oho! – powiedział sprzedawca, szczerząc zęby w uśmiechu. Na wpół odwrócił się do pozostałych dwóch klientów, którzy pokiwali głowami. – To niedobrze. Bardzo niedobrze – dwa ostatnie słowa zaakcentował jak nauczyciel w podstawówce. – Jeśli gówno się rozleje, przepraszam za wyrażenie, jest pan skazany tylko na siebie. Cholernie dobrze, że pan tutaj przyszedł.

Wydawało się, że sprzedawca analizuje teraz dom Jeremy'ego jako potencjalne pole bitwy.

– Porozmawiajmy o zagrożeniach – powiedział. – Jak pan sądzi, co się dokładnie może zdarzyć?

– Wtargnięcie na teren posesji – szybo odparł doktor. – Jestem starym facetem, mieszkającym samotnie. Dla każdego jestem bardzo łatwym celem.

– Trzyma pan w domu jakie wartościowościowe rzeczy albo gotówkę?

– Właściwie nie.

– Aha – sprzedawca pokiwał głową. – Ale, jak zgaduję, to miejsce wygląda całkiem ładnie. Bogato. Kim pan jest z zawodu?

– Jestem lekarzem – odpowiedział Jeremy. – Psychiatrą.

Sprzedawca się skrzywił.

– Niewielu tutaj mamy psychiatrów. Tak naprawdę to nawet nie wiem, czy kiedykolwiek sprzedałem spluwę jakiemuś psychiatrze. Ortopedom tak. Cały czas. Ale nikomu z takich jak pan. Czy to prawda, że jak pan kogoś posłucha, to może odgadnąć, co tak naprawdę myśli?

– Nie – powiedział Jeremy. – To byłoby czytanie w myślach.

– Ha! Mogę się założyć, że jednak pan potrafi. Swoją drogą, ma pan ładny samochód? – ostatnie zdanie powiedział pytającym tonem.

– Stoi na zewnątrz. To bmw.

– To jest jak postawienie wielkiego neonu z napisem „Jestem bogaty" – odezwał się jeden z klientów, młodszy, o długich przetłuszczonych włosach ściągniętych w kitkę, ubrany w dżinsy i skórzaną harleyowską kurtkę. Na karku miał tatuaż, tylko częściowo zasłoniętym przez kołnierz.

Sprzedawca się uśmiechnął.

– Doktorku, tak naprawdę właśnie mi pan powiedział, że mieszka pan w miłym miejscu, za sąsiadów ma pewnie tylko garstkę maklerów i gospodyń domowych, okazyjnie zajmujących się handlem nieruchomościami.

– Racja – stwierdził Jeremy. – I co pan o tym myśli? Strzelba śrutowa? Pistolet?

– Myślę, że jedno i drugie, ale to są pańskie pieniądze. Ile chce pan zapłacić za spokój ducha?

Wytatuowany Kark przysunął się bliżej, wyraźnie zainteresowany rozmową. Drugi klient odwrócił się, żeby obejrzeć następne pistolety.

– Myślę, że powinienem posłuchać zawodowca – powiedział Jeremy. – Biorąc pod uwagę moją sytuację i zakładając, że koszta nie grają roli, co by pan zaproponował?

Sprzedawca znowu się uśmiechnął.

– Jeśli chodzi o strzelbę, to remingtona albo mossberga. Nie za ciężką. Krótka lufa, do użytku w zamkniętej przestrzeni. Prosty, wydajny mechanizm. Nie zatnie się. Nie zardzewieje. W walce może narobić niezłego zamieszania.

– Ja bym wziął mossberga – wtrącił Wytatuowany Kark. – On ma jeszcze takie fajne mocowanie na latarkę, to się przydaje.

Nie wyjaśnił, do czego się przydaje, bo wydawało się to oczywiste.

Sprzedawca pokiwał głową.

– Prawda. Wersja na sześć albo na dziewięć ładunków. I tak sobie myślę, żeby to wszystko było naprawdę skuteczne, do tego jeszcze rewolwer Colt Python, kaliber trzysta pięćdziesiąt siedem magnum, na walcowe pociski bez płaszcza. Zatrzyma nawet rozpędzonego słonia. Cadillac wśród broni ręcznej.

Wytatuoowany Kark chciał coś powiedzieć, ale sprzedawca uciszył go, podnosząc rękę.

– Wiem, wiem. Glock dziewiątka albo kaliber czterdzieści pięć mają większą szybkostrzelność. Ale sądzę, że dla tego dżentelmena sensowne byłoby coś staroświeckiego, jak najłatwiejszego w użyciu, tak żeby tylko wycelować i strzelić, nie przejmować się magazynkiem albo wprowadzaniem pocisku do komory.

Sprzedawca odwrócił się do Jeremy'ego.

– Mnóstwo ludzi ogląda w kinie albo w telewizji gliniarzy, którzy zawsze używają broni półautomatycznej, i dlatego chcą sobie taką kupić. Ale taka cholernie dobra broń, mam na myśli taką pierwszorzędną, taką, którą, można upuścić w błoto albo używać jako młotka przy weekendowym majsterkowaniu, wciąż będzie zdatna do użytku. Jak się domyślam, właśnie coś takiego by panu pasowało.

Jeremy zszedł ze sprzedawcą i dwoma pozostałymi klientami do piwnicy. Mieściła się tam prowizoryczna strzelnica z dwoma stanowiskami. Sprzedawca ustawił tam pierwszego z mężczyzn, wszystkim dał ochraniacze na uszy i pudełka amunicji. W ciągu kilku sekund mężczyzna przykucnął, fachowo wycelował, a następnie otworzył ogień z półautomatycznego pistoletu, mierząc do celu odległego zaledwie o kilkanaście metrów. Wzdłuż sufitu strzelnicy zamontowano system wielokrążków, stał w niej również przymocowany do podłogi stół oraz pojedyncza płyta z karton-gipsu, rozdzielająca tory strzeleckie. Szybkie wystrzały zabrzmiały ogłuszająco. Jeremy poprawił ochraniacze uszu. Pochłaniały huk, ale nie całkowicie.

Sprzedawca wykrzykiwał komendy, najpierw dla mossberga dwunastki, potem dla rewolweru. Ładuj. Postawa. Uchwyt. Delikatnie ustawił Jeremy'ego w odpowiedniej pozycji.

Doktor mocno przycisnął strzelbę do ramienia. Z tego, co wykrzykiwał mu sprzedawca wśród nieprzerwanego ciągu eksplozji z sąsiedniej alejki, wynikało, że przy strzelaniu najważniejsza jest odpowiednia pozycja.

– Na pewno nie chce pan sobie złamać barku!

Sprzedawca pociągnął za wielokrążki i posłał pod przeciwległą ścianę czarno-białą tarczę strzelniczą, zatrzymując ją przed workami z piaskiem. Jeremy spojrzał na cel. Strzelba przyciśnięta do ramienia nagle wydała się przedłużeniem ciała, jak gdyby mu ją przyśrubowano. W chwili, gdy palec zbliżył się do spustu, Jeremy poczuł się młodszy, zdawało mu się, że jego ciało otrząsnęło się z lat. Nagle poczuł się równy przeciwnikowi. Spojrzał na cel, wziął oddech, przyłożył się tak, jak go pouczono, i wystrzelił

Broń kopnęła, co było jak cios zawodowego pięściarza albo uderzenie w splot słoneczny. Ale to uczucie zniknęło, gdy tylko zobaczył, że cel poszedł w strzępy.

Przeładował, wyrzucając łuskę, i strzelił ponownie.

Tym razem odrzut był już bardziej znajomy.

Przeładował raz jeszcze, z pewnością siebie, pod stopy z brzdękiem potoczyła się kolejna łuska. Wypalił po raz trzeci.

Cel został prawie zupełnie zniszczony. Wisiał na staroświeckiej klamerce do bielizny i się obracał, chociaż w piwnicznej strzelnicy powietrze było nieruchome.

– Niezły – stwierdził Jeremy. – Wart swojej ceny.

Czuł się jak małe dziecko po przejażdżce kolejką górską w wesołym miasteczku. Nie był pewien, czy sprzedawca go usłyszał, więc jeszcze uśmiechnął się triumfalnie i rzekł:

– A teraz wypróbuję rewolwer.

Sprzedawca podał mu broń.

Na sąsiednim torze klient z pistoletem półautomatycznym, którego wcale nie miał zamiaru kupować, zrobił sobie przerwę na przeładowanie. Zerknął na rozwalony w konfetti cel z drugiego toru.

Niezły strzał, doktorku, pomyślał Piąty Student. Ale nie będziesz miał na to szansy. To nie tak będzie grane.

Z wprawą wsunął pełen magazynek, jak robił już setki razy. Stłumił ogromną chęć, aby zaśmiać się w głos, teraz, kiedy ten mężczyzna po drugiej stronie lichej barierki w ogóle go nie poznawał, chociaż stał w odległości zaledwie kilku kroków. Pomysł, aby doprowadzić przyszłą ofiarę prosto do sklepu z bronią, wejść tam za nią, a potem stać sobie w odległości tylko kilku metrów, gdy ostatni człowiek z jego listy będzie sobie strzelał, bezsensownie kierując broń w złym kierunku, okazał się wyborny.

Doktorze, wystarczyłoby, żeby pan obrócił się o dziewięćdziesiąt stopni, a rozwiązałby pan swoje problemy już tutaj i od razu. Uniósł broń, wycelował do tarczy. Oczywiście to samo mógłbym zrobić i ja. Ale to byłoby o wiele za łatwe. Wystrzelił, pakując cztery pociski w sam środek tarczy.

13

Oboje wiedzieli, że badania toksykologiczne dały wynik negatywny. Jednak słowa napisane w formularzu nie były tym samym, co wiedza z pierwszej ręki. Ćma poprowadził ich ulicą w stronę drogiego hotelu.

– Jesteś pewien? – zapytała Andy Candy – Mogę sama wejść, popytać się. Zostaniesz w aucie.

Nagle uznała, że jej zadaniem jest także ochranianie Ćmy przed Ćmą. To był świeży wniosek, dopiero się w niej zakorzeniał.

– Nie, ja muszę to zrobić – odpowiedział.

– Dobra. To wejdźmy razem.

Nie zaprotestował.

Gdy wkraczali do hotelowego baru, dostrzegła, że Ćma się lekko wzdryga. Wewnątrz było ciemno, do tego przyćmione światło, gustowny wystrój, delikatny jazz gdzieś w tle. Takie miejsce łączące luksus i przytulność. Powoli obracające się wentylatory, lustra, wygodne skórzane fotele oraz niskie stoliki. Kontuar z wypolerowanego mahoniu, gładki w dotyku. Na półkach stały rzędy drogich alkoholi, niczym żołnierze na paradzie. Lokal pełen wyrafinowania, gdzie w błyszczących pojemnikach wstrząsano martini, a potem wlewano z rozmachem do kryształowych szklanek. To nie był bar, w którym zamawiało się budweisera. Tutaj przychodzili bogacze, aby czcić ubicie wielkich interesów, albo gwiazdy sportu, żeby, opłaciwszy ekskluzywne prostytutki, siąść na miejscach odgrodzonych od reszty sali. Nie było jednak szumu i energii klubu nocnego z South Beach. Andy Candy wiedziała, że jeśli zamówi szampana, dostanie dom pérignon.

Ćma twierdził, że właśnie tutaj Ed o mało nie zapił się na śmierć. Pokazał kiedyś ten bar bratankowi, gdy wolno mijali go samochodem, i powiedział:

– Kto chciałby zdychać w błocie i w brudzie z butelką bimbru? Przecież równie dobrze można zejść wśród jedwabi i diamentów, wymachując półlitrówką chateau lafite rotschild.

Od razu było widać, że Ćma i Andy Candy tutaj nie pasują. Poczuli się nieswojo. Za kontuarem stało dwóch młodych mężczyzn pod muszką, zapewne tylko o kilka lat starszych od Ćmy i kobieta w białej obcisłej koszuli z bawełny o dekolcie na tyle głębokim, żeby ukazywał spory rowek między piersiami. Jeden z mężczyzn natychmiast ich zagadnął.

– Tutaj obowiązuje odpowiedni strój – oznajmił tonem, który wcale nie był nieprzyjazny. Pochylił się. – I jest drogo. Bardzo drogo. Tak w stylu czarnej karty kredytowej. Parę ulic dalej jest fajny sportowy bar, w sam raz dla studentów.

Andy Candy nachyliła się ku niemu. Ćma zaciskał usta i tylko wpatrywał się w rzędy butelek.

– Nie przyszliśmy się napić – wyjaśniła. – Zanim stąd wyjdziemy, chcemy tylko zadać jedno, może dwa szybkie pytanka.

Uśmiechnęła się, starając się być przy tym tak atrakcyjna i zalotna, jak tylko potrafiła.

– Jakie pytanka? – zapytał barman, nieco zbity z tropu. – Nie pracujecie chyba dla TMZ albo jakiegoś innego plotkarskiego portalu?

– Nie – pospiesznie zapewniła Andy, machając ręką i kręcąc głową. – Nic takiego.

– Czyli co?

– Nasz stryj… – uznała, że będzie łatwiej, jeśli zaadoptuje Eda jako swojego krewnego – …zaginął. Wiele lat temu, a to było jego absolutnie ulubione miejsce. Zastanawiamy się, czy ktoś go tutaj nie widział, tak mniej więcej w ciągu ostatniego miesiąca.

Barman pokiwał głową. Miał już do czynienia z podobnymi „zaginięciami" i wiedział, co naprawdę oznaczały.

– Macie jakieś jego zdjęcie?

Ćma podał komórkę, na której wyświetlił zrobione na basenie, w miarę niedawne zdjęcie uśmiechniętego Eda Warnera. Barman przez chwilę wpatrywał się w fotografię, a potem potrząsnął głową i zrobił gest w stronę pozostałej dwójki za kontuarem.

Wszyscy troje pochylili się nad telefonem.

Trzy wzruszenia ramion.

– Nie – powiedział barman.

– Byłby pijany – szybko dodała Andy. Poczuła, jak stojący za nią Ćma cały sztywnieje. – Pijany psychiatra. I przypuszczalnie wcale nie taki cichy pijaczek.

Barman znowu pokręcił głową.

– Ktoś z nas by zapamiętał – powiedział. – To taka rzecz, na której naprawdę trzeba się tutaj znać – dodał, gestem wskazując całą długość kontuaru. – Twarze. Preferencje. Stali goście. To jest część drylu związanego z serwowaniem drinków. Kiedy tylko pierwszy łyk pięćdziesięcioletniej szkockiej dotyka ust, już nikt nie jest obcy. Nawet tutaj. Jeżeli ktoś wypije za dużo… Nie, powiedzmy, że jesteśmy bardzo dyskretni. Ale zawsze zapamiętujemy.

Uśmiechnął się.

– A co do stosownego stroju… Chodzi o biznesowy styl, swobodny, a wy…

Andy Candy złapała Ćmę za łokieć.

– Dzięki – powiedziała.

Wyprowadziła go na zewnątrz. Czuła się jak rehabilitantka pomagająca stawiać ostrożne kroki na protezie żołnierzowi, który stracił nogę podczas wojny.

W barze Ćma nie odezwał się ani słowem. Teraz powiedział tylko:

– Myślę, że powinniśmy jechać do Redemptora Jeden.

Nuciła znajome słowa piosenki: *Gdy usłyszysz wieści złe, wtedy precz wyrzuć je...*

Susan Terry miała zwyczaj przychodzić do Redemptora Jeden kilka minut po rozpoczęciu spotkania. Jak na nią było to dosyć dziwne, bo na konferencjach prasowych prokuratury albo posiedzeniach sądu zjawiała się dokładnie o czasie. Jednak odbywające się w tym kościele spotkania osób uzależnionych wyzwalały w niej tak skomplikowane uczucia, że długo nie potrafiła przekonać się do wejścia.

Spóźnianie się nie było w jej stylu.

Impulsywność była.

Pomyślała, że to właśnie jest najtrudniejsze przy jej uzależnieniu – okiełznywanie ochoty i nieodpartej chęci. I trzeba było robić tak, żeby nie pozwalając sobie na ulubioną kokainę, pozostać na tyle nakręconym, by toczyć spory na sali sądowej oraz dokonywać oględzin miejsc przestępstw. Czasem chciałaby być tylko tak trochę uzależniona. Dzięki temu pozostałaby szczęśliwa, zamężna i nie byłaby samotna.

Stała obok drzwiczek swojego auta. W Miami pierwszych kilka godzin nocy często wydawało się pokornych, jakby czujących się niepewnie po tym, jak zastąpiły wspaniały błękit dziennego nieba. Odczekała kilka minut, przyglądając się pozostałym stałym bywalcom wchodzącym do kościoła. Zaparkowała z tyłu, głęboko w cieniu, prawie się tam ukryła. Blask oświetlenia kościelnego parkingu kończył się dobrych kilka metrów przed miejscem, gdzie stała. Coś podobnego również stało w sprzeczności z zachowaniem, jakiego można było się spodziewać po Susan. Większość kobiet instynktownie trzyma się blisko dobrze oświetlonych miejsc, gdzie nie może się ukryć żadne czyhające, bezimienne niebezpieczeństwo. Nawet na przykościelnym parkingu. Zdawało się, że Susan z lubością prowokuje ubranych w kominiarki gwałcicieli, żeby w końcu wyskoczyli na nią z krzaków.

Przekora i ryzyko, te słowa akurat do niej pasowały.

Architekt. Inżynier. Dentysta. Przyglądała się, jak inni idą na spotkanie. Większość szybkim krokiem, skacząc po schodach. Uświadomiła sobie, że wszyscy czują to samo: potrzebę uwolnienia tego donośnego, natarczywego głosu, który skrywali głęboko w sobie. Kopnęła kamyk leżący pod nogami, przyglądała się, jak o mało nie uderza maleńkiej jaszczurki, która natychmiast uciekła w stronę pobliskiej kępy drzew.

Dzisiaj rano przegrała sprawę w sądzie.

Naturalnie słowo „przegrała" nie oddawało całej kaskady emocji, jakie mogą towarzyszyć sądowym porażkom. Cały dzień miała wrażenie, że wyszła z jakiegoś straszliwego teatru, w którym niczym na spektaklu *Hamleta*, pod koniec na scenie leżały już same trupy. Sprawa, która się dzisiaj zakończyła, była bardzo paskudna. Trzynastoletni chłopiec, taki o pokrytych meszkiem policzkach i głosie ledwie zmienionym mutacją, zabił ojca. Zastrzelił swojego starego z jego ulubionej strzelby Purdey. Broń wykonano w Anglii, na indywidualne zamówienie, kosztowała dwadzieścia pięć tysięcy dolarów i miała służyć do polowań na ptactwo na bogatych ranczach i farmach w Teksasie czy na Górnym Półwyspie Michigan, gdzie spotykali się myśliwi w kaloszach i tweedowych marynarkach skrojonych na miarę. Nie miała posłużyć do zabójstwa.

W rodzinnej rezydencji zabitego w Cocoplum, ekskluzywnej, odgrodzonej części Coral Gables, Susan była rozkojarzona. Zawiniła żona ofiary, bo ta kobieta nie potrafiła opanować szlochu, a do tego jeszcze przerażona młodsza córka zmarłego cały czas lamentowała, wyjąc piskliwym głosem niczym zacinająca się igła gramofonu. Wśród tego chaosu, Susan nie zauważyła, że dwaj detektywi zabrali nastolatka do sąsiedniego pokoju, gdzie poddali go agresywnemu przesłuchaniu. O wiele za agresywnemu. Odczytali młodocianemu jego prawa, chociaż powinni poczekać, aż będzie mógł mu towarzyszyć jakiś odpowiedzialny dorosły. Nie poczekali. Po prostu sięgnęli po jedną z najstarszych sztuczek w policyjnym arsenale – „Chłopcze, dlaczego to zrobiłeś? Nam możesz powiedzieć. Jesteśmy twoimi przyjaciółmi i jesteśmy tutaj, żeby ci pomóc. Twój tata na pewno był złym facetem. Pozwól nam teraz wszystko wyprostować i będziemy mogli iść do domu".

Akurat. Nie było szans.

Istniała taka delikatna prawna granica, a ci detektywi nie tylko ją przekroczyli, ale po prostu stratowali.

Oni widzieli zabójcę. System prawny widział dziecko.

Susan zjawiła się właśnie po to, żeby zdefiniować to precyzyjne rozróżnienie i zapobiec kłopotom. Zawiodła. Na całej linii.

I dzisiaj rano sędzia sądu okręgowego odrzucił przyznanie się do winy przez dzieciaka, chociaż jeden z detektywów nagrał je nawet na wideo. A bez przyznania się do winy ustalenie „ponad wszelką wątpliwość", co dokładnie wydarzyło się tamtej śmiercionośnej nocy, zanosiło się na bardzo trudne, o ile w ogóle możliwe.

Matka nie będzie zeznawać przeciwko synowi.

Siostra nie będzie zeznawać przeciwko bratu.

Na strzelbie znaleziono odciski palców całej rodziny.

Susan wiedziała też, że drogi adwokat wynajęty przez rodzinę już zebrał całą gromadę nauczycieli, psychologów, kolegów ze szkoły, a wszyscy chętnie i z pełnymi współczucia szczegółami opiszą straszliwy terror wprowadzany w tym domu przez zabitego ojca.

Następnie obrońca powie ławie przysięgłych, że to był tylko wypadek. Tragiczny. Pożałowania godny. Smutny. Wręcz straszliwy. Ale tylko wypadek.

„Ojciec bił matkę, co robił już ze sto razy wcześniej, syn próbował zmusić go, żeby przestał, groził bronią. Wystąpił w obronie swojej matki. Jakie to słodkie. Jakie szlachetne. Każdy z nas postąpiłby tak samo. Biedny chłopak, nawet nie wiedział, że broń jest naładowana, i wystrzelił..."

Potężny argument dla głęboko poruszonej ławy przysięgłych – która nie widziała przecież chłodu w spojrzeniu syna ani nie słyszała radości w jego głosie, gdy opisywał dokładnie polowanie na ojca po licznych pokojach domu, bardzo przypominające polowanie tego ojca na bażanty. Dopadł go w gabinecie, matki nie było w pobliżu.

Pieniądze szczęścia nie dają, Susan powiedziała sobie w duchu, cytując jakąś inną piosenkę.

Zwłaszcza gdy chodziło o kogoś znęcającego się nad bliskimi. Zabity mógł być ważnym, bajecznie bogatym biznesmenem z wielkim mercedesem i motorówką zacumowaną w prywatnym doku w każdej miejscowej prywatnej przystani, mógł wspierać każdą sprawę służącą dobru miejscowej społeczności oraz każdą instytucję charytatywną w potrzebie... ale miał za długie ręce, jeśli chodziło o jego własną rodzinę.

Chuj z nim.

A teraz dzieciakowi upiecze się, że go zabił.

Chuj z dzieciakiem.

I może, po prostu, chuj ze mną.

Wiedziała, że w najlepszym wypadku dostanie niezły ochrzan. A w najgorszym spędzi kilka miesięcy w wydziale drogowym, przy sprawach o jazdę po pijanemu.

Nie cierpiała skomplikowanych przestępstw. Lubiła proste zbrodnie. Jest jakiś zły gość. Jest niewinna ofiara. Bang! Gliny dokonują aresztowania. Jest broń. Jest przyznanie się do winy. Jest ciąg szczegółowych zeznań wiarygodnych świadków. Mnóstwo dowodów zebranych na miejscu zbrodni. Zero problemów. A potem ona może wstać na rozprawie i wskazać palcem winnego, z pełnym przekonaniem o własnej słuszności, niczym gniewny purytanin oskarżający czarownicę.

Ale jeszcze bardziej nie cierpiała przegrywać, nawet jeśli w tej przegranej do pewnego stopnia zawierała się sprawiedliwość – właśnie tak, jak stało się dzisiaj. Gdy ponosiła klęskę, szczególnie wtedy, kiedy została upokorzona, potem zawsze dostawała narkotykowego głodu. Kokaina od razu łagodziła porażkę i pomagała poszybować na skrzydłach zapału do dalszej prokuratorskiej pracy.

Gdy twój dzień przeminie, a ty zechcesz biec...

I tak oto, tego wieczoru porażki, która zasłoniła prawdę, Susan powróciła na spotkanie Anonimowych Alkoholików. Pomyślała właśnie, że już wystarczająco długo ociąga się z wejściem. Zaczęła mruczeć refren: *Ona nie kłamie, ona nie kłamie, ona nie kłamie...*, a potem wyłoniła się z cienia.

– Cholera, do diabła z tym – powiedziała na głos, wciąż myśląc o rozprawie z dzisiejszego poranka. – To wszystko moja wina.

Słowa „moja wina" sprawiły, że nagle ucichła, bo właśnie w tej chwili dostrzegła Ćmę spieszącego w stronę wejścia do Redemptora Jeden.

Ćma już przemawiał, kiedy Susan cichaczem wślizgnęła się na jedno z krzeseł z tyłu sali, mając nadzieję, że nikt nie zauważy jej spóźnienia. Szybko się zorientowała, że Timothy wcale nie opowiada o piciu albo narkotykach.

– Cześć, jestem Timothy i nie piję już od dwudziestu dwóch dni...

Cichy aplauz. Wymęczone gratulacje.

– I jestem coraz bardziej przekonany, że mój stryj się nie zabił. Przejrzałem całe jego życie i nie znalazłem nic wskazującego na samobójstwo.

W sali zrobiło się cicho.

Ćma rozejrzał się wokół, starając się po oczach zgromadzonej osób ocenić, jak zareagują na to, co właśnie mówi. Wiedział, że powinien wyrażać się ostrożnie, dbać, aby wypowiadane przez niego słowa i zdania były precyzyjne oraz ułożone w odpowiednim porządku. Nie był jednak w stanie tego robić. Uczucia toczyły się z niego jak perły z zerwanego naszyjnika.

– Wszyscy wiemy, nawet ja, a ja jestem tutaj najmłodszy, co się musi zdarzyć, żeby została podjęta ta ostateczna decyzja. Wszyscy wiemy, w jaki dół trzeba wpaść, jak on musi być wielki, że już się wie, że samemu nie zdoła się z niego wygrzebać. Wszyscy znamy błędy konieczne do osiągnięcia takiego stanu.

Podkreślił słowo „błędy", bo wiedział, że każdy tutaj dobrze zna emocje kryjące się pod tym słowem. Rozpacz. Porażkę. Udrękę i beznadzieję.

Znowu umilkł. Wszyscy na sali z pewnością kiedyś pomyśleli, czy się nie zabić. Nawet jeśli teraz nie padło słowo „samobójstwo".

– My, lepiej niż ktokolwiek inny, wiemy, co prowadzi do podobnego wyboru.

Ćma pomyślał, że wszystko, co teraz mówi, jak gdyby owiewało salę, niczym prąd uderzający prosto w twarz. Czy wiem coś o moim stryjku coś, czego nie wiedzą pozostali? – zastanowił się. Ed, którego znałem, nienawidził tajemnic. Nienawidził kłamstw. To wszystko zostawił za sobą.

Rozejrzał się ponownie. Jedynym powodem tego, że zjawił się na tej sali, było porzucenie oszustwa i wstydu.

– Nic takiego się nie działo. Nie z Edem. Nie przez kilka ostatnich dni. Nie przez kilka ostatnich tygodni. Nie przez kilka ostatnich miesięcy albo lat. Dlatego można wyciągnąć tylko jeden wniosek. Ten sam wniosek, do którego doszedłem, gdy tylko wytrzeźwiałem po jego śmierci.

Rozejrzał się jeszcze raz.

– Potrzebuję waszej pomocy.

Kiedy wypowiedział słowo „pomoc", zdawało się, że cała sala zastygła. Ten rodzaj pomocy, którego można było oczekiwać na podobnych spotkaniach, każdy znał. Ale Ćma prosił o coś innego.

Zgromadzeni osunęli się w ciszę. Susan Terry starała się przewidzieć, jak na słowa Ćmy zareagują inni uzależnieni.

– Powiedzcie mi – ostrożnie odezwał się Ćma – gdzie mam szukać zabójcy?

I znowu zapadło milczenie. Przerwał je inżynier, który pochylił się do przodu i spytał:

– Kiedy zaczął pić? To znaczy tak naprawdę zaczął pić?

– Mniej więcej trzy lata po tym, jak wpakował się w to swoje nieudane, kretyńskie małżeństwo. Pewnie sądził, że potrzebuje jakiejś przykrywki, a może uważał, że jeśli się ożeni, to przestanie być gejem, i okłamywał siebie oraz wszystkich wokół o tym, jaki jest naprawdę. Rozpoczął prywatną praktykę, wszystko powinno być wspaniałe, tyle że nie było…

– Tak – rzekł inżynier – to właśnie wtedy zaczął sam siebie zabijać.

Surowa ocena. Ale trafna.

– A potem – kontynuował inżynier – przestał próbować się zabić i trafił tutaj.

– Zgadza się – odparł Ćma.

Profesor filozofii na wpół podniósł się z miejsca, potem usiadł i odezwał się zdecydowanym tonem, w teatralny sposób wymachując rękoma, jakby chciał w ten sposób podkreślić wyrażane opinie.

– Jeżeli się cofasz do chwili, w której Ed po raz pierwszy został pijakiem, takim jak ja, ty albo większość tutaj obecnych, to pomyśl, dlaczego ktoś chciałby zabić człowieka, który i tak sam się zabija?

Pomruk zgody.

– Czyli jedynym, co ma sens przy tym zabójstwie, jest to, że przyczyna istnieje w czasach wcześniejszych niż te, kiedy Ed został alkoholikiem. Trzeźwość, jego obecne życie, wszystkie dokonania i sukcesy, to musiało być dla kogoś zniewagą. Rzuconym wyzwaniem. Sam nie wiem dokładnie, ale dla kogoś musiało stanowić coś więcej niż zwykły powód do irytacji – ciągnął profesor. – To nie był rabunek. Już wiemy. Mówisz nam, że to nie było samobójstwo. To nie była kłótnia w rodzinie ani żadna sprawa związana z seksem. Nie jakiś trójkąt miosny. Wszystko wykluczone. Nie pieniądze, ani nie miłość. To wszystko również odrzucamy. Co nam zostaje?

Dentysta podniósł rękę, chcąc się wtrącić. Wydawał się podekscytowany, aż zacierał dłonie.

Ćma odwrócił się w jego stronę To był cherlawy facet z paskudną zaczeską i jak wiele osób uprawiających ten zawód, dobrze obeznany z samobójstwem. Teraz z zapamiętaniem pokiwał głową i rzucił:

– Zemsta.

– Właśnie do tego zmierzałem – oznajmił profesor filozofii.

Susan Terry siedziała na krześle tak sztywno, jakby połknęła kij. Wszystko, co teraz słyszała, wydawało się jakieś na wpół obłąkane i na wpół nielegalne. Pomyślała, że może powinna krzyknąć, że wszyscy tutaj są głupi, że to przecież zamknięta sprawa i nie powinni popuszczać wodzy fantazji. Nie powinni pozwalać, żeby urojenia Ćmy ich samych wpychały w jakąś fantazję.

Chciała wykrzyczeć jeszcze tuzin ostrzeżeń, zaprzeczeń i sprzeciwów. „Jak możecie być tacy głupi?" Zerknęła na dentystę. Uśmiechał się i kręcił głową, ale nie w geście zaprzeczenia – bardziej jak ktoś dostrzegający wielką ironię sytuacji.

– Wiecie, czytałem mnóstwo thrillerów – oznajmił.

Rozległ się cichy śmiech, a potem na salę znowu wkradła się cisza.

– Ja też – przyznał profesor. – Tylko nie pozwoliłem, żeby się o tym dowiedziała reszta kadry wydziału.

Rozległa się kolejna seria ściszonych wypowiedzi, kiedy bywalcy Redemptora Jeden pochylali ku sobie głowy. „Zemsta" – tego słowa jeszcze nikt tutaj nie używał.

– Ale za co zemsta? – zapytał Ćma.

I znowu cisza. Potem odezwała się zadbana kobieta o starannej fryzurze, prawniczka z banku.

– Kogo zranił twój stryj?

Wszyscy zgromadzeni wiedzieli, że każdy z nich ma pokaźną listę osób, które zranił.

Prawniczka ściszyła głos, ale wszyscy w Redemptorze Jeden dobrze ją słyszeli.

– A może – zasugerowała – zrobił coś jeszcze gorszego?

14

Przebywanie tuż obok kolejnej ofiary upajało.

Ryzykował – jednak było warto. To przypominało jazdę po mokrej nawierzchni z o wiele za dużą prędkością, czucie, jak koła ślizgają się po asfalcie, a potem niemal magicznie odzyskują przyczepność.

Piąty Student wrócił na Manhattan do swojego biurka niecałe pięć godzin po tym, jak przyglądał się Jeremy'emu Hoganowi opuszczającemu wraz ze swoim nowym arsenałem parking przy sklepie z bronią. Czasem morderstwo wydaje się przesądzone, pomyślał. To był szczęśliwy traf, że akurat zobaczyłem, jak mój cel wychodzi z domu, sprzyjające zrządzenie losu, że mogłem go po cichu śledzić, i fart, że pojechał akurat do sklepu z bronią. Potem już wręcz niesamowity zbieg okoliczności, że stałem w zasięgu jego broni i nie zostałem rozpoznany.

Uśmiechnął się, kiwając głową. Ta śmierć będzie wyjątkowa.

Kochał niebezpieczeństwo. Jeszcze więcej takich kontaktów, namawiał sam siebie. Nawet jeśli za każdym razem wzrasta ryzyko wykrycia.

Musiał powstrzymać dłoń przed sięgnięciem po słuchawkę, podniesieniem tego niewielkiego urządzenia, które elektronicznie zmieniało głos, i wybraniem numeru do doktora Hogana.

Czekaj.

Rozkoszuj się.

Odchylił się na krześle, a potem wstał i zaczął się przechadzać po mieszkaniu. Splatał dłonie, rozłączał, potrząsał nadgarstkami. Zdawało się, że przez takie rozluźnianie ciała Piąty Student sam siebie ostrzega przed ulegnięciem emocjom.

Trzymaj się planu.

Każdy bitwa jest wygrana lub przegrana, zanim się jeszcze zacznie.

Piąty Student na tablicy obok biurka poprzypinał karteczki z cytatami ze *Sztuki wojny* Sun Tzu.

„Bądź uległy, aby wzbudzić jego ignorancję".

„Jeżeli twój cel jest bliski, zachowuj się tak, jakby był odległy. A gdy jest odległy, udawaj, że jest bliski".

„Atakuj, gdy jest nieprzygotowany. Idź tam, gdzie się ciebie nie spodziewa"*.

Ważne było, aby nie tylko wiedzieć, którymi trasami jeździ Jeremy Hogan i w jakich godzinach, oraz znać te jego zwyczaje, których nie zdoła zmienić, nieważne, jak bardzo się postara – ale również przewidzieć, czy w jakiś sposób doktor zdołałby odnaleźć emocjonalną siłę, żeby chociaż spróbować pozmieniać znajome ścieżki i zmylić tropiącego. Piąty Student nie sądził, aby Jeremy Hogan zdobył się na coś podobnego. Wiedział, że w ogóle rzadko to się udaje. Ludzie trzymają się ustalonych schematów, bo zapewniają im komfort psychiczny. W obliczu śmierci przywierają do tego, co znają, a tymczasem w rzeczywistości przybliża się do nich właśnie to, czego nie znają w ogóle.

Te wszystkie obserwacje zgromadził w trakcie studiów. Pochodziły z czasów, kiedy wierzył, że jego przeznaczeniem jest stać się lekarzem duszy.

„Kto by się spodziewał, że psychologia zabijania może być tak podobna do psychologii pomagania?"

Zwalczył pokusę, aby odprowadzić starca, gdy ten szedł do samochodu z zestawem nowiutkiej broni i amunicji. Mógłby mu pomóc, wyświadczając taką sąsiedzką przysługę – wiedział jednak, że i tak już dostatecznie ryzykował, śledząc Hogana oraz wchodząc za nim do sklepu. Gdy prosił sprzedawcę o broń do wypróbowania, nie starał się zniekształcać głosu, tylko dyskretnie obserwował, czy dźwięk jego słów nie wzbudził u starego doktora jakichś wspomnień i nie sprawił, że go rozpoznał.

---

* Cytaty z Sun Tzu zaczerpnięto z: Sun Tzu/Sun Pin *Sztuka wojny*, przeł. D. Bakalarz (przyp. tłum.).

Niczego takiego nie zauważył.

Niczego takiego się nie spodziewał.

To sprawiło, że stał się jeszcze bardziej pewny siebie.

Jaki wspaniały kamuflaż daje wiek. Kilka kurzych łapek, bardziej zapadnięte policzki, skronie przyprószone siwizną, okulary, żeby wydawało się, że osłabł wzrok – i już pamięć nas zawodzi.

Ważny był również kontekst. Doktor, który zdradził go, gdy Piąty Student był jeszcze młody, w tym starszym o trzydzieści lat uprzejmym dorosłym mężczyźnie przytrzymującym mu drzwi, kiedy gramolił się z zakupami, w ogóle nie rozpoznał człowieka chcącego go zabić.

Bo przecież nigdy nie zakładał, że znajdę się akurat tutaj i w tej właśnie chwili.

Czasem najlepszą maską jest brak maski.

Piąty Student, ogarnięty nagłą ciekawością, zaczął szperać w szufladach biurka, aż wreszcie wydobył niewielki album ze zdjęciami oprawiony w czerwoną wytłaczaną skórę. Przewertował go. Oto i on sam, zaraz po ukończeniu liceum. I potem jeszcze jedno, podobne zdjęcie: stoi ramię w ramię z rodzicami: po ukończeniu college'u. Pełne zadowolenia uśmiechy oraz czarne akademickie szaty. Niewinność i optymizm. Potem jeszcze kilka zdjęć z plaży, z obnażonym torsem, parę niepozowanych fotek z jakimiś dziewczynami, których imion nie potrafił sobie przypomnieć, albo z przyjaciółmi, którzy już zupełnie zniknęli z jego życia.

Przez chwilę czuł ukłucie wściekłości.

Wszyscy są tacy mili, kiedy jesteś normalny.

Wszyscy tak cię nienawidzą, kiedy nie jesteś.

Tak naprawdę to się ciebie boją, a przecież to właśnie ty jesteś człowiekiem, który ma się czego bać. Kiedy tracisz rozum, możesz także utracić nadzieję.

Wziął głęboki oddech. Pamięć zmieszała się ze smutkiem, który przekształcił się teraz w szał. Musiał uchwycić się krawędzi blatu, żeby się uspokoić. Wiedział, że jeśli pozwoli, aby przeszłość wtargnęła w to, co teraz planuje – nawet jeśli to jest przeszłość, za sprawą której powstały te plany – wtedy wszystko mu się zmąci.

Nikt mnie nawet nie odwiedził w szpitalu. Jak gdybym był zakaźnie chory.

Nikt z przyjaciół.

Nikt z rodziny.

Nikt.

Mój obłęd należał tylko do mnie.

W albumie nie było żadnych zdjęć z okresu pobytu w szpitalu ani też zrobionych po tym, gdy już go wypuszczono. Przewertował strony aż do fotografii, która, chociaż w albumie ostatnia, była najważniejsza. Zrobiono ją na czworokątnym dziedzińcu instytutu psychiatrii. Pięć uśmiechniętych twarzy. Wszyscy tak samo ubrani, w białe kitle laboratoryjne i dżinsy lub ciemne materiałowe spodnie. Wszyscy trzymający się za ramiona.

Stał pośrodku.

Czy już wtedy planowali zrujnować mi karierę?

Czy już wtedy wiedzieli, co zrobią?

Gdzie podziało się zrozumienie? Współczucie?

Włosy miał w nieładzie, długie i zmierzwione, a chociaż się uśmiechał, jego spojrzenie było zalęknione. Mogli dostrzec, jak mało spał, mogli zauważyć, jak wiele ominął posiłków. Mogli zauważyć, jak stres przeciągał go po rozżarzonych węglach, a potem ciskał do lodowatej wody. Ramiona miał zgarbione. Pierś zapadniętą. Wydawał się mizerny, słaby, zupełnie jakby właśnie go pobito albo przegrał jakieś ciężkie zmagania. To właśnie obłęd potrafi zrobić z człowiekiem, równie skutecznie jak rak albo choroba serca.

Dlaczego się uśmiechałeś?

Wpatrywał się w wyraz swojej twarzy. Widział ukryte w oczach cierpienie i niepewność.

One były prawdziwe.

Objęcia, przyjacielskie spojrzenia, wesołe uśmiechy i koleżeństwo – to wszystko było kłamstwem.

Piąty Student wyjął zdjęcie z kieszonki z cienkiego przezroczystego papieru. Sięgnął po czerwony flamaster i trzymając go jak nóż, gwałtownie nakreślił X na każdej twarzy – łącznie z własną.

Przyglądał się zdjęciu z przekreślonymi twarzami, a potem poszedł do kuchni. W szufladzie znalazł pudełko zapałek, ruszył do zlewu, gdzie zapalił jedną z nich. Pozwolił, aby płomień okręcił się wokół krawędzi fotografii. Trzymał zdjęcie bokiem i przechylał tak, żeby ogień całe je ogarnął. Potem upuścił do zlewu z nierdzewnej stali. Patrzył, jak fotografia się kurczy, czernieje i topi. Teraz wszyscy ludzie na tym zdjęciu są już martwi, pomyślał.

Zabijanie czyni mnie normalnym.

Pomachał dłonią nad zlewem.

Nie chciał, żeby dym uruchomił alarm przeciwpożarowy.

15

Sny Andy Candy zapełniały koszmary i nocne poty.

Dni – te, których nie spędzała z Ćmą – rozdarte były wątpliwościami. Nagle zanurzyła się w robieniu rzeczy, które mogły okazać się bardzo złe lub przeciwnie – bardzo słuszne. Nie dawało się tego określić. Sprawę komplikowała ciągle drzemiąca w niej furia, ogarniająca ją w nieoczekiwanych momentach, wtedy, kiedy się najmniej tego spodziewała. Wówczas przyłapywała się na rozmyślaniach o tym, co się stało, i próbach ustalenia momentu, w którym mogła wszystko zmienić.

Czasem też myślała sobie: Umarłam tamtej nocy.

Muzyka była głośna. Strasznie głośna.

Jakaś nierozpoznawalna melodia. Niezrozumiałe rapowane słowa, coś o alfonsach, dziwkach i spluwach. Ciężkie basy, mocny, łupiący bit, aż rozrywający bębenki. Tak głośny, że musiała krzyczeć, żeby ją słyszano nawet z odległości kilku centymetrów. Od razu zachrypła. W akademiku panował ścisk, trudno było przesunąć się nawet o pół metra. Zaduch wręcz powalał. Pot, bełkotliwe słowa, wirujące ciała, migające światła, blask czerwonych lamp. Plastikowe kubki z piwem albo winem, podawane nad głowami. Powietrze aż gęste od dymu z tytoniu i marihuany, mieszającego się z wyziewami ciała. Od czasu do czasu jakieś okrzyki, wybuchy śmiechu podobne do salw, a nawet wrzaski, nie wiadomo, czy radości, czy może paniki. Wszystko mieszało się z nieprzerwanie dudniącą muzyką. Z kilku butelek podawanych na lewo i na prawo pociągano łyki mocnego alkoholu, żłopiąc go jak wodę.

Andy nie wiedziała, gdzie się podział chłopak, z którym tutaj przyszła, więc przepchnęła się do jakiegoś bocznego pokoju, licząc na to, że wśród napierających na siebie ciał znajdzie przynajmniej tyle miejsca, aby zaczerpnąć oddechu. Cały czas powtarzała sobie: Wyjdź już stąd, bo na pewno zaraz przyjedzie policja, ale nie posłuchała własnej dobrej rady. W bocznym pokoju też było tłoczno, ale studenci ścisnęli się pod ścianami, pozostawiając na środku niewielką pustą przestrzeń, coś w rodzaju gladiatorskiej areny. Wyciągnęła szyję, chcąc dojrzeć, na co wszyscy się gapią, i akurat wtedy usłyszała taki dziki i niepowstrzymany jęk, przyjęty aplauzem niczym na zawodach sportowych.

Pośrodku, na stalowym rozkładanym krześle siedział całkiem nagi muskularny chłopak. Miał szeroko rozstawione nogi. Pamiętała tatuaż na jego ramieniu – taki typowy trybal zawinięty wokół ręki, ulubiony przez dzieciaki, którym brakowało wyobraźni albo były za bardzo nawalone, żeby wymyślić coś oryginalniejszego, gdy już wtoczyły się do studia tatuażu. Chwilę wpatrywała się we wzór, a potem skupiła na sterczącym członku chłopaka. Wyglądał okazale, trzymany teraz jak miecz.

Przed chłopakiem stała naga dziewczyna.

Tańczyła, prowokacyjnie wyginając nagie ciało, zaledwie centymetry od siedzącego towarzysza.

Andy Candy jej nie znała.

Chłopak był muskularny, a dziewczyna – w wieku nie więcej niż dziewiętnaście, dwadzieścia lat – miała posągowe kształty. Płaski brzuch, duże piersi, długie nogi oraz grzywa ciemnych włosów, którą od czasu do czasu potrząsała do jakiegoś wewnętrznego rytmu.

Pomachała trzymaną w ręku butelką szkockiej, wylała nieco alkoholu na piersi, zlizała z palców, a potem gwałtownie wysunęła biodra do przodu, jak gdyby zachęcając, żeby teraz każdy podziwiał jej kobiecość, patrzył na wygolone łono. Tłum wiwatował, gdy napełniła usta alkoholem, a potem padła na kolana przed chłopakiem. Andy Candy pomyślała, że zrobiła to z gracją, jak akrobatka. Dziewczyna otworzyła usta, pozwalając, żeby szkocka pociekła z warg, następnie się cofnęła, drażniąc z partnerem. Chłopak znowu jęknął, prężąc ku niej swój wzwód. Dziewczyna, igrając z tłumem, wskazała erekcję, a potem swoje usta, jak gdyby zadając pytanie. Rozległ się aplauz. Powietrze zgęstniało od okrzyków „Tak!", „Zrób to!" Wokół pary krążył jakiś student z małą kamerką w dłoni, robiąc zbliżenia, a dziewczyna machała do otaczających ją ludzi niczym polityk pozdrawiający wiwatujące tłumy. Zanurkowała, wydawało się, że połknie całego chłopaka. Przez kilka sekund jej głowa rytmicznie podnosiła się i opadała w trakcie fellatio, potem dziewczyna szybko się podniosła. Spojrzała na tłum – składający się w dwóch trzecich z mężczyzn, chociaż były wśród nich też kobiety – i ukłoniła się. Urodzona artystka estradowa. Z rozmachem, trzymając dłonie za głową, aby popisać się siłą i koordynacją ruchów, odwróciła się gwałtownie i powoli wsunęła na chłopaka.

Na jej twarzy wykwitł uśmiech, wydała z siebie przeciągłe „Oooooch".

Odwróciła się do studenta z kamerką, składając usta jak do pocałunku. Bardziej kochała się teraz z tłumem i obiektywem niż z tym muskularnym chłopakiem, którego miała pod sobą.

Każde pchnięcie, każdy obrót wzbudzały dziki aplauz. Ludzie zaczęli klaskać w rytm ruchów w górę i w dół.

Andy Candy odwróciła wzrok od tego widowiska, zanim jeszcze dobiegło końca. Nie była jakaś szczególnie wstydliwa – za czasów college'u odwiedziła wystarczająco dużo imprez, które wymknęły się spod kontroli, i widywała już erotyczne pokazy – jednak tamtej nocy spocona bezwstydność miała w sobie coś, przez co poczuła się nieswojo. Może chodziło o to, że sprawy, które powinny pozostać intymne i prywatne, ukazano aż w tak teatralny sposób. Zastanawiała się, czy Stercząca Erekcja i Wygolone Łono w ogóle znają swoje imiona.

Odwracając się, dostrzegła chłopaka, z którym przyszła na tę imprezę. Przepchnął się do Andy, zerknął ponad jej ramieniem i zobaczył, co się dzieje w sąsiednim pokoju.

– Rety! – zakrzyknął. – Mocne!

Jego twarz rozpękła w szerokim uśmiechu.

Andy pomyślała, że to całkiem miły facet. Wydawał się uprzejmy, uczynny. Nawet wrażliwy. Pożyczył jej notatki z Dickensa, kiedy przez grypę żołądkową opuściła zajęcia z *Wielkich nadziei*. Pochodził z jakiegoś zamożnego przedmieścia, jego ojciec był sztywnym, korporacyjnym prawnikiem i rozwiódł się z jego matką, wolnym, artystycznym duchem, która teraz z nową rodziną mieszkała w Kalifornii na farmie awokado. Raz zaprosił Andy na kolację, nie na jakąś pizzę, tylko do chińskiej restauracji, gdzie raczyli się moo shu i rozmawiali o kursie pisarskim, na który planowali się wybrać w ostatnim semestrze ostatniego roku studiów. Mówił, że lubi poezję, a przy rozstaniu dał jej buziaka i zapytał, czy chciałaby z nim pójść w weekend na imprezę. To były małe szczególiki, z których każdy wydawał się niewinny i żaden tak naprawdę nie pokazywał, kim ten człowiek jest.

– Chcę wyjść – powiedziała.

– Jasne. Nie ma problemu. Chodźmy stąd. Sprawy mogą się zacząć wymykać spod kontroli. Ale wyglądasz tak, jakbyś wcześniej miała ochotę na coś mocniejszego.

Pokiwała głową.

Czy to już wtedy postąpiła źle? Nie, postąpiła źle, w ogóle idąc na tę imprezę.

– Weź mojego drinka. Przyniosę sobie coś innego. Trudno jest teraz dopchać się do baru.

Mojego, powiedział. Ale to nie był jego drink. On był zawsze dla mnie, tylko dla mnie.

Wręczył Andy duży plastikowy kubek z piwem imbirowym szczodrze zaprawionym tanią szkocką. Przypuszczalnie takiej samej marki jak alkohol, który piła naga dziewczyna.

Przecież nie cierpię szkockiej. Dlaczego się napiłam? Zaufanie.

Zignorowała pierwszą zasadę imprez w college'u: Nigdy nie pij tego, czego otwierania i nalewania sama nie widziałaś.

Nie powiązała delikatnego posmaku kredy z niczym podejrzanym, a z pewnością nie z pigułką gwałtu rozpuszczoną w drinku.

Wypiła duszkiem.

Spragniona. Nie powinnam być taka spragniona. Powinnam wypić tylko mały łyk, a potem oddać szklankę.

Jej towarzysz się uśmiechnął.

Gwałciciel. Jak rozpoznać gwałciciela? Dlaczego nie nosi jakiejś specjalnej koszulki albo nie ma specjalnych oznaczeń, na przykład szkarłatnej litery G? Może oni powinni mieć jakieś blizny czy tatuaże – coś, po czym dałoby się przewidzieć, co się wydarzy po urwaniu filmu.

– Dobra – powiedział. – Trochę się wzmocniłaś. Wyglądasz blado. Chodź, położyłem twoją kurtkę w pokoju na górze. Zabieramy ją i spadamy. Może skoczymy gdzieś na kawę?

Żadną kawę. Nigdy nie miało być żadnej kawy.

Przeciśnięcie się przez tłum zajęło dobrych kilka minut i kiedy dotarli do schodów, Andy już nieźle kręciło się w głowie. Muzyka wydawała się coraz głośniejsza, te wszystkie gitary, piski i bębny dudniące brutalnym bitem.

– Hej, nic ci nie jest? – zapytał w połowie schodów ten miły chłopak.

Troskliwie, ale bez zdziwienia. To już powinno coś jej powiedzieć.

– Trochę otumaniona – odparła. – Jakoś dziwnie się czuję. Chyba przez upał.

Mówiła bełkotliwie, chociaż nie była pijana. Przypomniała to sobie później.

Oparła się o poręcz.

– Przyda ci się trochę świeżego powietrza – stwierdził. – Chodź, pomogę ci.

Miły. Uprzejmy. Dżentelmen. Rozsądny. Powiedział, że lubi poezję. Podał jej ramię, tyle że zaprowadził na górę, a nie na zewnątrz.

Wiedziała, że potrzebuje świeżego powietrza

Ale nie wyszła na świeże powietrze. Jeszcze nie przez jakiś czas.

Powinnam złożyć na niego doniesienie. Zgłosić się do ochrony kampusu. Wnieść skargę. Iść na policję. Wynająć prawnika.

Dlaczego tego nie zrobiłaś?

Nie wiem. Czułam się zagubiona. Czułam się rozbita. Nie wiedziałam, co mi się stało.

I w ten sposób pozwoliłaś, żeby mu to uszło płazem.

Tak. Tak sądzę

To też pamiętała: mdłości, jakich dostała rano. Gwałtowne, otumaniające, wykręcające wnętrzności. I potem znowu takie same mdłości, tyle że ponad miesiąc później.

I jeszcze jedno, dodatkowe wspomnienie: pielęgniarka w klinice, która ciągle zwracała się się do niej „kochanie" i pomogła wstać, a potem ułożyć się na kozetce. Narzędzia wykonano z nierdzewnej stali, błyszczały tak mocno, że chciała osłonić oczy. Otumanili ją środkami znieczulającymi, powiedzieli, że nic nie będzie bolało.

Chodziło tylko o fizyczny ból.

Ten drugi trwał bez przerwy.

Poczucie winy zmuszało do płaczu. W miarę upływu kolejnych dni coraz słabiej, wciąż jednak czuła w chwilach, które zdawały się jej całkowicie przypadkowe, że oczy nagle wypełniają się łzami. Zło i dobro łączyły się w Andy, tworząc napięcie nie do zniesienia. Wraz z upływem czasu wszystko się rozmywało, ale bardzo powoli. Pomyślała, że przecież musi istnieć jakiś szybszy sposób wyplątania się z tej sieci emocji, w której właśnie uwięzła.

Tak, pomyślała Andy Candy, może powinnam wrócić na uczelnię i zabić tego studenta. Ćma mi pomoże, kiedy już zabijemy tego, kogo chce uśmiercić.

Wtedy wszyscy będziemy kwita.

Ćma czekał już pod swoim mieszkaniem. Wyglądał, jak gdyby się wahał, jakby próbował na coś się zdecydować.

Zatrzymała się przy krawężniku, jednak nie wysiadła z auta. To Ćma się ku niej pochylił i wtedy odsunęła szybę. Do samochodu wtargnął podmuch gorącego powietrza.

– Cześć – powiedziała spokojnie. – Dokąd dzisiaj?

Potrząsnął głową.

– Nie wiem. – Potem jeszcze dodał: – Nie jestem pewien, czy w ogóle się dowiem.

Szli. Ramię przy ramieniu. Każdemu wydaliby się teraz parą zakochanych, dyskutujących o jakiejś bardzo poważnej decyzji, w rodzaju wspólnego wynajęcia mieszkania albo czy to już odpowiednia chwila, żeby jedno poznało rodziców drugiego. Taki przypadkowy obserwator nie zauważyłby, że chociaż wydają się sobie bardzo bliscy, to przecież wcale się nie dotykają.

Andy Candy pomyślała, że Ćma mówi jak człowiek, który już się poddał. Ponury, nagle przepełniony pesymizmem. Gdzieś uleciała energia, jaką w sobie nosił w trakcie pierwszych dni.

– Powiedz mi – odezwała się łagodnym, delikatnym tonem, jakim mogłaby się odezwać obecna, a nie była kochanka. – Co się stało?

Słońce świeciło prosto na nich, jednak spojrzenie Ćmy było chmurne. Kierowali się w stronę niewielkiego parku, usiłując znaleźć tam nieco cienia między drzewami. Dzieci bawiły się na huśtawkach i drabinkach pobliskiego placu zabaw. Były głośne w nieokiełznany, charakterystyczny dla siebie sposób. Na tym tle głos Ćmy wydawał się jeszcze bardziej zniechęcony.

– Utknąłem w martwym punkcie – oznajmił.

Miała wrażenie, że to jeszcze nie koniec wypowiedzi, więc milczała przez kilka kroków. Ćma kopnął uschły palmowy liść leżący na chodniku. Usiedli wreszcie na niewielkiej ławeczce.

Kiedy zaczął mówić, brzmiało to jak pełen udręki monolog profesora wygłaszającego swój pierwszy wykład, w dodatku na temat, na którym słabo się zna.

– Kiedy historyk przygląda się morderstwu, to albo zajmuje się kwestiami politycznymi – jak wtedy, gdy tamten anarchista zastrzelił arcyksięcia w Sarajewie i przez to doprowadził do pierwszej wojny światowej – albo sprawami społecznymi, jak wtedy, gdy Robert Ford zastrzelił Jesse Jamesa, kiedy ten wieszał sobie obraz w domu. To jest dekonstrukcja wszystkich czynników, dokonywana wnikliwie i ze spokojem, mająca w rezultacie doprowadzić do wyciągnięcia wniosków na temat danego morderstwa. A do kwadratu plus B do kwadratu równa się C do kwadratu. Taka algebra śmierci. Nawet jeśli do przeanalizowania jest jedenaście tysięcy dokumentów. Ale w przypadku zabójstwa stryja Eda wszystko idzie od tyłu, chociaż to może nie jest dobre słowo. Już znam rozwiązanie – on nie żyje – jednak nie dostrzegam równania, które dało ten wynik. I nie wiem, gdzie szukać jego części.

– Owszem, wiemy, gdzie szukać – odparła Andy Candy. Pomyślała, że powinna teraz chwycić Ćmę za rękę i ją uścisnąć, ale tego nie zrobiła. – W przeszłości.

– Jasne. Łatwo powiedzieć. Ale gdzie dokładnie?

– Co miałoby w tym sens?

– Nic nie ma sensu. I jednocześnie wszystko ma.

– Mów dalej.

Pokręcił głową.

– Nie wiem, gdzie szukać ani jak szukać.

– Owszem, wiesz – stwierdziła Andy Candy. – Szukamy nienawiści. Wielkiej, wymykającej się spod kontroli. Takiej, która trwa latami.

Czy ja będę czuła właśnie taką nienawiść? – przyszło jej nagle do głowy.

– Tyle że ona się nie wymknęła spod kontroli – odparł Ćma. – Albo wymknęła się spod kontroli, ale po latach panowania nad nią, o ile to w ogóle ma jakiś sens. Zaśmiał się. – Muszę przestać używać tego słowa – stwierdził.

– Jakiego słowa?

– Sens.

Patrzyła na Ćmę, jak unosi wzrok i spogląda przez park w stronę rozbawionych dzieci.

– Zastanawiałem się nad tym, kiedy i dlaczego piję. To zawsze są chwile takie jak ta, kiedy nie jestem pewien, co mam dalej robić. Gdy mam jakieś konkretne zadanie, mnóstwo papierkowej roboty, jakąś prezentację, nieważne, ile przy tym stresu i jak napięte są terminy, to wtedy zawsze wszystko jest w porządku. A dzieje się źle, gdy czegoś nie wiem, gdy nie jestem czegoś pewien. Wtedy strzelam sobie kolejkę. Albo dziesięć kolejek. Albo jeszcze więcej, bo szybko tracę rachubę.

Znowu się zaśmiał, lecz nie dlatego, że było mu wesoło.

– Najpierw przepełniają mnie wątpliwości, potem wypełnia mnie gorzała. Jak się nad tym zastanowić, to wszystko bardzo proste. Stryj Ed zwykle mi mówił, że ludzie radzą sobie z wieloma rzeczami, ale najtrudniej poradzić sobie z brakiem pewności.

Spojrzał na do Andy Candy.

– A co z tobą? – spytał. – Czy masz pewność co do tego, co robisz?

Niczego nie była pewna, ale pokiwała głową.

– Chodzi o pomaganie tobie?

– Tak.

Uświadomiła sobie, że zarówno „tak", jak „nie" mogą okazać się kłamstwem.

– Akurat w tej chwili w moim życiu nie ma niczego pewnego, może poza tym, że psy mojej matki wciąż mnie kochają. I przypuszczalnie ona też wciąż mnie kocha, chociaż teraz często zostawia mnie samą. I tata by mnie kochał, ale nie żyje. I jestem. Ja wciąż tutaj jestem.

Ćma pokiwał głową.

– To dokąd teraz?

– A gdzie można nauczyć się kogoś nienawidzić?

Andy Candy pomyślała o tamtym chłopaku z akademika. Dlaczego nie zdołała zobaczyć w jego uśmiechu tego, kim był naprawdę?

– W college'u, na studiach medycznych. Bo w późniejszym życiu Eda nie jesteśmy w stanie dostrzec nikogo, kto chciałby go zabić, może poza jego byłą żoną, ale ona wydaje się za bardzo przywiązana do Gucciego, żeby zawracać sobie głowę takimi sprawami.

Ćma się roześmiał.

– Prawda. – Znowu przerwał na chwilę. – Adams House – oznajmił. – Adams House w Harvardzie, tam, gdzie robił licencjat. Miał tam dwóch współlokatorów. Powinniśmy się do nich odezwać. Ale studia medyczne… Muszę się nad tym jeszcze zastanowić – stwierdził.

Andy Candy zerknęła na niego z ukosa. Siedział na parkowej ławce, wyprostowany, a prawą pięścią kręcił wewnątrz lewej dłoni.

16

Susan Terry siedziała za swoim biurkiem, stukając ołówkiem w leżący przed nią stos akt. Zastrzelony pracownik stacji benzynowej, dwa napady z bronią w ręku, zabójstwo w trakcie rodzinnej awantury oraz trzy gwałty – więcej, niż trzeba, żeby miała robotę na długie tygodnie. Wypuściła ołówek i patrzyła, jak toczy się po blacie, a potem spada na podłogę. Zostawiła go tam. Wstała, podeszła do okna i wyjrzała na zewnątrz. Zobaczyła liście palm drżące na wietrze. Uniosła wzrok wyżej, śledząc jumbo jeta zniżającego się ku międzynarodowemu lotnisku w Miami. Potem zwróciła oczy w stronę pobliskiego parkingu i jak zahipnotyzowana zaczęła przyglądać się trasie czarnego porsche wyjeżdżającego na autostradę. Kiedy sportowy samochód zniknął już w oddali, złapała się krawędzi parapetu i zaczęła przeklinać pod nosem – a był to nagły potok niepowiązanych ze sobą „a niech to szlag", „skurwysyn" i „kurwa kurwa kurwa", trwający tak długo, że prawie zabrakło jej oddechu.

– On absolutnie nie ma prawa ani powodu, żeby myśleć to, co sobie myśli – powiedziała gniewnym tonem.

Wspominanie Ćmy z Redemptora Jeden sprawiało, że wściekała się coraz bardziej.

– Czy on tego nie rozumie? Zamknięta sprawa. Samobójstwo. Przykra sprawa, mały. Wszystkim nam przykro. Połóż jakieś kwiaty na grobie tego swojego pierdolonego stryja i żyj dalej w trzeźwości.

W tym, co on robi, jest coś groźnego, upierała się gdzieś w duchu, chociaż wciąż jej umykało, co dokładnie. Jej doświadczenia z morderstwami to były raczej proste sprawy – transakcja narkotykowa poszła źle, albo też mąż czy żona nagle poczuli, że mają już dość gnębienia, a przypadkowo pod ręką mieli broń.

Akta stryja Ćmy leżały na jednej z szafek w kącie biura. Położyła je na wózek, który codziennie jedna z sekretarek zabierała „do zarchiwizowania”, ale z jakiegoś powodu wzięła z powrotem i upchnęła na szczycie stosu tych wszystkich zabójstw, rabunków i innych drobniejszych przestępstw zawalających jej harmonogram. Papierowe wersje akt spraw zamkniętych trafiały zwykle do niszczarki, a kopie elektroniczne do zwałowiska bajtów, ukrytego głęboko w komputerze.

Przez chwilę wyobrażała sobie, że wysyła detektywa z wydziału zabójstw, żeby rozmówił się z Ćmą. Żeby wziął go na dywanik i udzielił szorstkiej reprymendy:

„Słuchaj, mały, przestań łazić i wpieprzać się w rzeczy, których nie rozumiesz. Zrobiliśmy z tą sprawą wszystko, co trzeba, i teraz jest zamknięta. Nie zmuszaj mnie, żebym znowu cię odwiedzał. Zrozumiałeś, synku?”

Jasne, że mogłaby coś takiego zrobić, żaden problem. Wiedziała również, że w Redemptorze Jeden źle by przyjęli takie nawet umiarkowanie ostre postawienie sprawy. Ze smutkiem uznała, że wizyt tam potrzebuje jednak jak chyba niczego innego w życiu – bo poza pracą nie miała w życiu niczego innego. Nawet jeżeli rzadko odzywała się na mityngach i raczej starała chować po kątach. Sama się dziwiła, że tak bardzo pragnie po prostu słuchać.

– W porządku – powiedziała raz jeszcze, niemal pouczającym tonem, nie kierując swoich słów do nikogo konkretnego w pokoju. – Żadnych gróźb. Rób swoje, nawet jeśli jest do bani i to kompletna strata czasu. Jeśli tak bardzo chcesz, to upewnij się na sto procent.

Podeszła do szafki, zdjęła z niej akta i ciężko usiadła za biurkiem.

Sekcja zwłok. Toksykologia. Analiza miejsca zbrodni.

Ze wszystkiego wynika to samo.

Ponownie przeczytała raport z każdego przesłuchania. Była żona. Stały partner. Terapeuta. Detektywi skontaktowali się ze wszystkimi pacjentami z aktualnego grafika Eda Warnera. Byli na tyle sumienni, że cofnęli się o kilka lat i porozmawiali nawet z kilkoma byłymi pacjentami. Sama przeczytała pliki z komputera Eda Warnera oraz notatki z przyjęć pacjentów w gabinecie, szukając jakichkolwiek śladów wskazujących, że to, co wydawało się oczywiste, wcale takie nie było. Ale nie doszło nawet do jakiegoś nagłego przerwania terapii, nie znalazła też żadnego pacjenta, któremu nie udało się pomóc albo który nie zdołał zapłacić w terminie. Każdego, kto kiedyś lub obecnie odwiedzał Eda Warnera, powiązała ze starannymi diagnozami psychiatry. Same nerwice z wyższych sfer, jedna za drugą. Mnóstwo leków, rozszalałe depresje, nieco uzależnienia od narkotyków i alkoholu. Żadnych śladów napadów szału.

I zero morderczych skłonności.

Susan przewertowała dokumentację, a potem cierpliwie przewertowała ją ponownie.

Przy ostatniej stronie, odchyliła się, nagle czując się zmęczona.

– Nic – powiedziała. – Zero. Kompletnie nic. *Rien du tout.*

Po czym upomniała samą siebie:

– Straciłaś godzinę, którą mogłabyś spędzić na robieniu czegoś pożytecznego.

Papiery leżały porozrzucane na blacie, więc zaczęła je układać, wsadzać z powrotem do przypominającej akordeon teczki opisanej słowami „Ed Warner – samobójstwo" i datą nakreśloną czarnym tuszem. Najświeższym dokumentem w tej teczce był raport z sekcji zwłok. Wsunęła go do pozostałych, kiedy nagle coś przyszło jej do głowy.

– Zastanawiam się – powiedziała, znowu do siebie samej – czy oni… Założę się, że oni nie… Jezu…

Wyjęła raport z sekcji zwłok i przewertowała chyba milionowy raz. Dokumenty stanowiły zestaw blankietów wypełnionych w standardowy sposób wraz z przypiętą do nich relacją: „Denat to mężczyzna w wieku pięćdziesięciu dziewięciu lat, w zasadniczo dobrej kondycji…"

– Cholera – rzuciła. Nie było tego, czego szukała. – Cholera, cholera, cholera. – W pokoju rozległ się kolejny potok przekleństw.

Najprostszy z testów.

Ślady prochu. W prokuratorskim żargonie „proch".

Wymaz z dłoni denata. Szybka reakcja chemiczna. Wniosek: tak. Na jego dłoni są ślady po niedawnym wystrzale.

Tyle że tego nie zrobili.

W duchu Susan kłóciła się sama z sobą.

Jasne, a po co mieli robić? Po co sobie zawracać głowę? Pistolet leżał na podłodze, tuż przy wyprostowanych palcach. Przecież to było oczywiste. Nie ma sensu sprawdzać czegoś, co jest takie jasne.

Wstała, dwa razy obeszła biurko, a potem ciężko usiadła.

To nic nie znaczy, powiedziała sobie. To, że zaniedbali jednego testu, zresztą niezbyt ważnego. Wielka mi, kurwa, sprawa. Cały czas się zdarza. Dowody wskazują wprost na to jedno, nieuniknione rozwiązanie.

Nagle poczuła, że ma problem, by sama się do tego przekonać.

Próbowała się zmusić do odłożenia akt na wózek, gdzie mogły czekać sobie na sekretarkę, która rano je zabierze, papiery wrzuci do niszczarki, a wersję elektroniczną każdego z raportów umieści w takim miejscu komputerowej pamięci, że Susan nie będzie już musiała o nich myśleć i gdzie będą sobie mogły obrastać takim współczesnym, elektronicznym odpowiednikiem kurzu zapomnienia.

Kurwa, kurwa, kurwa, powtarzała w duchu. Odłożyła akta z powrotem na biurko.

– Ktoś, kto znienawidziłby Eda tak bardzo, że nosiłby urazę przez dziesięciolecia i w końcu go zabił? Nie ma szans. Larry, a co ty o tym myślisz?

– Absurdalne.

Ćma i Andy Candy prowadzili telekonferencję z dwoma kolegami Eda Warnera, jego dawnymi współlokatorami z pokoju w harwardzkim akademiku. Frederick był bankierem, specjalistą od inwestycji, a Larry profesorem nauk politycznych w Amherst College. Obaj twierdzili, że są ludźmi bardzo zapracowanymi, jednak zgodzili się porozmawiać, przez wzgląd na pamięć o zmarłym.

– Ale – nalegał Ćma – czy on się z nikim nie kłócił, z nikim nie spierał? Bo sam nie wiem…

– Jedyny problem Eda wynikał z jego wewnętrznych konfliktów, wiążących się z tym, kim był naprawdę – oznajmił profesor nauk politycznych, eufemistycznie mówiąc o homoseksualizmie. – Jego przyjaciele wiedzieli o tym albo to podejrzewali i szczerze mówiąc, chociaż wtedy były inne czasy, niezbyt ich to obchodziło.

– Zgadzam się – rzekł bankier. – Chociaż to jasne, że jeśli istniał jakiś element złości, coś, co mogło doprowadzić do morderstwa, wynikał z napięć występujących w relacjach Eda z jego rodziną. Nie lubił jej i ona jego nie lubiła. Wielka presja na osiągnięcie sukcesu i uzyskanie znanego nazwiska, taki rodzaj nieokreślonych, lecz natarczywych i często wyniszczających wymagań. W Harvardzie coś podobnego zdarzało się często. Spotykałem się z tym przez cały czas. A u osób w naszym wieku to łatwo prowadziło do regularnego buntu albo stoczenia się w depresję.

Umilkł, potem jeszcze dodał:

– Powinniście zobaczyć wtedy nasze fryzury. I posłuchać tej muzyki, jakiej słuchaliśmy. I dowiedzieć się, jakie dziwne substancje zażywaliśmy.

Głosy w telefonie były niewyraźne, ale przepełnione nostalgią.

– Ed nie różnił się zbytnio od innych – powiedział profesor nauk politycznych. – W Harvardzie byli tacy studenci, którzy naprawdę mieli problem z presją. Paru odpadło, paru się wycieńczyło, a paru w ogóle nie dało rady, w ten najsmutniejszy sposób. Samobójstwa i próby samobójcze wcale nie były czymś niezwykłym. Ale problemy Eda nie były poważniejsze od problemów innych osób i nic, co zrobił, nie poskutkowałoby taką wielką urazą, której szukacie.

Zapadła cisza, Ćma starał się obmyślić następne pytanie. Nie potrafił. Andy Candy, dostrzegłszy pustkę w jego spojrzeniu, podziękowała dawnym kolegom Eda, a potem się rozłączyła.

Czy zniechęcenie można nosić jak ubranie?, zaczęła się zastanawiać, bo zauważyła, że Ćma ma teraz wszystko wypisane na twarzy. Kolejna ślepa uliczka.

Nagłe przyszła jej do głowy pewna myśl: Nie pozwól mu się poddać. To go zabije.

I zanim Ćma zdołał się odezwać, powiedziała:

– Dobra, teraz na wydział medyczny. To odocztku ma dla mnie większy sens.

Ćma uciekł się do przydatnego kłamstwa:

Zmarł mój stryj, a ja staram się dotrzeć do jego kolegów ze studiów na wydziale medycznym. Chcę ich powiadomić o jego śmierci i umożliwić im wpłatę na uniwersytecki fundusz edukacyjny, który Ed bardzo chciał założyć. Taka była jego ostatnia wola.

Andy Candy powtórzyła to kłamstwo w szpitalu w Miami, gdzie Ed Warner pracował jako psychiatra rezydent.

Wspólne telefonowanie zaowocowało bardzo przydatną listą dostarczoną przez sekretarkę biura do spraw absolwentów, zawierającą sto dwadzieścia siedem nazwisk, razem z adresami e-mailowymi oraz stronami internetowymi kilku prywatnych gabinetów lekarskich. Eda znaleźli w grupie pierwszorocznych psychiatrów rezydentów w Miami.

Andy i Ćma siedzieli obok siebie przy stole w bibliotece uczelni, na której studiował Ćma. Każde miało przed sobą otwartego laptopa, z łatwym dostępem do Internetu.

– Mnóstwo nazwisk – wyszeptała Andy Candy. Nieopodal pracowali inni studenci, więc mogli rozmawiać tylko ściszonymi głosami. Wzięła kawałek papieru napisała na nim: „Chirurdzy, interniści, radiolodzy. Mordercy?”

Ćma wyjął długopis i skreślił każdą z tych specjalizacji, a potem dopisał: „Tylko psychiatrzy”. Pomyślał, że z perspektywy Andy to, co teraz zrobił, w zasadzie nie miało sensu. Prawidłowo prowadzone badania jakiejś epoki nie wykluczały przecież żadnych czynników. Domyślał się, że zabójcą równie dobrze może okazać się chirurg ortopeda, jak i dermatolog. Mimo wszystko skupienie się na zawodzie wykonywanym przez Eda wydawało się najbardziej sensowne.

Dobry historyk, pomyślał, zaczyna w samym środku, a potem przesuwa się na zewnątrz.

Napisał: „Przydziały”.

Andy Candy przytaknęła. Z wydziału medycznego otrzymali listę miejsc, do których absolwenci trafili na stanowiska rezydentów. Nazwisko Eda znalazło się pod koniec, opatrzone skrótem „psych.”. Znalazła trzynaście podobnie opisanych nazwisk wraz z listą szpitali, w których te osoby odbyły staż. Spośród świeżo upieczonych psychiatrów tylko Ed pojechał do Miami.

Wybrała sobie sześć nazwisk, Ćma wziął pozostałych siedem. Po kolei wpisywali je do Google'a. Pojawiały się strzępy informacji – prywatne praktyki, nagrody, stypendia, aresztowanie za jazdę po wypływem alkoholu, sprawa rozwodowa.

Ale takie szczegóły ich nie interesowały.

Bo wyszło na jaw coś innego, co sprawiło, że Andy Candy zachciało się krzyczeć. Nie krzyknęła tylko dlatego, że nie byli sami w bibliotece.

Odwróciła się w stronę Ćmy i zobaczyła, że siedzi obok niej sztywno, jak gdyby połknął kij. Twarz miał pobladłą. Jego palce drżały nad klawiaturą laptopa.

– Jakie są szanse na to – wyszeptał tak cicho, że ledwie go słyszała, odwrócił komputer w jej stronę i wskazał ekran – żeby z czternastu osób cztery już nie żyły?

Małe, pomyślała Andy. Niezwykle małe. Nieprawdopodobnie, niezwykle, niewiarygodnie małe. Zastanawiała się, czy te szanse nie są „zabójczo małe”.

17

Trzecia rozmowa:

Jeremy Hogan rozłożył na kuchennym stole zabójczy asortyment: strzelbę, pistolet, pudełka z amunicją, pogrzebacz z kominka, wybór kuchennych noży, czarną stalową latarkę na sześć baterii, której z powodzeniem można było używać jako pałki, a do tego jeszcze ceremonialną replikę szabli kawaleryjskiej z czasów wojny secesyjnej. Dostał ją piętnaście lat temu po wykładzie na uczelni wojskowej w Vermont. Tematem wykładu był zespół stresu pourazowego u ofiar przestępstw. Chciałby pamiętać, co wtedy mówił. Nie miał pojęcia, czy szabla jest wystarczająco ostra, aby przeciąć skórę, chociaż gdyby tak się nią zamachnąć, pewnie mogła okazać się całkiem groźna.

Ćwiczył ładowanie i rozładowywanie rewolweru, a potem strzelby. Szło mu to wolno, czasem upuszczał naboje, bał się też, że postrzeli się w stopę albo udo. Raz, gdy wyjmował z magazynka jeden z ładunków strzelby, ten upadł mu na podłogę i potoczył się pod zabytkowy kredens. Wydobycie go zajęło dobrych kilka minut. Użył w końcu tej ceremonialnej szabli, nie wyjmując jej z pochwy ozdobionej temblakiem. Cała się zakurzyła.

Przed południem przygotował prowizoryczny cel strzelecki, wypychając stare koszule szmatami, podartymi ręcznikami i zwiniętymi gazetami. Wetknął też kilka szczapek do palenia w kominku, żeby kukła stała prosto. Usadowił ją na połamanym krześle przyniesionym ze strychu. Potem zaniósł ją za wyłożone kamieniem patio, na podwórze, którym szło się do pełnego zwierzyny, gęstego lasu i dawnych pól uprawnych rozciągających się za domem. Ustawił krzesło na tle krajobrazu, który zmarła żona uwielbiała malować swoimi rozedrganymi akwarelami.

Zabrał broń, odszedł na dystans dziesięciu metrów i wyprostował się. Najpierw broń ręczna. Unosząc rewolwer, przypomniał sobie, że nie wziął ze stołu zatyczek do uszu. Odłożył więc rewolwer na mokrą trawę – z nadzieją, że wilgoć go nie uszkodzi – i podreptał do środka po zatyczki. Gdy wrócił, przyjął postawę strzelecką, tak jak pokazywał mu właściciel sklepu z bronią. Uznał, że wszystko robi dobrze. Obie dłonie na broni. Nogi nieco rozstawione. Kolana lekko ugięte. Ciężar ciała na piętach. Kilka razy podskoczył, starając się znaleźć najwygodniejszą pozycję. Sprzedawca broni kładł duży nacisk na takie sprawy.

Głęboki oddech. Dziwna myśl: Jak w ogóle może być mi wygodnie, kiedy stanę twarzą w twarz z kimś, kto chce mnie zabić?

Wystrzelił trzy naboje.

Wszystkimi spudłował.

Może za duży dystans?, pomyślał. Zbliżył się o kilka metrów. Przecież on będzie tylko kilka metrów ode mnie. A może nie? Może to nie będzie taka strzelanina jak na Dzikim Zachodzie.

Jeremy wydął wargi, wstrzymał oddech, bardzo starannie wycelował i wystrzelił pozostałe trzy pociski. Broń podskakiwała i szarpała mu się w ręku, jak gdyby przepływał przez nią prąd, ale tym razem zdołał nieco lepiej nad nią zapanować.

Pierwsza kula musnęła kołnierzyk koszuli, druga spudłowała, a trzecia uderzyła w sam środek celu, przewracając kukłę.

Może być, powiedział sobie, wiedząc, że to i tak kłamstwo.

Odłożył magnum, podszedł ustawić cel na nowo, a następnie przyjął dystans dziesięciu metrów. Jeszcze raz przyjąwszy pozycję, którą pokazywano mu wczoraj, wygodnie oparł strzelbę na ramieniu i wypalił.

Odrzut trochę nim zachwiał, ale zobaczył jak cel przyjmuje na siebie impet wystrzału. Koszula poszła w strzępy, w powietrze pofrunęły drzazgi i papier, a kukła zachwiała się do tyłu oraz na boki.

Jeremy opuścił broń.

– Nieźle – stwierdził. – Sądzę, że zaczynam być niebezpieczny.

Strzelba jest lepsza. Nawet w przybliżeniu nie musi być aż taka dokładna.

Wyjął zatyczki z uszu i poczuł mrowienie w ramieniu. Przez chwilę był zdezorientowany, bo wydawało mu się, że wystrzał ze strzelby wciąż jeszcze odbija się echem. Potem uświadomił sobie, że to dzwonek telefonu, przytłumiony, ale natarczywy. Ściskając broń, pospieszył do kuchni.

Tak jak wcześniej, nie wyświetlił się numer dzwoniącego.

Wiem, kto to jest.

Nie podnosił słuchawki. Po prostu wpatrywał się w nią, jak gdyby usiłował zobaczyć dzwonienie.

Telefon umilkł.

Wiem, kto to jest.

Telefon znowu się rozdzwonił.

Jeremy już sięgał po słuchawkę, ale cofnął rękę. Jeden dzwonek. Dwa dzwonki. Trzy.

Większość typowych, zwyczajnych dzwoniących dałoby za wygraną. Nagrałoby wiadomość. Telefoniczni akwizytorzy nie pozwalają sobie na więcej niż cztery, pięć dzwonków i dopiero po jakimś czasie wracają do irytującego dzwonienia.

Sześć dzwonków. Siedem. Osiem.

Kiedy byłem dzieckiem, kiedy ludzie mieli jeszcze telefony na ścianach – tak jak ja w kuchni – albo na swoich biurkach – tak, jak ja na piętrze – to przestrzegano pewnych telefonicznych manier. Przed czasami automatycznych sekretarek, przed telefonami komórkowymi z przyciskiem „ignoruj" i przed wideokonferencjami, przed magazynowaniem danych w chmurze i tymi wszystkimi wynalazkami, do których tak bardzo się przyzwyczailiśmy, uważano, że zanim się rozłączy, wolno odczekać dziesięć dzwonków. Nie więcej. A teraz ludzie irytują się już po trzech albo czterech.

Dziewięć, dziesięć, jedenaście, dwanaście.

Telefon wciąż dzwonił.

Jeremy się uśmiechnął.

Właśnie się czegoś dowiedziałem. On jest bardzo cierpliwy.

Ale potem druga, mrożąca krew w żyłach myśl:

Czy on wie, że tutaj jestem?

Ale jak? Nie może.

To niemożliwe.

Nie, to niemożliwe.

Podniósł słuchawkę.

Po trzynastym dzwonku. Czy to mi przyniesie pecha?

– Czyja to wina?

Spodziewał się tego pytania. Wziął głęboki oddech, uporządkował lata wiedzy i odpowiedział:

– To oczywiście moja wina. Cokolwiek to jest. Niezgadzanie się z panem pod tym względem nie ma sensu. W ogóle nie ma sensu. Zatem… Czy istnieje jakaś szansa, żebym uniknął bycia zamordowanym, przyznając panu rację, szczerze prosząc o wybaczenie, proponując złożenie samokrytyki na forum publicznym, a może przekazując sporą sumę na pana ulubioną instytucję charytatywną?

To pytanie – nieco pospieszne, wypowiedziane tonem jak na akademickim wykładzie – było prawie nonszalanckie, może nawet trochę kpiące. Intensywnie zastanawiał się nad właściwą intonacją. Każda decyzja niosła jakieś ryzyko. Czy jeżeli zabrzmi beztrosko, skłoni zabójcę do gwałtownego działania? Czy może, jeśli zabrzmi jak tchórz, ktoś przerażony, dzięki temu pożyje dłużej i zdoła odnaleźć sposób, by się obronić? Ścierały się w nim sprzeczne pomysły. Co przedłuży proces popełniania morderstwa? Co pozwoli mu kupić tak potrzebny czas?

Mocno ściskając telefon w garści, Jeremy rozważał różne opcje. Każde słowo, które teraz mówił, stanowiło efekt jakiejś decyzji.

Aktor występujący na scenie staje się jakąś osobą, wypowiadając kwestie swojej postaci, wydobywa na wierzch jej emocje. Metoda Stanisławskiego. Stań się tym, kogo chcesz sportretować.

Odetchnął gwałtownie.

Jak to mówią pokerzyści? Gram va banque.

Po drugiej stronie linii rozległ się cichy śmiech.

– Gdybym oznajmił: „Jest taka szansa”, to jak byś odpowiedział, doktorze?

Jeremy poczuł, że całe ciało mu drży. Ten strach był przejmujący. Prawie czuł obecność mordercy, obok siebie, w tym pokoju. Mrok w głosie tego mężczyzn przytłoczył cały blask przedpołudnia płynący przez okna, zasłonił łagodny błękit nieba. Rozmowa z człowiekiem, który zamierzał go zabić, przypominała wchodzenie w otaczający go cień.

Nie pozwól, aby do twojego głosu wkradło się przerażenie.

Prowokuj go. Może się potknie.

– Dobrze – powiedział ostrożnie, udając, że przemyślał odpowiedź – Zakładam więc, że możemy rozsądnie porozmawiać o tym, czego pan ode mnie chce. Jeśli chodzi o działalność dobroczynną, możemy rozważyć donację. Działanie, które mógłbym podjąć, aby spróbować zrównoważyć zło, które, jak pan sądzi, panu wyrządziłem.

Jeremy umilkł, a potem jeszcze dodał:

– Oczywiście taką rozmowę można uznać za rozsądną tylko wtedy, jeśli nie jest pan opętanym jakimiś fantazjami psychopatą, a pańskie słowa i groźby nie są tylko produktem pańskiej przeciążonej wyobraźni. Jeżeli na tym właśnie polega problem, mogę panu przepisać kilka lekarstw, które panu pomogą i polecić jakiegoś dobrego terapeutę, z którym może się pan zobaczyć, aby przepracować te wszystkie problemy.

Mówił cichym, spokojnym tonem lekarza.

Zobaczymy, jak na to zareaguje, pomyślał.

Kolejna przerwa. Krótki śmiech. Pytanie zadane rozbawionym głosem:

– Naprawdę, sądzi pan, doktorze, że jestem psychopatą?

– Może pan nim być. Przypuszczalnie jest pan na krawędzi załamania nerwowego, nawet jeżeli udaje się to panu ukryć w swoim głosie. Chciałbym jakoś panu pomóc.

Takiej taktyki się nie spodziewał, uznał Jeremy.

– Wie pan, doktorze, mówi pan jak ci kryminaliści w białych kołnierzykach, których się widzi w telewizji, gdy skruszeni stają przed sędzią i są tacy chętni, żeby rozdawać zupę bezdomnym w schronisku, byle tylko nie iść do więzienia za skradzione miliony i zrujnowane ludzkie życie.

Jeremy oblizał wargi. Zastanowił się, dlaczego są takie suche.

– Nie jestem jednym z nich – odpowiedział.

Słabość. Słabość. Słabość, upominał się w myślach.

– Naprawdę? To ciekawa kwestia. Niech mi pan powie: co jest odpowiednią karą za zrujnowanie komuś życia? Co się robi z człowiekiem, który zabrał komuś wszelką nadzieję i wszystkie marzenia, wszystkie ambicje i każdą okazję? Co jest odpowiednią karą?

– Istnieją różne stopnie winy. Nawet prawo to rozróżnia.

Nieporadny, nieszczery, kaleki.

– Ale teraz nie jesteśmy w sądzie, prawda, doktorze?

Jeremy nagle pomyślał, że chyba dostrzega szansę.

– Czy to przez jakąś moją ekspertyzę trafił pan do więzienia? A może zeznawałem przeciwko panu na jakimś procesie? Czy pan uważa, że źle pana zdiagnozowałem?

Pożałował tej swojej bezpośredniości. Zazwyczaj starałby się uzyskać odpowiedź w jakiś subtelniejszy sposób. Jednak rozmówca mu to utrudniał.

– Nie. To byłoby za proste. A poza tym nawet psychopata pewnie by zrozumiał, że pan tylko wykonywał swoją pracę.

– Nie, oni by nie zrozumieli – odpowiedział Jeremy. Intensywnie myślał, starając się rozbudowywać wizerunek o każde słowo wypowiadane przez dzwoniącego. To nie było w sądzie. Gdzie jeszcze mogło się wydarzyć? Dostrzegł odpowiedź: Uczelnia.

Ale zanim zdołał jakoś wykorzystać ten pomysł, dzwoniący znowu się zaśmiał.

– No dobrze, doktorze, sądzę, że zna pan już odpowiedź na pytanie, czy jestem psychopatą.

Wymanewrowany. No dalej, myśl!

– Rozmowa z panem, doktorze, jest bardzo zajmująca. Dziwne, prawda? Istnieją różne wzajemne relacje: ojciec i syn, matka i dziecko. Kochankowie, współpracownicy. Starzy przyjaciele. Nowi przyjaciele. Każda relacja międzyludzka ma swoje specyficzne cechy. Jednak teraz weszliśmy na bardzo szczególne terytorium, nieprawdaż? Oto relacja między mordercą a jego ofiarą. Każde słowo ma tutaj znaczenie.

Mówi jak ja, pomyślał Jeremy.

A potem nagle: Tym się kieruj.

– A inne pańskie ofiary, jeśli naprawdę jakieś były? Wie pan, nie mogę mieć pewności. Czy z każdą stworzył pan jakąś relację?

– Sprytne, doktorze. Chce mnie pan podpuścić, żebym przyznał, że już zabijałem. To by panu pomogło w ustaleniu, kim jestem. Niestety, aż tak dobrze nie będzie. Przykro mi. Ale oto, co chcę powiedzieć: Myślę, że w każdym zabójstwie istnieją co najmniej dwa stopnie połączenia. Jest ten stopień, który wywołuje potrzebę zabicia. A potem jest moment śmierci. Jak sądzę, to są właśnie zagadnienia, które zgłębiał pan podczas swojej kariery zawodowej.

Jeremy zauważył, że kiwa głową.

– Rozmawiał pan z innymi ofiarami, zanim je zabił?

– Z niektórymi tak. Z niektórymi nie.

Dobrze. To już coś, pomyślał Jeremy. W niektórych sytuacjach Pan Czyja To Wina potrzebuje bezpośredniej konfrontacji. A w innych? Któż to wie? Zgłębiał dalej.

– Która sytuacja dawała panu większą satysfakcję?

Parsknięcie.

– Obie były równie satysfakcjonujące. Tyle że na różne sposoby. Powinien pan o tym wiedzieć, doktorze.

– Zabija pan nas wszystkich w taki sam sposób?

– Dobre pytanie, doktorze. Policja, prokuratorzy, profesorowie kryminologii, oni wszyscy lubią wzorce. Preferują zbrodnie, które trochę przypominają kolorowanki z liczbami, takie dla dzieci. Zamaluj na niebiesko pole numer dziesięć. Na czerwono pole numer trzynaście. Pola dwa i dwanaście na żółto oraz na zielono. I nagle pojawia się cały obrazek. Sądziłem, że już pan dostrzegł, że jestem na coś takiego za sprytny.

Sprytniejszy niż większość morderców, których dotąd spotkałem. Co mi to mówi?

Chwila wahania, potem dzwoniący dodał jeszcze:

– Niech pan dalej próbuje, doktorze. Lubię wyzwania. Trzeba pogłówkować, jeśli zamierza się być jednocześnie skrytym i unikalnym.

Jeremy wyobraził sobie uśmiech na twarzy rozmówcy.

– Czyli każdy zginął w inny sposób?

– Tak.

Uświadomił sobie, że zaciska palce na słuchawce, tak mocno, że aż zrobiły się białe na tle czarnej plastikowej powierzchni. Pomyślał, że rozmowa przypomina zjeżdżanie z oblodzonego zbocza samochodem, nad którym traci się panowanie. Pędził, ślizgał się, próbował pracować oponami, wszystko, aby tylko nie wypaść ze śliskiej drogi. Jednocześnie przetwarzał w mózgu setki, jeśli nie tysiące drobnych danych. Rozsądek walczył w nim z paniką.

– Wszyscy byliśmy jednakowo winni?

Rozmówca najwyraźniej przewidział to pytanie, bo odpowiedział bez wahania:

– Tak.

Ale potem, po pauzie, dodał jeszcze coś, a jego głos ześlizgnął się niemal w swobodny, przyjacielski ton.

– Doktorze, pozwoli pan, że zadam panu pytanie. Załóżmy, że zgodził się pan pomóc w napadzie na kiosk albo sklep z alkoholem, wspólnie z dwoma kumplami. To miała być łatwa robota. Wie pan, pomachanie bronią, zgarnięcie wszystkiego z kasy i w nogi. Nic wielkiego. Gdzieś w Ameryce zdarza się co noc. Pan siedzi na zewnątrz, za kółkiem, silniki pracują, już pan sobie myśli, co pan zrobi ze swoją dolą, kiedy nagle słyszy pan strzały i wybiegają pańscy kumple. Mówią, że spanikowali, że rozwalili właściciela sklepu. Mały, łatwy skok właśnie stał się morderstwem z użyciem broni. Jedzie pan szybko, bo takie było pana zadanie, ale nie wystarczająco szybko, bo widzi pan za sobą gliniarzy… – Znowu cichy śmiech. – I co, doktorze, jest pan tak samo winny jak tych dwóch pana kumpli?

Jeremy poczuł, jak wysycha mu gardło. Jednak starannie analizował to, co słyszał.

– Nie – powiedział.

– Jest pan pewien? W większości stanów prawo nie robi różnicy między panem siedzącym w aucie a pańskim kumplem pociągającym za spust.

– Tak – przyznał Jeremy. – Ale…

Umilkł. Pojął już o co chodzi.

Czuł się sparaliżowany, jak gdyby cała wiedza, rozumienie i lata praktyki znalazły się tuż poza jego zasięgiem.

Poczuł się stary. Spojrzał na broń. I kogo ja chcę nabrać?

Nie, pomyślał sobie. Walcz. Nieważne, jak się staro czujesz. Wziął głęboki oddech. Czemu miała służyć ta opowieść o zwyczajnym przestępstwie?

Poczuł, jak przeszywa go prąd.

To błąd. To może być jego pierwszy błąd.

Jeremy wziął głęboki oddech, postarał się wykorzystać to, co odkrył.

– Więc to, co teraz pan mówi, oznacza, że niechcący, prowadząc samochód, miałem swój udział w zbrodni popełnionej przez innych i teraz będzie mnie to kosztowało życie. Nie przytoczyłby pan tego przykładu, gdyby w jakiś sposób nie pokazywał pańskich uczuć. Interesujące.

Tym razem mógł po drugiej stronie linii wyczuć wahanie. Poruszyłem czułą strunę, pomyślał.

– Czyli, panie Czyja To Wina, chodzi panu o to, że powinienem spojrzeć na rzeczy do których się przyczyniłem, a nie na coś, co zrobiłem bezpośrednio. To dla mnie bardzo trudne zadanie. Mówimy przecież o ponad pięciu dekadach doświadczeń. Jeżeli naprawdę chce pan, żebym zrozumiał, co zrobiłem, będzie mi pan musiał trochę bardziej pomóc.

Kolejna pauza.

– Większa pomoc z mojej strony – odezwał się w końcu rozmówca – tylko przyspieszy cały proces.

Jeremy uśmiechnął się, poczuł odrobinę pewności siebie.

– To już zależy od pana. Jednak wydaje mi się, że nasza relacja będzie miała dla pana znaczenie tylko wtedy, jeżeli zrozumiem to „dlaczego" skryte za pańskim pragnieniem.

Celny cios, pomyślał.

Chłodna odpowiedź:

– Sądzę, doktorze, że to prawda. Ale czasem wiedza oznacza śmierć.

Tym razem Jeremy nie udzielił szybkiej riposty.

Rozmówca mówił dalej. Jego głos, choć bez wątpienia miał zamaskowany elektroniką, był pełen takiego jadu, że Jeremy niemalże zerkał na dłoń, szukając śladu po ukąszeniu grzechotnika.

– Etyka przemocy jest intrygująca, nieprawdaż? Prawie tak intrygująca, jak psychologia zabijania.

– Tak – przyznał Jeremy.

Nie wiedział, jak ma teraz odpowiadać, poza potakiwaniem.

– To dziedziny, w których pan się specjalizuje, doktorze, nieprawdaż?

– Tak.

Nagle słowa zaczęły siec Hogana z każdej strony.

– Prawda, że to przerażające usłyszeć, że zostanie się zamordowanym?

Tak. Nie kłam.

– Tak.

Jeremy'emu przyszło do głowy pewne pytanie.

– Czy wszyscy inni reagowali tak samo jak ja?

– I znowu dobre pytanie, doktorze. Niech pan pozwoli, że wyrażę się w ten sposób: Moje relacje z każdą śmiercią były jedyne w swoim rodzaju.

Jeremy zastanawiał się intensywnie, usiłując przewidzieć dalsze wątki rozmowy. Niczym w gobelinie, każda osobna nić nie miała znaczenia, ale w połączeniu z innymi znaczyła wszystko.

– Czy każdemu z nas mówił pan, że zamierza go zabić?

– Jeszcze lepsze pytanie. Odpowiedź brzmi: niekoniecznie.

– Czyli rozmawia pan teraz ze mną, ale nie rozmawiał pan z każdym z nas, zanim... – zrobił pauzę, a potem dokończył – zrobił pan to, co zrobił.

Ta wypowiedź nie była poprawna ani gramatycznie, ani pod względem kryminologicznym.

– Zgadza się. Ale na końcu wszyscy dostajecie to samo. Śmierć, która wam wszystkim się należy.

– Rozumiem, ale czy to nie jest stwierdzenie prawdziwe w odniesieniu do każdej osoby? – Jeremy, starał się by jego głos był bezbarwny i pozbawiony emocji. Mówił takim samym tonem, jakiego używał, prowadząc setki rozmów z setkami morderców, jednak teraz wydawał się on bezużyteczny. – Wszyscy kiedyś umrzemy.

Oczywiste. Głupie.

– Całkiem prawdziwe, doktorze. Chociaż trochę ograne. Lubimy tę niepewność nadziei, prawda? Nie wiemy, kiedy umrzemy. Dzisiaj? Jutro? Za pięć lat? Za dziesięć? Kto wie? Boimy się chwili, w której zostanie określona jakaś data, nieważne, czy będziemy wtedy w celi śmierci, czekając na wykonanie wyroku, czy może w gabinecie onkologa, ze zmarszczonymi brwiami przypatrującego się wynikom ostatnich badań. Nie ma znaczenia, czy usłyszymy ją od strażnika więziennego, czy od strażnika naszego zdrowia. Żyjąc, w tylu kwestiach usilnie chwytamy się pewności. Ale kiedy chodzi o nas samych i chwilę w której mamy umrzeć, wolimy niepewność. Wcale nie twierdzę, że nie jest możliwe poradzenie sobie ze znajomością daty śmierci. Niektórym pacjentom i więźniom to się udaje. Trochę pomaga religia. Otoczenie się przyjaciółmi i rodziną. Może nawet stworzenie listy spraw do załatwienia. Jednak to wszystko tylko przysłania gryzące nas od środka uczucie, nieprawdaż?

Jeremy wiedział, że powinien odpowiedzieć, jednak nie potrafił. W głębi duszy przyznał: Tak, to właśnie stamtąd pochodzą moje lęki.

Nagle odwrócił się i złapał za rewolwer leżący na kuchennym stole, jak gdyby to mogło go uspokoić. Broń wydawała się ciężka i nie był pewien, czy nie zabraknie mu siły, aby ją unieść i wycelować. Wtedy uświadomił sobie, że rewolwer nie jest naładowany. Nerwowo rozejrzał się za pudełkiem z amunicją. Dostrzegł je po drugiej stronie pokoju, na stole, gdzie nie zdołałby teraz dosięgnąć.

Idiota.

– Sądzi pan, doktorze, że zdoła się obronić. Nieprawda. Ale może pan spróbować. Niech pan wynajmie ochroniarza. Idzie na policję i opowie im o pogróżkach. Na pewno będą zainteresowani… przez jakiś czas. Ale w końcu i tak będzie pan zdany tylko na siebie. Niech pan zbuduje sobie fortecę. Niech pan ucieknie do jakiegoś zapomnianego i skrytego miejsca. Spróbuje sobie w taki sposób dać nadzieję. To wszystko strata czasu. Zawsze będę przy panu.

Jeremy gwałtownie się odwrócił. On mnie widzi! Potrząsnął głową. Niemożliwe, może jednak nie.

Nic nie było tu zwyczajne. Nic nie było takie, jakim powinno być. Słyszał, że oddech ma coraz płytszy, jak ktoś chory. Umieram, pomyślał. Zabija mnie strach.

Tok myśli przerwał mu głos w słuchawce.

– Lubię z panem rozmawiać, doktorze. Jest pan znacznie mądrzejszy, niż pamiętałem. Powiedziałem rzeczy, których przypuszczalnie nie powinienem był mówić. Ale nic, co dobre, nie trwa wiecznie. Powinien pan się przygotowywać, bo nie zostało już panu wiele czasu. Kilka godzin. Może dzień albo dwa. Możliwe, że tydzień.

Rozmówca się wahał.

– A może tylko miesiąc. Rok. Dekada. Jedyne, co pan musi wiedzieć, to że już po pana idę.

Jeremy mu nagle przerwał. Głos miał piskliwy, prawie dziewczęcy.

– Powiedz mi, co, do cholery, uważasz, że ci zrobiłem?

Kolejna chwila ciszy, a potem dzwoniący powiedział:

– Tik-tak, tik-tak, tik-tak.

– Kiedy? – rzucił Jeremy, ale jego pytanie padło, gdy połączenie już się urwało.

W słuchawce zapadła cisza. Jak gdyby tamten człowiek był duchem. Albo to Jeremy był oszołomionym, naiwnym prostakiem, któremu właśnie pokazano w Las Vegas jakąś magiczną sztuczkę. Puff! I zniknęło.

– Halo? – zapytał. To był odruch. – Halo?

Ze słownika Jeremy'ego zniknęło słowo „dlaczego".

Właśnie się stało, pomyślał. Już nie zatelefonuje. Co ja takiego powiedziałem?

Wsłuchiwał się w ciszę. Nawet wiedząc, że zabójcy już tam nie ma, Jeremy powtórzył jedyne odpowiednie teraz pytanie:

– Kiedy?

W końcu, zapytał po raz trzeci, bardzo spokojnie, raczej siebie samego niż mężczyznę pragnącego go zabić:

– Kiedy?

18

Jeden, dwa, trzy, cztery...

– Nie odbiera.

– Próbuj dalej.

– Dobra.

Pięć, sześć, siedem...

– Nie odbiera. Myślę, że nie ma go w domu.

– Nie uruchamia mu się sekretarka. Dziwne. Próbuj dalej.

Osiem, dziewięć, dziesięć, jedenaście, dwanaście...

– Gdzie... – odezwał się Ćma.

– Nie sądziłem, że zadzwonisz jeszcze raz – głos był zirytowany, bliski wściekłości, pełen napięcia.

– Doktor Hogan?

Pauza.

– Tak. Słucham. Kto mówi?

Urywane słowa. Opryskliwy ton. Ćma wydukał odpowiedź, zaskoczony intensywnością tego bezcielesnego głosu.

– Nazywam się Timothy Warner. Przepraszam, że pana niepokoję w domu, ale taki dostałem numer. Szukam informacji na temat mojego stryja, Eda Warnera. Przed wieloma laty był pana studentem. Chodził na pańskie wykłady z psychiatrii sądowej.

Kolejna pauza. Cisza skradała się po linii telefonicznej, ale była to taka cisza, którą przepełnia ukryty, eksplodujący hałas. Ćma czekał. Pomyślał, że powinien coś powiedzieć, ale wtedy ten odległy doktor odezwał się:

– A teraz nie żyje.

– Tak – wyrzucił z siebie Ćma.

Jedno słowo, ale mające w sobie tyle zaskoczenia, że Andy Candy, pomyślała, że usłyszał coś szokującego. Twarz Ćma jakby zastygła w bezruchu.

– To nie moja wina – oznajmił Jeremy Hogan. – Nic z tego nie było moją winą. Przynajmniej ja tak uważam. Ale najwyraźniej się mylę. Cokolwiek to było.

Słowa „moja wina" sprawiły, że Ćma cały zesztywniał. Nagle zaschło mu w gardle, pomachał dłonią, jak ktoś starający się dosięgnąć rzeczy znajdującej się tuż poza jego zasięgiem. Spojrzał w stronę Andy Candy i pokiwał głową, sygnalizując coś, co sprawiło że i jej przyspieszył puls.

– Pamięta pan mojego stryja? – spytał.

– Nie – odpowiedział Jeremy. – Może powinienem, ale nie pamiętam. Za dużo grup. Za dużo studentów, za dużo ocen, zaliczeń, egzaminów i rozmów w salach wykładowych. Po tylu latach wszystkie twarze uleciały mi z pamięci. Bardzo mi przykro.

– Został naprawdę dobrym terapeutą.

– Nie w mojej specjalności. A teraz, młody człowieku, powiedz, co takiego zrobił? Czego nie był winny?

– Nie wiem – odparł Ćma. – Właśnie tego próbuję się dowiedzieć.

– A jego śmierć ? – naciskał stary psychiatra. – Co możesz powiedzieć mi o jego śmier…

– Popełnił samobójstwo, w każdym razie tak uważa policja – wszedł mu w słowo Ćma.

– Tak, wiem. W Miami.

– Skąd pan wie?

– Ktoś mi kazał przeczytać jego nekrolog.

– Ktoś panu kazał? Kto?

Jeremy się zawahał. W całej sytuacji, która była bardziej niż dziwaczna, telefon od bratanka martwego psychiatry wydawał się całkiem na miejscu.

– Nie wiem dokładnie – odpowiedział po chwili.

Ćma poczuł, że słuchawka w jego dłoniach rozgrzewa się do czerwoności.

– Uważam, że mój stryj… – zaczął – nie popełnił samobójstwa. Myślę, że został zabity.

– Zabity?

– Zamordowany.

– Ale w gazecie napisano…

– W gazecie się pomylili.

– Skąd pan to wie?

– Znałem swojego stryja. – Ćma powiedział to z takim przekonaniem, że żadne wątpliwości nie wchodziły w rachubę.

– A policja uważa…

– Że to było samobójstwo. Wszyscy mówią, że to było samobójstwo. Taka jest oficjalna wersja. A ja twierdzę, że to było upozorowane samobójstwo.

Kolejna pauza.

– Tak – powiedział wreszcie Jeremy Hogan, z wyraźnym namysłem. W swojej głowie kreślił zależności. Samobójstwo prawie nie miało sensu. Morderstwo miało. – To by wyjaśniło wiele rzeczy. Sądzę, że ma pan rację.

Ćma zastanawiał się, co teraz powinien powiedzieć. Wydawało się, że pytania dławią go jak dłonie ściskające za gardło. Chciał pytać dalej, ale nie potrafił wypluć słów. Wiele głosów sugerowało, że idzie dobrą drogą, ale żaden nie podawał konkretnych dowodów ani też nie miał odpowiedniego autorytetu. Ten głos wydawał się inny. Co było ważne.

– Chyba powinniśmy porozmawiać osobiście – dodał Jeremy Hogan. Głos mu się zmienił, nagle stał się melancholijny, miękki, prawie pełen żalu. – Nie wiem, co dzieliliście ze sobą pan i pański stryj, ale coś was połączyło. Może pan tutaj przyjechać? Tylko musi się pan pospieszyć, bo spodziewam się, że też wkrótce zostanę zamordowany.

Andy Candy prawie nie odzywała się do matki, za to sporo czasu spędziła, głaszcząc psy i drapiąc je za uszami. Później, ruszyła do swojego pokoju, odszukała niewielką walizkę i wrzuciła do niej czystą bieliznę oraz kilka przyborów toaletowych. Nie miała pojęcia, jak długo jej nie będzie. Znalazła dżinsy, swetry i ciepłą kurtkę. To nie było pakowanie się do szkoły albo na wakacje. Nie wiedziała, co trzeba zabrać na rozmowę o zabijaniu.

– Gdzieś się wybierasz?

– Tak. Z Ćmą. Na niezbyt długo.

– Andy, jesteś pewna, że…

Znowu jej przerwała.

– Tak.

Wiedziała, że powinna powiedzieć znacznie więcej, ale każdy aspekt tej tej nagłej wyprawy na północ mógł sprowokować znacznie dłuższą, trudniejszą rozmowę, na którą nie miała ochoty. Dlatego przybrała lakoniczny, opryskliwy ton rozzłoszczonej nastolatki, którego nie używała od lat i który nie zachęcał matki do dalszej rozmowy. Przez chwilę zastanawiała się, jaka jest prawdziwa Andy Candy. „Jaka jesteś?" – najpopularniejsze pytanie zadawane sobie przez jej rówieśników. Pytanie trudne i podchwytliwe. Szczęśliwa. Smutna. Opętana. Podsumowała wszystkie gwałtowne zmiany, jakich doświadczyła w ciągu minionych tygodni. Tamta Andy Candy, otwarta, roześmiana i przyjacielska już odeszła. Nowa Andy Candy zawzięcie milczała i absolutnie nie chciała ujawniać żadnych szczegółów.

– Przynajmniej powiedz, dokąd jedziecie – poprosiła zirytowana matka.

– Do New Jersey.

Zdziwienie.

– Do New Jersey? Po co?

– Jedziemy spotkać się z psychiatrą – odparła Andy Candy. Ppomyślała, że to jest stwierdzenie prawdy owinięte w nieprawdę.

– Dlaczego jedziecie aż tak daleko, żeby się zobaczyć z psychiatrą? – zapytała matka. – W Miami jest przecież pełno psychiatrów.

– Bo to jedyna osoba, która może nam pomóc – odpowiedziała Andy.

Matka nie spytała, co zresztą nie zaskoczyło Andy Candy: W czym może pomóc?

19

Czwarta rozmowa, bardzo krótka:

Klucz, według którego dokonał wszystkich swoich zabójstw był prosty: żadnego wyraźnego wzorca.

Zaplanowanie śmierci Eda Warnera było dosyć złożoną łamigłówką. Oczywiste wydawało się znalezienie sposobu, aby zasiąść naprzeciwko niego i prowadzić rozmowę, ale i tak trzeba było to starannie zaprojektować. Wszystko naśladowało typową sesję terapeutyczną. Jedyna różnica polegała na tym, że na koniec spotkania zamiast podania sobie dłoni nastąpił wystrzał z bliskiej odległości. Pomysł zaczerpnął z liczącego już czterdzieści lat filmu *Trzy dni kondora* z Robertem Redfordem, Faye Dunaway i Maxem von Sydowem. Podejrzewał, że tego filmu nie oglądał żaden współczesny glina, nawet taki, który lubi nieco starsze kino. Jeremy Hogan stwarzał jednak pewne problemy.

Powiedziałem mu o wiele za dużo.

Nie jest głupi. Ale nie będzie miał pewności co do tego, jaki będzie następny krok.

Działaj, zanim on zdoła działać.

Winchester model siedemdziesiąt, kaliber trzydzieści zero pięć. Waga cztery kilogramy.

Pięć pocisków, po sto dziewięćdziesiąt granów.

Luneta Leupold 12X.

Zasięg skuteczny: tysiąc metrów.

Wiedział, że z takiej odległości zabójczy strzał musiałby być po prostu nadzwyczajny, oddany przez wojskowego snajpera, który wziąłby pod uwagę warunki atmosferyczne, wilgotność powietrza oraz spłaszczenie się trajektorii lotu pocisku.

Zasięg typowy: od dwustu do czterystu metrów.

To był zasięg dla doświadczonego myśliwego o wysokich umiejętnościach. Strzał, którym można się chwalić.

Zasięg typowy: od dwudziestu pięciu do pięćdziesięciu metrów.

To zasięg dla weekendowego wojownika, fałszywie przekonanego o swoich myśliwskich umiejętnościach, fantazjującego, że jest współczesnym Davy Crockettem, uzbrojonym po zęby w kosztowny sprzęt, którego używa może z kilka razy w roku, przez resztę czasu trzymając głęboko w szafie.

Doktor był ostatnią ofiarą na jego liście. Brakowało mu pewności, czy zrobił już wystarczająco dużo, aby nadać jej stosowny wydźwięk. Od lat tak unikał posuwania się zbyt daleko, że teraz brakowało mu stosownych emocji.

To właśnie stanowi największe zagrożenie. Nie aresztowanie, nie sąd, nie wyrok skazujący i nie zamknięcie w więzieniu w oczekiwaniu na spotkanie z katem. Znacznie gorsze byłoby popełnienie błędu wtedy, gdy dotarło się już tak daleko.

– Co za dziwna myśl jak na zabójcę – powiedział na głos, obracając we wszystkie strony to, co miał w głowie.

Jedyna odpowiedź skrywała się w ostatnim akcie.

Wrócił do pilnych prac związanych z przygotowaniami. Torba. Ubranie w kamuflujący wzór, łącznie ze starannie wykonaną siatką maskującą, która, jak sądził, nie ustępowała wykonywanym przez zawodowych żołnierzy. Ciężkie buty z charakterystyczną „traktorową" podeszwą, o jeden rozmiar za małe. Wyciął w nich dodatkowe miejsce na palce. Plecak z zapasową czołówką, łopatką, manierką i batonem energetycznym. Wszystko przywiózł ze swojego domu w zachodnim Massachusetts.

Piąty Student zatrzymał się i wyjął z plecaka ręcznie narysowany plan domu Jeremy'ego Hogana, łącznie z rozpisanym na godziny planem dnia doktora.

Czy on wie, że chodzi do łazienki co rano o tej samej porze? Czy wie, że siada na tym samym fotelu w salonie, żeby sobie poczytać albo obejrzeć jeden z tych kilku programów telewizyjnych, które lubi? Oczywiście brytyjskie komedie na kanale PBS. Zawsze też siada przy biurku w tej samej pozycji i zajmuje to samo miejsce przy stole w kuchni, kiedy je tam kolację odgrzewaną w mikrofalówce. Czy to dostrzega? Czy w ogóle ma pojęcie, jak bardzo regularna jest ta jego rutyna? Gdyby dostrzegał, mógłby ocalić życie. Ale nie dostrzega.

Każda z tych rutynowych czynności stwarzała okazję, żeby go zabić. Piąty Student przyjrzał się więc każdej z tej właśnie perspektywy.

Nóż myśliwski. Telefon komórkowy na kartę. Dwa razy sprawdził prognozę pogody i trasę, którą wyznaczył GPS. Po raz trzeci sprawdził, o której na zachodzie słońce chowa się za horyzont, i ile minut słabego światła będzie dzielić śmierć od całkowitej ciemności.

Robię to, co każdy dobry myśliwy, pomyślał.

Użył starej myśliwskiej sztuczki służącej do wabienia saren. Tydzień wcześniej położył niewielką solną lizawkę na malutkiej leśnej polanie, nieco ponad dwa kilometry drogi od domu Jeremy'ego Hogana przez ciężki teren, ale możliwej do pokonania. Było dopiero wczesne popołudnie, ale w ubranie Piątego Studenta już wsiąkała chłodna wilgoć. Wiedział jednak, że gdy tylko zacznie się ruszać, natychmiast się rozgrzeje. Stał więc spokojnie, pod wiatr od lizawki, ukryty kamuflażem na ubraniu, z karabinem przyciśniętym do policzka. Lufę oparł na zeschłych gałęziach, aby zapewnić jej stabilizację. Od czasu do czasu majstrował przy pokrętłach lunety, upewniając się, że obraz jest wyraźny, a linie celownika perfekcyjnie nachodzą na cel.

Tego dnia miał szczęście. Minęło zaledwie dziewięćdziesiąt minut, kiedy dostrzegł pierwszy ruch wśród gęstych gałęzi.

Przygotował się do strzału, lekko przenosząc ciężar ciała.

Samotny jeleń.

Uśmiechnął się. Doskonale.

Zwierzę ostrożnie wkroczyło na odsłonięty teren, unosząc głowę, aby wyłapać jakiś zapach lub dźwięk ze swojego świata, czujne wobec potencjalnych niebezpieczeństw, lecz nieświadome, że Piąty Student właśnie bierze je na cel.

Rozpraszały go wspomnienia poprzedniej śmierci, zmuszał się, aby skupić się na zwierzęciu niepewnie zbliżającym się do lizawki.

– Chcę ci pomóc – powiedział Ed Warner.

– Straciłeś swoją szansę. Potrzebowałem pomocy, kiedy byliśmy młodzi, a nie teraz.

– Nie – nalegał psychiatra, głos lekko drżał mu z napięcia. – Nigdy nie jest za późno.

– Powiedz mi, Ed – nalegał Piąty Student – jak to wszystko wytłumaczysz? Co się stanie z twoją praktyką, kiedy cały świat się dowie, że nie potrafiłeś nawet zapobiec temu, żeby twój stary kumpel się przy tobie zastrzelił?

Cudowne, obmyślone przez niego kłamstwo.

Potem wstał, przykładając sobie pistolet do skroni, takim typowym gestem poprzedzającym samobójstwo. Dał naprawdę przekonywający spektakl. Piąty Student wiedział, że Ed Warner odczyta jego język ciała, usłyszy chropowate napięcie w głosie i wtedy w jego umyśle powstanie myśl, że oto dawny kolega ze studiów chce się zabić na jego oczach, dokładnie jak zapowiadał. Istny szekspirowski dramat. A może dramat Tennessee Williamsa? Piąty Student obszedł biurko, zbliżając się do ofiary. Z tysiąc razy przećwiczył odpowiednie ruchy. Połóż palec na spuście, nieco się pochyl i nagle, zanim Warner zorientuje się, co tak naprawdę się dzieje, przesuń pistolet prosto ku jego skroni. Celuj w głowę.

Naciśnij spust.

Ognia.

Nasunął linie celownika na pierś jelenia. Wyobraził sobie, jak ta pierś unosi się i opada wraz z każdym niepewnym oddechem. Zwierzę było ostrożne. Niespokojne. Miało ku temu powody.

Celuj w serce.

Naciśnij spust.

I ognia.

Ciało jelenia było jeszcze ciepłe. Po kurtce spływał cienki strumyk krwi. Trzydzieści kilogramów, pomyślał. Ciężko, ale dam radę. Dobrze się przygotowałem.

Zanim Piąty Student zarzucił sobie zwierzę na plecy, używając składanej saperki, dokładnie ukrył wszystkie pozostałości lizawki. Następnie ruszył w stronę domu Jeremy'ego Hogana, tą samą trasą, którą kilkukrotnie przemierzył w trakcie przygotowań, dźwigając wtedy ciężki plecak udający upolowanego jelenia. Światło dnia zaczynało już blednąć i gasnąć, ale sądził, że pozostało go jeszcze wystarczająco dużo. Nie było idealnie, jednak dawało się wytrzymać.

Takie właśnie było zabijanie, przypomniał sobie. Nigdy nie okazywało się aż tak precyzyjne, jak sądził, ani też tak nieudolne, jak się obawiał.

Karabin na pasie niewygodnie obijał mu dół pleców, kiedy tak przedzierał się przez krzaki i suche gałęzie. Chciałby móc zabrać ze sobą maczetę, by oczyścić nią przejście przez splątane zarośla, ale nie miał zamiaru pozostawiać po sobie oczywistej drogi przez las, którą natychmiast zauważyłby jakiś specjalista od oględzin miejsca przestępstwa. Wiedział, że zostawia ślady stóp, lecz te odciski boleśnie ciasnych i niewygodnych butów wyglądały na przypadkowe i nierówne. Co miało duże znaczenie.

Niebo było posępne, szare, zakryte gęstymi chmurami, grożące zimnym deszczem. To dobrze. Deszcz pomoże ukryć wszelkie ślady jego obecności.

Jakiś kolec ukłuł go w nogę.

Oddychał ciężko. Wyczerpanie. Ciężar. Podekscytowanie. Oczekiwanie. Musiał zwolnić, ale już zbliżał się do celu.

Kiedy dostrzegł upatrzone wcześniej miejsce, każdy krok stawiał bardzo ostrożnie. Żadnego nagłego, przykuwającego uwagę ruchu.

Wreszcie zbliżył się do linii drzew.

Nie spuszczał wzroku z domu Jeremy'ego Hogana, który od skraju lasu dzieliło jakieś czterdzieści metrów zapuszczonego trawnika.

On tam jest. W środku. Czeka, ale nie wie, jak bardzo jestem blisko.

Piąty Student zdjął zabitego jelenia z ramion, przy ostatnich drzewach przed cywilizacją i trawnikiem.

Ciało zwierzęcia łupnęło o miękką ziemię.

Zadbał o to, żeby jeleń wyglądał tak, jak wtedy, gdy go zastrzelił.

Jeleń, który upadł. Nie starannie ułożony jeleń.

Teraz, przygarbiony cofał się, oddalając od jelenia i utrzymując przy tym linię widoczności, tak, żeby skrywały go krzewy i liście. Kiedy dotarł mniej więcej dwadzieścia metrów w głąb lasu, zatrzymał się pod starym dębem. Z prawej strony, na wysokości ramion miał miejsce, w którym odłamała się gałązka. Idealna podpórka do strzału.

Las przed nim tworzył tunelowe okno wychodzące prosto na dom Hogana. Po drodze nie było żadnego wystającego konaru mogącego choćby minimalnie odchylić tor pocisku i sprawić, że spudłuje. Martwe zwierzę leżało dokładnie na szlaku jego kuli.

Podniósł karabin i spojrzał przez lunetę.

Zawahał się. Zastanowił.

Co zobaczą gliny?

Prosta odpowiedź:

Zabójstwo w ogóle nie będące zabójstwem.

Piąty Student sięgnął po swój jednorazowy telefon.

Był taki skupiony, że nie usłyszał samochodu podjeżdżającego pod dom, a z miejsca, w którym stał, nie mógł go także zobaczyć.

Jeremy Hogan siedział przy biurku, gorączkowo notując. Każdy urywek rozmowy, każde wrażenie, wszystko, co tylko mogło pomóc w ustaleniu, kim jest pan Czyja To Wina. Gryzmolił słowa w poprzek strony, bez ładu, pospiesznie i bez całej tej naukowej precyzji, którą praktykował przez lata. Nie miał pojęcia, co z tego może się przydać, dlatego zapisywał każdą przypadkową myśl i obserwację.

Uniósł wzrok, słysząc samochód podjeżdżający pod dom.

– To pewnie oni – powiedział na głos.

Wyjrzał przez okno i zobaczył dwójkę młodych ludzi wysiadających z jakiegoś auta.

Uśmiechnął się.

– Ona jest piękna – wyszeptał.

Wiele czasu minęło, od kiedy w swoich progach podejmował kobietę równie urodziwą jak ta, która teraz niepewnie stawała na jego podjeździe. Przyszła mu do głowy dziwna myśl, że ta dziewczyna jest za ładna, by rozmawiać o morderstwie.

Ściskając żółty notatnik, zerwał się z miejsca i pospieszył do drzwi.

Ani Andy Candy, ani Ćma nie wiedzieli, kto im otworzy. Ujrzeli wysokiego, tyczkowatego mężczyznę o siwych włosach. Witając ich, najwyraźniej był zarówno zadowolony, jak i podekscytowany.

– Timothy, Andreo, miło was widzieć, chociaż obawiam się, że okoliczności spotkania są niezbyt szczęśliwe – pospiesznie powiedział Jeremy Hogan i nieznacznym machnięciem ręki zaprosił ich do środka.

Nastała krótka, niezręczna chwila ciszy.

– Tutaj jest całkiem miło – powiedziała wreszcie Andy Candy.

– Jednak to odludzie – odparł Jeremy. – I mieszkam tu całkiem sam.

Spojrzał na Ćmę, który drgnął, czując się nieswojo.

– Myślę, że powinniśmy od razu zająć się tym – kontynuował doktor. Uniósł notatnik pełen zapisków. – Spróbujmy trochę to uporządkować, tak żebyśmy mieli coś, od czego można zacząć. Przepraszam, wszystko wydaje się takie pogmatwane. Chodźmy do salonu i usiądźmy.

Zanim Andy i Ćma zdążyli przytaknąć, zadzwonił telefon.

Jeremy zatrzymał się.

– On do mnie dzwonił – powiedział drżącym głosem. – Kilka razy. Ale nie sądziłem, że zadzwoni jeszcze raz. Nasza ostatnia rozmowa….

Umilkł, a telefon nadal dzwonił.

Stary psychiatra odwrócił się w stronę dwójki młodych ludzi.

– Dziwne – powiedział. – Ironia losu? Albo dzwoni morderca, albo jakiś cholernik zbierający pieniądze na kolejny szczytny cel.

Wcisnął swoje notatki Andy Candy.

– Czekajcie tutaj – polecił, zostawiając ich w drzwiach.

Przyglądali się, jak wchodzi do kuchni i zerka na wyświetlacz telefonu. Zobaczył „Numer nieznany". W pierwszym odruchu chciał odejść, jednak podniósł słuchawkę.

Piąty Student spojrzał ponad lufą karabinu.

Usłyszał Jeremy'ego:

– Słucham?

Teraz już nie było potrzeby, aby elektronicznie zmieniać głos. Chciał, żeby Hogan usłyszał go prawdziwego.

– Teraz, doktorze, proszę słuchać mnie bardzo uważnie – powiedział z wolna.

Jeremy westchnął, zaskoczony. Zastygł bez ruchu.

Przez lunetę broni Piąty Student widział plecy Jeremy'ego. Dokonał drobnej korekty celownika, trzymając słuchawkę przy uchu i pieszcząc palcem spust.

– Oto lekcja historii. Specjalnie dla pana. – Tak jak się spodziewał, Jeremy nie odpowiedział. – Parę dekad temu przyszło do pana czworo studentów i poprosiło o pomoc w usunięciu z uczelni medycznej piątego członka swojej grupy, bo uznali, że jest niebezpiecznym wariatem i zagraża ich karierze. Chcieli go poświęcić, żeby sami iść dalej. Spełnił pan ich prośbę. Umożliwił to. Ułatwił, a ja byłem tym, który ucierpiał. Kosztowało mnie to wszystko. Jak pan sądzi, ile to powinno kosztować pana?

Jeremy zaciął się. Słowa przychodzące mu do głowy były zniekształcone. Niezrozumiałe. Jedyne mające jakikolwiek sens, które zdołał wykrztusić, brzmiało:

– Ale…

– Jaki koszt, doktorze?

Piąty Student wiedział, że Jeremy nie odpowie.

Wcześniej intensywnie się zastanawiał nad tym, co ma mówić. Zaskoczył Hogana tym pytaniem w określonym celu: miał utrzymać doktora w tej właśnie pozycji ciała. Zmieszanego, wahającego się.

– Ma pan ładną niebieską koszulę, doktorze.

– Co? – zapytał Jeremy.

Dosyć kiepskie ostatnie słowo, pomyślał Piąty Student.

Upuścił komórkę na miękką ziemię pod stopami, lewą dłonią pewniej chwycił łoże karabinu.

Wziął oddech, przytrzymał go i delikatnie ściągnął spust.

Znajomy odrzut.

Czerwona mgła.

Myśl równoczesna ze śmiercią: Po tylu latach nareszcie jestem wolny.

Zaskoczył go świdrujący wrzask, który rozległ się chwilę potem. Powinna przecież zapaść głucha cisza, zakłócona tylko słabnącym echem wystrzału. Niespodziewany hałas go zaniepokoił, ale Piąty Student zachował tyle wewnętrznej dyscypliny, aby podnieść komórkę, szybko rozejrzeć się dookoła w poszukiwaniu jakichkolwiek śladów, które mogłyby tutaj po nim zostać, i rozpocząć szybkie wycofywanie się przez ciemniejący las. Pierwszym krokom towarzyszyło przekonanie: To już koniec, to już koniec. Każdemu następnemu akompaniowały szeptane słowa piosenki Boba Dylana: *To już jest koniec, Baby Blue*.

I jeszcze ostatnie słowo, pojawiające się wraz z szybkim krokiem: Nareszcie.

Część 2

KTO JEST KOTKIEM? A KTO MYSZKĄ?

20

Ćma kłamał.

Mniej więcej. Znalazł sposób, aby tak odpowiadać na pytania, żeby stwarzać wrażenie prawdy przy jednoczesnym osłanianiu większego fałszu. Czuł się zdumiony, jak łatwo mu to przychodziło. Zważywszy, że zachowywanie trzeźwości w wielkiej mierze zależało od szczerości, trochę się niepokoił, że z jego ust tak łatwo wychodzi nieprawda.

W domu doktora nagle zaroiło się od policji i ratowników medycznych. Ćmę zabrano do jednego pokoju, Andy Candy do drugiego i przesłuchiwano osobno. Z miejsca, w którym stał, Ćma nie widział już ciała doktora

– Jeszcze raz proszę powiedzieć, po co tutaj przyjechaliście – drążył detektyw.

– Niedawno zmarł mój stryj. Samobójstwo, w Miami – odpowiedział Ćma. – Byliśmy sobie bardzo bliscy. Doktor Hogan był jednym z jego najważniejszych wykładowców na studiach medycznych. Próbuję jakoś zrozumieć, dlaczego mój stryj się zastrzelił. Kilka dni temu skontaktowałem się z doktorem i zaprosił mnie do siebie, żebyśmy porozmawiali. Mówił, że jest za stary na podróże, a to, co zamierza mi powiedzieć, nie nadaje się na rozmowę telefoniczną.

– Czy mówił o jakichś pogróżkach? – dopytywał się detektyw.

– No, cóż – odpowiedział Ćma z wahaniem. – Mieliśmy porozmawiać o mojej stracie i jak sądzę, uznał, że pomoże mi sobie z tym wszystkim sobie poradzić. Jakby na to nie spojrzeć, był przecież znanym psychiatrą. Może po prostu był uprzejmy. Może czuł się samotny, bo mieszkał tu sam i chciał, żeby ktoś go odwiedził. Nie pytałem.

Ćma przyjrzał się detektywowi. Nic w sposobie, w jaki ten człowiek stał, mówił, zadawał pytania, nie skłaniało do podjęcia decyzji: „To jest właśnie ta chwila, w której mogę powiedzieć mu o wszystkim".

– To bardzo długa podróż jak na tylko jedną rozmowę.

– Stryj był dla mnie naprawdę ważny. I dostałem tanie bilety.

Andy Candy również kłamała.

Pozostawiało to w jej ustach dziwny posmak, jak gdyby kłamstwa były zepsutym jedzeniem – a jednocześnie przyspieszało puls, bo wraz z każdym fałszem czuła, że coraz głębiej zanurza się w przygodzie.

– Gdzie dokładnie pani stała, kiedy usłyszała pani strzał? – detektyw, ledwie o kilka lat starsza od Andy, trzymała długopis i notes w tak władczej pozie, jakby była to jej osobista broń.

Andy Candy najpierw pokazała miejsce w którym stała, gdy umarł doktor Hogan. Potem tam podeszła.

– Dokładnie tutaj. Później, jak usłyszeliśmy… – nie dokończyła zdania, tylko kontynuowała rozpoczętą myśl – …później weszłam do kuchni.

Odetchnęła ciężko. Przyszło jej do głowy, że to przypomina cofanie taśmy w magnetofonie. Przed oczyma duszy rozgrywało się teraz wszystko, co wcześniej zobaczyła i usłyszała.

Wystrzał.

Odległy. Przytłumiony. Ledwie słyszalny.

Co to było?

Ułamek sekundy.

Unieś wzrok.

Pękające szkło.

Potem widok tak samo głośny jak hałas: tył głowy doktora eksplodujący czerwoną kaskadą mózgu i krwi.

Obrzydliwe „łup", gdy stary psychiatra padł przed siebie i uderzył o ścianę, pchnięty siłą wystrzału. Słuchawka wypadła mu z dłoni, stuknęła o podłogę. Doktor osunął się, nie wydając żadnego dźwięku, w każdym razie takiego, który zdołałaby usłyszeć, bo wtedy już krzyczała: wysokim, upiornym wrzaskiem paniki, szoku i strachu, splecionych ze sobą w jakiś prymitywny, rozpaczliwy skowyt. Mieszało się to z głośnym okrzykiem zdumionego i zaskoczonego Ćmy, tworząc tak harmonię terroru.

Wszystko wydarzyło się tak szybko, że Andy Candy zajęło nieco czasu zrozumienie, co się właściwie stało, i poskładanie do kupy fragmentów morderstwa oraz ich przetrawienie. To przypominało obudzenie się z koszmaru o potwornym pożarze, z myślą „Boże, co za okropny sen", a następnie uświadomienie sobie, że wokół naprawdę się pali.

Detektyw wypytujący Ćmę był tęgawy, w średnim wieku i niedopasowanym garniturze.

– I co pan dokładnie zrobił, kiedy pan się zorientował, że doktora zastrzelono?

Ćma próbował sobie przypomnieć, co wtedy robił. Oceniał, o czym ma powiedzieć – o tym, co było heroiczne – a co pominąć – wszystko co się wiązało z paniką. Po strzale odskoczył gwałtownie, jak gdyby natknął się na węża, potem obrócił, chwycił Andy niedźwiedzim uściskiem i pchnął na bok od wejścia. Kiedy doktor osuwał się na podłogę, Ćma kulił się już obok dziewczyny, wisząc nad nią, jakby ją osłaniał przed spadającym gruzem.

Później przeważyła druga strona jego natury. Puścił Andy i popędził do kuchni. Wszystkie elementy gwałtownej śmierci poukładały mu się w głowie, a wtedy zawładnęły nim instynkty, o których wcześniej nawet nie wiedział. W ogóle mu nie przyszło do głowy, że przecież wystawia się na drugi strzał. Zgiął się wpół niczym sanitariusz na polu bitwy tylko po to, by po chwili gwałtownie cofnąć ręce. Od razu się zorientował, że nic tu nie pomoże. Żadna opaska uciskowa. Żaden telefon na pogotowie ani sztuczne oddychanie. Ciemnoczerwona krew zbierała się na podłodze, zanieczyszczona odłamkami kości i kleistą, szarą substancją mózgową. Widział siwe włosy zmatowione śmiercią i zniszczoną czaszkę.

Kątem oka dostrzegł całą kolekcję broni rozłożoną na stole. Z wojowniczym okrzykiem skoczył tam, złapał strzelbę, nie kłopocząc się sprawdzeniem, czy jest naładowana – zresztą i tak nie umiałby tego zrobić – a potem zorientował się, że gramoli się do tylnego wyjścia, tracąc sekundy na szarpanie się z zasuwą. Jak szalony wypadł na zewnątrz. Podniósł strzelbę, machnął nią na lewo i na prawo, z palcem na spuście, ale nie potrafił dostrzec żadnego celu. Jego strach przeniknęła niesprecyzowana potrzeba chronienia Andy Candy i siebie samego. Wstrzymał oddech.

Kilka sekund stał sztywno wyprostowany, a te sekundy zdawały się dłużyć w niesprecyzowaną, ogromną ilość czasu. Wokół zapadała noc, jak gdyby opatulając ciemnością. Chciał zastrzelić coś albo kogoś, lecz dookoła nie było nic oprócz cieni wyciągających się ku Ćmie z pobliskiego lasu po drugiej stronie podwórka doktora. Szydziły.

Wrócił do środka.

– W porządku – oznajmił Andy.

I jeszcze, chociaż już mu umknęło, w jaki sposób doszedł do tego wniosku:

– Ktokolwiek to był, zniknął.

Andy Candy pomyślała, że powinna się rozpłakać. Poczuła łzy w oczach, ale też niemal żelazną sztywność w ciele. Trwała w drzwiach do kuchni, zastygła bez ruchu, ze spojrzeniem utkwionym w ciele doktora, z twarzą zasłoniętą dłońmi, jak gdyby cokolwiek, co mogłaby powiedzieć, tylko zwiększało rykoszetujący w niej strach. Wyobraziła sobie, że jej uczucia są równie blade, jak blada musi być jej twarz.

– Czy my?… Kto, to znaczy… – umilkła. Pomyślała, że wie „kto". Ale „czy my" brzmiało już zagadkowo. Jej słowa były takie suche, że aż drapały w gardło.

Ćma wydawał się zimny niczym robot.

– Wiemy, kto to był – powiedział z zawziętością w głosie, zmieniając w dźwięk myśl przepływającą przez głowę. Odłożył strzelbę na stół.

Andy czuła pot pod pachami, ale dygotała, jakby było jej zimno. Nie potrafiła określić, czy teraz jej za gorąco, czy może właśnie zamarza.

– Ćma, chodźmy stąd – powiedziała. – Chodźmy. Teraz.

Uciekajmy, pomyślała. Szybko.

A potem: Przed czym?

Oraz: Dokąd?

– Myślę, że nie możemy – odparł Ćma.

W tamtej chwili nie miała pojęcia, co jest właściwe, i wątpiła, aby Ćma to wiedział. Potrafiła sobie tylko wyobrazić, że za moment eksploduje kolejne okno, a nią albo Ćmę dosięgnie pocisk snajpera. Nagle poczuła, że jest w straszliwym niebezpieczeństwie, że każda chwila, w której ociąga się z działaniem, może dać zabójcy czas, aby przeładował, wycelował i zakończył jej życie.

Andy Candy zachwiała się do tyłu. Wyrzuciła rękę przed siebie, chwytając się ściany. Zakręciło się jej w głowie, pomyślała, że zaraz zemdleje.

– Pomocy – wyszeptała, chociaż to, jakiej pomocy oczekiwała, już z niej uleciało. Do głowy przyszła jej dziwaczna myśl: Uważa się, że śmierć to koniec. A to przecież dopiero początek.

Ćma chciał do niej podejść, opleść ramionami, trzymać mocno, głaskać po włosach, próbować uspokoić. Taką właśnie miał wizję tego, co w podobnej sytuacji powinien uczynić bohater, jednak idąc do dziewczyny, potknął się, a potem przystanął w odległości kilku kroków.

Zobaczył, że Andy sięga po komórkę. Oczywiście, 911, pomyślał.

– Poczekaj chwilę – powiedział jednak.

Gdzieś zniknął uspokajający Ćma. Zastąpił go Ćma myślący jak zabójca. Wrócił do rozłożonej na stole broni. Odłożył strzelbę, wziął magnum trzysta pięćdziesiąt siedem i pudełka z amunicją do pistoletu.

– Będziemy tego potrzebować. I tego też – wskazał notatnik z odręcznymi notatkami doktora. Andy Candy wcześniej upuściła go na podłogę, obok drzwi.

– Czy policja nie będzie... – odezwała się, ale po chwili zrozumiała, o co chodzi Ćmie. Podniosła notatnik i podała mu go. Nie dostrzegała w tym posunięciu ogromnego niebezpieczeństwa, z jakim się wiązało, chociaż w jakiś niejasny sposób miała świadomość, że oboje kroczą po cienkiej linii, przekraczając granicę, której nie przekroczyłby nikt myślący racjonalnie.

– W porządku – powiedział Ćma, wsuwając notatnik pod pachę. – Teraz dzwoń.

Wybrała numer.

– Co mam powiedzieć?

– Powiedz, że ktoś zginął. Został zastrzelony.

Drgnęła. W każdym jej ruchu widoczne było napięcie.

– A kiedy tutaj przyjadą?

Rozsądek nakazywał od razu powiedzieć policji wszystko, co wiedzieli, czego zresztą nie było zbyt wiele, i wszystko, co podejrzewali, czego już było trochę. To policja dysponowała odpowiednimi środkami, aby zająć się sprawą zabójstwa. Oboje postanowili jednak się do niej nie zwracać. Przyszły im do głów słowa: „To wszystko należy do nas". Pomysł, aby zaufać jakiemuś gliniarzowi, wydawał się nie tylko głupi, ale wręcz niebezpieczny. Tak wiele różnych śmierci mieszało im się w głowach, że gdzieś uleciała zdolność racjonalnego oglądu sytuacji. Ćma czuł wewnątrz siebie twarde żelazo. Jedyne, co potrafił sobie wyobrazić, to zemsta.

– Wypadek? – zasugerował.

Wszystko wokół Andy wirowało wśród szaleństwa, więc uchwycenie się czegoś, co zdawało się mieć sens, chociaż tak naprawdę go nie miało, było jedyną rzeczą, na którą potrafiła się jeszcze zdobyć.

– W porządku – powiedziała. – Jakiś wypadek albo coś w tym rodzaju, a może po prostu nie wiemy.

Obojgu wydawało się to niezręczne, jednak z różnych powodów. Ćma myślał: To moja walka. Andy Candy pomyślała z kolei: Cokolwiek zaczęłaś, musisz to zakończyć. Oboje nie dostrzegali, że to taka naiwna, romantyczna głupota.

– Po prostu powiedzmy, co słyszeliśmy i widzieliśmy, i to wszystko – oznajmił Ćma. Poczuł się jak pretensjonalny reżyser dający wskazówki swojej aktorce. – Andy... Nie udawaj spokoju.

Popatrzyła na ciało doktora. Poczuła łzy, spływające po policzkach. Co za dziwna prośba, pomyślała. Jednak mieściła się w zasięgu obejmowania rozumem tego, co działo się wokół.

– To będzie łatwe – powiedziała. Wokół niej unosiło się teraz tak dużo histerii, że sięgnięcie po nią i włożenie nieco w rozmowę telefoniczną z policją wydawało się całkiem proste.

Samo słuchanie własnego głosu pomagało w odzyskaniu kontroli nad rozszalałymi emocjami. Przyszła jej do głowy dziwna myśl: Więc tak to właśnie jest, gdy się zobaczy, jak kogoś mordują.

Gwałtownie wybierała cyfry na telefonie, cały czas mając dziwne wrażenie, że znajduje się gdzieś poza ciałem. Ćma przeszedł obok niej do drzwi i ruszył do wynajętego samochodu. Potem w słuchawce zabrzmiał urywany głos dyspozytora. Andy słyszała siebie samą podającą adres, chociaż wydawało jej się, że policję wzywa ktoś inny, bardziej wiarygodny i spokojniejszy.

– Kiedy wybiegł pan na zewnątrz, to czy zauważył pan kogoś albo coś?

Ćma zawahał się, a potem pokręcił przecząco głową. Sam sobie zadawał to pytanie i doszedł do wniosku, że jedyna odpowiedź brzmi: „Nie". A raczej: „Nic nadzwyczajnego". Poza pociskiem o masie stu osiemdziesięciu granów, który kilka sekund wcześniej eksplodował w głowie doktora. To akurat nie było zwyczajne. Ale Ćma uświadomił sobie, że w jego życiu już nic nie jest zwyczajne. Miał nadzieję, że Andy Candy również to dostrzega.

– Nie. Przykro mi. Nic.

Detektyw notował wszystkie słowa, które wydusił z siebie Ćma.

Obojgu zadawano jeszcze inne pytania. Rutynowe, takie jak: „Którym lotem przylecieliście?" i „Czy doktor powiedział coś, zanim go zastrzelono?" Następnie wykonano zdjęcia miejsca zbrodni oraz wezwano techników kryminalistycznych, tak jak po śmierci Eda. Powstało drobne zamieszanie, kiedy detektyw idący szlakiem pocisku natknął się na zabitego jelenia. Ktoś stwierdził: „Wypadek na polowaniu", co nie wydawało się szczególnie przekonujące – chociaż Ćma i Andy Candy usłyszeli, że zostało powtórzone kilka razy. Było także: „Jak można się z państwem skontaktować?", była wymiana e-maili i numerów telefonów komórkowych. Ani Ćma, ani Andy Candy nie potrafili dokładnie określić, co policjanci sądzą na temat śmierci psychiatry, nawet kiedy zadawali oczywiste pytanie:

– Czy wiecie państwo o kimś, kto mógłby chcieć zabić doktora?

Oboje odparli:

– Nie.

Nie uzgadniali wcześniej tego kłamstwa. Przyszło im naturalnie.

21

Ten krzyk bardzo go zdziwił.

Był niespodziewany i w ogóle tam nie pasował.

Przy poprzednich zabójstwach rzadko coś szło nie tak. Kiedy później odtwarzał tamten krzyk w pamięci, zdziwienie stopniowo przechodziło w niepokój. A niepokój szybko przerodził się w coś pokrewnego zmartwieniu, dotąd stanowiącemu uczucie całkowicie mu obce. I to zmartwienie pogłębiało się z każdą chwilą. Sprawiało, że poczuł się dziwnie, prawie oszołomiony. Puls mu przyspieszył, zamrowiła skóra, jak gdyby doznał drobnego porażenia prądem. Takie doznania przy procesie popełniania morderstwa były dla niego zupełnie nowe i żadne mu się nie podobało.

Powinna być cisza.

Cisza i śmierć. Tak to właśnie zaplanowałem.

Może jakiś szelest gałęzi, kiedy się wycofywałem. To wszystko.

Kto krzyczał?

Kto był w domu?

Tam powinno nikogo nie być.

Sprzątaczka? Nie. Sąsiad? Nie. Elektryk? Może.

Powinienem wrócić.

Piąty Student odwołał jutrzejszy lot do Key West, gdzie zamierzał zrobić sobie wakacje, beztrosko popijając cuba libre w barze restauracji Louie's Backyard i planować pozostałą, pozbawioną już zabijania część swojego życia. Jeszcze niedawno nurzał się w miłych fantazjach – może znaleźć pracę w jakimś ośrodku terapeutycznym, żeby zrobić użytek z od tak dawna uśpionej wiedzy o psychologii? A może zatrudnić się w domu opieki dla byłych pacjentów albo w telefonie zaufania zapobiegającym samobójstwom? Nie potrzebował pieniędzy. Potrzebował wypełnienia reszty życia głęboką satysfakcją, taką, której się spodziewał, gdy wiele lat temu zaczynał studiować medycynę.

Zastanawiał się nawet, czy nie odnowić kontaktów z tymi krewnymi, którzy jeszcze mu pozostali – rozrzuconymi po kraju kuzynami, sądzącymi, że umarł. Lubił sobie wyobrażać szok i zaskoczenie rodziny: „On żyje!" Byłby jak jeden z tych japońskich żołnierzy odnajdywanych na opuszczonych wyspach Pacyfiku, którzy kilkadziesiąt lat po wojnie myśleli, że wciąż trwa, nie potrafili się poddać, a później witano ich defiladami i medalami, kiedy zdumieni wracali do dziwnej i nowoczesnej ojczyzny. Wydawało się, że możliwości, jakie ma teraz przed sobą, są nieograniczone. Mógłby wrócić do swojego imienia, swojej tożsamości i, co ważniejsze, swojego potencjału. I nikt nie miałby pojęcia, w jaki sposób tego dokonał.

To pewnie byłoby tak, jak gdybym znowu stał się młody.

A teraz nagle jego nowa historia, która, jak sądził, magicznie pojawi się zaraz po uwolnieniu ze starej, znalazła się w niebezpieczeństwie.

Ogarnęła go wściekłość.

Sukinsyn. Cholerny sukinsyn. Cholerny wrzask.

Spędził już kilka godzin na zbieraniu wszystkich elementów zabójstwa Jeremy'ego Hogana i ich usuwaniu. Dyski komputerowe i odręczne notatki. Zdjęcia, mapy, harmonogramy, trasy. Broń. Amunicja. Urządzenie do elektronicznej zmiany głosu oraz jednorazowe telefony komórkowe. Wszystkie szczegółowe informacje, dane osobowe i rozkład dnia, wykorzystane do przygotowania oraz wykonania egzekucji psychiatry. Miał nadzieję, że kiedy zniszczy wszystko, co wiązało go z ostatnim morderstwem, wreszcie będzie mógł rozpocząć nowe życie.

Niech to piekło pochłonie. Zmarnowany czas.

Powtarzał sobie, aby zacząć postępować racjonalnie i badać ten krzyk, ale przez takie upomnienia sprawił, że tylko jeszcze szybciej oddychał.

Późną nocą w swoim nowojorskim mieszkaniu Piąty Student zmusił się, aby jeszcze raz zasiąść do komputera. Zainstalowanie nowego twardego dysku zabrało kilka minut, a czas ten spędził, klnąc siarczyście.

Najpierw odwiedził stronę internetową „Trenton Times", największej lokalnej gazety w miejscowości najbliżej domu

Hogana. Znalazł tylko jeden artykuł: *Emerytowany lekarz najprawdopodobniej zginął wskutek wypadku na polowaniu.*

Przeczytał kilka akapitów, myśląc: Tak ma być, właśnie tak ma być. Artykuł nie zawierał jednak wystarczająco dużo szczegółów, by go uspokoić. Tekst szybko zmienił się w spis zawodowych dokonań Jeremy'ego Hogana, umieszczony pod jedynym cytatem z wypowiedzi porucznika policji: „Istnieją przesłanki ku temu, że doktor mógł stać się ofiarą wypadku w trakcie polowania poza sezonem".

– Wypadku! – wyrzucił z siebie, na krawędzi szału. – Wypadku! – Wpatrywał się w monitor i miał ochotę w niego walnąć. – Co za pierdoły.

Piąty Student uniósł wzrok i wyjrzał przez okno. Przywitała go poświata nocnego Manhattanu. Słyszał odgłosy ruchu ulicznego, typowe połączenie hałasu samochodów, ciężarówek, klaksonów i wyjących sporadycznie syren. Wszystko było dokładnie takie, jakie powinno, a jednak coś wydawało się zdecydowanie nie tak. Dźwięki, których normalność powinna go uspokoić, wcale tego nie robiły.

Piąty Student, niczym naukowiec przeglądający dane ze swojego ostatniego eksperymentu, rozpatrywał każdy aspekt ostatniego zabójstwa. Zdawało się dokonane perfekcyjnie, bardziej nawet niż niektóre pozostałe – aż po ostatni fragment rozmowy, tamto zawahanie się, nim pociągnął za spust. Przypomniał sobie mocne uderzenie w bark i niewielki obraz widziany przez lunetę. Miał też stuprocentową pewność, że Jeremy Hogan doświadczył tej absolutnie niezbędnej chwili strachu i olśnienia, i że pod każdym względem wiedział, że ma umrzeć i kto go zabije, nawet jeśli nie przypomniał sobie nazwiska. To była sekunda czy dwie, ale wystarczyła, aby zamarło mu serce i zalały straszliwe oraz całkowicie zasłużone wspomnienia, żeby poczuł strach ściskający żołądek, kiedy zrozumiał, że przegrał mimo wszystkich swoich zabiegów. A potem tak rozkosznie wszystko na niego spłynęło, a jego mózg eksplodował.

Idealne morderstwo.

Takie, którym można się napawać. Które można smakować.

Poza tym krzykiem.

Piąty Student wrócił myślami do tamtego dźwięku.

Kobiecy. Piskliwy. Czy był jeszcze jakiś inny dźwięk?

Cholera, cholera, cholera. Plan był przecież taki prosty.

Wybrać numer.

Wypowiedzieć przećwiczone słowa.

Wycelować.

Strzelić.

Szybko sprawdzić, czy nie pozostały jakieś ślady.

Wycofać się.

Precyzyjnie się tego trzymał. Dokładnie tak, jak powinien. Dokładnie tak, jak za każdym razem.

Tyle że tym razem powinien jeszcze poczekać.

Zaklął, mocno chwycił brzeg biurka, gwałtownie wstał, przeszedł się, uderzył pięścią w otwartą dłoń i zaczął robić przysiady. Po pięćdziesiątym pot zaperlił mu się na czole. Przestał ćwiczyć.

Powtarzając sobie, że musi zachować spokój i skupienie, wrócił do komputera. Postanowił sprawdzić stronę lokalnej gazety „Princeton Packet", wychodzącej dwa razy dziennie i zajmującej się sprawami pobliskiego przedmieścia. Od razu znalazł mnóstwo artykułów o zebraniach w sprawie zagospodarowania przestrzennego, zarządzeń związanych z wyprowadzaniem zwierząt na smyczy, kwestiach recyklingu, kwalifikacjach do baseballowej Małej Ligi oraz projektach szkolnych. Po uporczywym klikaniu myszką nareszcie dotarł tam, gdzie chciał: *Zginął znany profesor, prawdopodobnie wskutek wypadku na polowaniu.*

Artykuł przypominał poprzedni, ale zawierał nieco więcej szczegółów, w tym wzmiankę o zabitym jeleniu oraz informację: „Ciało doktora znaleźli jego goście".

Przecież od lat nikt nie odwiedzał doktora.

Kim oni byli?

Piąty Student prawie nie spał. Większą część nocy spędził, wpatrując się w artykuł na monitorze, na wpół oczekując, że uformują się jeszcze inne słowa.

Godzina dziesiąta rano.

Użyj telefonu na kartę. Trzymaj się swojej historyjki.

– Halo, słucham, tu redakcja „Princeton Packet", przy telefonie Connie Smith.

– Dzień dobry, pani Smith. Bardzo przepraszam, że państwa niepokoję. Nazywam się Philip Hogan. Dzwonię z Kalifornii w sprawie śmierci mojego kuzyna. Niestety, dalekiego kuzyna, zarówno jeśli chodzi o pokrewieństwo, jak i odległość. Ta cała sprawa nas zaskoczyła. Teraz próbujemy się dowiedzieć, co się dokładnie stało, a od miejscowej policji nie mogę dostać żadnej jasnej odpowiedzi. Co to był za wypadek? Miałem nadzieję, że może państwo będziecie mogli podać kilka szczegółów.

– Policja jak zwykle trzyma język za zębami, dopóki cała sprawa nie zostanie wyjaśniona – odparła dziennikarka.

– W waszym artykule było coś o wypadku na polowaniu, prawda? Mój kuzyn nie był myśliwym, przynajmniej z tego, co wiemy… – zawiesił głos.

– No tak. Przykro mi to mówić, ale ten „wypadek" to taka ściema. To wygląda na jakiś przypadkowy strzał idioty polującego poza sezonem, który użył o wiele za mocnego karabinu i zamiast jelenia zabił pańskiego kuzyna. A raczej zabił go oprócz jelenia. Gliniarze szukają myśliwego – może dostać zarzut morderstwa, oprócz całej masy zarzutów związanych z pogwałceniem praw dotyczących ochrony przyrody. Jak na razie bez powodzenia. Właśnie dlatego nie chcą współpracować.

– Rozumiem. To brzmi okropnie. Nigdy nie spotkałem tego swojego kuzyna, ale był całkiem znanym psychiatrią. Był w domu, kiedy to się stało?

– Tak, rozmawiał przez telefon. Po prostu pech, z tego, co wiem. Ale nie powinien pan powoływać się na to, co mówiłam.

Policja w końcu wyda oficjalne oświadczenie, które pewnie będzie dokładniejsze od pogłosek i plotek, jakie zebrałam.

– Och – powiedział Piąty Student, wkładając w swój głos tyle udawanej troski, ile tylko zdołał. – To okropne.

– Tak. Przykro mi z powodu pańskiej straty. Fatalna sprawa.

– Na to wygląda. Okropna tragedia, ale on i tak miał już swoje lata. O ile wiem, kuzyn Jeremy mieszkał sam od śmierci żony. Pewnie czuł się smutny i samotny.

– Nie wiem – odparła Connie Smith.

– A wie pani, kiedy odbędzie się pogrzeb?

– Wydrukujemy nekrolog, kiedy tylko koroner wyda ciało. Proszę sprawdzić za dzień albo dwa.

– Dobrze. Tak właśnie zrobię. Naprawdę bardzo pani dziękuję za pomoc. Och, jeszcze jedno pytanie.

– Słucham.

– Jak go znaleziono? To znaczy, nie cierpiał, prawda?

– Nie. Prawdopodobnie śmierć nastąpiła od razu.

To Piąty Student już wiedział. Cierpienie przyszło wcześniej. Chciał jednak zadać pytanie pasujące do wizerunku, który starał się wytworzyć w umyśle dziennikarki. Daleki krewny. Umiarkowanie zmartwiony. Głównie po prostu zaciekawiony.

– Ale jak został znaleziony? – kontynuował.

– Najwyraźniej odwiedziła go para jakichś młodych ludzi. Naprawdę, zupełny przypadek, jak nieoficjalnie powiedział mi jeden z policjantów. To nie byli jego krewni. Mieli jakiś inny powód, żeby tam się znaleźć, ale tego nie było w pierwszym oświadczeniu policji i nie wiem, co to w ogóle mogłoby być. Pewnie jakiś student medycyny przyjechał do emerytowanego profesora, ale tylko zgaduję.

– Rozmawiała pani z nimi?

– Nie. Kiedy przyjechałam na miejsce, już ich tam nie było. Pewnie o mało nie zwariowali ze strachu. Przyjeżdżają do człowieka z wizytą, a tu… – reporterka westchnęła.

Piąty Student był ostrożny. Nie rób wrażenia kogoś natarczywego, upominał sam siebie.

– Och, to może powinienem jakoś się z nimi skontaktować. Zna pani ich nazwiska, telefon, coś, co mi pomoże się do nich odezwać?

– Mam ich nazwiska – powiedziała. – Ale nie mam telefonów. Zapewne policja nie chciała, żebym do nich dzwoniła, dopóki nie zakończy śledztwa. Typowe. Pewnie nie chcą też, żeby pan do nich dzwonił, ale do diabła z tym. Nie powinno być trudno ich wyśledzić.

– Ale pani nie…

– Nie. Nie ma tu dużo do opisywania, dopóki gliniarze nie podadzą nazwiska tego durnego myśliwego. Potem będzie aresztowanie i artykuł na ten temat.

To się nie wydarzy, pomyślał.

Poprosił reporterkę, żeby powtórzyła nazwiska „gości". Zapisał je i wpatrywał się w litery przed sobą. Wydawało mu się, że drżą, tańczą niczym powietrze nad autostradą w upalny dzień. Chłopak. Dziewczyna.

Nazwisko dziewczyny nic mu nie mówiło: Andrea Martine.

Kim jesteś?

Ale nazwisko chłopaka mówiło wiele: Timothy Warner.

Wiem, kim jesteś.

Powinien być na siebie wściekły, bo przegapił to powiązanie. Pozwolił jednak, aby dławiona furia rozpłynęła się wśród dalszych poszukiwań; sądził, że śledztwo pozwoli mu się uspokoić i pozbyć tego paskudnego uczucia, że…

Zatrzymał się, tak jakby potrafił zmusić myśli do zawahania się, niczym podczas kiełznania rozpędzonego konia, i zastanawiał się, co właściwie czuje. Uczucie czego? Zagrożenia? Błędu? Niebezpieczeństwa?

– Mam nadzieję, że pomogłam – powiedziała reporterka.

– Tak. Dziękuję pani. Ogromnie pani pomogła – odparł Piąty Student.

Trochę chciało mu się śmiać. Reporterka lokalnej gazety. Niedoświadczona. Kobieto, właśnie rozmawiasz z materiałem na absolutnie najlepszy artykuł, jaki kiedykolwiek trafiłby na twoje biurko. Tyle że tego nie dostrzegasz.

22

Andy Candy zasnęła w powrotnym samolocie do Miami, wyczerpana napięciem, jakiego nigdy wcześniej nie doświadczała. Jej głowa opadła Ćmie na ramię. Pomyślał, że to chyba najbardziej erotyczne doznanie, jakiego doświadczył od lat. Przypomniał sobie pierwszy raz, kiedy ją dotykał. To, co tak naprawdę było jedynie niezdarnym obmacywaniem, w jego wspomnieniach stało się delikatne i jedwabiste. Bardzo pragnął teraz pogładzić Andy po policzku, ale tego nie zrobił.

Rozkoszował się zapachem jej włosów i próbował uspokoić po wszystkim, co im się przydarzyło. Od czasu do czasu jakieś szarpnięcie wywołane turbulencjami zmawiało się, aby przeszkodzić w tych dwóch przeciwstawnych emocjach – pożądaniu i żądzy mordu.

Zahuczały silniki. Między fotelami przeszła stewardesa. Mijając Ćmę, uśmiechnęła się do niego.

Cieszył się, że nas widzi. Czuł ulgę. Był chętny do pomocy.

W wyobraźni Ćmy uformował się okropny obraz: doktor z uniesioną dłonią, witający ich w swoim domu.

Ile życia mu wtedy jeszcze zostało? Minuta? Dwie?

A potem zadzwonił telefon.

Ćma odetchnął gwałtownie. Wszędzie była krew. Andy krzyczała.

Wyobraził sobie, jak doktor sięga po słuchawkę.

Trwało już odliczanie: pięć, cztery, trzy…

Coś powiedział.

Dwa, jeden… bum.

Ćma uświadomił sobie, że doktor Hogan wtedy tylko słuchał, zastygły w bezruchu. Nie powiedział nic, co wskazywałoby, kto jest po drugiej stronie.

Jak blisko bylibyśmy śmierci? Zakładając, że poszlibyśmy za nim do kuchni i stali obok niego?

Śmierć była trzy metry od nas.

Ćma zesztywniał na swoim fotelu, bo nie chciał zrobić niczego, co sprawiłoby, że Andy Candy nieświadomie zdjęłaby mu głowę z ramienia. Zaczął rozglądać się po samolocie, bojąc się, że zabójca stryja wszedł za nimi na pokład. Dopiero po kilku sekundach uspokoił szalejący puls, z uporem powtarzając: Nie wariuj, nie ma go tutaj.

W każdym razie jeszcze nie ma.

Ćma zamknął oczy, wsłuchując się w silniki.

Jeszcze przedwczoraj morderstwo było jakąś abstrakcją. Nawet kiedy zobaczyłem ciało stryja Eda, to wciąż było tylko zabójstwo, które już się wydarzyło, a nie zabójstwo, które właśnie się wydarza.

Czasy gramatyczne naznaczone śmiercią.

Uczymy się. Szybko.

Czy wystarczająco szybko?

Nie miał pojęcia.

To, co zobaczyli, co usłyszeli, co poczuli, to, jak zareagowali, wszystko połączyło się w mieszankę gwałtownej śmierci. Kiełkujący w Ćmie uczony zastanawiał się właśnie, czy te wszystkie emocje złożone do kupy nie są właśnie tym, czego doświadczają żołnierze na polu bitwy.

A potem mają koszmary. Mimo tego całego swojego wyszkolenia i tak mają nocne poty oraz paranoiczne lęki. A nas co chroni?

Zerknął na swoją prawą dłoń, myśląc, że powinna drżeć jak u pijaka. Potem spojrzał na Andy Candy i liczył jej regularne oddechy, starając się dostrzec, czy na zrelaksowanej twarzy pojawia się już zaczątek jakiegoś koszmaru.

Co teraz zrobimy?

W jego głowie zjawiła się odległa myśl, na peryferiach tego, co właśnie starał się przetwarzać: Czy prosząc ją o pomoc, nie zabiję jej? Jednak od razu tę myśl odrzucił, bo samolubnie wiedział, że bardzo potrzebuje Andy.

Andy Candy obudziła się, kiedy podchodzili do lądowania, i uświadomiła sobie, że nagle została omotana materią zabijania i że każdy, kto jest zdrowy na umyśle, uciekłby, gdyby tylko czegoś takiego dotknął, jeszcze zanim to sukno mocniej by go owinęło. Już wcześniej dochodziła do tego wniosku. Jednak tym razem wydawał się takim intelektualnym podsumowaniem, oczywistym dla każdego pilnego studenta zaawansowanego kursu literatury angielskiej. Dosyć już. Rozsądek ścierał się z czymś głębszym od lojalności. Czuła obecność Ćmy na sąsiednim fotelu i nawet nie patrząc na niego, wiedziała, że bez niej zginie. Jak z zawiązanymi oczami, pomyślała. Taki właśnie by był. Przed oczyma duszy odtworzyła śmierć doktora Hogana, rozumiejąc teraz, że oboje byli naiwni i przypuszczalnie głupi, sądząc, że zdołają stawić czoło zagrożeniu, strzelającemu wtedy z karabinu.

Przyszła jej do głowy dziwna myśl: Ludzie fetują wspinaczy, którzy ryzykują życie, żeby wejść na Mount Everest. I jak szaleni krytykują tych, którzy zrobili drobny błąd w szacunkach albo planach i zmarli po drodze na szczyt. Ale nie pamiętają o wspinaczach, którzy poznali swoje granice i zawrócili ku bezpieczeństwu, zaledwie metry od wierzchołka. Tacy przeżyli, ale w zapomnieniu.

Samolot wylądował bez większych problemów. Poszli po odbiór bagażu. Ćma przed odlotem nadał swoją małą walizkę i teraz przechadzał się nerwowo, czekając, aż pojawi się na pasie transmisyjnym. Andy Candy trochę się dziwiła jego zachowaniem, dopóki nie uświadomiła sobie, że w bagażu ukrył rewolwer doktora i teraz bał się, że wykryje to rentgen.

Pięcioro zabitych psychiatrów.

Czworo studentów. Jeden profesor.

Co mieli ze sobą wspólnego?

Pierwsze, co przyszło mu do głowy: Te same zajęcia na studiach?

Psychiatria sądowa. To właśnie wykładał Jeremy Hogan. Jednak żaden z czterech martwych studentów się w niej nie specjalizował. Byli to: psychiatra zajmujący się badaniami naukowymi, terapeuta psychiatra dziecięcy oraz specjalista od psychiatrii geriatrycznej. I z nich wszystkich tylko Ed miał zajęcia z doktorem Hoganem.

Andy Candy przygotowała sobie stanowisko pracy w maleńkiej kuchni Ćmy. Usiadła na stołku przy blacie, zgarbiona nad laptopem i otoczona kubkami kawy oraz notatkami – w tym bazgrołami z notatnika doktora Hogana. Wiedziała, że powinni je przekazać detektywom z New Jersey, ale była również całkowicie pewna, że by je zignorowali. Ćma też pracował przy komputerze, na małym biurku. Było południe, a przez okna wpadało jaskrawe światło, lecz Andy Candy wydawało się, że pracują, jak gdyby zbliżała się już północ.

Ćma przyglądał się wyświetlonym przed sobą nazwiskom. I gdy na nie patrzył, żadna ich wspólna cecha nie wołała ku niemu: „To jest właśnie sposób, w jaki umarli, i on właśnie wyjaśni ci dlaczego". Mieszkali w różnych rejonach kraju. Mieli odmienny przebieg kariery, różne typy rodzin. Ich życie toczyło się kompletnie różnymi torami.

Tym, co mieli wspólnego, były zajęcia na trzecim roku medycyny, kiedy wszyscy postanowili zająć się psychiatrią. Dzięki temu wiedział, że zabójcą stryja był ktoś, z kim zetknęli się jako studenci, ktoś, kto ich uczył albo z nimi studiował.

Dlaczego jakiś wykładowca miałby zabijać byłych studentów?

Zrezygnował z tego pomysłu.

Trzydzieści lat po ukończeniu studiów. Jego stryj zginął od pistoletowej kuli wystrzelonej w skroń z bliskiej odległości.

Trzydzieści lat po ukończeniu studiów. Razem z Andy Candy widział śmierć zadaną z daleka, strzał oddany z karabinu o dużym zasięgu. Spośród tych wszystkich śmierci tylko te dwie zadano bronią palną.

Jeden student. Jeden profesor.

– W porządku – Ćma odezwał się do Andy. – Wiemy o dwóch śmierciach. Musimy teraz dokonać podstawowych badań dotyczących pozostałych.

Przytaknęła.

Następny były student. Telefon do bogatej wdowy.

W jaki sposób umarł?

Dwadzieścia lat po ukończeniu studiów.

– Tak naprawdę to bardzo głupio. Głupio, ale była z tego wielka afera. Jakaś młoda i niedoświadczona pielęgniarka miała wtedy zastępstwo za kogoś, kto zachorował i został w domu. Wcześniej nigdy nie pracowała na intensywnej terapii. Źle przeczytała zalecenia, jakie chirurg kardiolog zostawił po operacji, i wstrzyknęła...

Ćma wysłuchał opowieści o nagryzmolonych notatkach i o lekarstwie, którego dawka „zero przecinek pięć miligrama" nieszczęśliwie stała się pięćdziesięcioma miligramami. Coś takiego stanowiło jedną z najczęstszych pomyłek zdarzających się na intensywnej terapii, pewnie dochodziło do tego częściej, niż szpitale chciały się przyznać.

– Chirurg był zmęczony i się spieszył, a chociaż nie pomylił się, zapisując dawkę, to... – wdowa westchnęła – ... no sami państwo wiecie, jak piszą lekarze. Na karcie był taki mały znaczek, prawnicy mi to pokazali. Wyglądał tak, jakby w jego długopisie skończył się tusz albo coś to zamazało, jakby coś tam chlupnęło. Twierdził, że to właśnie ten brakujący przecinek. W każdym razie tak miał zeznawać w sądzie, ale sprawy nie zaszły aż tak daleko. Jedni mówili to, drudzy tamto, a przecież on i tak nie żył. Prawnicy szpitala chętnie zawarli ugodę.

Kolejne westchnienie.

– Niech pan tylko pomyśli. Człowiek umiera przez mały znaczek na papierze, który tam jest albo go nie ma. Cholerny przecinek. To było dziesięć lat temu. Mam to już za sobą.

Ćma podziękował wdowie, przepraszając, że ją niepokoił i myśląc o tym, że nic w jej głosie nie potwierdzało słów „Mam to już za sobą".

W trakcie rozmowy przyszło mu do głowy coś jeszcze: Student medycyny wiedziałby o dawkach i błędach popełnianych na intensywnej terapii. Wiedziałby o przecinku. Zastanawiał się nad określeniem „zamazało" użytym przez wdowę.

I jeszcze jeden były student. Telefon do policjanta zajmującego się rekonstrukcją wypadków samochodowych.

W jaki sposób umarła?

Osiemnaście lat po ukończeniu studiów.

Szorstki, stanowczy głos.

– Doktor lubiła spacerować wieczorem z psem na małej dwupasmówce, tak naprawdę to wąskiej wiejskiej szosie. Zero parkingów. Zero pobocza. Zero rozsądku. I jeszcze szła niewłaściwą stroną. Powinna być zwrócona twarzą w stronę nadjeżdżających samochodów, a nie była. Rozwiodła się, mąż zabrał dzieci na weekend, dlatego nikt nie zadzwonił na policję, kiedy nie wróciła do domu. Gdy zmierzyliśmy ślady opon, sprawdziliśmy warunki pogodowe i oświetlenie, wyszło na to, że została uderzona od tyłu, na ostrym zakręcie, niedługo po zmierzchu i przeciągnięta jakieś trzy metry, a potem wepchnięta do rowu, gdzie nie widzieli jej następni przejeżdżający kierowcy. Pojazd sprawcy w chwili zderzenia jechał z prędkością około stu kilometrów na godzinę. Nie mogliśmy znaleźć żadnych śladów hamowania aż do kilku metrów za miejscem zderzenia. Dopiero rankiem znalazły ją dzieciaki idące na przystanek szkolnego autobusu. Nie miały pojęcia, co robić, dlatego minęło trochę czasu, zanim się zjawiliśmy na miejscu.

Policjant umilkł.

– Paskudna śmierć – podjął po chwili. – Uderzenie jej nie zabiło, zmarła wskutek kombinacji utraty krwi, szoku i hipotermii. Tamtej nocy było cholernie zimno, tak z dziesięć stopni poniżej zera. Może to potrwało kilka minut, może kilka godzin. Nie da się stwierdzić na pewno. Ten skurwysyn, który zwiał z miejsca wypadku, zabił też jej psa. Golden retrievera. Prawdziwego słodziaka. Od czasu do czasu zabierała tego psa na oddział psychiatryczny, gdzie pracowała. Ludzie mówili, że taki pies działa na ludzi lepiej niż jakakolwiek terapia.

– A pańskie śledztwo?

– Nic nie dało – odparł policjant. – Bardzo to denerwujące.

Ćma prawie usłyszał wzruszenie ramion.

– Zaczęliśmy szukać tego auta, kiedy tylko zidentyfikowaliśmy je po odprysku lakieru, który przylgnął do smyczy. Sprawdziliśmy warsztaty samochodowe na obszarze trzech hrabstw, wie pan, szukając kogoś, kto miał zderzenie czołowe. Szukając tego samochodu, powyciągaliśmy najróżniejsze dane z wypożyczalni, sklepów samochodowych, urzędów rejestracyjnych, warsztatów. Ale przez pół roku niczego nie było, a potem... – głos policjanta zadrżał, ale po chwili odzyskał pewność. – Spalony. Podpalony. Daleko w lesie. Specjaliści od badania miejsc przestępstw wydobyli jego numer VIN. Pasował do samochodu skradzionego z parkingu pod supermarketem w sąsiednim stanie, cztery dni przed wypadkiem.

Policjant znowu się zawahał.

– Tak naprawdę to rzucił mi się w oczy jeden szczegół. Widywałem to już wcześniej, widywałem później, ale to i tak jest zawsze cholernie paskudne.

– Co takiego? – zapytał Ćma. Mówił trochę jak reporter zbierający fakty: im bardziej były okropne, tym bardziej starał się być spokojny i rzeczowy.

– Na liściach i innych śmieciach wokół ciała były ślady, które wskazywały na to, że kierowca się zatrzymał, wysiadł, podszedł, stanął obok doktor... wie pan, chodzi o to, że sprawdził, co zrobił, i dopiero potem odjechał.

– Innymi słowy…

– Innymi słowy, zanim odjechał, upewnił się, że ona umiera.

– I co dalej?

– Nic. Ślepa uliczka. Jakiś fartowny skurwysyn uniknął kary za wypadek ze skutkiem śmiertelnym, chyba że pan mi powie teraz coś nowego.

Ćma zastanowił się nad propozycją. Wiele mógł mu powiedzieć.

– Nie – odparł. – Chciałem się tylko skontaktować z panią doktor, żeby ją powiadomić o samobójstwie mojego stryja. Studiowali razem i powstał fundusz jego imienia. Kiedy dowiedziałem się, że ona też nie żyje, zainteresowałem się sprawą. Przepraszam, że zawracałem panu głowę.

– Żaden problem – odparł policjant. Ćma usłyszał w głosie mężczyzny podejrzliwość. Nie miał do niego o to pretensji.

Ale jednocześnie miał ochotę walnąć pięścią w stół.

Co ta historia o potrąceniu ze skutkiem śmiertelnym ma wspólnego ze studiami psychiatrycznymi?

Nie potrafił znaleźć żadnego związku. Może poza wiele mówiącym sformułowaniem „upewnić się".

Kolejny były student. Dwa telefony.

W jaki sposób umarł?

Czternaście lat po ukończeniu studiów.

Najpierw syn, student.

– Tata był wtedy sam w domku letniskowym nad jeziorem. Wie pan, lubił tam jeździć na początku sezonu, jeszcze zanim inni przyjechali. Otworzyć domek, trochę się pokrzątać, pobyć sam… Wie pan, naprawdę trudno mi o tym mówić. Przepraszam.

Drugi telefon – do zakładu pogrzebowego Taylor-Fredericks w Lewiston w stanie Maine.

– Muszę sprawdzić w dokumentach – wyjaśnił menadżer. – Trochę czasu już minęło.

– Dziękuję – odparł Ćma. Czekał cierpliwie.

Mężczyzna wrócił do telefonu. Mówił marudnym, nosowym głosem, zupełnie jak stereotypowy przedsiębiorca pogrzebowy.

– Teraz sobie przypominam…

– Wypadek na łódce? – zapytał Ćma.

– Tak. Doktor miał taką małą żaglówkę, którą latem codziennie wypływał. Ale to był początek kwietnia, wie pan, dopiero co stopniały lody, początek sezonu. W pobliżu nikogo nie było. Pewnie zepchnął łódkę na wodę, postanowił trochę się pokręcić. Pogoda była paskudna i w ogóle nie powinien wypływać na jezioro. Ludzie nie chcą słuchać, ale tutaj w kwietniu gdzieniegdzie jest jeszcze trochę zimy. W ogóle nie powinien tego robić.

– Co dokładnie się stało?

– Przypuszczalnie nagły podmuch wiatru. Przynajmniej coś takiego ustalił stanowy koroner. Pewnie bom uderzył go w głowę. Wpadł do jeziora, ale chyba był już nieprzytomny. Temperatura wody wynosiła ze dwanaście stopni. Nie, pewnie była nawet niższa. Długo to nie mogło trwać. Mówili, że maksymalnie dziesięć minut. W każdym razie minęło czterdzieści osiem godzin, zanim płetwonurkowie znaleźli jego ciało, a tylko dlatego szukali, bo właściciel jakiegoś innego domu zauważył przewróconą łódkę na jeziorze i wezwał gliny. Koroner stwierdził uraz z tyłu głowy, ale ciało długo pozostawało w wodzie, dlatego trudno dokładnie określić, co się stało. Po tym, jak wypadł, łódka się wywróciła i wypadło wszystko, co na niej było. Smutna historia. Rodzina go skremowała, rozrzuciła prochy na jeziorze. Sądzę, to było dla niego szczególne miejsce.

Bardzo szczególne, pomyślał Ćma. Miejsce, gdzie go zamordowano.

Jednak Ćmie stale wymykało się powiązanie między „zamordowano” i „dlaczego”. A w tym zdarzeniu, wyglądającym na wypadek, nie było nic, co wiązałoby je ze studiami na wydziale medycznym odbytymi czternaście lat wcześniej.

– A niech to szlag – wyszeptał Ćma, odkładając słuchawkę.

Samobójstwo. Wypadek na polowaniu. Potrącenie ze skutkiem śmiertelnym. Błąd w szpitalu. Wypadek na łódce. Te śmierci albo rozciągały się na przestrzeni wielu lat, albo skupiały w przeciągu kilku tygodni. Wydawało się, że nie pasuje do tego żadna reguła prawdopodobieństwa. Chociaż jeżeli spoglądało się z miejsca, które teraz samotnie zajmował Ćma, wszystko zaczynało mieć większy sens.

Spojrzał na Andy Candy.

– To moja wina – powiedział.

Andy uniosła głowę.

– Właśnie to powiedział doktor Hogan – stwierdziła. – To samo co twój stryj. Mniej więcej.

– Nie żyje pięcioro ludzi. Był jakiś tego powód. Znajdźmy coś, co ich łączyło.

Andy Candy pokiwała głową.

– Oto, co mamy – oznajmiła, wskazując nabazgrolone notatki Jeremy'ego Hogana. – Niby niewiele, ale tak naprawdę całkiem dużo.

– Dlaczego tak mówisz?

– Tylko on był profesorem. Pozostali to studenci. Czyli…

– Czyli wiemy, kiedy stało się to, o co ich obwiniono. Teraz tylko musimy się dowiedzieć, co to dokładnie było.

Andy Candy wykorzystała swój najbardziej natarczywy ton, połączenie dziewczęcej niewinności z uporem doświadczonego dziennikarza śledczego. W dziekanacie wydziału medycznego uniwersytetu nie było nikogo, kto pracował tam trzydzieści lat temu, a niechętnie podawano dane emerytowanych pracowników.

Ale „niechętnie" nie oznaczało „wcale". Zdobyła telefon do jakiegoś doktora, który dawno temu odszedł z uczelni.

Po czwartym dzwonku odebrała kobieta.

Andy zaczęła opowiadać przygotowaną historyjkę: samobójstwo Eda, fundusz jego imienia. Była w połowie, kiedy kobieta jej przerwała.

– Przepraszam, ale nie sądzę, żebyśmy mogli się do tego przyłączyć.

– Ale mogę porozmawiać z doktorem? – nalegała Andy Candy.

– Nie.

Odpowiedź była tak szybka, że aż się wzdrygnęła.

– Tylko chwilę.

– Nie. Bardzo mi przykro. Mąż jest w hospicjum.

Jej głos zdawał się dobiegać z jakiejś niezmierzonej dali, kobieta tłumiła cichy szloch.

– Och, tak mi przykro…

– Powiedzieli, że zostało mu już tylko kilka dni.

– Ja nie chciałam…

– Wszystko w porządku. Spodziewaliśmy się tego. Chorował od dawna.

Andy Candy już chciała wymyślić jakieś pospieszne usprawiedliwienie i odłożyć słuchawkę. Przez linię telefoniczną docierał do niej ból tej kobiety, prawie jak gdyby stała tuż obok. Ale chwytając kolejne słowa, poczuła, że cała tężeje, ogarniana coraz większą determinacją.

– Czy doktor mówił może o czymś nietypowym, czymś, co mogło się wydarzyć około 1983 roku? Czymś nietypowym i związanym ze studentami?

– Nie bardzo rozumiem, o co pani chodzi.

– Wtedy studiował tam mój stryj – skłamała Andy. – I coś się wydarzyło…

– O co chodzi? – dopytywała się kobieta.

Andy Candy wzięła głęboki oddech i kłamała dalej:

– Kiedy mój stryj umierał, mówił o jakimś wydarzeniu z czasów, kiedy studiował medycynę. Po prostu staramy się dociec, co konkretnie miał na myśli.

Te słowa wydawały się wyjaśnieniem możliwym do przyjęcia.

– Nie mogę pani pomóc – powiedziała kobieta. – Mój mąż też nie. On umiera.

– Przykro mi. Ale…

– Niech pani zadzwoni do ludzi, którzy chodzili na zajęcia z psychiatrii. Te zajęcia zawsze przysparzały najwięcej problemów. Moim zdaniem administracja miała z tym więcej kłopotu, niż to było warte. Co roku przyjmowano piętnaście osób. Może ktoś z nich skończył jako wariat. Może tam pani pomogą.

Kobieta się rozłączyła.

Andy Candy spojrzała na swoją listę. Ta zrozpaczona kobieta niby nie powiedziała jej niczego nowego… a jednak.

Piętnastu przyjętych.

Policzyła tych, którzy ukończyli kurs.

Czternaście osób.

Czworo martwych.

Jednej osoby brakuje.

Ktoś zaczął ten kurs, ale go nie skończył.

To było tak proste, że aż ją przeraziło.

Przeszedł ją dreszcz. Ćma musiał coś dostrzec, bo nachylił się do niej. Andy miała teraz problem z poukładaniem w klarowną wypowiedź tego, co właśnie zrozumiała. Jednak tak w głębi nagle poczuła się znowu blisko śmierci, jak wtedy, gdy zobaczyła eksplodującą głowę Jeremy'ego Hogana i krzyknęła. Zastanowiła się, czy jest skazana na to, by przez resztę życia krzyczeć. Albo, co bardziej prawdopodobne, chcieć krzyczeć.

23

Tego wieczoru Susan Terry ostentacyjnie zasiadła w Redemptorze Jeden obok Ćmy. Kiedy przyszła jej kolej, odmówiła wypowiedzi.

Wskazała na Ćmę, on jednak pokręcił głową, co chyba wszystkich zaskoczyło. Głos zabrał więc inżynier, który metodycznie zrelacjonował swoją ostatnią walkę z oxicontinem.

Po zakończeniu sesji Susan położyła Ćmie rękę na ramieniu, przytrzymując go na miejscu.

– Ktoś na mnie czeka – powiedział.

– To zajmie tylko chwilę – odparła.

Przyglądała się, jak inni wychodzą z sali albo tłoczą się obok stołu z kawą i napojami.

– Opuściłeś kilka spotkań – zauważyła.

– Byłem zajęty.

– Ja też, ale przychodziłam. Byłeś za bardzo zajęty, żeby się tutaj pokazać i porozmawiać o uzależnieniu?

To był cios w czułe miejsce.

– Wyjechałem z miasta.

– Gdzie?

– Na północ.

– Północ to szerokie pojęcie. Czy na tej północy mają bary?

Liczyła na to, że odrobina sarkazmu rozwiąże mu język. Sarkazm denerwował, a ludziom zdenerwowanym z trudem przychodziło milczenie. Nauczyła się tego już pierwszego dnia pracy na stanowisku prokuratora. Miała nadzieję, że zadziała też u Ćmy.

– Chyba tak. W żadnym nie byłem.

Susan pokiwała głową.

– Jasne – odparła w taki sposób, że dwie sylaby zabrzmiały jak kilkanaście. Każde przesłuchanie, nawet najbardziej pobieżne, opierało się na sondowaniu słabych punktów. Dobrze znała największą słabość Ćmy, bo ją z nim dzieliła. – A co dokładniej robiłeś na bezmiarach północy?

– Pojechałem zobaczyć się z człowiekiem, który znał mojego stryja w młodości.

– Kto to jest?

– Psychiatra, jeden z wykładowców mojego stryja.

– Dlaczego właśnie on?

Ćma nie odpowiedział.

– Rozumiem – stwierdziła Susan. – Cały czas jesteś przekonany, że działał tu jakiś tajemniczy geniusz zbrodni? – Nadal była sarkastyczna, starając się tak ukłuć Ćmę, żeby powiedział coś konkretnego. Odbijała się rykoszetem między wątpliwościami a pewnikami związanymi ze śmiercią jego stryja. Wątpliwości były jej własne, bardzo świeżej daty, chciała, aby zniknęły tak szybko i łatwo, jak to możliwe. Co do pewników, ich lustrzane odbicie stanowiła niezachwiana wytrwałość Ćmy oraz ten jego irytujący upór.

Ćma udał, że się śmieje.

– Owszem – powiedział. – Ale nie wiem, jak mógłbym go scharakteryzować. Myślisz, że jest ktoś… myślisz, że to taki profesor Moriarty walczący z Sherlockiem Holmesem? Myślisz, że to właśnie robię? Ale co się z nimi potem stało? Wodospad Reichenbach. Tak czy owak, w tym wypadku określenie „geniusz zbrodni" wydaje się trochę przedwczesne.

Pomyślał, że teraz kłamie, używając do tego prawdy. I spodobało mu się słowo „przedwczesne".

– Timothy – odezwała się Susan, nagle łagodząc ton, co zwykle stanowiło kolejną skuteczną technikę, chociaż zaczynała podejrzewać, że Ćma jest odporny na takie rutynowe zagrywki. – Próbuję ci pomóc. Wiesz o tym. Ostrzegałam cię, że ruszanie na chybcika do polowania na dzikie gęsi może się okazać niebezpieczne. Powiedz mi, czy podczas podróży na północ, kiedy odwiedziłeś tego człowieka, którego twój stryj znał dziesiątki lat temu, dowiedziałeś się czegoś?

Ćma nie potrafił się powstrzymać. Słowo eksplodowało z jego ust, chociaż wypowiedział je szeptem.

– Tak.

Susan Terry pokręciła głową, nie kryjąc sceptycyzmu.

– Czego dokładnie? – zapytała z mało subtelną natarczywością zawodowego prokuratora.

– Tego, że mam rację – odparł Ćma.

Następnie wstał i szybkim krokiem ruszył w stronę wyjścia. Susan została na sofie, odprowadzając go wzrokiem, a złość i ciekawość łączyły się w niej w niebezpieczny koktajl.

Andy Candy, czekając na Ćmę w samochodzie pod Redemptorem Jeden, była zajęta telefonowaniem.

Dokładnie wtedy, gdy właśnie rozpoczynało się spotkanie, wybrała numer psychiatry z San Francisco. To było trzecie nazwisko na liście żyjących absolwentów tamtego kursu. Lekarz prawdopodobnie miał prywatną praktykę, gdzie zajmował się psychoanalizą i psychoterapią. Na internetowej liście przedsiębiorców wystawiano mu różne opinie, z czego jedna połowa zdawała się sugerować jego kanonizację, a druga postawienie przed sądem albo zesłanie do Siódmego Kręgu Piekieł. Andy uznała, że taka rozbieżność ocen to zapewne dla większości psychiatrów pochlebstwo.

Zaskoczyło ją, że doktor osobiście odebrał telefon. Płynnie opowiedziała wyuczoną już na pamięć historyjkę o stryju Edzie i funduszu jego imienia.

– Fundusz jego imienia? – zapytał psychiatra.

– Tak – potwierdziła.

Zawahał się.

– No dobrze, myślę, że mogę wpłacić jakąś niewielką sumę.

– Byłoby wspaniale – odparła.

Znowu się zawahał. Andy odniosła wrażenie, że jego głos zmienił intonację.

– Ale tak naprawdę nie dlatego pani dzwoni – stwierdził z przekonaniem.

Starała się pospiesznie wymyślić jakieś wyjaśnienie, ale nie dała rady.

– Nie. Nie dlatego – przyznała.

– W takim razie proszę powiedzieć, co to jest?

– My… ja… eee... nie sądzę, żeby Ed popełnił samobójstwo. Myślimy, że jakiś incydent z przeszłości… – umilkła, nie wiedząc, co dalej mówić.

– Incydent? Jakiego rodzaju?

– Coś, co łączy jego przeszłość z jego teraźniejszością – odparła Andy.

– To najprostsza i najbardziej trafna definicja tego, czym zajmuje się psychiatria, jaką mogłaby pani podać – oznajmił doktor z cichym rozbrajającym śmiechem. – A jaka moja w tym rola?

Znowu umilkła na chwilę.

– Trzeci rok, wydział medyczny – odezwała się wreszcie.

Teraz to on umilkł na kilka sekund.

– Najlepszy i najgorszy rok – powiedział. – Jak to się mówi? „Co nas nie zabije, to nas wzmocni". Ktokolwiek wymyślił tę głupotę, nie spędził trzystu sześćdziesięciu pięciu dni jako student trzeciego roku medycyny i z pewnością nie miał pojęcia o chorobach psychicznych.

– Pamięta pan Eda?

– Tak. Trochę. To był dobry chłopak. Z tego, co pamiętam, bystry i wnikliwy. Myślę, że chodziliśmy razem na te same zajęcia... Nie, chyba mieliśmy chodzić. Zajmowaliśmy się tą samą dziedziną, w zasadzie szliśmy w tym samym kierunku. Ale nie o to chodzi, prawda?

– Nie.

– Nie jestem przyzwyczajony do tego, żeby rozmawiać o delikatnych sprawach przez telefon – stwierdził.

– Potrzebujemy pomocy – wypaliła Andy.

– Kim są ci „my", o których pani mówi? – doktor był ostrożny.

– Ja i bratanek Eda. To mój przyjaciel.

– Dobrze, ale nie bardzo wiem, jak mogę pomóc.

Andy Candy milczała, zakładając, że doktor będzie kontynuował. Nie myliła się.

– Co pani wie o trzecim roku studiów medycznych? – zapytał.

– Niewiele. To znaczy wtedy podejmuje się decyzje...

– Pani pozwoli, że jej przerwę – rzucił. – To jest… Był taki film. *Rok niebezpiecznego życia*. Bardzo trafne określenie. Tym właśnie dla nas wszystkich był ten rok.

– Pomoże mi pan zrozumieć? – zapytała Andy Candy, uznając, że to dobry sposób nakłonienia psychiatry, by nie przestawał mówić.

Doktor zrobił krótką pauzę, po czym podjął:

– Dwie sprawy. Najpierw kontekst: trzeci rok. Coś się stało, chociaż nie sądzę, żebym dużo wiedział na ten temat. Pamiętam, że były jakieś plotki. Ale żaden z nas nie miał czasu zajmować się plotkami. Za bardzo się przejmowaliśmy tym, co nas czekało.

– No tak… – starała się go naprowadzać.

– Trzeci rok dla każdego studenta medycyny jest pełen stresu. Ale psychiatria wywołuje specyficzny stres, bo ze wszystkich gałęzi medycyny jest najbardziej ulotna. Nie ma tam żadnej wysypki, problemów z oddawaniem moczu, różnicy w oddechu czy jakiegoś dziwnego kaszlu, które mogłyby stanowić wskazówki. Wszystko opiera się na interpretacji nietypowego zachowania. Na trzecim roku wszyscy byliśmy fizycznie wyczerpani i na wpół psychicznie chorzy. Byliśmy narażeni na wiele z tych chorób, o których się uczyliśmy. Przygniatającą depresję. Wątpliwości. Zaburzenia snu i halucynacje. To był dla nas bardzo trudny okres. Ciągle czegoś od nas wymagano, a cena porażki była bardzo wysoka.

– Czyli…

– Nienawidziłem tego roku i jednocześnie go kochałem. Gdy się spojrzy z dystansu, to był rok, który wydobywał z człowieka to, co w nim najgorsze, i to, co w nim najlepsze. Rok rozstrzygający.

– Czy miał pan zajęcia z profesorem Jeremym Hoganem?

Psychiatra zastanowił się.

– Tak. Wykłady z psychiatrii sądowej. Miały niezłą nazwę: „Odczytywanie zabójców". Fascynująca sprawa, nawet jeśli poza moimi zainteresowaniami.

– Ed Warner też chodził na te wykłady. Coś łączyło doktora Hogana z Edem i jeszcze paroma innymi studentami… – szybko odczytała nazwiska zmarłych psychiatrów.

Doktor znowu zrobił przerwę.

– Z tego, co sobie przypominam, a proszę pamiętać, że cofamy się o całe dziesięciolecia, to przypuszczalnie byli członkowie Grupy Badawczej Alfa. Ale rozumie pani, nie mogę mieć pewności. Minęło już wiele lat. Na trzecim roku psychiatrii były trzy grupy badawcze: Alfa, Beta i Zeta. To był taki żart, oparty na grece – grupa pierwsza, druga i ostatnia. Do każdej losowo przydzielono po pięcioro z nas. Oczywiście, wytworzyła się taka naturalna rywalizacja, bo każda grupa chciała mieć najlepszą średnią, chciała dostać jak najlepsze przydziały. Ale w Alfie mieli jakiś problem.

– Jaki?

– Jakiś student chyba dostał psychozy Przynajmniej takie krążyły słuchy. Oczywiście przy tym całym stresie, tych wszystkich decyzjach, niekończącej się pracy i jeszcze przy tym strachu przed błędem diagnostycznym w każdej grupie byli jacyś ludzie na krawędzi. Załamania nie stanowiły niczego niezwykłego.

Kolejna pauza, a potem:

– Chociaż w jego przypadku raczej tak.

Krótka, ale niebezpieczna rozmowa, która odbyła się naprawdę:

– *Doktorze Hogan, przepraszam, że pana niepokoję…*

– *O co chodzi, panie, eee… Warner, prawda?*

– *Tak, proszę pana. Reprezentuję kolegów z mojej grupy badawczej.*

– *Tak? Zaraz mam zajęcia i niewiele czasu. Może pan przejść od razu do rzeczy?*

Ed Warner: Głęboki wdech. Szybkie uporządkowanie myśli. Przestępowanie z nogi na nogę. Wątpliwości.

– *Czwórka członków Grupy Badawczej Alfa jest zaniepokojona wzorami behawioralnymi piątego członka grupy. Jesteśmy głęboko przekonani, że stanowi zagrożenie, albo dla siebie samego, albo dla nas.*

Jeremy Hogan: Namysł, kiwanie się na krześle. Stukanie ołówkiem w zęby. Czekające go zajęcia na razie zepchnięte na drugi plan.

– *Jakie zagrożenie?*

– *Przemoc fizyczna.*

– *Panie Warner, to poważne oskarżenie. Mam nadzieję, że ma pan coś na jego poparcie.*

– *Mam, panie profesorze. A rozmowa z panem jest, w poczuciu nas wszystkich, ostatnią deską ratunku.*

– *Rozumiecie, że takie oskarżenie może mieć wpływ na waszą przyszłą karierę?*

– *Rozumiemy. Wzięliśmy to pod uwagę.*

– *A dlaczego przyszliście z tym akurat do mnie?*

– *W związku z pana doświadczeniem dotyczącym zaburzeń eksplozywnych.*

– *Sądzicie, że wasz kolega jest na skraju czegoś, co może stać się... dokładnie czym, panie Warner?*

– *W ciągu ostatnich kilku tygodni zachowanie tego studenta stawało się coraz bardziej nieobliczalne i...*

– *Zbliżają się egzaminy. Wielu studentów jest na krawędzi.*

Ed Warner: Kolejny głęboki wdech. Szybki rzut oka na papiery przekazane przez pozostałych członków grupy, pełne rozmaitych podkreśleń.

– *W zeszłym tygodniu na oczach nas wszystkich udusił szczura laboratoryjnego. Bez powodu. Po prostu chwycił szczura i go zabił. Blady afekt. Tak jakby demonstrował swoją zdolność do bezlitosnego zabijania. Ciągle sam do siebie mówi, w sposób chaotyczny, bezładny, zazwyczaj niezrozumiale, ale często ze złością – szczególnie jeśli odnosi się do nacisków ze strony swojej rodziny, a potem także i nas. Jest odizolowany, ale wywołuje poczucie zagrożenia. Twierdzi, że posiada broń.*

Pistolety. Każda nasza próba nawiązania z nim kontaktu, może nawet rozładowania sytuacji, nakłonienia go, aby poszukał jakiegoś porozumienia, została odrzucona. Czasem wyraz jego twarzy zmienia się bez związku z żadnym rozpoznawalnym kontekstem – w jednej chwili śmieje się bez powodu, w drugiej wybucha płaczem. W zeszłym tygodniu, gdy wspólnie przygotowywaliśmy się do egzaminu, zabrał skalpel z sali operacyjnej i przy nas wszystkich wyciął sobie na przedramieniu słowo ZABIĆ. Nie jestem pewien, czy czuł wtedy jakikolwiek ból i czy w ogóle zdawał sobie sprawę z tego, co robi. Kiedy tylko ktokolwiek w grupie próbuje go poprawić, wyrazić inną opinię, czy nawet zasugerować inną odpowiedź na jakieś pytanie akademickie, jest gotów wrzeszczeć mu prosto w twarz albo patrzeć na niego z nienawiścią, Czasem zapisuje w notatniku nasze nazwiska, datę oraz przebieg rozmowy. Wygląda to, jakby nie robił notatek z zajęć, tylko notatki na nasz temat. Przygotowywał materiały, jak sądzę po to, żeby wewnętrznie uzasadnić akt przemocy...

Jeremy Hogan: Skinięcie głową. Szczerze zatroskane spojrzenie.

– *Musicie natychmiast przedstawić waszą sytuację dziekanowi i poinformować go o wszystkim, co pan mi powiedział. Powinniście zrobić to niezwłocznie. Macie absolutną rację. Wygląda na to, że wasz kolega ma poważne problemy. Może wymagać hospitalizacji.*

A potem ta krótka wymiana zdań, od której wszystko się zaczęło.

– *Może pan pomóc?*

– *Jemu?*

Ed Warner: Wahanie. Szczerość.

– *Nie. Nam.*

– *Od razu zadzwonię do dziekana i powiem mu, że idzie pan do jego gabinetu. Będzie chciał poznać szczegóły. Ma pan rację, panie Warner. Symptomy, które pan opisał, zawierają w sobie kilka wyraźnych elementów pewnych niebezpiecznych eksplozji. Sądzę, że w tej sytuacji kluczowe będzie szybkie działanie.*

– Czy mam skontaktować się z ochroną kampusu?

– Jeszcze nie teraz. To powinien zrobić dziekan.

Ed Warner wyszedł, a Jeremy Hogan sięgnął do telefonu na swoim biurku, tak jak trzydzieści lat później na kilka sekund przed swoją śmiercią.

Andy Candy czekała, aż psychiatra z Kaliforni zacznie mówić dalej. Słyszała, że lekarz bierze głęboki oddech.

– Na naszym wydziale był badacz zajmujący się zaburzeniami więzi we wczesnym dzieciństwie. Sporo pracował z małpami.

– Z małpami?

– Tak, konkretnie z rezusami. To doskonały obiekt do badań psychologicznych. Pod względem zachowań społecznych bardzo przypominają panią albo mnie, nawet jeśli ludzie chodzący do kościoła nie chcą w to uwierzyć.

– Ale co to ma...

Przerwał jej.

– Wie pani, to tylko plotka. Cokolwiek naprawdę się stało, uniwersytet naprawdę szybko to zatuszował, pewnie dlatego, że administracja nie chciała, żeby wpłynęło na miejsce w rankingu „U.S. News and World Report". Ale to jest taka historia, która od razu się przypomina, nawet jeśli całe lata się o niej nie myślało. Jeszcze nikt mnie o to nie pytał. Musi pani wiedzieć, że chociaż było to szokujące, żaden z nas nie miał wtedy czasu, żeby to rozgryzać, zgłębiać, nie to, co pani. Wszyscy byliśmy ogarnięci tą gorączką trzeciego roku.

– Rozumiem – powiedziała, chociaż wątpiła, czy na pewno rozumie.

– Pewnego poranka ten badacz przyszedł do swojego laboratorium. Drzwi zastał wyłamane, a w środku znalazł pięć swoich cennych małpek ułożonych na podłodze w krąg. Miały podcięte gardła.

Andy Candy westchnęła gwałtownie.

– Jak to?…

– Ktoś poderżnął gardła pięciu rezusom. A czy to miało jakiś związek z problemami Grupy Badawczej Alfa? Nikt tego nie udowodnił, przynajmniej z tego, co wiem. I wcale nie było też tak, że tamten badacz nie miał wrogów. Fatalnie traktował swoich asystentów, nie wahał się na nich krzyczeć, wywalać ich i rujnować im przyszłość. Nietrudno sobie wyobrazić, że któryś z nich chciał się w ten sposób odegrać.

– Ale pan tak nie uważa?

– Nigdy nie wiedziałem, co mam o tym sądzić, zresztą nie miałem czasu, żeby się nad tym zastanawiać – odparł psychiatra. – Nie to mnie poruszyło.

– A co takiego? – zapytała Andy, nieco obawiając się stawiać to pytanie.

– Chodzi o liczbę. Pięć. Pięć martwych małpek. Pozostałych dwanaście było nietkniętych. Czasem, kiedy bada się czyjeś czyny, szczególnie akty przemocy, warto łączyć fakty. Dlaczego nie zabił wszystkich małp? Albo tylko jednej?

Andy Candy zaczęła się jąkać, zamiast pytania wydając z siebie jakiś pomruk. Jedyne słowo, które była w stanie wypowiedzieć, brzmiało:

– I…

– I to wszystko. Zawsze uważałem, że incydent w laboratorium miał coś wspólnego z tamtym psychotycznym studentem. Sądzę, że to przez zbieżność w czasie. Przesłuchanie. Wydalenie. Tył ambulansu jadącego do prywatnego szpitala psychiatrycznego. Do widzenia i po wszystkim. W jednej chwili był tutaj, w następnej już go nie było. I nie miało to żadnego oczywistego związku z tym laboratorium. Nie miał zajęć z tamtym profesorem. Ale, tak jak my wszyscy, wiedział o nim i wiedział, jak tam wejść i jak stamtąd wyjść. Tkwiący we mnie freudysta chciałby dostrzec jakiś związek, ale detektyw tego nie potrafi.

– Dlaczego nie?

– Na przesłuchaniu u dziekana zeznawały cztery osoby, członkowie grupy badawczej. A zamordowanych małpek było pięć. Cztery i pięć… to się nie zgadza.

– A co z doktorem Hoganem?

– Nie było go na tamtym przesłuchaniu. Zrobił tylko to, co zrobiłby każdy członek personelu pedagogicznego: skontaktował się z dziekanem. Reszta już zależała od członków Grupy Badawczej Alfa. Dlatego nie potrafię dostrzec, co mógłby mieć z tym wspólnego.

– A ja potrafię – odezwała się Andy Candy, chociaż tak naprawdę wcale nie była pewna.

– Oczywiście to wszystko może być po prostu zwykłym zbiegiem okoliczności. Szczerze mówiąc, wydaje mi się trochę za bardzo hollywoodzkie. A może to były domysły wytworzone przez wyobraźnię podlegającą za dużemu stresowi i napięciu? Dlatego zbytnio bym się na tym nie opierał. Nawet na wydziale plotki były takie rozdmuchane, wyolbrzymione i z drugiej ręki, coś jak historie o randkach opowiadane w gimnazjum. Ale martwe małpki były bardzo prawdziwe.

Andy Candy poczuła suchość w ustach. Wykrztusiła z siebie pytanie:

– Czy pan pamięta nazwisko tamtego studenta?

Doktor się zawahał.

– Interesujące – powiedział po chwili namysłu. – Można by sądzić, że przypomnienie sobie takiego szczegółu, jak zamordowanie małpek automatycznie oznacza, że przypomnę sobie także nazwisko. Ale nie pamiętam go. Totalna blokada. Intrygujące, prawda? Może jeśli jeszcze jakiś czas się nad tym zastanowię, to mi się przypomni.

Andy Candy pomyślała, że powinna zadać jeszcze z tysiąc dodatkowych pytań, nie potrafiła jednak wypowiedzieć żadnego. Patrzyła przez szybę samochodu na ludzi, którzy właśnie zaczynali wychodzić z Redemptora Jeden. Nagle uświadomiła sobie, że dłoń, którą trzyma słuchawkę, ma śliską od potu.

– Przykro mi. Nie wiem, czy pomogłem – kontynuował doktor. – To jednak wszytko, co pamiętam. A może wszystko, co starałem się pamiętać. Proszę się do mnie odezwać, kiedy już będę mógł wpłacić coś na ten fundusz.

Psychiatra się rozłączył.

24

Uwielbiam Facebooka.

Piąty Student właśnie poznawał Andreę Martine. Wpatrywał się w elektroniczne zestawienie zdjęć na jej „ścianie", czytał opisy i komentarze, mnóstwo takich głupiutkich, błahych słów, które skrywały kilka ważnych informacji: nieżyjący ojciec weterynarz, matka nauczycielka muzyki, szczęśliwe czasy college'u, które najwyraźniej gwałtownie się skończyły. Potem całymi tygodniami żadnych nowych postów. Ciekawe, dlaczego? Fragmenty informacji spływały na niego, gdy starannie przeglądał szczegóły mogące pomóc w planowaniu. Przyszła mu do głowy dziwna myśl: „Czy Mark Zuckerberg kiedykolwiek się spodziewał, że jego portal społecznościowy może posłużyć do zastanawiania się, czy kogoś zabić czy nie?"

Uśmiechnął się i dodał jeszcze jedną myśl: To trochę jak szykowanie się do randki w ciemno, prawda? Wyobraził sobie, że siedzi przy stole restauracyjnym, gawędząc z Andreą Martine. Mówi miłym, przyjacielskim głosem: Czyli lubisz opiekować się zwierzakami? Czytać wiersze Emily Dickinson i powieści Jane Austen, zarówno na zajęcia, jak i dla przyjemności? Czyż to nie interesujące?

Andreo, to brzmi, jakbyś prowadziła fascynujące życie. Pełne możliwości. Przykro byłoby je skrócić.

Ten dialog go rozbawił, zaśmiał się w głos. Jednak przypływ wesołości nie zdołał ukryć pełnych niepokoju myśli tłoczących się gdzieś na tyłach wyobraźni.

Dokładnie wszystko przeczytał, potem przeczytał jeszcze raz, wracając do zdjęć i starych wpisów. Uważnie przyjrzał się zdjęciu uśmiechniętej Andrei stojącej obok jakiegoś ciemnowłosego, szczupłego chłopaka. Bezimiennego. Zdjęcie podpisane było „Eks".

Piąty Student zwrócił uwagę na częste występowanie przezwiska „Andy Candy".

Interesująca konstrukcja, pomyślał. Brzmi jak pseudonim gwiazdy porno.

Stwierdził, że Andy Candy jest ładna, ma czarujący uśmiech i smukłą, szczupłą sylwetkę. Domyślał się, że studiowała pilnie i była dobrą studentką. Wyobrażał ją sobie jako osobę otwartą, przyjacielską, nie nadmiernie towarzyską, ale i także nie kogoś, kto na imprezach podpiera ściany. Inne zdjęcia pokazywały, jak pije piwo z przyjaciółmi, jedzie na tandemie, a na wakacjach, ubrana w bikini, spada z nieba na spadochronie ciągniętym przez motorówkę. Były również fotografie pokazujące ją na futbolowym boisku i grającą w koszykówkę. Zdjęcie z niemowlęctwa, obowiązkowo podpisane: „Czyż nie byłam urocza?" Zupełnie nie przypominała nikogo, kogo zabił. Do tej pory.

Jeden starzec. Czterech psychiatrów w średnim wieku. Grupa Badawcza Alfa.

Andy Candy podpadała pod inną kategorię. To byłoby morderstwo z wyboru. To byłoby morderstwo dokonane po to, aby uchronić twoją przyszłość i ukryć to, co zrobiłeś. Zastanawiał się przez chwilę. Poczuł się trochę zakłopotany. A właściwie to czemu ona jest winna?

Piąty Student wpatrywał się w jedno, szczególne zdjęcie. Domyślał się, że zrobiono je niedługo przed tym, jak Andrea Martine skończyła dwadzieścia lat. Andy Candy siedziała skulona na miękkiej słomie z jakimś szczeniakiem i zarówno pies, jak i dziewczyna patrzyli prosto w obiektyw, głowa przy głowie. Oboje mieli zbakierowane czapki Uniwersytetu Florydy i uśmiechali się szeroko, chociaż pies wydawał się czuć trochę nieswojo. Zdjęcie podpadało pod ulubioną przez młodzież kategorię „słitaśne". Pod spodem widniał żartobliwy podpis: „Ja i mój nowy chłopak Bruno przygotowujemy się do rozpoczęcia studiów – jesień 2010".

Niewinna, pomyślał.

Nachylił się do ekranu komputera.

– Młoda damo, co robiłaś w domu doktora Hogana? – zapytał niczym surowy nauczyciel wymachujący palcem przed nosem klasowego łobuza. – Co tam widziałaś? Co słyszałaś? Co zamierzasz teraz zrobić?

Prawie oczekiwał, że jedno ze zdjęć zaraz mu odpowie.

– Nie rozumiesz, co to znaczy? – To może oznaczać, że po prostu będę musiał cię zabić.

Piąty Student zamknął stronę Facebooka i skupił się na Timothym Warnerze. On nie miał profilu na żadnym portalu społecznościowym, ale istniały inne dobre źródła informacji, w tym akta policji.

Timothy Warner dwukrotnie prowadził pod wpływem alkoholu. Piąty Student znalazł także wyrok sądu okręgowego: sześć miesięcy okresu próbnego bez konieczności meldowania się na policji i utrata prawa jazdy.

Odkrył również kilka innych informacji na temat Timothy Warnera: dyplom ukończenia z wyróżnieniem Uniwersytetu Miami, tytuł magistra historii Ameryki, prestiżowa nagroda. Przy tych danych zamieszczonych przez uniwersytet opublikowano zdjęcie oraz wiadomość, że Timothy Warner kontynuuje naukę, pracując nad doktoratem ze Studiów Jeffersoniańskich.

Wlepił wzrok w monitor.

– Cześć, Timothy – powiedział. – Myślę, że się poznamy.

„Miami Herald" wymienił Timothy'ego Warnera wśród „krewnych zmarłego" w nekrologu zmarłego samobójczą śmiercią Eda. Po jeszcze kilku kliknięciach w klawiaturę Piąty Student znał już adresy i numery telefonów zarówno Andy Candy, jak i Timothy'ego.

Zakołysał się na krześle niczym zniecierpliwiony rezerwowy niemogący się już doczekać wejścia do gry.

Wiedział, jak wyglądają. Wiedział, gdzie ich szukać, i wiedział, że jeżeli w ankiecie zatytułowanej *Czy mam zabić ich oboje?* zostało jeszcze jakieś wolne miejsce, to zapełni je bez większego trudu.

Podzielił ekran monitora i wyświetlił zdjęcie podpisane „Eks" obok artykułu z prasy uniwersyteckiej na temat Timothy'ego Warnera. *Ciekawe*. Czyżby miłość połączyła ich na nowo?

Pokręcił głową.

Bardziej prawdopodobne, że śmierć.

25

Andy Candy miała wrażenie, że wkroczyła do jakiegoś dziwacznego równoległego wszechświata. Tam, gdzie stała, poranne słońce świeciło niezwykle jasno. Powietrze było ciepłe. Delikatna bryza poruszała palmowymi liśćmi, wprawiając je w rytmiczny, delikatny taniec.

A teraz ich oboje połączyło morderstwo.

I jeszcze strach, pomyślała. Ale nie do końca potrafiła zebrać swoje podekscytowanie w zgrabny pakunek i przedstawić Ćmie w taki sam sposób, w jaki przedstawiła mu szczegóły rozmowy z psychiatrą z Zachodniego Wybrzeża. Kiedy przekazała Ćmie wszystko, co usłyszała od doktora, wyobraziła sobie siebie jako kogoś w rodzaju sekretarza wykonawczego do spraw zabijania. Spłynęły na nią szczegóły, próbowała je wszystkie posortować: Idziesz na studencką imprezę i ona staje się śmiercią. Odbierasz telefon od chłopaka z czasów liceum i to staje się śmiercią. Lecisz, żeby porozmawiać z jakimś starym psychiatrą, i to staje się śmiercią.

Co teraz?

W jej głowie mieszało się ze sobą zbyt wiele spraw. Chciała uchwycić się czegoś solidnego, ale już nic nie wydawało się realne.

Małpki zabite w laboratorium trzydzieści lat temu.

Czy to było realne?

Nazwiska zmarłych ludzi na kartce przed nią. Wypadek, wypadek, samobójstwo.

Czy oni byli realni?

Dziecko, które usunęła.

Czy ono było realne?

Spojrzała na Ćmę. Nie, pomyślała nagle. To nie jest równoległy wszechświat. To jakiś teatr absurdu, a my oboje niecierpliwie czekamy na Godota.

– Andy, jesteś głodna? – zawołał Ćma.

Stał przy ladzie, odbierając dla nich kawę po kubańsku.

Byli teraz pod wielką szklaną ścianą restauracji na Calle Ocho, przy głównej ulicy Małej Hawany, i oddawali się tradycji Miami: przyjmowaniu porannego dopalacza. Obok rządek przeróżnych ludzi – od biznesmenów w czarnych garniturach po mechaników w zatłuszczonych kombinezonach – popijał z małych filiżanek słodką, spienioną i mocną kawę, zagryzając ciastkami. Andy Candy i Ćma pili już po drugiej filiżance naparu, wiedząc, że przyjmują więcej kofeiny, niż potrzeba, aby być na nogach przez długie godziny.

– Nie, dziękuję – odparła. Poczekała, aż Ćma dosiądzie się do niej na małej kamiennej ławce.

Ćmie aż nie chciało się wierzyć, że okazał się tak dobrym detektywem. Jego wiedza o pracy policji ograniczała się do tego, co znał z telewizji, co z kolei oscylowało od spraw wręcz niesamowitych po bardzo paskudne, z dodatkiem mnóstwa żmudnej harówki. Za problem wziął się w sposób typowo akademicki. Rozważał lekturę współczesnych kryminałów, zastanawiając się, czy nie poświęcić trochę czasu na zapoznanie się z opisami prawdziwych przestępstw. Przeczesywał Internet, z naukową dokładnością przeglądając materiały dotyczące testów DNA oraz strony kryminalistyczne i kryminologiczne prezentujące najróżniejszych zabójców – od obłąkanych matek topiących dzieci po seryjnych morderców odbierających życie z zimną krwią.

Miał wrażenie, że nie przyda mu się nic z tego, czego się dowiedział.

Miał wrażenie, że do wszystkiego zabiera się od tyłu.

Gliniarze zaczynają od szczegółów, które rodzą pytania, a potem uzyskują na nie odpowiedzi, co pozwala odmalować wyraźny obraz przestępstwa. A ja zacząłem od pewnika, który zastąpiła wątpliwość. Oni dążą do wyeliminowania zamętu, ja go tworzę.

Andy dostrzegła zmartwienie na jego twarzy. Przyszedł jej do głowy pewien pomysł.

– Ćma – powiedziała energicznie. – Powinniśmy obejrzeć film.

– Co?

– No, może nie film. Pamiętasz, co było do przerobienia na zajęciach z angielskiego u pani Collins w dziesiątej klasie?

– Co?

– Lektura obowiązkowa na semestr jesienny. Wiem, że miałeś taką samą, chociaż byłeś wyżej ode mnie, bo ona nigdy nie zmieniała lektur, co roku było to samo.

– Andy, co ty…

– Ćma, mówię serio.

– Dobra, ale co to ma wspólnego z…

Przerwała mu, machając ręką.

– Słuchaj, Ćma. Na pewno pamiętasz tę książkę.

Ćma podniósł swoją filiżankę, powąchał aromatyczną kawę i uśmiechnął się.

– *Hrabia Monte Christo*. Aleksander Dumas.

– Właśnie. – Andy kiwnęła głową. – I o czym to było?

– O mnóstwie rzeczy, ale głównie o zemście po latach.
– A śmierć twojego stryja?
– To zemsta po latach.
– Na to wygląda.
– Tak, na to wygląda.
– Czyli nasz następny krok to uzyskanie nazwiska z wydziału medycznego. Nazwiska piątego studenta z tamtej grupy badawczej. Potem już będziemy mogli go wytropić.
– Edmund Dantés – rzucił Ćma.
Andy Candy uśmiechnęła się, słysząc nawiązanie do literatury.
– Ktoś w tym rodzaju – powiedziała. – To nie powinno być skomplikowane. Uczelnia ma swoje archiwa. My go właściwie znaleźliśmy. Kurczę, Ćma, możemy teraz po prostu zarejestrować się na którejś z tych stron w rodzaju „Nasi koledzy z klasy" i tam zrobią za nas większość roboty. Wiem, że damy radę.
– Zawsze myślałem, że takie strony powstają po to, żeby można się było spotkać z kimś, kto podobał się w liceum, i uprawiać z nim dorosły seks – stwierdził Ćma. – Ale masz rację. Znajdźmy to nazwisko. To oczywisty następny krok. A potem... – umilkł.
– A potem będziemy musieli dokonać wyboru – dokończyła Andy Candy.
– Jakiego wyboru? – zapytał Ćma.
– Czy na tym kończymy... czy dopiero od tego zaczynamy.
Ćma, zanim odpowiedział, przez jakiś czas popijał kawę.
– Mam wrażenie, że to nie jest sprawa, którą chętnie zająłby się jakiś gliniarz z Miami – stwierdził. – Ale, do cholery, co ja wiem? Może zbiorę to wszystko do kupy i zabiorę do Susan Terry? Podam jak na tacy i zaserwuję jak danie z grilla. Ona będzie wiedziała, co z tym zrobić... Tylko dlaczego cały czas wydaje mi się, że jeśli spróbuję jej to wyjaśnić, to mnie po prostu wyśmieje?
Ćma się roześmiał. Udawanym śmiechem.

Andy Candy przyłączyła się do niego. Takim samym udawanym śmiechem.

Bo w tej właśnie chwili oboje uświadomili sobie, że w ich położeniu nie ma niczego wesołego. To był moment intensywnej ironii, który owładnął nimi równie szybko oraz całkowicie, jak mocna kawa pobudzająca krążenie.

Mówiąc „my", Andy Candy tak naprawdę miała na myśli tylko siebie, bo do perfekcji opanowała prowadzenie rozmów telefonicznych z dziekanatami i biurami do spraw absolwentów. Ćma przysłuchiwał się, jak dopytuje się, prosi, nawet przypochlebia. Przyglądał się twarzy dziewczyny, kiedy zmieniała wyraz z uśmiechu na skrzywienie, a potem z powrotem na uśmiech, pełen satysfakcji. Pomyślał, że Andy jest niczym aktorka na scenie umiejętnie przebiegająca przez różne emocje i wyrażająca je szybko i precyzyjnie.

Kiedy usłyszała nazwisko, jej twarz najpierw przybrała wyraz „ale to było łatwe". Później, gdy notowała szczegóły, Ćma dostrzegł, że jej mina się zmienia. To, co zakradło się do oczu Andy, nie do końca było strachem, jednak sprawiało, że głos zaczynał jej drżeć, chociaż nie całkiem ze zdenerwowania. Przez coś więcej.

Chciał wyciągnąć do niej ręce, ale tego nie zrobił.

Odłożyła słuchawkę.

Przez chwilę wpatrywała się w notatnik, w którym zrobiła kilka zapisków.

– Mam to nazwisko – oznajmiła. – Grupa Badawcza Alfa. Student numer pięć. W połowie trzeciego roku poproszono go o opuszczenie wydziału. Nigdy nie wrócił. Nie ukończył studiów.

– Tak. To ten facet. Nazwisko? – Ćma wiedział, że w jego głosie zabrzmiała niecierpliwość, i że jego entuzjazm jest trochę niestosowny.

– Rober Callahan Junior.

Ćma wziął głboki oddech.

– No, to go mamy. Teraz musimy ustalić, gdzie… – przerwał, widząc, że Andy Candy kręci głową.

– On nie żyje – powiedziała.

26

Przed wyjazdem na południe Piąty Student wybrał się metrem do wschodniej części dolnego Manhattanu, a tam na długi spacer. Dotarł w okolice Mott Street, przy granicy Chinatown, gdzie przechodziło w Małą Italię, tworząc chaotyczną mieszaninę kultur na ulicach zatłoczonych dostawczymi ciężarówkami, straganami pod otwartym niebem i ciągle napływającymi falami przechodniów. To był ładny poranek, słoneczny i rześki – aby nie zmarznąć, musiał tylko podnieść kołnierz płaszcza i założyć biały jedwabny szalik. Trochę się tutaj wyróżniał w swoim drogim garniturze i krawacie. Przypominał menadżera funduszu inwestycyjnego. Otaczali go ludzie w dżinsach, butach roboczych, bluzach z kapturami ozdobionych nazwami drużyn sportowych. Ale Piątemu Studentowi podobało się, że jest taki elegancki. Przebyłem długą drogę. To był dla niego nostalgiczny spacer.

Właśnie tutaj przed laty wprowadził się po opuszczeniu szpitala i zamiast spróbować powrotu na studia medyczne, zaczął żonglować tożsamościami, co robił po dziś dzień.

Zapiszczał klakson. Wysokie azjatyckie głosy kłóciły się o cenę żywych ryb pływających w brudnych szarych zbiornikach. Obok przepchnęła się para yuppie z dwójką dzieci na nowoczesnym wózku.

Tyle życia. Wszędzie aż wibruje od życia. Ale właśnie tutaj przybyłem, aby umrzeć.

Taki sentymentalny nastrój był u Piątego Studenta nietypowy – jednak się zdarzał. Czasem aż ściskało go w dołku, kiedy oglądał banalne komedie romantyczne. Niektóre powieści wpędzały go w depresję, zwłaszcza gdy umierali ulubieni bohaterowie. Również poezja często przyprawiała go o melancholię, ale nie przestawał jej czytywać, a w swoim domu na Key West prenumerował nawet magazyn „Poets & Writers". Opracował techniki pozbywania się niechcianych emocji: zmieniał na Netflixie *To właśnie miłość* albo *Pan Smith jedzie do Waszyngtonu* na *300* czy *Dziką bandę*. W ten sposób załzawione oczy zmieniały się w oczy gorejące. Co do powieści oraz poezji. kiedy tylko czuł bulgoczące w sobie emocje, mógł zawsze odłożyć książkę i zacząć wściekle trenować. Gdy pot zalewał mu oczy, a mięśnie bolały z wysiłku, mniej mu się chciało rozmyślać o dziewiętnastowiecznych problemach Elizabeth Bennet. Zamiast tego skupiał się na planowaniu morderstw.

Zatrzymał się nieopodal Spring Street pod niczym niewyróżniającym się budynkiem z czerwonej cegły – jednym z tysiecy takich budynków w mieście. Część Piątego Studenta chciała teraz wejść na górę, zadzwonić pod numer trzysta siedem i zapytać tych, którzy teraz tam mieszkali, co zrobili z jego meblami, ubraniami, sprzętami kuchennymi i dziełami sztuki, które trzymał u siebie, a potem tak nagle porzucił. Wątpił, żeby lokatory byli ci sami co dekady temu, chociaż ciekawość niemal go pożerała.

Trochę go smuciło, że zostawił wszystkie swoje grafiki, ale wiedział, jak bardzo to było ważne. W dzieciństwie zawsze sobie dobrze radził z ołówkiem i pędzlem. W szpitalu powrócił do uprawiania sztuki. „Wyraź siebie samego, mówili mu tam. To część dochodzenia do zdrowia".

To również stanowiło okno do tego, kim niegdyś był. Każde pociągniecie pędzla, każda ołówkowa kreska stanowiły jakieś stwierdzenie. Narysuj kwiatek, to może pomyślą że już z tobą lepiej. Narysuj nóż ociekający krwią, a pewnie zamkną cię na kolejne pół roku. Albo dopóki nie będziesz na tyle sprytny, żeby zacząć rysować kwiatki.

Ponieważ to rozumiał, starał się, żeby wszyscy w szpitalu – lekarz, terapeuci, pielęgniarki i ochrona, a także wszyscy w jego rodzinie wiedzieli, jak ważne są dla niego jego grafiki i obrazy. Porzucając je tak nagle, przekazał szukającym go ludziom niezwykle istotną wiadomość. I nieważne, czy chodziło o rodzinę, policję czy nawet jakiegoś upartego prywatnego detektywa. Wszyscy myśleli: Przecież on nigdy nie zostawiłby swoich prac.

Owszem, zostawiłby.

Przypomniał sobie ten dzień, kiedy zniknął, wkraczając w swoje nowe istnienia. Zostawił wszystko, w tym precyzyjnie nakreśloną mapę pokazującą każdą ulicę, którą mógłby powędrować, i opatrzoną notatkami na temat trzech miejsc odpowiednich do tego, by rzucić się w East River. Most. Dok. Park. U góry mapy nagryzmolił: „Już dłużej tego nie wytrzymam". Lubił to zdanie. Mogło znaczyć prawie wszystko, ale odczytane zostało tylko w jeden sposób.

Ludzie chcą wierzyć w rzeczy oczywiste, nawet jeśli coś stanowi tajemnicę. Pragną racjonalnych wyjaśnień nietypowych zachowań, nawet jeżeli są one trudne do zdefiniowania i wymykają się zaszufladkowaniu.

Dlatego to było takie łatwe: Zostaw za sobą kilka tropów prowadzących w tym samym kierunku, tak żeby nawet bez odnalezienia zwłok wszyscy doszli do tego samego wniosku – dwa plus dwa równa się cztery. On nie żyje.

Zwłaszcza jeżeli to nieprawda. Był dumny ze swojej samokontroli. Od kiedy opuścił stare mieszkanie, ani razu nie wziął do rąk pędzla ani farb i nie oddał już swoich zmysłów sztuce.

Brama kamienicy go kusiła. Ruszył w jej stronę, potem jednak zmusił się, aby się zatrzymać.

To jak przypatrywanie się miejscu, w którym się urodziłem i w którym umarłem, pomyślał.

Przez lata okolica bardzo się nie zmieniła. Na rogu stanął nowy Starbucks, a dawne delikatesy zastąpił drogi butik z damskimi ubraniami, ale w połowie ulicy wciąż była pralnia, a trzy bramy dalej włoska restauracja.

Piąty Student z wolna sięgnął do kieszeni marynarki po zdjęcie Andy Candy i Timothy'ego Warnera. Kiedy tutaj mieszkałem, byli jeszcze dziećmi, pomyślał. Do tej pory znałem tych ludzi, których zabiłem. Tak naprawdę, to nie fair zabijać kogoś, z kim się nie zaznajomiło. Takie zabijanie czyniłoby mnie kimś niewiele lepszym od jakiegoś nędznego kryminalisty i socjopaty. Przypomniał sobie kilka kryteriów diagnostycznych osobowości antyspołecznej: niemożność dostosowania się do norm społecznych, impulsywność, pogarda dla zasad bezpieczeństwa, brak odpowiedzialności, brak wyrzutów sumienia.

To nie ja, uspokoił sam siebie. Ale kiedy zastanawiał się nad ostatnim kryterium, to na jego twarzy pojawił się uśmiech.

27

Andy Candy przekładała papiery na swoim zaimprowizowanym stanowisku pracy w mieszkaniu Ćmy. Ułożyła je przed sobą w schludny stos, potem kliknęła w parę klawiszy laptopa. Na monitorze pojawił się artykuł złożony z czterech akapitów. Pochodził z „New York Post", a opublikowano go mniej więcej dwa lata po tym, jak jednego z członków Grupy Badawczej Alfa poproszono o opuszczenie wydziału. *Policja szuka w rzece zaginionego studenta medycyny.*

Po następnych kliknięciach wyświetlił się jeszcze jeden artykuł, tym razem z archiwów „New York Timesa". *Chirurg oraz jego żona zginęli w katastrofie samolotu.*

Podkreśliła pojedyncze zdanie pod koniec artykułu, który opisywał, jak prywatny samolot pilotowany przez pewnego chirurga rozbił się na łące w pobliżu wakacyjnej rezydencji rodziny w Manchesterze w stanie Vermont. Podświetlone zdanie brzmiało: „Doktor Callahan i jego żona nie pozostawili spadkobierców. Ich jedyny syn zaginął pięć lat temu, najprawdopodobniej popełnił samobójstwo".

Andy znalazła na innej stronie internetowej oświadczenie Sądu Najwyższego stanu Nowy Jork o śmierci Roberta Callahana Juniora. Wydano je pięć lat po jego zaginięciu, sześć tygodni przed katastrofą samolotu. Studiując kolejne dokumenty, zdołała ustalić, że to rodzice starali się o uznanie syna za zmarłego. Domyślała się, że miało to jakiś związek z planowaniem spadkowym, jednak brakowało jej pewności. Podejrzewała, że katastrofa samolotu także stanowiła morderstwo, chociaż nie miała pojęcia, w jaki sposób można było je popełnić. Znalazła raport komisji do spraw wypadków lotniczych, gdzie za przyczynę katastrofy uznano brak doświadczenia i błąd pilota. Robert Callahan uzyskał licencję zaledwie cztery tygodnie wcześniej i od razu kupił jednosilnikowego piper cluba.

Powiodła spojrzeniem po wszystkich okienkach pootwieranych na monitorze. Martwy. Martwy. Martwy. Ciągle śmierć.

– I co teraz wiemy? – zapytała.

Ćma nachylił się i przez kilka chwil czytał to, co wyświetliła na ekranie.

– Wiemy kto. Wiemy dlaczego. Trochę wiemy jak, chociaż nie precyzyjnie. Wiemy kiedy. Mamy te wszystkie odpowiedzi – odparł Ćma.

– Ale w sumie co to daje? – twardo zapytała Andy Candy.

Znała odpowiedź na swoje pytanie: Jednocześnie wszystko i nic.

Ćma przez chwilę się namyślał, a potem odpowiedział słowami, które brzmiały tak, jak gdyby usłyszał to, co miała w głowie:

– Nie sądzę, żebyśmy powinni już się nad tym zastanawiać.

– Racja – przyznała. – Wiemy, że osoba, którą zidentyfikowaliśmy jako możliwego zabójcę twojego stryja, podobno umarła ćwierć wieku temu, akurat wtedy, kiedy ty i ja się urodziliśmy. Ale ciała nigdy nie odnaleziono, więc jeśli to nie jest jakiś duch albo zombie, przypuszczalnie nie jest to również ktoś, kogo możemy sobie wyklikać i znaleźć na komputerze. To tyle w temacie „Kolegów z naszej klasy". Skoro sąd wydał takie oświadczenie, ktoś musiał sporo szukać i niczego nie znaleźć. Trzeba było podpisać papiery, zarejestrować je u notariusza, pozałatwiać wszystko oficjalnie.

Spojrzała na Ćmę. Chciała zrobić jakiś czuły gest, coś podnoszącego na duchu. Zamiast tego zakołysała się na fotelu, mówiąc:

– On jest martwy, martwy, martwy. Poza tym, że wcale nie jest, prawda?

Ćma pokiwał głową.

– Jak trudno jest w tym kraju zniknąć? – zapytał i sam sobie odpowiedział: – Niezbyt trudno.

Andy Candy postukała palcem wskazującym w monitor.

I co teraz zrobimy?

Do głowy przyszła jej przerażająca myśl. Ile osób Edmund Dantés zabił na swojej drodze zemsty?

A potem jeszcze gorsza: To będzie trwało bez końca.

Słowo „koniec" zadźwięczało w jej głowie jak heavy metal. Wciąż rozbrzmiewało elektryczne koniec, koniec, koniec. Obróciła te słowa, wykorzystując w następnej wypowiedzi:

– To koniec – powiedziała cicho. – Nie wiem, co jeszcze możemy zrobić.

Widmowy zabójca, pomyślała. Przez chwilę poczuła to samo, co w domu Jeremy'ego Hogana. Impuls: Uciekaj! Szybko! Oczami wyobraźni zobaczyła ciało doktora na podłodze, kałużę krwi, roztrzaskaną głowę. Sądziła, że te wszystkie straszne obrazy zdołała już zamknąć w jakimś odległym miejscu, jakby wcale nie patrzyła na to, jak się wydarzają, jakby tak naprawdę wydarzyły się w krainie niebędącej ani snem, ani jawą.

Roztrzęsiona, niepewna, poszukiwała teraz jakiegoś pewnika.

– Ćma, to koniec. Przykro mi. Jesteśmy w ślepej uliczce.

Wybrane przez nią słowa bardzo przypominały te, których on sam użył lata temu, kiedy ze sobą zrywali.

Licealny zawód miłosny. Był taki podekscytowany tym, że idzie do college'u. Ją to czekało dopiero za dwa lata. Długa rozmowa przez telefon. Przeprosiny. Łzy. Ucisk w dołku od nadmiaru emocji. Potem pustka i wreszcie złość: „Nie chcę cię już więcej widzieć!" Oczywiście, że to było kłamstwo.

Kiedy Andy myślała o końcu ich romansu, wydawał się jej tak zwyczajny i przeciętny, że niemal ją to wystraszyło.

– Ślepa uliczka – powtórzyła.

Ćma ledwie słyszał jej słowa. Czuł się jak w pułapce. Fakty, szczegóły, powiązania – wszystko, co za tym stało, co prowadziło aż do tego miejsca, teraz leżało przed nim. Było albo na komputerze Andy, albo w notatkach, artykułach prasowych czy w ich własnych wspomnieniach. Drzemiący w nim historyk wiedział, że nadszedł czas, by poskładać wszystko w spójną całość i zwrócić się do właściwych organów.

Właśnie tak postąpiłby ktoś odpowiedzialny, rozsądny i nieuzależniony od alkoholu lub narkotyków. Przyjrzałby się wszystkiemu, czego dokonali, poczuł dumę, pozwolił się poklepać po plecach, a następnie usunął w cień, zostawiając sprawę w rękach zawodowców. Później tylko czekałby na dzień, w którym sprawa trafi do sądu albo oni sami udzielą wywiadu w jakimś okropnym programie telewizyjnym o niewyjaśnionych zagadkach kryminalnych. Nancy Grace miałaby używanie. Już nie chodziłoby o zamordowanie stryja. Wszystko stałoby się częścią kultury masowej. Temat dnia : *Zdeterminowany student odkrywa tajemnicę trzydziestu lat krwawej zemsty! Oglądaj na Kanale Jedenastym!*

Ćmę ukłuła ta myśl. Podniósł wzrok i zobaczył, że Andy Candy odwróciła się z powrotem w stronę monitora.

Stracę to wszystko, uświadomił sobie. Andy. Stryja Eda. Trzeźwość.

Ale to, co powiedział, przeczyło temu, co czuł.

– Jasne, Andy, masz rację.

Potem z ciemnego miejsca wewnątrz siebie wydobył jeszcze więcej słów:

– Myślę, że powinniśmy poskładać ze sobą wszystko, co znaleźliśmy. Przekażę to Susan. Wcale nie mam na to ochoty. Tylko mnie zależało na odkryciu prawdy o śmierci stryja Eda. Ja to zacząłem i chciałbym dokończyć. Ale nie dam rady.

– Dużo zrobiłeś – zauważyła Andy.

– Nie wystarczająco dużo.

– I znasz prawdę.

– Sądzisz, że całą?

– Prawie.

Żadne z nich w to nie wierzyło.

– Susan Terry – powiedział Ćma. – Ona będzie wiedziała, jaki zrobić następny krok.

Nie ufał Susan. Nawet jej nie lubił. Ale nie widział żadnej alternatywy, bo uświadomił sobie, że jeśli teraz powie Andy Candy coś jeszcze, może nadejść chwila, której bał się od samego początku. Bo co innego znaczyły słowa „Zamierzam go zabić", kiedy jeszcze nie wiedział, o kim mowa. Obecnie miały całkiem inny wydźwięk.

Wtedy, na samym początku, powiedziałem jej, że jeśli uzna, że jestem wariatem, może wstać i sobie pójść.

Chciał ją zatrzymać przy sobie nieco dłużej. Słowo „zabić" by to utrudniało.

Przez resztę dnia ciężko pracowali, przygotowując coś przypominającego trochę pracę zaliczeniową, a trochę gimnazjalny projekt naukowy. Sporządzili listę wszystkiego, czego udało im się do tej pory dowiedzieć, oraz wszystkich osób, z którymi rozmawiali. Dodali do niej numery telefonów, adresy, opisy oraz każdy szczegół zapamiętany z każdej rozmowy. Ułożyli chronologię zdarzeń i wydrukowali artykuły. Pracowali sprawnie, jak przystało na parę wzorowych studentów. Bardzo się starali, żeby gromadzić wyłącznie fakty – Ćma stale powtarzał, że w innym wypadku Susan Terry natychmiast odrzuci ich materiały.

Późnym popołudniem Andy Candy się przeciągnęła.

– Powinniśmy zrobić sobie przerwę – zaproponowała. – Nie pracowałam tak ciężko od czasów szkoły.

– Prawie już skończyliśmy – odparł.

– Przewietrzmy trochę głowy, a potem dokończymy z przytupem.

– Tak właśnie robiłaś w college'u?

Uśmiechnęła się

– Tak.

Też się uśmiechnął.

– To się przyłączam. Krótki spacer?

– Trochę świeżego powietrza nie zaszkodzi.

Oboje odeszli od komputerów i papierów. Andy, gdy wstała, zerknęła w dół, wskazując żółty notatnik zapełniony bazgrołami Jeremy'ego Hogana.

– Tak naprawdę sami nie damy rady czegoś z tego wyciągnąć.

Ćma pokręcił głową.

– Po prostu przekażmy to Susan i zobaczymy, czy jej się coś uda. – Wzruszył ramionami, potem dodał: – I tak tego nie wykorzystaliśmy. – Wskazał magnum kaliber trzysta pięćdziesiąt siedem oraz paczkę pocisków o wydrążanych czubkach, które położył na blacie w kuchni. – Tego też się pozbędę – zapowiedział.

Andy Candy przytaknęła. Spluwy, depresja, samotność i alkoholizm tworzyły mieszankę wybuchową. Pozostawianie broni u Ćmy stanowiłoby koszmarny pomysł.

– Po prostu to wywal – poradziła. – Do śmieci albo do jakiegoś kanału, jak nikt nie będzie patrzył.

– Mogę tak zrobić – powiedział Ćma. – Mogę się założyć, że połowa kanałów w Miami jest zawalona spluwami, które powyrzucali jacyś źli faceci. – Zrobił kilka skłonów i uśmiechnął się szeroko. – Dawno nie ćwiczyłem. Cały jestem zesztywniały.

Na zewnątrz słońce wciąż grzało, ale wiała coraz silniejsza bryza i na zachodzie, gdzieś nad Everglades zgromadziło się już trochę szaroczarnych burzowych chmur. Sztorm mógł jednak przyjść dopiero za kilka godzin, nawet przy mocnym wietrze szeleszczącym wśród palm.

Szli szybko, dobrze wyciągając nogi. Nie mówili wiele, dopóki Andy Candy nie zapytała Ćmy:

– Idziemy dzisiaj wieczorem do Redemptora Jeden?

A Ćma odpowiedział:

– Tak.

– Jeśli spotkasz Susan Terry…

– Powiem jej, że chcę się z nią zobaczyć w jej biurze. Myślę, że nie będzie miała nic przeciwko.

Z oddali dobiegały ich odgłosy ulicznego ruchu, wzmagające się w popołudniowych godzinach szczytu. Przeszli przez ulicę i wkroczyli do zanurzonej w głębokim cieniu dzielnicy mieszkaniowej. Chodnik był tam nierówny – korzenie drzew wypchnęły i poprzesuwały niektóre z płyt. Stąpali ostrożnie, aby się nie potknąć. Zapadł zmierzch. Trochę to przypominało spacerowanie pośród różnych odmian czerni.

– Ćma, przemyślałeś to? – wypaliła nagle Andy.

Poczuł nieokreślony smutek.

– Prawie – odparł.

Logiczne byłoby, gdyby porozmawiali teraz również o sobie, jednak tego nie zrobili. Żadne z nich nie sądziło, aby już mogli bezpiecznie poruszać ten temat.

Żadnego nie zaniepokoił również człowiek idący za nimi w bezpiecznej odległości około pięćdziesięciu metrów i śledzący każdy ich ruch.

Niezwykłe, pomyślał Piąty Student, bez trudu dotrzymując im kroku. Jak wiele można się dowiedzieć o człowieku tylko dzięki uważnej obserwacji.

Oczywiście zdawał sobie sprawę, że to właśnie stanowi podstawę zawodu, którego wykonywanie kiedyś mu uniemożliwiono, czuł się jednak niezmiernie zadowolony, że ta umiejętność, którą wykazywał się przed laty, nie zanikła. W rzeczy samej, jak zauważył z radością, nawet ją udoskonalił, czyniąc ostrą jak brzytwa.

28

Przyglądał się Andy Candy czekającej w samochodzie na Ćmę, który poszedł na spotkanie w Redemptorze Jeden.

Piąty Student pomyślał: Co za szczęśliwy traf. Prawie jak gdyby jakieś totalnie zdziwaczałe, skurwielowate i zdecydowanie psychopatyczne bóstwo mordu koniecznie chciało, żebym ich zabił.

Śledził oboje, od kiedy niespodziewanie wyłonili się z mieszkania Ćmy, zaledwie kilka minut po tym, jak sam przyjechał w to właśnie miejsce, wkrótce po wylądowaniu w Miami, jeszcze zanim zdążył się zameldować w czterogwiazdkowym hotelu, gdzie zarezerwował pokój. Był pewien, że nie mieli pojęcia o jego obecności. Usadowił się w wynajętym samochodzie i zaczął obserwować. Kiedy Ćma zniknął wewnątrz kościoła, utkwił spojrzenie w Andy Candy, czyniąc swój umysł tak czystym, jak tylko było możliwe. Zmusił się, aby odsunąć przyjęte z góry założenia, uprzedzenia i opinie. „Ciekawski odrzut z college'u i zagubiony dzieciak z problemem alkoholowym". Tyle właśnie o nich wiedział i nie sądził, żeby to było wiele. „Tak dużo się mówi o wadze i trafności pierwszego wrażenia. Gówno prawda". Trochę się poprawił na fotelu, próbując znaleźć wygodną pozycję do prowadzenia obserwacji. Był już mniej więcej dwadzieścia metrów od Andy Candy, niedaleko wejścia do kościoła. Jeśli ktokolwiek by go teraz zauważył, to uznałby, że przyjechał na spotkanie alkoholików, ale jeszcze się zastanawia, czy na pewno tam wchodzić. Ciekawość przypadkowego świadka zostałaby tak zaspokojona. Alkoholicy oraz ludzie uzależnieni od narkotyków są z natury niestali i nieprzewidywalni. Ciężko to naśladować, pomyślał.

Z miejsca, w którym zaparkował, widział Andy Candy ślęczącą nad jakimiś papierami. Ciekawość niemal go hipnotyzowała. Chciał podejść. Jednak nadal się jej spokojnie przyglądał, wykazując się niesłychaną cierpliwością, ale wiedział że jakąkolwiek teraz podejmie decyzję, będzie musiał zrobić to szybko.

W sali spotkań Redemptora Jeden Ćma rozejrzał się, szukając wzrokiem Susan Terry. Nigdzie jej nie zauważył. Pewnie nie jest aż taka przywiązana do trzeźwości, jak mówiła, pomyślał cynicznie. Zasiadł na skórzanym fotelu, skinięciem głowy witając innych stałych bywalców. Spotkanie toczyło się w zwyczajnym, powolnym rytmie. Prowadzący wskazał pierwszą osobę po swojej lewej stronie w luźnym kręgu, w którym zasiedli. Była to korporacyjna prawniczka w średnim wieku. Wstała, poprawiając modną spódnicę.

– Dzień dobry, mam na imię Sandy i jestem uzależniona. Jestem trzeźwa od stu osiemdziesięciu dwóch dni.

Ćma przyłączył się do powszechnego powitania: „Cześć, Sandy". Wypowiadano je chórem, jak odpowiedź podczas kościelnej modlitwy. Wszyscy bywalcy Redemptora Jeden znali Sandy, znali jej zmagania i z ulgą usłyszeli, że wciąż się trzyma.

– Udało mi się zrobić pewne postępy, jeśli chodzi o mojego eks i moje dzieciaki – oznajmiła. – W tym tygodniu chcą mnie zabrać na kolację. Sądzę, że to jakiś test. Pomachają mi przed nosem butelką dobrego czerwonego wina i sprawdzą, co zrobię. Czy nie zwrócę na nie uwagi, czy może je wychleję.

Opowiadała to z krzywym uśmiechem. Rozległ się niemrawy aplauz.

– Możliwe jest jedno albo drugie – kontynuowała Sandy. Zawahała się, zerknęła z ukosa na Ćmę. – Jednak myślę, że dzisiaj wieczorem tak naprawdę wszyscy chcemy posłuchać Timothy'ego.

Siadając ponownie na swoim miejscu, wbiła w Ćmę przenikliwe spojrzenie. W sali nastała długa chwila ciszy. Kilka osób poprawiło się na krzesłach. Wstał inżynier.

– Mam na imię Fred i mam już dwieście siedemdziesiąt dwa dni trzeźwości. Zgadzam się z Sandy. Timothy, twoja kolej.

Prowadzący spotkanie – były alkoholik, wikary, który nosił ciemne koszule ze stójką nawet w żarze Miami – próbował się wtrącić.

– Słuchajcie, to powinien być wybór Timothy'ego. Nikogo nie powinno się zmuszać…

Ćma wstał.

– W porządku – oznajmił, nawet jeśli wcale tak nie było. Rozejrzał się po sali. Wziął głęboki oddech. – Cześć – powiedział powoli. – Mam na imię Timothy i jestem trzeźwy już od trzydziestu jeden dni, chociaż mijają trzydzieści cztery dni od zamordowania mojego stryja.

Zrobił przerwę, rozglądając się po pokoju. Pozostali nachylili się ku niemu. Wyczuwał ich zainteresowanie.

– Wydaje się, że gdziekolwiek pójdę, ktoś tam umiera – powiedział.

Susan Terry klęczała na dywanie obok stolika kawowego w salonie swojego mieszkania. Dokładnie na środku szklanego blatu, obok do połowy opróżnionej butelki johnny'ego walkera były dwie wąskie ścieżki usypane z białego kokainowego proszku. Susan obiema rękoma trzymała się krawędzi stołu, jakby budynkiem wstrząsało gwałtowne trzęsienie ziemi i właśnie starała się zachować równowagę.

Zrób to. Nie rób tego.

To była krew. Tam było tyle krwi.

Poczuła pot zbierający się pod pachami, perlący się na skroniach. Przez chwilę zastanawiała się, czy klimatyzacja w budynku przestała działać, ale potem uświadomiła sobie, czym tak naprawdę jest ten pot: fizyczną manifestacją straszliwej decyzji.

Wykazując się niesamowitą siłą, puściła krawędź blatu i sięgnęła do torebki. Nie odrywając oczu od linii koki, poszperała w środku i wyjęła pistolet automatyczny kaliber dwadzieścia pięć, który zawsze miała przy sobie, gdy szła na miejsce przestępstwa albo kiedy musiała wyjść z pracy po zmroku. Spluwa stanowiła istotny element brawury Susan, zatytułowanej „Nie będę taką samą ofiarą jak ci ludzie, których widuję w sądzie".

Oddychając ciężko, jak ktoś trzymany pod falami o kilka sekund za długo, wprowadziła pocisk do komory nabojowej. Potem ułożyła broń przed sobą, obok kokainy.

– Równie dobrze możesz się zabić szybciej – powiedziała sobie. Zastygła w połowie ruchu, a oczyma wyobraźni widziała obie możliwości.

Zastrzelić psy. Te dwa słowa wślizgnęły się jej do głowy i powtórzyła je na głos.

– Zastrzelić psy, do cholery. Zastrzelić te psy. Po prostu je zastrzelić. Przypilnować, żeby nie żyły. – Zachybotała się, szepcząc: – Zastrzelić psy, zastrzelić psy, zastrzelić psy.

Właśnie ostatnie odwiedzone przez nią miejsce zbrodni – przez którą dzisiaj wcześnie rano, tuż przed wschodem słońca, Susan została wyrwana z łóżka beznamiętnym głosem detektywa z wydziału zabójstw, niepotrafiącego ukryć smutnej wściekłości – doprowadziło do pojawienia się u prokurator dwóch rzeczy: małej fiolki kokainy oraz obietnicy sennego koszmaru. To przestępstwo zachwiało jej opanowaniem i starannie pielęgnowanym wizerunkiem twardej babki.

– Panna Terry?

– Tak. Jezu, która godzina?

– Tuż przed piątą. Tutaj detektyw Gonzalez, wydział zabójstw w Miami. Spotkaliśmy się kiedyś przy okazji...

Przerwała mu:

– Pamiętam pana, detektywie. O co chodzi?

– Mamy nietypowe zabójstwo. Myślę, że powinna pani się tutaj zjawić. Jestem teraz w Liberty City.

– Narkotyki?

– Nie do końca.

– Co to jest dokładnie?

Wypytywała go, wychodząc z łóżka, sięgając po dżinsy i kurtkę, a myśląc głównie o kawie.

– Śmierć spowodowana przez psa – oznajmił detektyw.

Kiedy jechała w stronę Liberty City, ostatnie lukrecjowe macki nocy wciąż oplatały poranek. Jechała drogą międzystanową. Minęła miejsce, w którym zwykle skręcała do prokuratury, a później przez wiadukt dotarła do jednej z biedniejszych części hrabstwa Dade, kilka dekad temu słynącej z zamieszek i niepokojów. W Liberty City niezwykłe było to – o czym wiedziała większość mieszkańców – że stanowiło najwyżej położony i najbardziej stały grunt w promieniu wielu kilometrów. Tylko kwestią czasu oraz coraz wyższego poziomu morza było odkrycie przez deweloperów, że właśnie tam najbezpieczniej stawiać nowe budynki. A wtedy cała okolica się zmieni. Może dopiero za sto lat – ale to, że biedacy zostaną gdzieś przeniesieni, a ich miejsce zajmą bogacze, wydawało się bardzo prawdopodobne.

Zmrok zasłaniał najgorsze ubóstwo. Ostatnie chwile nocy w Miami trochę przypominały koc: zawieszone między skwarem, wilgocią a bogactwem atramentowych barw nieba, wydawały się luźnym faldami pogrzebowego całunu.

Susan jechała cichymi ulicami pośród niewielkich, zapuszczonych budynków z białych pustaków i niskich bloków z tanimi mieszkaniami. Na nawierzchni walały się śmieci, a na przecznicach stały powywracane samochody i zniszczone sprzęty gospodarstwa domowego. W oknach tkwiły kraty, wszędzie widać było płoty z siatki. Ta część miasta zdawała się rdzewieć.

Nawet ze spluwą w torebce leżącej na sąsiednim fotelu Susan nigdy z własnej woli nie wjechałaby w którąś z tych uliczek. „Wydaje się nam, że nie zwracamy uwagi na kolor skóry, pomyślała, ale wystarczy przyjechać tutaj samotnie i pierwsze, co człowieka wyróżnia, to jego rasa".

Dwie przecznice dalej dostrzegła błyski policyjnych świateł. Kiedy podjechała bliżej, zobaczyła samochód koronera, kilka oznakowanych radiowozów oraz kilka nieoznakowanych – jednak trudnych do pomylenia z czymkolwiek innym – aut detektywów. Zgromadziły się pod dwoma domami z pustaków, stojącymi bardzo blisko siebie, a rozdzielonymi tylko jednym z wszechobecnych płotów z siatki. W ciemnościach mielił się niewielki tłumek gapiów. Obok stała żółta furgonetka hycli. Wewnątrz obszaru odgrodzonego przez policję Susan dostrzegła dwóch ubranych na zielono funkcjonariuszy urzędu do spraw dzikich zwierząt, zapalczywie dyskutujących z jakimś policjantem.

Nikt jej nie zaczepiał, kiedy zaparkowała i podeszła bliżej. Młoda biała kobieta, która nie jest gliniarzem? To na pewno prokurator.

Zauważyła detektywa Gonzaleza i natychmiast ruszyła w jego stronę.

– Cześć, Ricky, co się dzieje?

– Panno Terry, przepraszam, że dzwoniłem do pani w środku...

– Nie ma za co przepraszać – przerwała mu. – Taka moja praca. Co my tu mamy?

Detektyw potrząsnął głową ze znużeniem i oznajmił:

– Myślałem, że widziałem już wszystko.

Potem nieznacznym skinieniem dłoni wskazał tył furgonetki hycli, gdzie stało dwóch pracowników urzędu do spraw dzikich zwierząt. Jeden z nich szeroko otworzył tylne drzwi auta, odsłaniając wzmocnione stalowe klatki. Takich klatek używano do przewozu zabłąkanych dzikich panter czy agresywnych aligatorów.

Albo pittbuli. Dwóch pittbuli. Solidnie umięśnionych, o poznaczonych szramami pyskach i szerokich klatkach piersiowych. Spienionych, warczących, oszalałych, bez przerwy rzucających się na barierki klatek, trzęsących całą furgonetką. Upiornie wyły, gorączkowo starały wydostać się na zewnątrz.

– Jezu... – Susan cofnęła się o krok. – Co, do cholery...

A potem detektyw Gonzalez opowiedział, co się wydarzyło. To była opowieść grozy, coś w stylu Poego albo Ambrose'go Bierce'a, jakże typowa dla południowej Florydy.

Samotny starszy mężczyzna, przed laty okaleczony wskutek wypadku w fabryce, a teraz kuśtykający na zdeformowanej nodze, żył głównie z tresury psów do nielegalnych walk. Pechowym zbiegiem okoliczności po sąsiedzku mieszkała rodzina z dwoma małymi chłopakami, którzy bezlitośnie mu dokuczali. Mężczyzna miał ich już dość. W zagrodzie, gdzie trzymał psy, zamontował szybko otwierający się zamek, przestał też porządnie przymocowywać zwierzęta łańcuchem. Węzły przesuwne, osłabione ogniwa. Wczoraj w nocy chłopcy stanęli pod jego domem i myśląc, że psy są bezpiecznie zamknięte, zaczęli w nie rzucać kamieniami. Kilka kamieni poleciało też w okna. Obudzili sąsiada. Obrzucili wyzwiskami. Odrobina paskudnego lokalnego kolorytu w noc zbyt upalną, zbyt parną i przeznaczoną, by stało się coś strasznego.

Starszy mężczyzna zakładał, że ogrodzenie z siatki zatrzyma psy. Uruchomił więc wymyślony przez siebie system otwierający zagrodę i wypuścił zwierzęta. Sądził, że sam widok trzydziestopięciokilogramowych bestii pędzących przez podwórze z wyszczerzonymi kłami wystraszy jego prześladowców. Siatka zatrzyma psy, dzieciaki się przerażą, a on będzie miał satysfakcję, bez potrzeby uciekania się do środków typowych dla hrabstwa Dade, czyli wymachiwania spluwą.

Po każdym względem się mylił.

Oba psy walnęły w siatkę. Ta się ugięła, puściła, a zwierzęta przedostały się przez otwór.

Bez trudu dopędziły spanikowanych chłopców.

Zanim starszy mężczyzna zdołał założyć psom na szyje pętle i łańcuchy i jakoś nad nimi zapanować, zdążyły już brutalnie wyrwać dzieciakom życie.

Oto i koniec całej historii.

Susan poczuła, że ściska ją w dołku. Okropne. Nie tragiczne. Po prostu chore.

– Nie chciałaby pani oglądać tych ciał – stwierdził Gonzalez.

Zakrztusiła się na myśl o okaleczonych dzieciakach.

– Muszę... – zaczęła.

– Te psy... – odezwał się detektyw. – Czy one nie są jak broń, którą musimy skonfiskować? Jaki to jest rodzaj zabójstwa? Czy mamy tutaj nietypowy przypadek nadużycia prawa do obrony miru domowego? To znaczy, jakby nie spojrzeć, dzieciaki rzucały kamieniami. Ale te psy, czy one stanowią jakiś dowód? Wygląda na to, że mamy tutaj mnóstwo problemów natury prawnej. Pani prokurator, gdyby to zależało ode mnie, zastrzeliłbym je na miejscu. Ale chciałem to najpierw skonsultować.

Susan pokiwała głową. Chciałaby mu powiedzieć: „Ma pan sto procent racji. Zastrzelić psy. Szybka, uliczna sprawiedliwość". Ale nie mogła.

– Zabrać psy. Niech urząd do spraw zwierząt sporządzi odpowiedni raport, tak jakby były bronią palną albo nożem odnalezionymi na miejscu przestępstwa, żebyśmy mieli odpowiedni łańcuch dowodów do przedstawienia w sądzie. Zadbajcie też o złożone pod przysięgą zeznania tych funkcjonariuszy i jeszcze – wskazała na tył furgonetki, skąd wciąż dochodziły odgłosy zwierząt szarpiących się w klatkach – nagranie wideo. Aresztujcie właściciela, odczytajcie mu prawa i oskarżcie o zabójstwo pierwszego stopnia. Niech zespół robiący oględziny miejsca przestępstwa zadba, żeby system otwierający zagrodę pozostał nietknięty, tak żeby go można było pokazać w sądzie. Zróbcie zdjęcia ogrodzenia, tam, gdzie psy się przebiły...

Wzięła głęboki oddech. Uporządkowany prokurator tkwiący wewnątrz niej był wstrząśnięty.

– Jezu – dodała.

– Widywałem różne rzeczy – stwierdził Gonzalez. – Ale to jet okropne. Psy rzuciły się dzieciakom prosto do gardeł. Wytresowani zabójcy. Do diabła, one są gorsze niż zawodowi zabójcy i dwa razy bardziej skuteczne. Kurwa, dzieciaki nie miały żadnych szans. Ludzie sobie myślą, że to przecież tylko psy, że przed nimi łatwo się obronić. O niczym nie mają pojęcia.

Ujął Susan pod ramię i poprowadził w głąb miejsca przestępstwa. Pierwsze ciało leżało na bocznym dziedzińcu, drugie zaraz pod frontowymi drzwiami. Susan wzięła głęboki oddech. Temu się prawie udało, pomyślała. Zatrzymała się, widząc asystenta patologa sądowego. Uznała, że nawet w tych migających światłach wydaje się blady. Pochyliła się nad małym ciałem. Spojrzała na jaskrawoniebieskie trampki dzieciaka, ale nie na jego gardło. Potem zmusiła się, aby unieść wzrok.

I tak właśnie wyglądał poranek Susan.

Okaleczone, na wpół pożarte dzieci. Ten widok gdzieś głęboko w niej poruszył niewłaściwą strunę i właśnie dlatego się potknęła. Straciła równowagę. Upadła. Zawiodła. Zło jest niestrudzone i działa rutynowo.

Każdy uzależniony zna dwa numery telefoniczne, pod które może zadzwonić, kiedy widzi coś, robi coś albo dowiaduje się czegoś, co pcha go ku przepaści, o której sądził, że jest gdzieś daleko, a naprawdę była tuż-tuż. Kiedy dzieje się coś takiego, co nagle odziera z wszelkich pozorów normalności i odnawia cały ukryty głęboko ból. Pierwszy numer jest do opiekuna, aby wybił uzależnionemu z głowy to, co ten chce właśnie zrobić. Drugi jest do dilera, aby dostarczył alternatywne wyjście.

Nie zadzwoniłabym, gdyby nie psy i ciała martwych dzieci. Myślałam, że już sobie z tym wszystkim poradziłam. Że znowu jestem twardą prokurator, ostrą jak brzytwa i twardą jak granit. Że różne rzeczy już się ode mnie odbijają. Tak właśnie myślałam. Że już nigdy nie będę na głodzie. Aż do dzisiaj i tej dziecięcej krwi.

Susan pomyślała, że gdyby naprawdę była taka silna, to potrafiłaby spojrzeć na swoje życie i powiedzieć: Dobra, jako dziecko nie byłam wystarczająco kochana i to właśnie dlatego jestem uzależniona. Albo: Byłam bita, zostałam porzucona i to właśnie dlatego. Albo też: Byłam słaba, kiedy powinnam być silna, zagubiona, kiedy powinnam być odnaleziona, zraniona, kiedy powinnam być zdrowa.

Gdyby to zrozumiała, mogłaby uzbroić się przeciwko samej sobie.

Tyle że tak to wcale nie działało.

Zamiast tego, gdy kilka godzin później wróciła do mieszkania, upiła się i wpatrywała w to, co miała do wyboru na szklanym stoliku. Spluwę i kokę. Kokę i spluwę. Zastrzelić psy. Zastrzelić siebie.

Albo jedna śmierć, albo druga.

Podskoczyła, gdy za jej plecami rozdzwonił się telefon.

Najpierw była cisza.

Ćma rozejrzał się po zgromadzonych w Redemptorze Jeden, wątpiąc, aby kiedykolwiek słyszeli taką historię. Bo to nie była następna historia o nałogach, opowieść z rodzaju tych, do których przywykli.

Nie musiał długo czekać, by cała grupa wybuchła chaotyczną mieszaniną pytań, komentarzy, obaw i sugestii, lecących prosto ku niemu, szarpiących nim jak silny wiatr. Cały ustalony ład i porządek dzielenia się przemyśleniami, tak typowy dla Redemptora Jeden, od razu poszedl w drzazgi. Zabrzmiały podniesione glosy. Powietrze aż naelektryzowało się od różnych opinii. Wokół Ćmy rozgorzały spory, pojawił się sarkazm, nawet kilka drżących wątpliwości.

– Zadzwoń na policję.

– Na dziewięć-jeden-jeden? To matoły. Przyjedzie jakiś gliniarz i nie będzie miał zielonego pojęcia, co robić.

– A co z tymi gliniarzami, którzy już badali sprawę samobójstwa Eda?

– Taaak. Niech teraz do nich zadzwoni i powie, jacy byli głupi. Na pewno to coś da.

– A może by wynająć prywatnego detektywa?

– Jeszcze lepiej wynająć prawnika, który wynajmie prywatnego detektywa.

– To ma sens, ale ilu prawników wie, jak sobie poradzić z mordercą zabijającym z zemsty? Jest w ogóle taka kategoria prawników w książce telefonicznej? I gdzie jest? Może gdzieś między jazdą pod wpływem, rozwodami i sprawami spadkowymi?

– Musisz pogadać z rodziną Eda i z jego partnerem. Muszą się dowiedzieć, co odkryłeś.

– Racja. Ale jak dokładnie mogą pomóc?

– Może zadzwonić do „Miami Herald"? Porozmawiać z ich dziennikarzem śledczym, dać im materiał na artykuł. Albo do *60 Minut*? Albo do kogoś, kto może spojrzeć na to niezależnie.

– Nie bądź głupi. Prasa by to po prostu rozpieprzyła. A czytałeś ostatnio „Heralda"? Cholera, to już nie jest to samo, co dwadzieścia lat temu. Ledwie są w stanie ogarnąć posiedzenie komisji zagospodarowania przestrzennego. Lepiej wrócić do New Jersey i przekazać sprawę miejscowej policji.

– A co zrobią tamte gliny? Nie mają tutaj jurysdykcji. Zresztą Timothy nie ma dowodów, tylko poszlaki. Ma podejrzenia. Ma trochę domysłów i trochę możliwości. Ma motyw, ale dosyć niejasny. I ma mnóstwo zbiegów okoliczności. Co jeszcze?

– Ma więcej.

– Na pewno? Ma takie fakty, których sąd nie odrzuci? No, nie wiem.

– Myślę, że Timothy powinien napisać o tym książkę.

– Świetnie. To zajmie rok albo dwa. A co ma zrobić teraz?

– Chciałbym, żeby ta prokurator Susan tutaj była. Ona jest zawodowcem, wiedziałaby, co robić.

Ćma odpowiedział na ten ostatni komentarz:

– Mogę do niej zadzwonić. Dała mi wizytówkę z telefonem domowym. – Sięgnął do portfela i wyjął wizytówkę Susan Terry.

Na sali znowu zapadła cisza. Zgodnie pokiwano głowami.

Sandy, prawniczka od nieruchomości, sięgnęła do torebki i wyjęła komórkę.

– Masz – powiedziała. – Zadzwoń od razu, dopóki tutaj wszyscy jesteśmy.

Oznajmiła to z matczynym uporem. Postępowała zgodnie z panującym w Redemptorze Jeden przekonaniem, że obietnica zatelefonowania do kogoś to nie to samo, co rzeczywiste zadzwonienie.

Ćma zaczął wybierać numer, ale przerwał, gdy profesor filozofii z Uniwersytetu Miami, który do tej pory jakoś dziwnie w ogóle się nie odzywał, w końcu pochylił się do przodu, unosząc rękę jak student w trakcie zajęć.

– Timohy – powiedział powoli – zauważyłem coś, czego najwyraźniej inni nie potrafili dostrzec. Naprawdę uważam, że usłyszałeś tutaj parę dobrych propozycji i powinieneś się do nich zastosować – oznajmił to takim samym tonem, jak gdyby był na zebraniu wydziału. – Jednak obawiam się czegoś innego.

– Czego, profesorze? – zapytał Ćma.

– Jeżeli ta osoba, ten były student medycyny, którego zidentyfikowałeś jako najwyraźniej bardzo wprawnego w zabijaniu... tak w tym dobrego, że popełnił... ile... pięć morderstw, unikając przy tym schwytania, dlaczego uważasz, że on o tobie nie wie?

Cisza.

Stali bywalcy Redemptora Jeden zastygli.

– No, przypuszczałem, że… – wybąkał Ćma.

Umilkł, wiedząc, że na to pytanie ani on, ani nikt inny tutaj obecny nie udzieli satysfakcjonującej odpowiedzi.

Kolejna chwila ciszy.

– Wybierz ten numer – poleciła prawniczka Sandy. Głos miała jak ze stali.

Ćma rozejrzał się po sali. Zgromadzeni nachylili się ku niemu, wyczekując w napięciu.

Dzisiejszy mityng zdecydowane nie jest typowy, pomyślał z przekąsem.

Wrócił do wybierania numeru.

– I jeszcze jedno, Ćma – dodał łagodnie profesor. – Jeśli on o tobie wie, to co z tym zrobi?

29

Włącz głośne mówienie – powiedział ktoś.

– Susan, teraz wszyscy mogą nas słyszeć – oznajmił Ćma.

– Susan, dlaczego cię dzisiaj z nami nie ma? – spytał profesor.

Susan Terry nie odpowiedziała. Jedną ręką trzymała słuchawkę, a drugą dłoń przyciskała do czoła, masując sobie skronie tak gwałtownie, jak gdyby ten ruch był w stanie wyrzucić z niej te lęki wyłożone na stoliku kawowym. Przez nerwową chwilę wyobrażała sobie, że wszyscy w Redemptorze Jeden widzą, co teraz ma przed sobą, i że dostrzega naganę na ich twarzach. Ciężko siadła na taniej, niewygodnej kanapie, ubrana w przepocony biały podkoszulek i obszerne szare spodnie od dresu. Ciuchy do wciągania kokainy, pomyślała. Ciuchy do ucieczki. Ciemne włosy miała zmierzwione, kleiły się do szyi. Wiedziała, że rozmazał jej się makijaż, a w okolicy oczu wygląda teraz jak panda. Nie miała butów, szybko poruszała palcami stóp, jak ktoś wystraszony, że uszkodził kręgosłup, i chcący się uspokoić oraz przekonać, że nadal może chodzić.

– Dzisiaj wcześnie rano miałam wezwanie – powiedziała. To była prawda. – Poczułam się zmęczona i zasnęłam. – To już było kłamstwo.

Ćma, trzymając telefon niczym hostię podczas mszy, tak żeby wszyscy mogli słyszeć Susan, rozejrzał się po zgromadzonych. Nie był pewien, ilu z nich jej uwierzyło. Na każdym spotkaniu Redemptora Jeden niewiara ścierała się ze ślepą akceptacją. Pomyślał, że logicznie rzecz ujmując, takie połączenie nie powinno działać. A jednak działało.

Susan poczuła pot spływający między piersiami. Lepił się. Jednak przybrała już pozę poukładanej, konkretnej pani prokurator. Zastanawiała się, gdzie wcześniej podziała się ta osoba. Nie wiedziała, czy zdoła poradzić sobie z uczuciem bycia osądzaną, miała wrażenie, że teraz jej się nie upiecze.

– Dlaczego dzwonisz? – zapytała gwałtownie.

Ćma już miał odpowiedzieć, ale przerwała mu prawniczka Sandy.

– Dzwoni, bo wszyscy nalegaliśmy, żeby zatelefonował. Każdy z nas – oznajmiła to na tyle głośno, by telefon wyłapał każde słowo, mówiła niczym matka wołająca dzieci do stołu. Machnęła ręką w geście zachęcającym pozostałych, żeby też się odezwali. Wśród zgromadzonych rozszedł się szmer akceptacji.

Inżynier Fred dodał:

– Opowiedział nam o wszystkim, co doprowadziło go do tego, że uwierzył, że jego stryj został zamordowany. Uważamy to za przekonujące. Owszem, przyznajemy, że to wszystko jest bardzo poszlakowe, ale jednak przekonujące. Tak naprawdę to wręcz fascynujące. Uzgodniliśmy, że jesteś jedyną osobą, która mogłaby się tym zająć.

Głosy dochodzące przez komórkę były niewyraźne, prawie jak w jakiejś halucynacji. Susan odchyliła się na oparcie. Zamknięta sprawa. Może. Wątpliwości. Otwarta sprawa. Może. Wątpliwości.

– Sprawa samobójstwa jego stryja została starannie zbadana i zamknięta. Razem z Timothym dokładnie wszystko przejrzeliśmy.

– On nie był jedyny – ostrym tonem przerwał jej Ćma. Wpatrywał się w zgromadzanych na sali.

W swoim mieszkaniu Susan odchyliła głowę do tyłu, jak gdyby wyczerpana, poczuła, że puchnie jej język, Tym, czego teraz chciała, to było pochylić nad stołem, wciągnąć resztkę kreski koi i przyjąć wszytko, co się z tym wiązało – albo podnieść pistolet i za jednym zamachem skończyć to, co jeszcze zostało z jej życia. Umieram, pomyślała. Jestem zupełnie sama i zawsze jestem zupełnie sama. Mocno zacisnęła powieki, lecz wtedy usłyszała głos, który w dziwny sposób brzmiał zupełnie jak jej głos. Wypowiadał się stanowczym tonem, jak gdyby w tym pokoju znalazła się jeszcze jakaś druga ona.

– Uważasz, że były jakieś inne samobójstwa…

– Nie. Nie samobójstwa. Morderstwa – odparł Ćma. – Morderstwa mające wyglądać na coś innego. Na wypadki i na pomyłki.

W Redemptorze Jeden nadal panowała cisza. Nikt się nie poruszył, ale Ćma miał wrażenie, że wszyscy tłoczą się wokół niego, napierają. Prawie czuł ich dłonie na plecach. Po raz pierwszy od wielu dni zapragnął, żeby towarzyszyła mu Andy Candy, tak żeby mógł ją przedstawić wszystkim obecnym na spotkaniu. Wiedział, że to wariacki pomysł, i odsunął go od siebie tak szybko, jak tylko zdołał. Tutaj było miejsce dla uzależnionych, a ona zdecydowanie nie była jedną z nich.

– W porządku – z wolna powiedziała Susan. – Timothy, spotkajmy się jeszcze raz. Możemy to wszystko ponownie przeanalizować. Powiesz mi, czego się dowiedziałeś. Możesz przyjść jutro do mojego biura?

Jak gdyby czekało mnie jakieś jutro, pomyślała.

Ćma spojrzał na pozostałych. Sandy, Fred, profesor filozofii i cała reszta pokiwali głowami.

– Dzisiaj wieczorem – odezwała się Sandy scenicznym szeptem.

Wszystkie głowy zaczęły potakiwać.

– Żadnego odwlekania – powiedział Fred. – Wszyscy wiemy, co się dzieje, kiedy się odwleka zrobienie czegoś ważnego.

Nie mówił o niczym innym, jak o uzależnieniu.

– Dzisiaj wieczorem – oznajmił Ćma.

– W porządku – zgodziła się Susan.

Czyli jednak pożyję trochę dłużej, pomyślała. Chociaż o ile dłużej, tego już nie potrafiła stwierdzić. Zmusiła się, żeby wstać, wiedząc, że przed spotkaniem z Ćmą musi jakoś doprowadzić się do porządku. Wlepiła wzrok w dwie pozostałe kreski kokainy. Ani trochę mi to nie wystarczy, pomyślała. W dłoni nadal trzymała telefon komórkowy. Teraz przeglądała kontakty, aż dotarła do nazwiska swojego dilera. Spotkaj się z Ćmą, spotkaj się z dilerem. Wciąż patrzyła na tę niewielką ilość koki, którą jeszcze miała. I nagle już nie wiedziała, czy powinna zostawić na stole kokainę, czy może pistolet. A może powinna zabrać ze sobą i jedno, i drugie? Dla kobiety, która szczyciła się umiejętnością szybkiego podejmowania rozsądnych decyzji, owa wątpliwość zdawała się równie przenikająca jak żądza.

Na kolanach trzymała odręczne notatki Jeremy'go Hogana.

Jak przystało na naukowca, starał się je uporządkować, tak by móc je łatwo odczytać. Andy Candy nie była jednak doktorem Hoganem, więc teraz zmagała się z nimi i jednocześnie czuła się nimi zafascynowana. Każda rozmowa przeprowadzona przez starego psychiatrę z mordercą została opatrzona nagłówkiem, na kolejnych stronach napisano kluczowe hasła wraz ze skrótowymi i zwięzłymi analizami. Niektóre frazy podkreślono, inne oznaczono gwiazdkami, a jeszcze inne ujęto w kółka. Notatki przedzielały duże odstępy i Andy Candy przypomniało się czytanie pieśni *Boskiej komedii* Dantego na zajęciach z literatury renesansowej. Studia nagle wydały się tak bardzo, bardzo odległe. Przyszła jej do głowy dziwaczna myśl: Te notatki są jak poezja śmierci.

Zauważyła, że pierwsza rozmowa Hogana z człowiekiem, który miał go zabić, była krótka. Na górze strony zapisał *Rozmowa pierwsza.* A pod spodem zanotował jeszcze: *Wina. Ostatnie szacunki.*

„Inni"? To znaczy, że jestem częścią grupy.

Wykluczyć: Morderców, przeciwko którym zeznawałem. Indywidualne czyny.

Chyba że „grupa" zawiera w sobie prokuratorów, policjantów, sędziów, przysięgłych, specjalistów od kryminalistyki – wszystkich powiązanych z postępowaniem karno-sądowym.

Bardzo możliwe, jak to sprawdzić?

Wykluczyć: Byłych kolegów z pracy.

Jakaś długoletnia nienawiść, akademicki uraz mogący nakłonić do morderstwa?

Niezbyt prawdopodobne. Ale możliwe.

Wykluczyć: Studentów? Czy kogoś oblałeś?

Niewielkie prawdopodobieństwo. Przejrzeć dokumenty wydziału?

Szansa na znalezienie kogoś w ten sposób: Niewielka.

Potem zanotował jeszcze:

Bardzo ważne: Ustalić, jaki to rodzaj mordercy.

Tak wyglądał ostatni wpis na pierwszej stronie notatek.

Na drugiej pismo doktora Hogana wyglądało na pospieszne i Andy Candy domyślała się, że doktor notował w trakcie rozmowy, słuchawkę trzymając między uchem a ramieniem, a długopis w dłoni.

Wykształcony. Nie w więzieniu ani nie na ulicy. To nie samouk. Produkt Ligi Bluszczowej – jak Unabomber?

Kontrolowana obsesja. Panuje nad swoimi impulsami. Robi z nich użytek. Intrygujące.

Nie jest zdezorientowany. Sposób mówienia bez wpływu nastroju i emocji. Brak kolokwializmów. Bez akcentu.

To nie paranoik. Zorganizowany.

Przerwała lekturę i zastanowiła się nad kolejnymi słowami, jednoczesne podkreślonymi i ujętymi w kółko:

Socjopata. Ale takiego jeszcze nigdy nie spotkałem.

Słowo „nigdy" było podkreślone trzy razy.

U dołu strony doktor Hogan zanotował drukowanymi literami:

Chce spojrzeć mi w oczy, zanim mnie zabije. Przygotować się na tę chwilę, To moja największa szansa.

Wzięła głęboki oddech.

– Doktorze, co do tego się myliłeś – wyszeptała. – Przykro mi, ale się myliłeś.

Zawahała się. Do jej głowy wkradł się pewien pomysł.

– Czy na pewno się myliłeś? A może on już...

W samochodzie nagle zrobiło się gorąco. Nie, duszno. Opuściła szyby. Napiła się wilgotnego powietrza, które wślizgnęło się do środka, niezbyt różniącego się od duchoty wewnątrz auta. Zdawało się, że wokół rozpływają się granice nocy. Czuła niekontrolowane podenerwowanie, jak podczas lektury thrillera albo oglądania filmu grozy. Miała całkowitą pewność, że jeżeli uniesie wzrok i zacznie patrzeć w noc, to nawet na tym bezpiecznym parkingu zacznie dostrzegać złowróżbne kształty, które przemienią się w widmowych morderców. Dlatego zamiast wyglądać na zewnątrz, ponownie skupiła się na leżących przed nią notatkach.

Przewertowała je do końca.

Przeczytała ostatni zapisek Jeremy'ego Hogana, a potem nie potrafiła się powstrzymać od tego, aby przeczytać go jeszcze raz.

On już wygrał. Ja już nie żyję.

– Timothy, po prostu powiedz Susan to samo, co nam powiedziałeś. Powiedz jej w ten sam sposób. Uwierzy ci.

– A przynajmniej uwierzy na tyle, żeby zrobić następny krok, jaki by nie był. Ona jest pracownikiem państwowym. Cholera, powinna co najmniej chcieć ochronić swój tyłek.

– Tylko Timothy, bądź ostrożny. Nie wiesz, z czym masz do czynienia.

Z przestrogami dzwoniącymi w uszach Ćma nieomal skacząc, pokonał schody Redemptora Jeden i truchtem przebył cienie parkingu. Dostrzegł, że na jego widok Andy Candy unosi głowę. Wyglądała na przestraszoną, ale chyba ulżyło jej, że wraca.

– Mamy dzisiaj jeszcze jedno spotkanie – oznajmił, zajmując miejsce pasażera.

Andy Candy pokiwała głową, uruchomiła silnik i cofając się, wyjechała z miejsca parkingowego. Wokół odjeżdżały też inne samochody, od małego auta hybrydowego profesora filozofii aż po wielkiego mercedesa korporacyjnej prawniczki. Andy nie zwróciła uwagi na samochód, który ruszył za nimi.

– Nie – oznajmiła Susan Terry kelnerce. – Dla nas wszystkich tylko woda z lodem.

Zamówiła jeszcze sushi, chociaż miała pewność, że po surowej rybie zrobi się jej niedobrze.

Kelnerka odeszła, zapewne w myślach licząc, jaki dostanie napiwek bez dodatku za alkohol, a Susan zwróciła się do Ćmy i Andy Candy.

– Dobra. Teraz opowiedzcie mi o wszystkim. – Spojrzała ponad stołem, tak surowo, jak tylko teraz potrafiła. – Żadnego chrzanienia – dodała. – To nie jakaś zabawa ani egzamin na studiach. Nie marnujcie mojego czasu.

Ćma wiedział, że to głównie poza, jednak milczał. Andy spojrzała na plik odręcznych notatek Jeremy'ego Hogana, które zwinięte trzymała teraz w dłoni. Ćma poprawił się na krześle. Oboje pomyśleli, że Susan wygląda okropnie. Przemiana zadbanej, poukładanej prokurator, jaką widzieli w biurze, takiej odpowiedzialnej i zorganizowanej, w bladą, nieco roztrzęsioną osobę w dżinsach i z potarganymi włosami, była wręcz szokująca. To, że głos Susan wciąż brzmiał po staremu – spokojny i rozkazujący – tylko pogłębiało kontrast. Ćma od razu poznał, skąd wzięła się ta zmiana. Z kolei Andy Candy przyszła do głowy okropna myśl: Wygląda tak, jak ja musiałam wyglądać po wyjściu z kliniki aborcyjnej.

Na chwilę zapadła cisza. Ćma starał się poukładać słowa. To, co miał do powiedzenia, powinno wywrzeć maksymalne wrażenie.

– Cztery dni temu w wiejskiej okolicy New Jersey Andy i ja byliśmy świadkami morderstwa.

Piąty Student nie cierpiał sushi, dlatego widząc, że cała trójka do niego zasiada, ruszył do pobliskiego fast fooda, gdzie kupił kanapkę na wynos. W pewnym sensie był maniakiem zdrowej żywności, rzadko mu się zdarzało zjeść coś zrobionego w bufecie albo wyjętego z frytkownicy. Jednak tamtego wieczoru wszystko zdawało się dziwnie inne, jak gdyby nagle musiał dokonać najróżniejszych zmian, co odbierało mu spokój.

Wrócił na ławkę przy ulicy, zaraz za restauracją sushi, do punktu obserwacyjnego, z którego mógł ich wszystkich widzieć, kiedy będą wychodzić. Było gorąco, wilgotno i poczuł, że jakoś dziwnie brakuje mu oddechu. Teraz już nie mógł obserwować Andy Candy, Ćmy oraz kobiety, z którą rozmawiali, ale miał wystarczająco duże pojęcie, co mówią. Po prostu jeszcze nie wiedział, komu to mówią. Instynktownie zakładał, że jeszcze dzisiejszej nocy będzie tę kobietę śledził. Przed podjęciem decyzji musiał jednak uzyskać chociaż odrobinę pewności. Kimkolwiek jest, pomyślał, przypuszczalnie jest niebezpieczna.

Jedzenie miało dla niego smak popiołu, jakby każdy plaster wędliny, każdy pomidor i każdy liść sałaty zepsuły się, chleb był czerstwy, a dietetyczny niegazowany napój wodnisty i bez smaku. Wyrzucił kanapkę już po kilku kęsach.

30

Piąty Student był w reprezentacyjnym apartamencie hotelu Baltimore w Coral Gables. Zbliżała się północ, nie mógł spać i robił na dywanie pompki na jednej ręce. Dziesięć na prawą, dziesięć na lewą. Dziesięć na prawą, dziesięć na lewą. Pot szczypał w oczy. W hotelu odbywał się akurat zjazd założycielski spółki zajmującej się nowymi technologiami i na patio młodych biznesmenów zabawiał zespół grający covery przebojów z lat sześćdziesiątych. Ta muzyka w ogóle mu tutaj nie pasowała. To, co powinno być jakimś współczesnym hip-hopem albo rapem stało się popłuczynami po Jefferson Airplane, Steppenwolfie i Rolling Stonesach. Zgrzytające gitary i mocne wokale unosiły się aż do jego pokoju z oknami wychodzącymi na ogromny hotelowy basen i przyległe pole golfowe.

Między chrapliwymi oddechami posłuchał muzyki, a następnie oznajmił głośno, podnosząc się i opadając w jej rytm:

– Całkowita prawda. Bez wątpienia, jednoznacznie, nie mogę uzyskać satysfakcji.

To jakaś łamigłówka, pomyślał. To jest właśnie odpowiednie słowo opisujące moją sytuację.

Chciał wypluć z siebie to słowo.

Zawsze lubił myśleć o sobie jako o zabójcy intelektualiście, kimś, kto rozumie psychologiczne niuanse morderstwa, kto zagląda w przepastne emocjonalne głębie, penetrowane za sprawą zabijania drugiej osoby. Zabijanie jest jak speleologia, myślał, nadal robiąc pompki. Ciemne jaskinie, sekrety, a każdy krok prowadzi coraz głębiej w nieznane.

Zabijanie z zemsty nie tylko go uwalniało, wierzył, że także wzbogacało psychicznie. Wyobrażał sobie, że po części jest buddystą, mistrzem zen śmierci, a częściowo Jamesem Bondem – ale tym szpiegiem z książek, a nie bohaterem kina akcji – który z waltherem PPK podejmuje proste decyzje. Zabijanie stanowiło dla Piątego Studenta ważny proces, a nie coś dokonywanego w pośpiechu lub pod wpływem impulsu. Nie dla mnie są napady i strzelaniny z jadącego samochodu, skoki na drobne sklepiki albo na sklepy z alkoholem. Odbieranie życia stanowiło coś artystycznego, niczym rzeźbienie kształtu z kamienia lub wypełnianie płótna kolorem. Śmierć, którą tworzył, miała swój powód. I nie stanowiło go coś tak banalnego jak pieniądze, władza, obłęd czy okrucieństwo. Właśnie dlatego, jak upierał się w duchu, jego zabójstw nie dawało się łatwo podciągnąć pod jakąkolwiek kategorię. W zasadzie te czyny nie były prawdziwymi morderstwami. Sądził, że wszystko, czego dokonał, należałoby określić, używając jakiejś specjalnej definicji, unikalnej, lecz niezwykle adekwatnej.

Inni zrobiliby to samo.

Gdyby tyko mogli.

Ileż razy ktoś mówi: „Chciałbym zabić tego faceta...” i te słowa mają sens? A potem jednak tego nie robi. Głupota. Możesz albo iść przez życie, utykając przez to, co inni ci zrobili... albo możesz brać odwet.

Góra. Dół. Góra. Dół.

Trzydzieści jeden, trzydzieści dwa, trzydzieści trzy. Nie przestawaj.

Kiedy dotarł do pięćdziesięciu, opadł na podłogę, dysząc ciężko.

Minęło kilka chwil, zanim się podniósł. Bolały go mięśnie. Podszedł do laptopa. Google Earth pozwalało mu patrzeć z lotu ptaka, a widok Street view wskazał trzy adresy: Bratanka, Dziewczyny, Prokurator.

Ta ostatnia informacja stanowiła rezultat sprytnego komputerowego poszukiwania, którego dokonał po obserwacji tamtej kobiety, znanej mu teraz jako Susan Terry. Śledził ją, gdy wracała do swojego apartamentowca. Śledził aż do późnej nocy, nieco zaskoczony, że zanim dotarła do domu, ewidentnie skontaktowała się z jakimś handlarzem narkotyków. Zanotował adres, porównał z ostatnimi listami wyprzedaży oraz spisami podatników i bez trudu ustalił nazwisko, a następnie odkrył, że w „Miami Herald" pojawia się sporo wzmianek o Susan Terry. Przeczytał kilka artykułów i oznajmił:

– No, młoda damo, wygląda na to, że masz za sobą ciąg przegranych spraw. Musisz się teraz lepiej postarać, dla nas, podatników, bo przecież my płacimy twoją pensję. Myślisz, że takie małe pobudzenie tym wciąganym nosem specjałem pomoże ci wygrywać sprawy?

Ciężkie przestępstwa. Tak nazywał się wydział, w którym pracowała. Nawet jeśli okazałaby się tak niekompetentna i otumaniona narkotykami, jak podejrzewał, wcale nie musiała być totalną idiotką. Nie zaliczał się do tych aroganckich zabójców automatycznie przyjmujących, że wszyscy policyjni detektywi to tępi nieudacznicy, aż do chwili, gdy jakiś gliniarz w końcu zasiądzie po drugiej stronie stołu z notatnikiem, urządzeniem do nagrywania i bezczelnością biorącą się ze świadomości, że trzyma w ręku wszystkie atuty.

Podszedł do okna i wyjrzał na zewnątrz, w noc. Światła Coral Gables i South Miami żarzyły się słabo w oddali, za ciemną, rozległą przestrzenią, o której wiedział, że jest polem golfowym, a teraz w atramentowym mroku wydawała się oceanem. Na dole muzyka wreszcie ucichła. „Czy chcesz kogoś, aby go kochać? Czy potrzebujesz kogoś, aby go kochać?" – brzmiały ostatnie słowa, które doleciały z gasnącej imrpezy.

– Nie – powiedział. – Nie potrzebuję nikogo, aby go kochać.

Teraz już możesz zasnąć, pomyślał, chociaż wiedział, że to wcale nie jest prawda. Nie zaśnie, dopóki nie podejmie kilku decyzji.

Weź sprawy w swoje ręce, napomniał sam siebie. Zorientuj się. Rozłóż to, co wiesz, na czynniki pierwsze.

– Jeśli zabijesz Bratanka, nawet jeżeli to będzie wyglądało na wypadek, to co się wydarzy?

Pełne śledztwo. Od razu. Jego podejrzenia odnośnie przyczyny śmierci stryja nagle staną się całkiem wiarygodne. Nie do uniknięcia staną się nagłówki w prasie i telewizji.

– Jeśli zabijesz Dziewczynę, to co się stanie?

To samo. A dodatkowo: młody Timothy będzie miał na moim punkcie jeszcze większą obsesję.

– Jeśli zabijesz Prokurator, to co się stanie?

Wtedy ta zbrodnia stanie się obiektem zakrojonego na dużą skalę śledztwa prowadzonego przez wszystkie odpowiednie organa z Miami. A Dziewczyna i Bratanek dokładnie im wskażą, gdzie mają zacząć. Gliniarze i agenci nie dadzą za wygraną, dopóki mnie nie znajdą.

– A załóżmy, że po prostu zniknę?

Tak czy siak muszę to zrobić. Przyjrzał się strumykom potu ściekającym po piersi. Albo nigdy nie zyskam stuprocentowej pewności, że się uwolnię. Będę musiał stale monitorować tę trójkę. Niech to jasna cholera.

Zastanawiał się intensywnie, a w jego głowie powoli formował się zalążek pomysłu.

Śmierć za śmierć.

– Ściągnij ich bliżej. Wystarczająco blisko, żeby ich zabić.

– I jak to zrobisz?

– Strach i słabość.

Ludzie sądzą, że strach zmusza innych do tego, aby uciekać i się kryć. W rzeczywistości dzieje się wręcz przeciwnie.

Aż chciało mu się podejść do lustra w łazience i spojrzeć sobie w oczy, przytakując na znak, że się zgadza.

Wszędzie dostrzegał niebezpieczeństwa i zastanawiał się, czy wystarczy mu czasu, aby wszystko porządnie zaplanować. Projektowanie nagłej śmierci stanowiło coś, co lubił i z czego był dumny. Do głowy przyszedł mu pewien smakowity pomysł.

To go zrelaksowało. Uznał, że już prawie nastał czas, żeby położyć się do łóżka. Ten dzień właśnie dobiegał końca.

Andy Candy miała wrażenie, że się spóźnia, chociaż nie umawiali się na żadną konkretną godzinę. Śpieszyła się więc, jadąc wśród porannego szczytu, agresywnie zmieniając pasy na South Dixie Highway. Doszła do wniosku, że jeśli zatrzyma ją teraz policja, Susan Terry załatwi anulowanie każdego mandatu. Nagłe poczucie samochodowej bezkarności sprawiło, że gdy zadzwonił telefon, uśmiechała się szeroko i prawie śmiała na głos.

Miała w aucie zestaw głośnomówiący, więc wdusiła włącznik na pulpicie radia, zakładając, że to dzwoni Ćma, aby powiedzieć o następnym zaplanowanym spotkaniu z Susan Terry.

– Hej, już jadę – oznajmiła wesoło. – Będę za chwilę.

– Andreo, może i myślisz, że już jedziesz – chłodno stwierdził nieznajomy głos. – Jednak nie dojedziesz tam, gdzie byś chciała.

O mało nie zjechała z autostrady.

– Kto mówi? – zapytała, podnosząc głos.

– A jak myślisz?

– Nie wiem.

– Owszem, wiesz. Zaledwie kilka dni temu byliśmy bardzo blisko siebie, w domu naszego wspólnego przyjaciela Jeremy'ego Hogana.

Przeniknęło ją zimno i w tej samej chwili wokół niej eksplodowało gorąco. Czuła, że serce zaczyna jej łomotać. Przez chwilę myślała, że wpada w poślizg, lecz autostrada była sucha, to tylko jej zakręciło się w głowie.

– Skąd masz… – wybąkała. Słowa „ten numer" zniknęły wśród paniki.

– To nie było trudne.

Nagle zaschło jej w gardle. Słowa formowały się za jej ustami, ale na języku zmieniały się w piasek.

– Andreo, muszę ci zadać jedno, może dwa pytania – kontynuował głos. – A może powinienem zwracać się do ciebie Andy Candy, tak jak najbliżsi znajomi?

Wyskrzeczała jakiś dźwięk. Moje przezwisko. On zna moje przezwisko. Rozejrzała się nerwowo, patrząc na inne samochody, jakby gdzieś tam ktoś mógł jej pomóc. Czuła się osaczona, przyszpilona. Zmiażdżona.

– Pierwsze pytanie. Odpowiedź nie będzie łatwa. Czy kiedykolwiek rozmawiałaś z mordercą?

Czuła, że zaczyna brakować jej oddechu. Wrażenie było takie jak to, które towarzyszy zaciskaniu splotów przez boa dusiciela.

– Nie – wykrztusiła, a słowo zadrapało ją w gardle. Czy to był mój głos? Zabrzmiał, jak gdyby mówił ktoś inny.

– Tak myślałem. Więc to dla ciebie nowość. Dobrze, drugie pytanie, zdecydowanie trudniejsze. Czy jesteś gotowa umrzeć za swojego dawnego chłopaka?

O mało się nie zakrztusiła. Samochody wokół niej teraz zwalniały i musiała się zmusić, żeby w ostatniej chwili przypomnieć sobie o hamowaniu. Zaledwie o kilka centymetrów uniknęła zderzenia z autem jadącym przed nią. Czuła się oszołomiona, przegrzana, rozgorączkowana. Kiedy jej auto zatrzymało się z szarpnięciem, odniosła wrażenie, że mimo to nadal się porusza, że tak naprawdę wciąż nabiera prędkości, pędząc ulicą na łeb, na szyję. Nie wiedziała, co ma odpowiedzieć. Tak. Nie. Nie wiem.

Zaczęła mówić: „Dlaczego", ale wtedy uświadomiła sobie, że rozmówca już się rozłączył.

– Poczekaj – wyrzuciła z siebie, właściwie już do nikogo. Stojące za nią samochody zaczynały trąbić. Nie wiedziała, czy ma jechać przed siebie, czy tkwić w miejscu.

Otworzyła usta i przez chwilę myślała, że może krzyczy, jednak nie była w stanie się usłyszeć, nagle stając się głucha. Niczego już nie była pewna.

31

Dziewiąta rano. Biuro Prokurata Stanowego w Dade.

Susan Terry za swoim biurkiem, starająca się ułożyć plan na dzisiejszy dzień.

Głośne pukanie do drzwi.

Susan:

– Proszę wejść.

– Cześć, Susan.

Szybkie uniesienie się zza biurka. Mocny uścisk dłoni. Nieczęsto sam szef wydziału ciężkich przestępstw zaglądał do jej gabinetu.

– Cześć, Larry. Przepraszam za bałagan. Pracowałam i nie spodziewałam się nikogo…

Uniósł dłoń, uciszając ją.

– Przyszedłem z innego powodu.

Chwila ciszy. Uniesiona dłoń szefa stała się gestem polecającym, aby Susan ponownie zajęła swoje miejsce, a wtedy on przysunął sobie krzesło i ciężko na nie opadł. Przez chwilę milczał, patrząc prosto na nią, potem zaczął mówić. Susan pomyślała: Sposób w jaki teraz patrzy, powinien mi coś powiedzieć. Albo nawet powiedzieć wszystko.

– Susan, widziałaś się w lustrze?

Od razu odgadła, co dostrzegł, ale nic nie powiedziała.

– Oboje wiemy, co się dzieje, prawda?

– Ja… nie… – wybąkała.

– Poprzednim razem, kiedy to się zdarzyło, dostałaś ostrzeżenie. W tym urzędzie w żadnym wypadku nie mogą pracować osoby powiązane z nielegalnym handlem narkotykami. Dobrze o tym wiesz. Susan, przecież my jesteśmy tymi, którzy ścigają za przestępstwa narkotykowe i wsadzają złych gości za kraty! Dlatego zostajesz zawieszona. Przykro mi.

– Prosz…

– Żadnych próśb. Żadnych usprawiedliwień. Jesteś zawieszona. I naprawdę masz szczęście, że nie mówię „zwolniona". Wczoraj późnym wieczorem wydział narkotykowy dostał cholernie nietypowe zgłoszenie. Wysłali na miejsce swoich ludzi i aresztowali jakiegoś typa, którego, jak sądzę znasz, bo to były, kurwa, jego pierwsze słowa, kiedy zjawili się u niego detektywi i przyłapali na dzieleniu kilograma koki. On nie kłamie, prawda? Nic nie mów. Nie chcę wciskania żadnego kitu. Powiedział, że niedawno sprzedał ci działkę. A potem jeszcze jedną, zeszłego wieczora – co dla mnie oznacza, że tę pierwszą już wzięłaś. Nie kłamie, prawda? I znowu, nie odpowiadaj. To właśnie ten cwany skurwysyn powiedział gliniarzom, a oni byli na tyle uprzejmi, że zadzwonili do mnie w jebanym środku nocy, jeszcze zanim sporządzili oficjalny raport, w którym biłoby po oczach twoje nazwisko. Miałaś wielkiego farta.

– To... – zaczęła, ale od razu umilkła. Zrozumiała, jak głupio zabrzmi, cokolwiek teraz powie. Kto telefonował?, zastanowiła się tylko po to, aby dojść do wniosku, że to pytanie również mija się z celem.

– Chcesz utrzymać posadę?

– Tak.

– W porządku. W takim razie albo zapisz się na domowy odwyk, albo zacznij regularnie chodzić na te spotkania i umów się z psychiatrą, specjalistą od uzależnień, albo znajdź jakiś program dla pacjentów leczonych ambulatoryjnie – w dupie mam, gdzie dokładnie, bylebyś tylko miała jakiś, którego się będziesz trzymać i który będzie działał. Dostajesz urlop. Na miesiąc. Może na dwa. Zobaczymy. Potem możesz wrócić do pracy, pod nadzorem i co jakiś czas będziesz miała rutynowe, niezapowiedziane testy moczu. To jest najlepsze rozwiązanie, jakie mogę ci zaproponować. Albo możesz już teraz zrezygnować z posady i zacząć własny biznes. Zobaczymy, jak ci pójdzie. Może ktoś będzie chciał wynająć prawnika, który wolny czas spędza na wciąganiu koki. Nie wiem. A może po prostu zostaniesz ćpunką. Twój wybór.

Jego sarkazm aż ciął po skórze.

– Moje dochodzenia…

– Weźmie je ktoś inny. Koledzy będą mieli przez to trochę więcej pracy, ale dadzą radę.

Skinęła głową.

– Nie wolno ci mieć jakichkolwiek kontaktów z kimś, kto jest związany z tym biurem. Zamierzamy temu twojemu dilerowi zaproponować jakiś zajebisty układ, żeby trzymał gębę na kłódkę, co wcale mi się nie podoba. Gdyby to dotarło do mediów… Chryste, ale byłby burdel. Już widzę te nagłówki: „Prokurator stanowy kryje uzależnionego współpracownika". Tak czy siak, masz wyjść na prostą, a potem zobaczymy, jak sprawy się mają.

– Czy mam…

– Za godzinę ma cię tu nie być. Wymyślę dla wszystkich jakąś bajeczkę. Coś takiego, że niby dałem ci jakieś specjalne zlecenie. Każdy będzie wiedział, o co chodzi, ale to uzasadnione kłamstwo. Ratujemy dupę. Ratujemy twarz.

Chciała coś powiedzieć. I znowu nie powiedziała.

– To wszystko. Aha, Susan, jeszcze jedno.

– Tak?

– Naprawdę mam nadzieję, że się pozbierasz do kupy. Chcesz nazwiska jakichś specjalistów od odwyku? Mogę ci załatwić. I chcę, żebyś się do mnie zgłaszała co tydzień. Sama, bez nikogo innego. Dzwoń na mój prywatny numer. Do końca tygodnia chcę poznać plany twojego odwyku. Do końca przyszłego tygodnia chcę się dowiedzieć, jak przebiega. Chcę też poznać nazwiska lekarzy, terapeutów, kogokolwiek, tak żebym mógł do nich zadzwonić i sam z nimi porozmawiać. Zrozumiano?

– Tak.

– Susan, wszyscy trzymamy za ciebie kciuki.

Nie dodał: „I tylko znowu nas, kurwa, nie zawiedź", ale wiedziała, że właśnie to ma na myśli. Już by wolała, żeby szef był bardziej rozeźlony, nawet wściekły. Jednak nie. Był przede wszystkim zmęczony i zrezygnowany.

Mniej więcej godzinę zajęło jej uporządkowanie na biurku akt swoich obecnych spraw. Napisała kilka wskazówek dla przejmującego je prokuratora, żeby się w tym wszystkim nie pogubił. Potem zabrała odznakę, pistolet i włożyła do teczki.

Jedyne akta, których nie zostawiła, były zatytułowane: „Ed Warner – samobójstwo".

Niemal histeria, krawędź paniki, łzy i lepki pot, drżący głos, trzęsące się ręce. Ćma widział strach w oczach Andy Candy, na jej twarzy i w jej ciele. Pomyślał, że to przypomina delirium tremens po ostrej popijawie. Albo blady, półżywy wygląd kogoś mającego zjazd po dwóch dniach wciągania koki. Znał skutki zażywania różnych substancji, ale nie skutki zgrozy.

Andy mówiła płaczliwym głosem człowieka przypartego do muru.

– Co teraz robimy? On wie, kim jesteśmy. – Pauza. – Jak myślisz, co zrobi?

Tak naprawdę chciała powiedzieć: Zabij go, Ćma. Zabij go dla mnie. Nie powiedziała tego, chociaż nie wiedziała czemu, przecież to miało sens.

Ćma miał ochotę szybkim krokiem przechadzać się po mieszkaniu, niczym generał planujący oblężenie a jednocześnie chciał usiąść obok Andy Candy, objąć ją, aby oparła mu głowę na ramieniu.

Andy ukryła twarz w dłoniach. Pragnęła, żeby ktoś ją uspokoił, ale wątpiła, aby cokolwiek, co mógłby teraz powiedzieć Ćma, było ją w stanie pocieszyć. Tak naprawdę nawet trochę ją zaskoczyło, że zdołała przejechać ten kawałek do jego mieszkania, mając w uszach słowa zabójcy. Czuła się tak, jak gdyby odbijała się rykoszetem między szlochającym załamaniem a zimną, zdeterminowaną odpornością. Każdy przejaw odporności zaskakiwał ją, wydając się czymś zupełnie nowym. Jeszcze nie wiedziała, jaki z nich zrobi użytek, ale miała nadzieję, że już jej zostaną.

Spojrzała na Ćmę. On się o mnie martwi, pomyślała. Wyglądał na porażonego, tak jak ona musiała wyglądać tego dnia, gdy jej ojciec usłyszał śmiertelną diagnozę. Żadnych śmiałych słów, żadnych zaciśniętych warg, żadnego pieprzenia o tym, żeby się trzymać i jakoś iść do przodu, przyszło jej do głowy. Po prostu morderstwo, czekające już na progu, gotowe, aby wepchnąć się do środka.

Rak, aborcja, morderstwo, wszystko zmieszało się w jej wyobraźni, jak gdyby nie były to oddzielne chwile jej dwudziestu dwóch lat życia, tylko wszystkie połączyły się w pojedynczy byt.

– W porządku – oznajmił Ćma spokojnie. – Porozmawiamy z Susan Terry i zobaczymy, co powie – Uśmiechnął się słabo, starając się podnieść Andy Candy na duchu. – Wzywamy kawalerię. Ściągamy marines. Cokolwiek nam zapewni bezpieczeństwo. Susan będzie wiedziała, co trzeba robić.

Jednak nie wiedziała.

– Chryste – wyrzuciła z siebie.

Cała trójka stała na parkingu pod Biurem Prokuratora Stanowego w Dade. Był późny poranek, prawie południe, robiło się coraz goręcej, a nieustający szum ulicznego ruchu wciąż przerywał im rozmowę. Ćma spostrzegł, jak na czoło Susan występuje pot. Wydawała się blada, może chora lub niewyspana. Pomyślał, że to przecież Andy powinna być blada. Albo on. Przecież im groziło realne niebezpieczeństwo. Jednak to Susan wydawała się roztrzęsiona – bardziej niż na ostatnim spotkaniu, w restauracji sushi. Jak gdyby wydarzyło się coś okropnego. Domyślał się, o co chodzi, ale milczał, chociaż w głowie miał słowa „wciąganie kreski". Nie był pewien, czy Andy Candy również dostrzegła te same elementy równania, po dodaniu dające tylko jeden wynik: kokaina.

– Opowiedz to jeszcze raz – poprosiła Susan, bo nie potrafiła wymyślić niczego innego, o co mogłaby zapytać.

– Spytał mnie, czy już kiedyś rozmawiałam z mordercą. Oczywiście, że nie. To mnie wystraszyło jak jasna cholera. – Andy Candy starała się uspokoić rozgorączkowany głos.

Chciała sprawiać wrażenie opanowanej, chociaż opanowanie było ostatnią rzeczą, jaką teraz czuła. – Cały czas mnie to cholernie przeraża. Susan, co mamy robić?

Ćma, który do tej pory w ogóle się nie odzywał, wreszcie zaczął mówić, wypełniając przestrzeń rozsądnymi zdaniami:

– Susan, słuchaj, potrzebujemy ochrony. Czegoś w rodzaju ochroniarzy przez całą dobę. Potrzebujemy gliniarzy, którzy by się tym zajęli. Potrzebujemy prawdziwego śledztwa, tak żeby znaleziono tego gościa, zanim... – przerwał, bo nie chciał sugerować, do czego byłby zdolny anonimowy zabójca.

Susan skinęła głową, ale powiedziała:

– Nie wiem, czy zdołam pomóc.

Na chwilę zapadła cisza.

– Co jest, kurwa? – wypaliła Andy Candy.

Susan spojrzała na dwoje młodych ludzi. Powiedzieć im prawdę? Wymyślić jakieś wiarygodne kłamstwo? Przełknęła ślinę. Timothy i tak będzie wiedział. Nie nabiorę drugiego nałogowca.

– Zostałam zawieszona – wyznała. – A jedyne, co mam robić, to...

Ćma dokończył za nią:

– Wyjść na prostą.

– Zgadza się.

– No, kurwa, wiedziałem – mruknął Ćma, odwracając wzrok, żeby Andy nie dostrzegła w jego oczach frustracji.

– Ale możesz do kogoś zadzwonić, prawda? – zapytała dziewczyna. – Kogoś, kto zdoła nam pomóc?

Takiego prostego rozwiązania Susan nie wzięła pod uwagę.

Może zadzwonić do swojego szefa, ale co mu dokładnie powie? „Przykro mi, że jestem zawieszona, ale jest taki morderca, a może i go nie ma, bo sprawa nie została dokładnie wyjaśniona. Chyba znowu coś spieprzyłam. Spieprzyłam do kwadratu".

A może zadzwonić do jakiegoś detektywa z Wydziału Zabójstw, który pewnie pomyśli, że zgłoszenie od zawieszonego prokuratora z nałogiem kokainowym i pilną potrzebą wykazania się czymś naprawdę dużym to ostatnia rzecz na świecie, jaką chciałby się zajmować. Odprawi mnie tak szybko, że nawet się nie obejrzę. Ostro jak brzytwa. Przecież jestem radioaktywna.

– Nie – powiedziała. – Myślę, że jedyne, co możemy, to załatwić sprawę samodzielnie. Przynajmniej dopóki mogę… – urwała. Co ja mogę? Wiedziała, że to bardzo głupie podejście, ale nie dostrzegała żadnej alternatywy.

– To jaki będzie nasz następny krok? – spytał Ćma, a potem jeszcze dodał: – To powinien być taki krok, który pozwoli nam wszystkim pozostać przy życiu. – Przeczesywał mózg, próbując sobie coś takiego wyobrazić.

– Dobra – powiedziała Susan. Nie dodała: „A jaki to mógłby być krok?"

Andy poczuła, że w jej wyobraźni robi się tłoczno.

Doktor Hogan nie był bezpieczny. Stryj Ed nie był bezpieczny. Żaden z pozostałych też nie był bezpieczny.

– Powinniśmy zrobić to, co on zrobił – oznajmiła.

– Co masz na myśli? – zapytał Ćma. – Przecież nie możemy tak jak on porzucić tego, kim jesteśmy.

Andy odwróciła się w jego stronę.

– Nie o to chodzi. – Zapała go za rękę takim gestem, który u kogoś innego zapoczątkowałby wzięcie w ramiona.

Chciała wypowiadać swoje słowa z rozwagą, jednak uchodziły z niej pospiesznie.

– Tym, co wiemy, jest że trzydzieści lat temu ktoś uczęszczał na studia medyczne, miał epizod psychotyczny, wylano go z uczelni, trafił do szpitala, wyszedł, rzekomo popełnił samobójstwo, topiąc się w East River na Manhattanie, tyle że się nie utopił. Kolejne lata, aż do tej chwili, poświęcił na aranżowanie zgonów, które nie wyglądały na morderstwa. Nie żyje już pięcioro ludzi. Czyli ten morderca musiał stać się jakąś inną osobą. To tutaj jest nasz trop i musimy go odnaleźć. Wtedy będziemy mogli się już sami chronić. Patrzcie, tutaj jest jakiś błąd. Musi być. Gdzieś. Chodzi o to, że nie ma zbrodni doskonałej i nie każdy przestępca jest geniuszem. Prawda, Susan?

Susan przytaknęła, chociaż pomyślała, że nawet ten drobny gest otuchy jest kłamstwem.

Ćma pomyślał, że plan Andy Candy, aby odnaleźć tropy mordercy, może w praktyce okazać się nie do zrealizowania. Uświadomił sobie również, że to jest dokładnie to, co powinni zrobić.

Dwie przecznice dalej Piąty Student intensywnie rozmyślał o tym samym, chociaż spoglądając z innej perspektywy. Stwórz trop, za którym mogliby pójść i podprowadź ich pod swój próg. Ma być jak lep na muchy – lep kusi, zwisając pod sufitem, wydaje się doskonałym miejscem, aby wylądować. I zabija.

32

Pod koniec dnia Piąty Student czuł się coraz bardziej zmęczony, przegrzany i znużony śledzeniem Bratanka, Dziewczyny i Prokurator. Popołudniowe niebo było bezchmurne, więc tropikalne słońce paliło bez przerwy. Nie sądził, aby ta trójka zdołała teraz dokonać czegoś istotnego. Spędzili mnóstwo czasu w mieszkaniu Ćmy. Potem wyszli do sklepu papierniczego i do apteki, a jeszcze później Andy Candy wyszła sama i wróciła z dwoma torbami jedzenia na wynos. To wszystko było całkowicie do przewidzenia.

Piąty Student uznał jednak, że musi wciąż zachowywać się czujnie jak ogar na łowach, niespokojny, dopóki nie złapie tropu lisa. Kiedy więc jego trzy cele – jak zaczynał już o nich myśleć – pojawiły się na wieczornym spotkaniu w Redemptorze Jeden, ukrył samochód w ciemnym zaułku, daleko od miejsca, gdzie zaparkowała Dziewczyna.

Poczekał, aż ostatni nałogowiec wejdzie przez główne drzwi, następnie sprawdził, co z Dziewczyną, która skuliła się na fotelu auta, jak gdyby chciała się schować. Potem wyszedł z samochodu. Pospiesznie kroczył przez noc, tnąc ciemności niczym gorący nóż skórkę chleba. Kierowała nim ciekawość, nie wiedział, że naśladuje to, co wcześniej zrobiła Andy Candy.

Piąty Student nie zwracał uwagi na surowy, religijny nastrój kościoła. Nieznacznie machnął w stronę figury Chrystusa przed rzędami ławek – tak tylko, żeby cynicznie oznajmić: Patrz, kim jestem. Nie zatrzymasz mnie. Potem ruszył na tyły świątyni, gdzie już zaczynało się spotkanie.

Tak jak Andy Candy zawahał się tuż przy wejściu i zerknął do środka, starając się zapamiętać twarze.

Gwałtownie się odwrócił, gdy usłyszał za sobą kroki.

To był inżynier. Trochę spóźniony, spieszył się.

Inżynier zatrzymał się i uśmiechnął do Piątego Studenta.

– Jesteśmy otwarci na każdego, kto ma jakiś problem – oznajmił. – Chcesz wejść?

Piąty Student uśmiech odwzajemnił. Zachowuj się jak uzależniony.

– Myślę, że tylko sobie tutaj postoję i posłucham – powiedział.

– Możemy ci pomóc – kontynuował inżynier. – Pierwszy krok jest zawsze najtrudniejszy. Wszyscy o tym wiemy.

– Dzięki – odparł Piąty Student. – Pozwól, że to przemyślę. Nie przejmuj się mną.

– Dobra, w porządku. Ale jeśli potrzebujesz pomocy, to jest za tymi drzwiami – powiedział inżynier. Energicznie. Z nadzieją. Optymistycznie. Zachęcająco.

– Wiem – odparł Piąty Student.

Kiedy inżynier go minął, cofnął się w pobliski cień.

Tak, ten pierwszy krok jest najtrudniejszy, pomyślał. Przy zabijaniu. Była w tym rozkoszna ironia. Uznał, że już dłużej nie musi tego słuchać ani oglądać. Po cichu wycofał się przed kościół.

Kiedy Piąty Student wrócił do swojego auta, w głowie roiło mu się od pomysłów. W bajce Jaś i Małgosia usypali w lesie dróżkę z okruchów chleba, aby po niej trafić z powrotem do domu. Jednak ten szlak zniknął, wydziobany przez ptaki.

To jest właśnie szlak, który muszę stworzyć, taki, który będzie dla nich oczywisty, ale potem zniknie.

Rozejrzał się dookoła, jak gdyby potrafił przeniknąć spojrzeniem noc, drzewa, krzaki, ulice, budynki, ludzi – całość miasta.

Tutaj nie możesz działać. Tutaj mają właśnie tę siłę, jaka jeszcze im została. Krewnych, Przyjaciół. Ludzi z tego spotkania. Wszystkie elementy dające wsparcie.

A gdzie nie będą mieli wsparcia?

W moim świecie. Ale w którym?

Doszedł do wniosku, że pewnie będzie musiał zrezygnować z jednej ze swoich starannie skonstruowanych tożsamości, co go zmartwiło.

Nowy Jork nie wchodził w rachubę, nawet biorąc pod uwagę tę wygodną anonimowość, jaką dawało miasto. Zabijanie tutaj stanowiłoby wielki błąd. Na miejsce rzeczywiście unikalnej zbrodni ściągnięto by wyrafinowanego detektywa, Vinniego o włoskim nazwisku, albo Patryka O'Jakiegoś-tam. Przy tym całym wyszukanym kryminalistycznym wsparciu, jakim dysponuje nowojorska policja, wszystko skończyłoby się co najmniej nie najlepiej.

Nowojorscy gliniarze znają się na swojej pracy. Dużo widzieli. Dużo zrobili. Mało co ich peszy. Są zdeterminowani, doświadczeni i cholernie trudno ich nabrać. Poza tym kochał to miasto. Gwar. Energia. Pewność siebie. Sukces. To właśnie daje Nowy Jork. Z tego nie można zrezygnować.

Problem polegał na tym, że swoje pozostałe domy lubił tak samo. Dopiero co za duże pieniądze przemeblował kuchnię na Key West, a na dachu zamontował nowe ekologiczne baterie słoneczne. Kiedy już będzie po wszystkim, chciałby osiąść tam na emeryturze.

Zostawały niedźwiedzie i zdezelowany domek z przyczepy. Lubił mieszkać w Charlemont, ale to było dobre miejsce, aby zabić. Miejscowi gliniarze znali się tylko na uspokajaniu pijanych nastolatków, wypadkach drogowych i drobnych kradzieżach, gdy komuś ginął skuter śnieżny. Zanim dotrą tam profesjonalni śledczy z policji stanu Massachusetts, on już dawno zniknie.

Trochę mu było żal dokonywać takiego wyboru. Wszystko wydawało się bardzo nie fair, dlatego zrzucił winę na Bratanka, Prokurator i Dziewczynę. Uznał, że tak łatwiej mu będzie ich znienawidzić. Zabijanie stanie się łatwiejsze.

– Wasza trójka robiła mnie w chuja – powiedział ze złością. – Ale teraz to ja zamierzam zrobić was w chuja.

Spojrzał tam, gdzie zaparkowała Dziewczyna. Z miejsca, w którym siedział, ledwie widział jej profil.

– Dobra. To teraz rzućmy Okruch Numer Dwa. Dziękuję wam, Jasiu i Małgosiu.

Wziął jeden z wielu jednorazowych telefonów na kartę, jakie trzymał przy sobie, i wybrał numer, myśląc przy tym: Tym razem nie zadzwonię do ciebie. To był Okruch Numer Jeden, nawet jeśli tego w porę nie zauważyłaś. Taki ciekawy okruszek na ścieżce.

– Cześć – rzucił do słuchawki przyjacielskim tonem. – Chciałbym się umówić na jutro, na spotkanie.

Mówiąc, patrzył w stronę Dziewczyny. Nagle wybuchła w nim ekscytacja. Ona wysiada z samochodu!

Ale dlaczego to robi?

Do końca rozmowy zachował spokojny, zrównoważony i przyjazny ton, przyglądając się, jak Andy Candy mija go wśród wieczornych cieni.

W Redemptorze Jeden spotkanie przerodziło się w hałaśliwą dyskusję.

– Jezus Maria! – inżynier Fred prawie krzyczał. – Czy ty wiesz, w jakim jesteś niebezpieczeństwie?

– Albo w jakim możesz być – poprawił ktoś. – Nie wiesz.

– Na litość boską, żadne z nas nie wie.

– Rany boskie, oni muszą podjąć jakieś kroki.

– Jakie?

Wikary, który przybiegł na spotkanie, zmarszczył brwi.

– Proszę – powiedział, rozkładając szeroko ręce, jak gdyby zanosił błagania – przypomnijcie sobie, w jakim miejscu jesteście.

Chodziło mu o kościół i przypuszczalnie niezbyt też podobało mu się wyzwanie imienia boskiego na daremno. Jego głos szybko zniknął wśród gwaru.

Susan nadal stała przed swoim krzesłem. Ćma obok niej.

Wypowiedź zaczęła od standardowego:

– Cześć, mam na imię Susan i jestem uzależniona. Mam teraz jeden dzień trzeźwości... naprawdę, tylko dwadzieścia cztery godziny.

Profesor filozofii jej przerwał, na co zwykle się krzywiono, ale w tych okolicznościach wydawało się stosowne.

– Więc kiedy dzwoniliśmy do ciebie wczoraj wieczorem...

Susan przytaknęła ze wstydem.

– Byłam na haju. Albo w trakcie brania. Ale to teraz nie jest ważne, ważne jest, że istnieje duże prawdopodobieństwo, że Timothy miał rację co do śmierci swojego stryja.

Te słowa wywołały szmer, który jednak szybko zmienił się w przepełnioną skupieniem ciszę. Susan mówiła dalej:

– Bardzo możliwe, że mamy tu do czynienia z seryjnym mordercą. – Umilkła na chwilę, zastanawiając się. Jak by na to nie spojrzeć, to jest dosyć dziwny seryjny morderca. Taki, z jakim jeszcze nigdy się nie spotkałam. Mówiąc, przypominała aktorkę stojącą na scenie i starającą się nadać jak największą siłę swoim słowom. – I nie mogę z tym nic zrobić, cholera, zupełnie nic.

Te słowa zapoczątkowały całą kakofonię. Na sali przeznaczonej do wyważonego dzielenia się problemami, opowiadania o nich cierpliwie, po jednym na raz, teraz chyba wszyscy chcieli mówić jednocześnie.

– To nieprawda.

– Oczywiście, że możesz.

– Nie możesz zadzwonić na policję?

– To w ogóle nie ma sensu.

– Nie możesz tak po prostu stać i pozwolić, żeby ten morderca znowu zabił.

– Dlaczego uważasz, że nic nie możesz zrobić?

Na to ostatnie pytanie postanowiła odpowiedzieć.

– Bo wróciłam do ćpania i zostałam przez to zawieszona. Nie wolno mi kontaktować się z nikim z organów ścigania, dopóki nie wyjdę na prostą.

Kolejna chwila ciszy. Susan rozejrzała się po sali.

– A może ktoś inny chciałby wykonać ten telefon?

Znowu cisza. Mijały sekundy, podczas których Susan czuła się, jakby wciągano ją w ciemność, jak gdyby światła wokół niej stopniowo gasły. Wreszcie odezwał się profesor filozofii:

– Nie masz w Wydziale Zabójstw żadnego przyjaciela, do którego można by się nieformalnie zwrócić o pomoc?

Potrząsnęła głową.

– W tej chwili jedynych przyjaciół mam tutaj.

Nawet tego nie była pewna.

Profesor filozofii wyglądał na takiego, że gdyby ktoś podał mu piłkę, pewnie zaraz by ją upuścił. Pokiwał głową, jakby zgadzał się z błyskotliwym doktorantem.

– Więc oni są zdani tylko na siebie.

– My jesteśmy zdani tylko na siebie – uściśliła Susan.

Kątem oka dostrzegła, że Ćma kiwa głową.

Profesor filozofii pochylił się do przodu. Mówił do Susan, ale tak naprawdę zwracał się do wszystkich obecnych.

– To jest grupa wsparcia. – powiedział, uśmiechając się krzywo. – W takim razie, jak możemy was wesprzeć? – Zawiesił głos, uśmiechnął się i dodał: – Mam parę pomysłów. Trzeba się zająć dwiema ważnymi kwestiami.

Susan rozejrzała się i zobaczyła, że pozostali wpatrują się w nią równie intensywnie. Przed takimi spojrzeniami nie da się ukryć swojego uzależnienia, uświadomiła sobie.

Ćma podniósł się z krzesła i stanął obok niej.

– Co to za kwestie? – zapytał.

– Pierwszą jest trzeźwość. Nie można pozwolić, aby narkotyki albo alkohol załatwiły sprawę za seryjnego mordercę – odparł profesor. Jego słowa stanowiły banalny slogan, ale w Redemtorze Jeden powtarzany bez przerwy i ze szczerą pasją.

Ćma pokiwał głową. Usłyszał rozchodzący się szmer akceptacji. Nie odważył się popatrzeć na reakcję Susan.

– I jeszcze jedna ważna sprawa – podjął profesor filozofii.

Na sali zapadła cisza.

– Bądź gotów zabić, zanim zostaniesz zabity – stwierdził brutalnie profesor.

Potok odpowiedzi, który popłynął przez salę, był niczym wodospad słów spadający Ćmie prosto na głowę, ale w tych wszystkich pełnych zmieszania reakcjach wyłapywał jeden wspólny motyw: Oto prawo pięści w ujęciu akademickiego filozofa. Podejrzewał, że Susan również to dostrzegła, chociaż nie wierzył, żeby coś z tym zrobiła. Przynajmniej nie w ten sam sposób, w jaki on by mógł.

Jest mi duszno, pomyślała Andy Candy. Taką właśnie znalazła sobie wymówkę, aby uciec z samochodu.

Przykościelny parking oświetlały wątłe stożki jarzeniowego światła z przypadkowo porozwieszanych lamp. Otaczały go krzaki i drzewa, niczym fosa ciemności. Front kościoła był jaskrawo oświetlony, sugerując bezpieczeństwo, ale całe miejsce sprawiało niepokojące wrażenie groźnego.

Zdecydowanym krokiem ruszyła przed siebie, jakby zdeterminowana, by dotrzeć do jakiegoś konkretnego miejsca. Potem zatrzymała się, zawahała, odwróciła najpierw w prawo, potem w lewo i nagle poczuła się tak zagubiona, jak gdyby zrobiła za dużo kroków w niewłaściwym kierunku.

Przestań tyle myśleć, upomniała samą siebie. Miała ochotę wetknąć sobie teraz słuchawki w uszy i włączyć jakiegoś ogłuszającego mózg hard rocka. Część Andy chciałaby teraz skakać po parkingu, od jednego światła do drugiego, dopóki się nie zmęczy. Zaczęła wstrzymywać oddech, jak nurek. Jedna minuta. Dwie. Trzy. Czas potrzebny, aby ogarnąć wszystkie zmysły, uczucia i zdolności i wymazać wszystkie lęki odbijające się w niej echem.

Miała ochotę wejść do kościoła. Tam są bezpieczni, pomyślała. Rozumiała, że właśnie będąc tam, uświadamiano sobie niebezpieczeństwo. Ale był to inny rodzaj niebezpieczeństwa. Oni boją się samych siebie. Ja się boję kogoś innego.

Andy Candy nagle poczuła się słabo i o mało nie upadła na kolana. Wyciągnęła rękę, oparła się o jakiś samochód. W jej życiu wszystko zdawało się wymagać od niej wytrzymałości.

Wiedziała, że ma tę wytrzymałość, że gdzieś w niej jest. Nie była pewna, czy zdoła ją odnaleźć. Nie miała pojęcia, czy potrafiłaby tak naprawdę skutecznie jej użyć, gdyby ją w końcu odkryła. Potrzebowała odwagi i determinacji. Ale chcieć i mieć to dwie różne sprawy.

Rozejrzała się wokół. Czuła, że kolana znowu jej słabną, prawie się pod nią uginają. Miała wrażenie, że niesie ją jakiś prąd.

Odetchnęła. Czuła swój oszalały puls, jak gdyby właśnie stawiała czoło niebezpieczeństwu. Jednak w otaczającej ją ciemności nie dostrzegła niczego. A może dostrzegała wiele. Nie była pewna.

W tej właśnie chwili zrozumiała, że nie ma już wyboru.

To ją zaniepokoiło, ale potem wybuchnęła nagłym, dzikim, ryczącym śmiechem. Nie było w nim radości. Dźwięk, jaki z siebie wydawała, stanowił po prostu uwolnienie uczuć. Kiedy uniosła spojrzenie, zobaczyła Ćmę wychodzącego z Redemptora Jeden. Poczuła przypływ ulgi.

Piąty Student także zobaczył Ćmę wychodzącego z kościoła. Dostał rozgrzeszanie? – zadrwił w duchu.

Niecały metr dzielił go od Andy Candy, we wstecznym lusterku zobaczył, jak dziewczyna opiera się o jego wóz. Nie poruszył się, zastygając na swoim fotelu, zwalczając przytłaczające pragnienie, aby wyciągnąć rękę i jej dotknąć. Jest tylko jedna rzecz bardziej intymna od miłości, pomyślał. Śmierć. To, że go nie zauważyła, zakrawało wręcz na cud. Cud Boga Mordu, pomyślał. Ledwie oddychając, przypatrywał się, jak Andy odsuwa się od auta i rusza w stronę Ćmy. Szli do siebie niczym kochankowie witający się po długiej rozłące. Wraz z każdym jej krokiem brał coraz głębszy oddech, aż wreszcie rytm serca powrócił mu do normalności. Wciągnął nocne powietrze. Nozdrza wypełniły dzikie wonie, kwiaty, piżmowy zapach wzrostu, wszystko niesione czarnym, wilgotnym powietrzem. Uświadomił sobie, że wśród tylu różnych aromatów z pewnością kryje się znajoma i nie do pomylenia z niczym innym woń zabijania.

33

Pokręcić nadgarstkami.

Rozciągnąć palce.

Plecy do tyłu. Siedzieć prosto.

Oba kciuki delikatnie dotykały środkowego C. Pierwsze zagranie nuty C prawą ręką, potem to samo lewą.

Piąty Student pilnie słuchał instrukcji. Każdą wykonywał od razu i tak starannie, jak tylko potrafił, jednocześnie szacując, obserwując i wchłaniając tyle z tego, co go otaczało, ile tylko zdołał bez ignorowania grzecznych uwag matki Andy Candy.

– To pana pierwszy raz przy pianinie? – zapytała.

– Tak – odpowiedział.

Kłamał. Co prawda od lekcji branych w dzieciństwie minęły już długie lata, ale to wcale nie znaczyło, że mówił prawdę.

– Jestem pod wrażeniem. Świetnie pan sobie radzi.

Spróbował prostej gamy i był trochę zaskoczony, że to, co zagrał, naprawdę brzmiało jak muzyka. Taki prosty, filmowy podkład muzyczny planowania sceny morderstwa. Nie cała orkiestra w stylu Johna Williamsa. Podstawowe nuty zabijania. Tych prawdziwych nut jeszcze nie zagrał na pianinie, bo one były w fotografiach na ścianie, w rozkładzie domu, w starannym oszacowaniu, skąd przyszła Andy Candy i kim wydawała się być. Było także kilka bemoli i krzyżyków, wskazujących, dokąd miała nadzieję dotrzeć, jednak Piąty Student dostrzegł w nich pewien dysonans.

– Mieszka pani sama? – zagadnął.

Zaplanował to pytanie jako totalnie niestosowne. Niepokojące. Usłyszał, że matka Andy Candy bierze nieco gwałtowniejszy oddech.

– Proszę się skupić na nutach. Niech pan spróbuje płynniej poruszać rękoma.

– Domyślam się, że skoro uczy pani gry na pianinie, to wpuszcza tu pani prawie każdego – powiedział z półuśmiechem, subtelnie paskudnym, jednocześnie nachylając się nad kartką z nutami. – Nawet gdyby lekcje gry chciał wziąć Ted Bundy abo Hannibal Lecter.

Nie musiał spoglądać na twarz matki Andy Candy, żeby wyobrazić sobie wrażenie, jakie wywarły na niej te nazwiska. Wystarczyło mu to, że poczuł, jak z niepokojem poruszyła się na stołku.

– Tak sobie myślę, że ja bym nie dał rady całego dnia spędzać sam na sam z obcymi – powiedział. – To znaczy nie wiedząc, kto może wejść przez drzwi. Przecież niewykluczone, że jacyś mordercy też mogą chcieć się nauczyć gry na instrumencie.

Podobało mu się, że mówi ze szczerą troską w głosie. Pochylił się na klawiaturą.

– Co pani zapewnia bezpieczeństwo? Sądzę, że niewiele rzeczy. – Wskazał krucyfiks wiszący na ścianie – Założę się, że nawet nie wiara.

Piąty Student nie spodziewał się, że usłyszy odpowiedź na to prowokacyjne pytanie. Wątpił, aby istniało jeszcze coś, co mógłby powiedzieć, by bardziej zdenerwować matkę Andy Candy. Wyjąwszy następne pytanie, zadane, kiedy płynął poprzez nuty.

– Trzyma pani w domu broń?

Usłyszał tylko nerwowe kaszlnięcie. To go nie zaskoczyło, chociaż już wyobrażał sobie, że kobieta odpowiada: „Tak, cały czas noszę przy sobie magnum czterdzieści cztery, takie jak w *Brudnym Harrym*"; albo: „Nie, ale mam sąsiada policjanta i on mnie pilnuje". Albo: „Moje psy są ostre i tak wytresowane, żeby atakować, gdy im każę".

To było takie zabawne.

Lekcja trwała trzydzieści trzy minuty. Na zakończenie Piąty Student uścisnął dłoń matki Andy Candy, która wręczyła mu podręcznik *Naucz się grać na pianinie* oraz kilka ręcznie spisanych ćwiczeń na następne zajęcia. Jednocześnie, z wahaniem, powiedziała:

– Wie pan, ja zwykle nie uczę dorosłych. Większość to dzieci i nastolatki. Może zaproponuję panu kogoś, u kogo mógłby pan kontynuować naukę?

Na wpół wskazywała mu drzwi, na wpół go ku nim wypychała.

– Na pewno pani nie może? Bardzo mi się podobało. Mam wrażenie, że dobrze nam razem szło. Naprawdę chciałbym się jeszcze z panią zobaczyć.

– Tak, na pewno – odparła. – Przepraszam, ale zaraz mam następną lekcję.

– Ale kiedy w Internecie wchodzi się na pani stronę, jest tam napisane „Dorośli i dzieci" – naciskał fałszywie.

– Myślę, że potrzebuje pan lepszego fachowca ode mnie – starała się mówić tonem tak zdecydowanym, jak tylko było możliwe. Im bardziej stanowczy robił się jej głos, tym bardziej była zdenerwowana. I dokładnie takie uczucie chciał wywołać. Okruszek.

– Dobrze – powiedział z wolna. – Ale mam wrażenie, że to dopiero początek naszej znajomości.

Specjalnie podkreślił słowo „znajomość".

Chyba już nie mógłbym być bardziej upiorny, pomyślał. Sięgnął po portfel szybkim ruchem, że matka Andy Candy aż się wzdrygnęła. Jak gdyby zamierzał wyjąć nóż albo pistolet i tutaj, na miejscu, torturować ją, zgwałcić i zamordować. Ale to był jedynie element jego iluzjonistycznej sztuczki. Houdini by się uśmiał, pomyślał.

Kiedy wyjmował trzy banknoty dziesięciodolarowe, upuścił swoje prawo jazdy z Massachusetts prosto pod nogi matki Andy Candy. Jak każdy uprzejmy człowiek – nawet wystraszony – sięgnęła po nie i je podniosła. Wszystko, byle jak najszybciej opuścił jej dom. Ale on jeszcze trochę pogrzebał w portfelu, ze zwieszoną głową, nie zwracając uwagi na dokument w jej wyciągniętej dłoni. Dając jej czas, żeby mogła się przyjrzeć.

– Massachusetts jest daleko stąd, panie Munroe – zauważyła ze wzrokiem utkwionym w prawie jazdy.

Tyle czasu, aby przeczytała nazwisko, może też dojrzała nazwę miasta, Charlemont.

– Sądziłam, że powiedział pan, że nazywa się… – urwała, potem dodała jeszcze: – Myślałam, że jest pan stąd.

Wyrwał prawo jazdy z jej dłoni tak, jakby się paliło. Znowu cofnęła się o pół kroku. Wspaniały ze mnie aktor. Powinienem występować na Broadwayu, pomyślał.

Resztę nocy Piąty Student spędził na parkingu, pół ulicy od swojego celu. Wokół stały skromne domy z pustaków, o płaskich dachach pokrytych czerwoną dachówką. Otaczało je tyle samo palm i drucianych ogrodzeń.

Czekał.

Pierwsza zasada tego, czym się zajmował, nakazywała się upewnić, czy w okolicy nie kręcą się gliny. Nie chciał też, by jego głos przechwyciła pluskwa zamocowana na podsufitowej lampie czy jakiś podsłuch telefoniczny, albo żeby kamera na podczerwień zidentyfikowała źródła ciepła i zaczęła pstrykać mu zdjęcia. Potrzebował kilku chwil na osobności.

Czekając cierpliwie, skupił spojrzenie na pojedynczym domu.

Gdybym był dilerem narkotykowym, to co bym zrobił, żeby zagwarantować sobie bezpieczeństwo? Zwłaszcza jeśli zostałbym aresztowany, a zaraz potem wypuszczony?

Zainstalowałbym monitoring przy głównym wejściu i przy tylnych drzwiach. Jakiś nowoczesny system alarmowy. Na pewno zainwestowałbym w kraty z hartowanej stali w oknach i drzwiach oraz w jakiś bardzo wyszukany interkom. Mnóstwo elektroniki w niewyróżniającym się, skromnym domu.

Co jeszcze? Wewnątrz różne sztuki broni porozkładane w kluczowych lokacjach. Pistolet. Strzelba dwunastka. Może AK-47. Dobre w każdej sytuacji.

Ochroniarz? Jakiś goryl?

Nie przy zwykłych transakcjach. Miałbym jednak kilka nazwisk w telefonie, na szybkim wybieraniu, tak na wypadek gdybym potrzebował wsparcia kogoś groźnego, na przykład musiał odebrać towar lub chciał postraszyć. Przy zwykłym załatwianiu interesów zdawałbym się na elektronikę i wyszukany system zamków.

Piąty Student zastanawiał się, czy cokolwiek z tego zabrano albo zniszczono, kiedy zeszłego wieczora do domu wdarła się policja po otrzymaniu anonimowego donosu. Pewnie tak. Ale nie licz na to. W Miami serwis takich urządzeń działa dwadzieścia cztery godziny na dobę.

Rozglądając się po ulicy, jak gdyby oceniał głębokość nocnego mroku, układał na głowie tanią perukę. Przytrzymywała ją bordowa baseballówka z literami UMASS oraz postacią żołnierza z czasów wojny o niepodległość ściskającego w dłoniach muszkiet. Potem nałożył duże lotnicze okulary przeciwsłoneczne.

W okolicy jego auta ulica była pusta. Wysiadł i szybkim krokiem ruszył do domu dilera. Przy drzwiach nacisnął dzwonek i czekał.

Po chwili z wewnątrz dobiegły słowa:

– Dzisiaj nie pracuję.

– Przychodzę w innej sprawie – wyjaśnił Piąty Student.

Pauza.

– Podaj swoje nazwisko, zdejmij czapkę i okulary, spójrz w kamerę nad swoim lewym ramieniem.

– Nie – odparł Piąty Student.

– No to wypierda…

– Nie chcesz się dowiedzieć, kto na ciebie nakapował? – przerwał mu.

Pokusa, której nie sposób zignorować.

Kolejna chwila wahania. Cicha odpowiedź przez domofon:

– Słucham.

– Zadzwoń pod numer 413 555 6161. Z bezpiecznego telefonu, a nie takiego, gdzie gliny podłączyły podsłuch. Lepiej załóż, że wszystkie telefony, jakich używasz, łącznie z komórkami, które kupiłeś dzisiaj w centrum handlowym, są teraz na podsłuchu. Wyjdź z domu. Masz trzydzieści minut na ten telefon.

Co do podsłuchu w komórkach kupionych w sklepie, to tylko się domyślał. Trzymając głowę nisko, Piąty Student pospiesznie oddalił się od drzwi.

Nie będzie się bardzo oddalał, żeby zatelefonować.

Istnieje wiele różnych rodzajów dilerów. Jedni są tacy hip-hopowi, ze złotymi łańcuchami i szwendającym się za nimi orszakiem gości z ulicy. Inni to farmaceuci ubrani w białe marynarki, którzy trochę sobie dorabiają na boku. I są tacy jak ten facet – typy z przedmieścia, po szkole zawodowej, które uznały, że można zarobić niezłe pieniądze i nikomu nie podpaść, mieszkając skromnie i trzymając się z dala od lśniących samochodów, długonogich kobiet oraz tego całego blichtru. Jednak niezależnie od rodzaju, każdy jest na tyle cwany, żeby mieć broń. Glocka dziewięć milimetrów za paskiem dżinsów. Ulubionego gnata dilerów, Nie jest Kubańczykiem, ale żeby zasłonić spluwę, włoży luźną koszulę guayabera.

Będzie ostrożny. Ale zaciekawiony.

W świecie, gdzie wszyscy używali telefonów na kartę, takich jak ten, którego numer dostał handlarz narkotyków, znalezienie wolno stojącej budki telefonicznej mogłoby okazać się sztuką. Piąty Student spędził nieco czasu, zwiedzając okolicę domu dilera w promieniu dziesięciu przecznic i znalazł cztery miejsca, gdzie nadal stały staroświeckie telefony. On pójdzie albo na stację Mobil na Calle Ocho, albo do McDonalda przy Douglas Road. Oba miejsca są dobrze oświetlone i jest tam duży ruch, nawet nocą. W każdym będzie się czuł bezpiecznie. Chyba.

Piąty Student uśmiechnął się na tę myśl. Teraz będzie odwrotnie niż zwykłe. Teraz to kryminalista ze spluwą będzie czuł się zagrożony, a Pan Pomocny – czyli ja – będzie miał kontrolę nad sytuacją.

Zastanowił się i pojechał w stronę stacji benzynowej. McDonald mógł przyciągać gliniarzy chcących napić się kawy.

Miał rację. Zaparkował w bocznej ulicy, kiedy zauważył dilera podjeżdżającego na stację. Po kilku sekundach zadzwoniła mu komórka. Z uśmiechem pozwolił, aby zadzwoniła dwa razy. Nie przegapi kierunkowego 413. Zachodnie Massachusetts.

– Dobra, słucham – odezwał się diler. – Bezpieczna linia. A teraz bez żadnego pierdolenia.

– A co będę miał z tego, że podam ci nazwisko? – zapytał Piąty Student.

– Czego chcesz?

– Forsy i trochę towaru.

– Jak dużo?

– A jak bardzo chcesz poznać to nazwisko?

– Chcę tego nazwiska. Ale skąd mam wiedzieć, że masz prawdziwe informacje?

– Znikąd. Ale mam.

– Pierdol się. Nie wierzę ci. Chcesz coś za nic.

Piątemu Studentowi ta rozmowa zaczynała się podobać. To był taki niezwykły pojedynek na spryt. Diler był bardzo wprawny, jeśli chodziło o mechanizmy przestępstwa – jednak nie tak wyrafinowany, jak Piąty Student.

– Wcale nie za nic – odparł Piąty Student.

– Jesteś gliną? – zapytał diler.

– Co za głupie pytanie – odrzekł Piąty Student. – Mogę powiedzieć „nie". Mogę powiedzieć „tak". Tak czy owak mi nie uwierzysz.

– Według prawa musisz się wylegitymować...

– Tak naprawdę to stosuję się do niewielu praw – wyjaśnił Piąty Student. – Oczywiście, to może pasować do każdego rodzaju ludzi. Dobrych facetów. Złych facetów. A nawet wykolejonych gliniarzy.

Diler się zawahał.

– Dobra – powiedział, – To podaj mi jakiś plan.

Piąty Student zrobił pauzę, jak gdyby się zastanawiał, chociaż już wcześniej zdecydował, co zrobi: uda kogoś chciwego.

– Dwie uncje i pięć patoli.

– Sporo.

– Wcale nie. To ilość koki na tyle mała, że nawet gdybym cię nabrał, łatwo byś się odkuł, trochę staranniej biorąc swoją porcję towaru. Tak samo z forsą. To nie jakaś wielka suma. Cholera, w legalnym biznesie to by było coś wrzucanego w koszty, tak jak zabranie paru biznesmenów na niezłą kolację i zamówienie butelki drogiego wina. A skarbówka i tak oddałaby jedną trzecią w ramach zwrotu podatku. Uznaj to za coś właśnie w tym stylu. Możesz sobie na to pozwolić, nawet jeśli kłamię. A ja nie kłamię.

– Dobra, zgadzam się. Jak…

– W miejscu, gdzie teraz jesteś. Za dwadzieścia minut. Zadzwonię.

– Dwadzieścia minut to nawet nie jest…

– Jasne, że jest. Zakładam, że tyle forsy masz w domu. I nie bądź taki głupi, żeby kogoś ze sobą przyprowadzać. Nawet jeżeli w ciągu dwudziestu minut dałbyś radę zgarnąć z wyra i przywlec tu jakiegoś mięśniaka. Leć do domu, łap kokę. Łap forsę. Ta transakcja zajmie dziesięć sekund. Dasz mi kopertę, ja dam ci nazwisko. Potem się już nigdy więcej nie spotkamy.

Diler znowu zrobił pauzę.

– To brzmi jak jakiś przekręt. Zastanawiam się, czy nie kazać ci spierdalać.

– Twój wybór. Ale powiedz, ilu znasz takich gości, którzy zostali przyskrzynieni, a potem ich wypuszczono w mgnieniu oka? Zakład, że niewielu? Kto inny niż gliny, ten facet, który cię zakapował, i ja wie, że twoje interesy na chwilę zaprowadziły cię do aresztu hrabstwa Dade? Podejrzewam, że wolisz, aby ten nagły zwrot akcji nigdy nie wychylił się za twój finansowy horyzont. Bo klientom przecież łatwo będzie powiedzieć „No dobra, dzięki z wszystko" i znaleźć sobie nowego dostawcę, takiego, którego policja nie ma na oku.

Piąty Student uznał, że ten argument okaże się przekonujący. Bo tak właśnie od strony ekonomii wyglądał w Miami handel narkotykami. Zawsze znajdował się ktoś chętny, aby wypełnić próżnię.

– Wiesz co – ostrożnie zaproponował diler. – Jeden patol. Bez towaru. Podasz mi nazwisko. Będzie w porządku, dostaniesz resztę.

– Kto komu ma zaufać? – zapytał Piąty Student.

Nie jest taki głupi, pomyślał. Przekazanie takiej ilości kokainy to poważne przestępstwo, a on wciąż myśli, że mogę się okazać gliną albo informatorem DEA. Przekazanie forsy niczym nie grozi.

– Mój prawnik sam uzyska nazwisko informatora.

– Gdyby był w stanie, to już by je miał – powiedział Piąty Student. – Wiesz co? Jedna uncja. Dwa patole i kwita. Akurat mi wystarczy na małą imprezkę.

– Nie dam rady przygotować działki – odparł diler. – Jak zjawili się gliniarze, to przecież zgarnęli mi cały towar. Wyczyścili dokładnie. Czyli w grę wchodzi tylko forsa.

Piąty Student zawahał się, aby zrobić wrażenie, że się zastanawia, właśnie tak, jakby się po nim spodziewano.

– Dobra – odparł powoli. – Dwa patole. I jakieś prochy. Oxycontin. Trawa. Coś na imprezę.

– Gdzie się spotykamy?

– Dokładnie tam, gdzie stoisz.

– Wracam za dwadzieścia minut – zapowiedział diler. – Tysiąc dwieście i cokolwiek zdołam wygrzebać.

Prochy mogły okazać się jakąś bardzo małą ilością czegoś, co wygląda jak oxycontin, ale tak naprawdę nim nie jest. Nie dbał o to.

– Załatwione – oznajmił Piąty Student. – Zaczynamy odliczanie.

Rozłączył się.

Diler wrócił do auta. Czarnego mercedesa, tak typowego dla Miami jak palmy. Odjechał. Szybko, ale nie aż tak, żeby zwracać uwagę.

Odczekaj siedem minut.

Idź do stacji. Podejdź do znajdującego się na zewnątrz telefonu pod takim kątem, żeby nie mógł cię zobaczyć ten samotny ekspedient za ladą.

Rzuć czapkę baseballową na beton pod telefonem.

Odejdź.

Diler wrócił po dwudziestu dwóch minutach. Piąty Student ze swojego punktu obserwacyjnego widział, że śpieszy się do telefonu. Piąty Student wybrał numer, zobaczył, że diler podnosi słuchawkę.

– Spóźniłeś się – powiedział.

– Wcale nie – odparł diler.

– Nie będę się kłócił. A teraz słuchaj, co masz zrobić. Spójrz w dół... Widzisz tę czapkę na ziemi?

Diler wypełnił polecenie.

– Tak.

– Dobra, włożysz uzgodnione rzeczy do czapki i ją odwrócisz, tak żeby były schowane. Tylko najpierw podnieś forsę, żebym mógł ją zobaczyć. Powiem ci, że z miejsca, z którego cię obserwuję, mogę nawet odczytać numery seryjne banknotów.

Piąty Student zobaczył, że diler się uśmiecha.

– Mówisz jak ktoś, kto już robił coś takiego. Myślę, że to jakiś kit.

– Po prostu nie bądź głupi. Na przykład nie zrób tak, że położysz, co trzeba, dostaniesz ode mnie nazwisko a potem wszystko podniesiesz i będziesz próbował odejść. To by mnie niesłychanie rozzłościło, a wiedz, że mam swoje sposoby.

– Grozisz mi?

– Tak.

Diler zaśmiał się króko.

– To co, nie spotkamy się?

– A chcesz?

I znowu zobaczył, że diler się uśmiecha.

– Nie do końca.

Handlarz wyjął kopertę z kieszeni. Rozłożył banknoty w wachlarz na piersi. Studolarówki.

– I jak?

– Dobrze – powiedział Piąty Student. – Teraz do czapki.

Raczej trudno mu będzie przegapić to logo z przodu. W południowej Florydzie rzadko się widuje logo drużyny University of Massachusetts Minutemen. Tutaj są University of Miami Ibos, University of Florida Gators, Florida State University

Seminoles, ale nie Minutemen. Takiego logo nie da się zapomnieć.

– Zrobione. – Zobaczył, że diler czubkiem stopy przesuwa czapkę w cień. – Nazwisko? – zażądał diler.

– Timothy Warner.

Pauza.

– Kto? Kto to, kurwa jest? Nigdy o nim nie słyszałem.

Piąty Student poczuł wielką satysfakcję z dobrze wykonanej roboty.

– Po prostu podrzuć to nazwisko Susan Terry, tej prokurator, która jest twoją klientką. Zobaczysz, jak zareaguje.

Rozłączył się i obserwował dilera. Mógł teraz zauważyć, że facet jest rozdarty. Nie chciał zostawiać na chodniku tego fałszywego narkotyku i prawdziwej kasy. Czy okażesz się gościem, który dotrzymuje umowy? – zastanawiał się Piąty Student.

Ku jego zaskoczeniu, diler był. Jedynie z lekkim zawahaniem i oglądając się tylko raz, wrócił do auta, a następnie pospiesznie odjechał.

Piąty Student obserwował jeszcze kolejne trzy samochody podjeżdżające do stacji benzynowej po paliwo, aby sprawdzić, czy któryś z kierowców nie przygląda się porzuconej czapce. Możliwe. Ale niekoniecznie.

Wrzucił bieg w swoim aucie i zaczął powoli odjeżdżać. Nie miał zamiaru uzyskiwać czegokolwiek od dilera, ale rozkoszował się takimi podchodami. Ktoś będzie miał miłą niespodziankę, pomyślał. Może zauważy to ten kiepsko opłacany pracownik stacji.

Piąty Student o to nie dbał.

Diler zadzwoni do Prokurator nie wcześniej niż jutro rano, ale już dłużej nie będzie czekał. Najpierw poszuka tego nazwiska w Internecie, tak jak ja zrobiłem, i znajdzie wiele takich samych rzeczy o młodym Timothym. Może potem zadzwoni do swojego prawnika i sprawdzi to nazwisko, zanim odezwie się do Prokurator. A kiedy będzie to wszystko robił, ja będę miał czas, żeby przed powrotem do domu usypać ścieżkę z okruszków.

34

Dwa telefony i jedna kłótnia – każda z tych rzeczy na swój sposób denerwująca.

Pierwszy telefon do Ćmy, w połowie poranka. Myślał, że to Andy Candy, akurat zaczynał się martwić, że dziewczyna trochę się spóźnia. Chwycił słuchawkę, jednak na wyświetlaczu ukazało się „Numer nieznany". Nie odebrał od razu. Jego pierwszą myślą było, że teraz to do niego dzwoni ten sam morderca, który wcześniej dzwonił do Andy. Spróbował przygotować jakąś odpowiedź. Nagle poczuł się, jakby stał nago. Jednak nie potrafił nie odebrać.

– Słucham?

– Timothy?

Głos wydawał mu się znajomy, chociaż początkowo go nie skojarzył.

– Tak.

– Tutaj Martin, z biura twojej ciotki.

Chłodno. Beznamiętnie. Atonalnie.

Ćma się wzdrygnął.

– Tak, Martin – wydukał. – Jak mogę…

– Sądziłem, że twoja ciotka wyraziła się jasno.

– Jasno?

– Tak. Przedstawiła sprawę wystarczająco klarownie.

Ćma zebrał się w sobie.

– Owszem. Wyglądało na to, że nie życzy sobie dalszych kontaktów, zwłaszcza jeśli miałyby jakiś związek z Edem…

– Sadzę, że mówiła o Edzie i każdej innej osobie.

– No dobra, Martin, masz rację, ale nie rozumiem…

Głębokie, teatralne westchnienie, a po nim zimny głos:

– Twoja ciotka nie życzy sobie, aby jej grożono.

Ćma był zdumiony.

– Grożono?

– Tak. Grożono.

– Martin, nie rozumiem, o czym ty mówisz…

Martin, asystent ciotki przy handlu dziełami sztuki, dostarczający jej seksu oraz ogólnie jej totumfacki i partner w interesach, kontynuował oburzonym i zirytowanym tonem, który zdradził Ćmie, że przygotował sobie przemowę już wcześniej.

– Pozwól, że ci wyjaśnię, że tu absolutnie nie ma mowy o nieporozumieniu. Dzisiaj rano, niedługo po otwarciu galerii odebraliśmy telefon od jakiegoś bandziora. Dokładnie powtórzę jego słowa, żebyś pojął, jak bardzo jesteśmy wściekli. Cytuję: „Powiedz temu twojemu pierdolonemu kuzynkowi Timothy'emu żeby przestał się do mnie przypierdalać, albo go zajebię i przy okazji też ciebie i ten cały twój biznes, a może nawet gorzej. Kapujesz?" Miłe pytanie na zakończenie. Oczywiście zacytowałem słowo „kapujesz" z tamtej wypowiedzi.

Ćma odchylił się na krześle. Chciał coś odpowiedzieć temu obleśnemu asystentowi, ale w głowie miał pustkę.

– A zatem, Timothy, twoja ciotka Cynthia chciała, żebym przekazał ci, co następuje. W jakiekolwiek bagno wdepnąłeś przez pijaństwo albo narkotyki, to jej w to nie wciągaj albo odezwą się do ciebie jej prawnicy wyposażeni w zakaz zbliżania się, co twoje żałosne życie uczyni jeszcze bardziej żałosnym. Czy to zupełnie jasne?

Chyba nie mógłby przekazać tej groźby w bardziej pretensjonalny sposób, pomyślał Ćma. Słowa Martina wyraźnie kontrastowały z tamtą drugą groźbą – teraz żadnych spluw, nic o nożu ani o morderstwach, tylko prawnicy. Coś typowego dla jego ciotki. Ale ta jej groźba niewiele znaczyła. Dobrze wiedział, kto do niej zadzwonił. Nie wiedział tylko dlaczego. Nagle poczuł, że opływa go morze niebezpieczeństwa. Spróbował zebrać się do kupy, aby zachować zdolność racjonalnego, pozbawionego paniki myślenia. Chciałby mieć obok siebie Andy Candy, bo cenił jej racjonalne podejście i zdolność dostrzegania większej części problemu.

Miał wrażenie, że teraz działa po omacku. To wszystko stanowi część jakiegoś planu. Na pewno. Taka myśl wcale nie pocieszała. Upomniał sam siebie: Musisz dojść, co się tutaj dzieje.

Ćma wziął głęboki oddech.

– Tak, ale…

– Czy to jasne?

– Jasne.

– W takim razie nie mamy już o czym rozmawiać.

– Martin, czy cokolwiek wskazywało na to, kto dzwonił?

Asystent milczał chwilę.

– Timothy – zapytał tonem fałszywego niedowierzania – czyżby istniała więcej niż jedna osoba, która może być na ciebie tak bardzo zła, żeby wygrażać niewinnym ludziom?

– Martin, proszę. Pomóż mi, chociażby po to, żebym mógł zadbać, aby, ktokolwiek to był, już nigdy więcej nie niepokoił ani ciebie, ani ciotki Cynthii.

To była fałszywa obietnica. Ćma przez jedną złowrogą sekundę pomyślał sobie, że może by znaleźć jakiś sposób, żeby napuścić mordercę na ciotkę. Żeby ich zajebał, tak jak obiecał. To byłoby świetne.

Martin chyba się wahał.

– No, żadnej wskazówki, może poza jedną rzeczą.

– Jedną rzeczą?

– Tak. Akcentem.

– Akcentem?

– Zgadza się. Takiego knajackiego języka spodziewałbym się raczej po kimś innym – wyjaśnił Martin.

Ćma wiedział, że Martin, który był rasistą, mówiąc „inny", miał na myśli Murzyna albo Latynosa. Chciałby wykorzystać tę chwilę do okazania swojej całej pogardy, jaką miał dla asystenta ciotki i jej samej, ale tego nie zrobił.

– Rozumiem – odpowiedział.

– Jasne jest także, że ten facet nie był stąd. Wymawiał takie przeciągłe „a" i urywane „g". Przypominało mi to... – Martin się zawahał. Ćma prawie poczuł, że zanim znowu się odezwał, wzruszył ramionami. – Przypominało mi to studia w Cambridge. Wiesz... „Zapahkuj ahto w Hahvahd Yahd". Właśnie to. Taki akcent typowy dla Nowej Anglii. Mówił jak bohater któregoś z tych brutalnych filmów, *Infiltracji* albo *Miasta złodziei*. To mogło być Maine, New Hampshire, Vermont albo Massachusetts, ale na pewno nie Miami ani nie Południe. Mam nadzieję, że to zawęża twój wybór. Tak czy owak, rozmowę uważam za zakończoną.

Martin się rozłączył. Ćma wyobraził sobie wyraz twarzy, jaki mógł teraz mieć, pełen zadowolenia z siebie i przekonania o swojej ważności, ale zaraz potem ten portret się rozwiał. Zaczął bez celu przechadzać się po mieszkaniu, był już na krawędzi, a nogi napędzała mu nagła fala pytań.

Kolejny telefon był równie niemiły.

Susan Terry akurat wyszła spod prysznica i suszyła włosy, niepewna, co szykuje dla niej ten dzień, niepewna, jaki będzie jej kolejny krok – zarówno jeśli chodziło o Ćmę i Andy Candy, jak i o jej uzależnienie – kiedy się rozdzwonił telefon. Odebrała, mówiąc swobodnym tonem, odpowiednio do swojego negliżu.

– Susan Terry, słucham.

– Panno Terry, nazywam się Michael Stern. Reprezentuję...

Wiedziała, kogo reprezentuje ten prawnik. Mężczyznę, który najpierw sprzedał jej narkotyki, a potem w zamian za wolność sprzedał jej nazwisko detektywom.

– To mój prywatny telefon – oznajmiła, nagle stając na baczność, jak żołnierz na paradzie.

– W pani biurze poinformowano mnie, że dostała pani specjalny przydział.

– Nie jestem upoważniona do dyskutowania na temat tego, czym się obecnie zajmuję.

To oświadczenie miało szybko zakończyć rozmowę, nawet jeśli Susan trochę ciekawiło, po co prawnik wydzwania tak rano. Rozmówca zawahał się, wyraźnie rozzłoszczony oschłym tonem prokurator.

– Może mogłaby mi pani powiedzieć, kim jest niejaki Timothy Warner? – zapytał. – Oczywiście, jeśli pani woli, mogę udać się do pani szefa i sam go o to zapytać. Czy Warner to ktoś z Uniwersytetu Massachusetts? A może po prostu lubi tamtejsze czapki?

Susan otworzyła usta, lecz nie wypowiedziała żadnego słowa. Minęło kilka sekund, zanim zdołała wychrypieć:

– Co? Czapki? O czy pan mówi?

– Timothy Warner. Poufny informator, przez którego mojemu klientowi postawiono poważne zarzuty, z których na szczęście właśnie został oczyszczony.

– Skąd pan ma to nazwisko?

– Nie jestem upoważniony do dyskutowania na temat swoich źródeł.

Susan wzięła głęboki oddech.

– Ja również nie – odparła.

Spłynęły na nią dziesiątki pytań, ale żadnego nie zadała.

– Nie sądzę, żebym miała ochotę z panem dłużej rozmawiać – oznajmiła.

Pewność siebie i arogancja w jej głosie były wyłącznie na pokaz, bo w rzeczywistości czuła się całkiem odwrotnie.

Skąd Ćma mógłby cokolwiek wiedzieć o moim dilerze? Skąd by znał jego nazwisko? Próbowała sobie przypomnieć, czy kiedykolwiek wymieniała to nazwisko w Redemptorze Jeden, ale wiedziała, że przecież nie.

I dlaczego Ćma zadzwonił do narkotykowego? Co by zyskał, wrabiając mnie i rozwalając mi życie?

Niech to piekło pochłonie. I o co, kurwa, chodzi z tą czapką baseballową? I z Massachusetts?

Nigdy nie była w Massachusetts. Nie sądziła, żeby znała kogokolwiek z Massachusetts. Ale jasne, że to było coś ważnego, tylko jej umykało, dlaczego oraz w jaki sposób.

Nie przychodził jej do głowy żaden powód, dla którego Timothy miałby zrobić coś podobnego, tyle że wiedziała, że brak powodu mógł także stanowić przejrzysty i jasny powód. Nie potrafiła już dłużej opanowywać furii.

Kłótnia – jak wiele innych kłótni – zaczęła się dosyć niewinnie, od rozmowy, która z kolei rozpoczęła się od słów: „Miałam okropny dzień. Na lekcje przyszedł jakiś przerażający dziwak".

Matka Andy Candy powiedziała to, starając się sforsować strome emocjonalne mury, które najwyraźniej wzniosła jej córka. Miała ochotę rozmawiać o czymkolwiek – o swoich uczniach, o pogodzie, o polityce. O wszystkim, co doprowadziłoby do dyskusji na temat Ćmy albo o skrytym, nerwowym zachowaniu Andy Candy, albo o tym, jakie Andy ma plany co do dalszych studiów i dalszego życia. Matka Andy Candy, chociaż pozostająca w błogiej nieświadomości co do tego, jak wszystko wokół zrobiło się niebezpieczne, czuła, że jej córka w czymś uwięzła.

Andy z kolei czuła się złapana w jakiś piekielny kołowrót. Milczenie na temat wszelkich spraw związanych z morderstwem wydawało się jedynym sposobem, aby chronić matkę. Tak jakby nie mówiąc o niczym, podtrzymywała dwoistość życia. Podział na część bezpieczną: dom, matka, psy, miękka narzuta na łóżku, wspomnienia szczęśliwego dzieciństwa; oraz część związaną ze śmiercią: szkoła, gwałt, Ćma, zamordowany doktor Hogan, jakiś widmowy zabójca oddalony tylko o telefoniczne połączenie. Przypilnowanie, aby te dwie części pozostawały rozdzielone, wydawało się jej czymś niezwykle ważnym.

– Co masz na myśli, mówiąc „przerażający dziwak" – zapytała Andy Candy, świadoma, że od kiedy zadzwonił do niej morderca, wszystko w tej dwoistej egzystencji było pod napięciem. Aż czuła mrowienie skóry.

– Facet zjawił się nie wiadomo skąd, od razu chciał wziąć lekcję, a kiedy tutaj przyszedł, skłamał o swoim doświadczeniu z pianinem i zaczął zadawać różne nieodpowiednie pytania, takie jak: „Czy mieszka pani samotnie" albo „Czy ma pani broń". I przyłapałam go na tym, jak się gapił na twoje zdjęcie na ścianie, jakby próbował je zapamiętać. Zrobiło mi się nieswojo, ale nie masz się czym martwić, odmówiłam mu następnej lekcji.

„Nie masz się czym martwić". W myślach Andy Candy te słowa miały w sobie więcej niż tylko odrobinę ironii.

– Kto to był? Chodzi o nazwisko…

– O tym też kłamał.

Andy Candy eksplodowała. Wystrzeliły z niej piskliwe, przepocone, pełne furii pytania. Bombardowała matkę, starając się ustalić, kim był człowiek, który zasiadł na stoliku przed pianiniem, dlaczego w ogóle przyszedł. Każda otrzymana odpowiedź czyniła jej złość jeszcze bardziej rozgorączkowaną i pchała głębiej w niepewność, co trochę przypominało czarną dziurę otwierającą się pod jej stopami.

Kiedy Andy Candy usłyszała już wszystko: Munroe, prawo jazdy, jakieś miasto na północy zaczynające się na Ch, bez żadnych wyjaśnień wybiegła z domu i pojechała od razu do mieszkania Ćmy, pozostawiając matkę zarówno zdumioną, jak i zapłakaną. W tamtych chwilach, wśród pisku opon i przejeżdżania na znaku stopu, nie myślała, że jej dom przestał być bezpieczny. Nie wiedziała, czy jakiekolwiek miejsce jest jeszcze dla niej bezpieczne. Ale przynajmniej wiedziała, że Ćma zrozumie zagrożenie, nawet jeśli sama nie miała pojęcia, co można by teraz zrobić.

Piąty Student postanowił polecieć na północ pierwszą klasą. W pełni na to zasłużyłem, pomyślał. Zapłacił kartą kredytową wydaną dla jego wcielenia z Key West. To nie był duży luksus, spokojnie mógł sobie na niego pozwolić. Nagroda za to, co jego zdaniem stanowiło cholernie dobry kawał roboty. Lata starannego planowania związanego z wcześniejszymi zabójstwami dały mu pewność siebie potrzebną do zadawania śmierci z marszu, tego, co teraz przygotowywał. Kojarzyło mu się to ze sportowcem, który spędził długie lata, dochodząc do odpowiedniej formy i doskonaląc technikę, a teraz ponownie przywołuje te wszystkie godziny treningu i ciska piłką, zalicza bazę, uderza w hokejowy krążek. Tego nigdy się nie zapomina.

Nic z tego, co właśnie wykreował, nie przekazywało Prokurator, Dziewczynie i Bratankowi konkretnej informacji, poza takim komunikatem: „Jestem blisko, bardzo blisko".

Chodziło o to, żeby się ze sobą pokłócili, żeby ich zbić z tropu, może wystraszyć. Czegokolwiek doświadczali, zaplanował to tak, aby prowadziło do jednego rezultatu: Niech pomyślą, że wiedzą już wystarczająco dużo, aby mnie wytropić. Nie przyjdzie im do głowy, że to ja na nich poluję.

Zjawiła się stewardesa pytając, czy chciałby się czegoś napić. Chciał. Szkockiej z lodem. Wpłynął w niego jej mocny, kuszący smak. Lubił szkocką, bo ten trunek był taki niepowstrzymany.

Jeden łyk. Dwa. Samolot wznosił się znad jaskrawego horyzontu Miami na wysokość przelotową, a Piąty Student odchylił się i zamknął oczy. Zjawiło się wspomnienie ulubionej książki z dzieciństwa, *Bajek stryja Remusa.* Opowieści o zapachu smażonego kurczaka i świeżej wieprzowiny, ze starego, szczęśliwego Południa, takiego, które nigdy nie istniało, historie absolutnie niepoprawne polityczne, z wyraźnym rasistowskim podtekstem.

Jedna z nich sporo mówiła o psychologii. Ta, w której Brachu Zając, przemawiając z południowym akcentem, który akurat teraz przypominał Piątemu Studentowi jego własny akcent, rozpaczliwie prosił myśliwych, aby nie robili dokładnie tego, co chciał, żeby zrobili: „Proszę, nie wrzucajcie mnie w te pnącza".

Potem przyszła mu do głowy druga opowieść, równie wyszukana i przypuszczalnie nieco bliższa temu, co planował. Bajka o lalce imieniem Smoluszek.

35

Ćma i Andy Candy leżeli na łóżku Ćmy, przytuleni jak łyżeczki. Byli ubrani, ale dotykali się tak, jak gdyby przed chwilą uprawiali seks. Nie uprawiali, ale oboje mieli wrażenie, że to zrobili. Andy mocno trzymała dłoń Ćmy między piersiami, on opierał głowę o jej plecy. Ich oddech był rzężący, płytki, ale przede wszystkim napędzany strachem. Szeptali do siebie jak młodociani kochankowie, którymi niegdyś byli, jednak cała rozmowa zdawała się przeczyć sposobowi, w jaki się trzymali.

– I co teraz zamierzamy zrobić? – zapytała Andy, chociaż to było pytanie retoryczne i już znała na nie odpowiedź.

– To, co zaczęliśmy – odpowiedział Ćma. – Bo co innego możemy robić?

Żadne z nich tak naprawdę nie wiedziało, co przez to rozumieć. Myśleli mniej więcej o tym samym. O tym, że coś, co zaczęło się jako ledwie trzymana w ryzach brawura i fantazja o zemście, stopniowo robiło się coraz bardzie realne. Zobaczyli, jak umiera człowiek, a teraz wiedzieli, że umrzeć ma jeszcze ktoś. Czym innym jest powiedzieć: „Zamierzam kogoś zabić", a zupełnie czym innym naprawdę to zrobić. Nie sądzili również, aby byli w stanie kogoś pozbawić życia, chociaż nie dzielili się tą wątpliwością. Czasem wyobrażali sobie, że coś takiego byłoby możliwe. Poza takimi chwilami mieli co do tego zerową pewność.

W świecie, który zdawał się uważać brutalność i zabijanie za coś naturalnego, byli całkowitymi dyletantami w kwestiach związanych z mordowaniem. Nie mieli przeszkolenia wojskowego ani policyjnego. Nie obeznali się z kartelową albo mafijną kulturą zabijania. Nie byli psychopatami ani socjopatami, potrafiącymi strzepnąć śmierć jak natrętnego owada, który akurat wylądował im na ramieniu. Byli normalni, nawet jeśli alkoholizm Ćmy oraz gwałt na Andy Candy i późniejsza aborcja czyniły ich jedynymi w swoim rodzaju. Potajemnie tęsknili za prostotą nastoletnich czasów, z której, jak się zdawało, nagle zostali obdarci.

– Mamy rewolwer – oznajmił Ćma. – I mamy kogoś, kto zna się na zabijaniu. Przynajmniej od strony teoretycznej.

Andy Candy na chwilę zesztywniała, potem uświadomiła sobie, że Ćma ma na myśli Susan Terry. Pomyślała: Ona się zna na tym jako prawnik. Ma z tym do czynienia po fakcie, jako prokurator. Czy sama zdołałaby pociągnąć za spust?

Do diabła, nie miała pojęcia.

– A co z nami będzie? – zapytała.

Ćma uśmiechnął się, pogłaskał ją po włosach.

– Jakoś to wszystko przeżyjemy, zestarzejemy się, roztyjemy i będziemy szczęśliwi. I już nigdy nie będziemy o tym myśleć. Obiecuję.

Opuścił słowo „wspólnie". Z kolei Andy Candy nie wierzyła w „obiecuję".

– Tak, bo jeśli nic nie zrobimy, to wiemy, co się stanie – upierała się.

– Czyżby? – odparł Ćma.

Oboje zaczęli wyplątywać się z objęć i w ciągu kilku sekund siedzieli już obok siebie, wyprostowani na krawędzi łóżka, jak para niegrzecznych dzieci, które za karę muszą być cicho.

– Może on myśli, że zdoła nas tak nastraszyć, żebyśmy milczeli.

Andy Candy przytaknęła.

– To byłoby świetne. Tyle że skąd mielibyśmy o tym wiedzieć? Zabicie tamtych ludzi zajęło mu całe lata. Kto wie, czy na przykład za piętnaście lat, wiodąc spokojne podmiejskie życie kanapowego tatusia i matki podwożącej dzieci na zajęcia pozalekcyjne, nagle nie spojrzymy prosto w lufę spluwy. Bang! Właśnie to zrobił z pozostałymi. Co dobrego dałoby nam pieprzone milczenie?

Ćma podniósł się z łóżka i zaczął przechadzać po pokoju.

– Wiesz, ci wielcy ludzie, których poznałem, studiując historię, zawsze musieli podjąć jakąś decyzję. Nigdy nie mieli stuprocentowej pewności, czy droga, którą pójdą, będzie dobra. Ale uważali, że brak próby osiągnięcia powodzenia jest gorszy od braku powodzenia.

Andy Candy uśmiechnęła się krzywo, przyglądając się, jak Ćma przechadza się tam i powrotem, jak gestykuluje, aby podkreślić każdy wypowiadany wniosek. Teraz trochę jej przypominał humorzastego, ale pełnego energii Ćmę z liceum, który wyrósł na kogoś znajomego, chociaż innego. Ćma lubił przyjmować kaznodziejski ton. Będzie dobrym nauczycielem akademickim, pomyślała. Będzie wiódł dobre życie, dając przedstawienia przed studentami. Pod warunkiem, że teraz przeżyje.

– Z jednym wyjątkiem. Co dla nas oznacza brak powodzenia? – To pytanie sprawiło, że w pokoju powiało chłodem.

– W pewnym sensie to samo co dla nich – odparł Ćma, starając się zmusić do uśmiechu. – To, z czym się mierzyli, było stratą. Może upokorzeniem. Wolnością. Szubienicą. Plutonem egzekucyjnym. Więzieniem. Sam nie wiem. Wysoką stawką. Tyle wiadomo.

– A czy u nas wszystko nie wygląda inaczej? – powiedziała Andy. – Potrącenie ze skutkiem śmiertelnym. Fałszywe samobójstwo. Wypadek na polowaniu.

– Nie, wcale nie.

– Jak sądzisz, co dla nas wymyślił?

Ćma nie odpowiedział. W głowie wirowało mu od możliwości, a żadna nie była dobra.

Kolejna pauza. Zaczynała już powracać pragmatyczna Andy Candy.

– Czy panna Terry nie powinna już tutaj być?

– Powinna.

Susan Terry siedziała w swoim aucie zaparkowanym pod mieszkaniem Ćmy. Znalazła się na bliźniaczych krawędziach szału i rozpaczy, niepewna co do każdej z nch.

Tym, czego teraz pragnęła najbardziej, było jeszcze głębsze zatonięcie w narkotykach i szybkie zapomnienie o wszystkim, co ją spotkało w ciągu ostatnich kilku dni. Po porannym telefonie od prawnika natychmiast nakręciła się ostatnimi resztkami koki, jakie jeszcze jej zostały, zastanawiając się tylko raz, dlaczego nie spuściła jej w toalecie, gdy tylko została zawieszona i dlaczego razem z Timothym nie wybrała się do Redemptora Jeden. Wzięła głęboki oddech. Nie obchodzi mnie, co obiecałam tym dupkom, skłamała sama przed sobą. Syreni śpiew kokainy wydawał się obiecywać lotosowe zapomnienie: Nie będziesz już musiała przejmować się swoją karierą. Nie będziesz musiała przejmować się jakimś zabójcą. Będziesz mogła zignorować i zapomnieć każdą obietnicę, jaką komukolwiek i kiedykolwiek złożyłaś. Wymazany zostanie każdy ból, jaki czujesz.

W torebce przy boku miała półautomatyczny pistolet. Czy to ty mnie tutaj wrzuciłeś, Timothy? Dlaczego chciałeś zrujnować mi życie?

Fakt, że to nie miało zupełnie sensu ani trochę nie zmniejszało jej furii. Susan Terry balansowała między uporządkowanym, racjonalnym stanem, w którym jako prokurator zbierała fakty i dowody, a zstępowaniem w bycie niegrzeczną dziewczynką i naćpaną prawie kryminalistką. Nie wiedziała, która jej część ostatecznie zwycięży. Jednak w tej właśnie chwili wściekłość owładnęła nią prawie całkowicie. Sięgnęła więc po torebkę, wysiadła z wozu i szybko ruszyła w stronę mieszkania.

Kiedy zapukała, Ćma nierozsądnie otworzył drzwi bez zerkania w wizjer.

Susan natychmiast podsunęła mu pistolet pod nos. Broń była odbezpieczona, z pociskiem w komorze. Zamiast powitania zabrzmiały słowa:

– Ty mały skurwysynu…

Ćma, zaszokowany, zachwiał się do tyłu, jednak Susan na niego naparła, tak że nawet przy tym gorączkowym wycofywaniu się lufę broni wciąż miał kilka centymetrów od oczu.

– Czekaj, o co chodzi, proszę – nic więcej nie potrafił z siebie wydusić. Był w panice. Tak, spodziewał się, że ktoś będzie chciał go zabić, ale kompletnie nie, że akurat ta osoba. Pomyślał, czy nie próbować odnaleźć własnej broni i walczyć, ale rewolwer leżał rozładowany na biurku, bezużyteczny.

– Chcę prawdy – chłodno oznajmiła Susan. – I nic, kurwa, poza tym.

Andy Candy wydała z siebie zduszony okrzyk zaskoczenia i zastygła na łóżku. Jej również przyszła do głowy mniej więcej taka sama, przepełniona przerażeniem myśl. Coś się nie zgadza. Przecież to nie Susan jest tym mordercą, prawda?

– Prawdy? – powtórzył Ćma.

W gardle nagle mu zaschło, słowo zajęczało niczym metal uginający się pod ogromnym naciskiem. Spróbował unieść ręce, częściowo na znak, że się poddaje, częściowo, aby zmienić tor pocisku, kiedy już nastąpi nieunikniony strzał. Poczuł strach uderzający go w brzuch, dławiący gardło.

– Dlaczego mnie zakapowałeś?

„Zakapowałeś" brzmiało jakoś tak mało zrozumiale, kiedy to ona trzymała palec na spuście.

Ćma w dalszym ciągu się cofał, ale zatrzymał się, gdy tyłem walnął w łóżko.

– Co? – wychrypiał. Spojrzał na Susan Terry. Rozczochrana, szeroko otwierała oczy, mówiła łamiącym się głosem, ręce jej drżały, była rozgorączkowana, zbolała, cała spięta. Zrozumiał, że opór, jaki miała przed tym, by nacisnąć cyngiel i zabić go na miejscu, musiał znajdować się w pewnej równowadze między rozsądkiem a naćpaniem. Pokorną kobietę chcącą wytrwać w trzeźwości, która towarzyszyła mu w Redemptorze Jeden, zastąpił ktoś obcy. A potem Ćma uświadomił sobie, że przecież ta Susan o szalonym spojrzeniu i z pistoletem w garści wcale nie jest mu obca. Po prostu jedna osoba mogła tak naprawdę być dwiema. Wiedział, że to w równym stopniu odnosi się do niego.

Wziął głęboki oddech, starając się znaleźć jakiś punkt zaczepienia, aby odzyskać kontrolę. Kiedy znowu się odezwał, z szokiem uświadomił sobie, że jego głos zrobił się piskliwy.

– Powiedz mi, co według ciebie zrobiłem? – poprosił.

– Dlaczego zadzwoniłeś na policję? Podałeś im moje nazwisko i nazwisko mojego dilera. Czy ty wiesz, co mi zrobiłeś?

Ćma zmusił każdy swój mięsień do zesztywnienia. Próbował siłą woli zmusić łomoczące serce, aby zwolniło. Wyprostował się, starając się patrzeć obok lufy pistoletu, i odpowiedział:

– Nic takiego nie zrobiłem. Nie wiem, co czym mówisz.

Susan Terry chciała zabijać. Bardziej niż czegokolwiek innego, w tej właśnie chwili pragnęła śmierci. Tylko umknęło jej, czyjej śmierci. Spojrzała na Ćmę.

– W takim razie kto to zrobił?

Z trudem przełknął ślinę.

– Dobrze wiesz.

Czuła każdy mięsień, a szczególnie mięśnie dłoni i palca dotykającego spustu. Wokół ryczał jakiś hałas, niczym rumor startującego odrzutowca, a potem uświadomiła sobie, że przecież pokój wypełnia cisza, a ten ogłuszający łoskot wydobywa się głęboko z niej samej.

Ktoś, bo to przecież nie mogła być ona, wrzeszczał gdzieś z wewnątrz niej: Dokonaj wyboru!

Ćma przypomniał sobie wszystkie techniki, których nauczył się w Redemptorze Jeden, i powiedział cicho:

– Susan, czy ty wiesz, co robisz?

Opuszczenie pistoletu wymagało ogromnego wysiłku.

– Przepraszam – powiedziała. – To przez stres.

Takie słowa wydały się jej równie dobrym wytłumaczeniem jak każde inne. Jedyne, co było prawdziwe, to rysy i pęknięcia, które nieubłaganie tworzyły się na jej życiu.

W głębi mieszkania, właśnie tej chwili zawahania, Andy Candy powiedziała sobie: Rusz się! Zanim uświadomiła sobie, co właściwie robi, już zerwała się na nogi i stanęła między Ćmą a Susan Terry.

– O co chodzi? – zażądała wyjaśnień.

Przecież to ja powinnam być przerażona, myślała. To do mnie dzwonił morderca! Nawet przyszedł do mojego domu! Co to ma znaczyć, do cholery?

Susan Terry odsunęła się.

– Chyba muszę się napić czegoś zimnego – powiedziała.

– Wody z lodem – oznajmił Ćma. Dziwne, pomyślał, z jaką wielką zaciekłością można wypowiedzieć takie zwykłe słowo jak „woda".

Romanse ze szczęśliwymi zakończeniami. Literatura z epoki wiktoriańskiej, historie z ukłonami, dygnięciami i nieskończenie misterną emocjonalną szarpaniną. Pełne rozmachu rosyjskie powieści z dziewiętnastego wieku, takie jak *Wojna i pokój*. Hemingway i Faulkner, John Dos Passos i *Grona gniewu* Steinbecka. Powieści obyczajowe, powieści o szpiegach chcących się wycofać, powieści o przeznaczonych sobie kochankach. Andy Candy przeczesywała pamięć, starając się przypomnieć sobie wszystkie książki przeczytane na studiach z literatury, starając się odnaleźć tę jedną, która pokierowałaby ku temu, co właśnie teraz powinna zrobić.

Nic jej nie przychodziło do głowy.

Spojrzała na Susan Terry. Prokurator pochylała się nad stołem, dłońmi oplatała błyszczącą szklankę wody z lodem, przed sobą miała broń, a wzrok utkwiony gdzieś w dali.

Andy przypomniała sobie frazę „spojrzenie tysiąca jardów". Chyba po raz pierwszy pojawiła się w jakichś wspomnieniach z Wietnamu.

Ćma podszedł do swojego biurka i zaczął grzebać w papierach. Po chwili uniósł wzrok.

– Myślę, że problem polega na tym, że wszystko, co o nim wiemy, dotyczy przeszłości. A wszystko, co on wie o nas, dotyczy teraźniejszości.

Andy przytaknęła, a potem dodała:

– Niezupełnie. To znaczy, chodzi mi o to, że jednak trochę wiemy.

– On wie, kim jesteśmy. Gdzie mieszkamy. Co robimy.

Susan wciąż wpatrywała się gdzieś w przestrzeń.

Andy Candy wstała i poszła po jeden z notatników, których używała do sortowania informacji. Chociaż teraz ten notatnik stanowił przede wszystkim rekwizyt mający jej pomóc w uporządkowaniu w głowie rozmaitych spraw.

– Mamy nazwisko, nawet jeśli jest fałszywe, to, które widziała moja matka. Widziała też prawo jazdy, z Massachusetts.

Susan wreszcie uniosła spojrzenie.

– To są okolice z kierunkowym czterysta trzynaście. I jeszcze ta czapka z logo UMASS.

Andy Candy nie zapytała, skąd Susan zna takie szczegóły.

– Nazwa miasta, którą widziała moja matka – mówiła dalej – zaczyna się od Ch.

Ćma odwrócił się w stronę swojego komputera.

– Chicopee, Cheshire, Chesterfield, Charlemont – wymieniał nazwy miejscowości.

– Charlemont – powiedziała Andy. – Jak Charlemagne, tylko… – umilkła.

Susan potrząsnęła głową.

– Dlaczego myślicie, że pojechał do domu, o ile naprawdę mieszka w którejś z tych miejscowości? A dlaczego nie miałby być gdzieś tutaj, w okolicy? Wydaje się, że lubi zabijać w Miami.

Cala trójka przez chwilę milczała. Ćma odezwał się pierwszy.

– Dlaczego mamy czekać, aż nas zabije?

Obie kobiety spojrzały na niego.

– Skoro zamierzamy na niego polować, to czemu nie zacząć już teraz? Bo jak inaczej zdołamy go wyprzedzić?

Susan przytaknęła, chociaż tak naprawdę nie wiedziała dlaczego.

Andy Candy podeszła do Ćmy i złapała go za rękę. Nie za bardzo myślała o nim jako o obrońcy albo o bohaterze, ale uważała, że oboje stanowili niepokonany duet. Dawno, dawno temu. Miała nadzieję, że sama się nie oszukuje.

I wtedy zajęcia z literatury zabulgotały na samym wierzchu jej świadomości. Dosyć już Dumasa, Edmunda Dantèsa i *Hrabiego Monte Christo*. Teraz przypomniała sobie Beowulfa. Bohater najpierw samotnie czekał zaczajony na Grendela. Chociaż wiedział, że to, co zamierza, może wiązać się z utratą życia, może nawet jego własnego, nie dostrzegał innego sposobu walki. Ale kiedy już stoczył bitwę i zwyciężył, odrywając rękę bestii, pojawiło się jeszcze większe niebezpieczeństwo, którego już nie przewidział. I musiał ścigać to niebezpieczeństwo aż do jego kryjówki.

36

Nie lubił myśleć o sobie jako o okrutnym człowieku, chociaż był pewien, że za sprawą tego, co zrobił, dzieci, krewni, może nawet przyjaciele zabitych przeżyli trudny emocjonalnie okres. To były takie podstawowe kwestie psychologiczne, a on przecież chciał być empatyczny. Cholera, nikt nie cierpiał zbyt wiele. Pogrzeby, łzy, piękne mowy oraz ponure czarne stroje. I nic ponad to.

Jednak kiedy myślał o Timothym Warnerze, ogarniała go wściekłość – taka zgrzytająca zębami połowiczna furia o czerwonej twarzy. Zimna, ale pod kontrolą, chociaż przy świadomości przebywania na krawędzi wybuchu.

Ten popierdolony dzieciak nie miał prawa stawiać mnie w takiej sytuacji. Powinienem już skończyć z zabijaniem. Zająć się czymś innym.

Głupi chłopak. Gdybyś mnie nie ścigał, to byś żył.

Głupi chłopak. Zabierzesz swoich przyjaciół ze sobą.

Głupi chłopak. Powinieneś się nauczyć pozostawiać pewne rzeczy w spokoju.

Głupi chłopak. Ściganie mnie to jak popełnianie samobójstwa.

Nie sądził, aby zdołał w ten sam sposób znienawidzić Andreę Martine albo Susan Terry.

Jednak bardzo chciał ich zabić. Spektakularnie.

Jak to nazywają wojskowi? Straty konieczne.

Był bardzo zajęty, spieszył się, zbierał różne rzeczy, planował. To, co obmyślił dla Dziewczyny, Bratanka i Prokurator, było zdecydowanie bardziej wyszukane od jego wcześniejszych projektów. Temu, co obecnie przygotowywał, bliżej było do sztuki niż do morderstwa, chociaż wątpił, aby ktokolwiek poza naprawdę wyrafinowanym zabójcą potrafił docenić tę różnicę. Dla pozostałych zabójców niewiele miał szacunku, wydawali mu się gangsterami, socjopatami i zbirami, godnymi tylko pogardy.

Czasem w Nowym Jorku chodził na odbywające się późnym wieczorem pokazy albo do leżących z dala od utartych szlaków ponurych galerii sztuki w East Village, gdzie podziwiał przedstawienia łączące teatr z malarstwem, film z rzeźbą. Takie nowe formy artystyczne, wykorzystujące wszelkie środki wyrazu w celu stworzenia wizualnego doświadczenia. To bardzo modne, przypomniał sobie. Kiedy indziej jeździł starym pickupem do Muzeum Sztuki Nowoczesnej Massachusetts. Tam, rozczochrany, w wytartych dżinsach i ubłoconych roboczych butach, przyglądał się najbardziej wyszukanym stylom stworzonym przez najbardziej awangardowych artystów.

Na Key West od czasu do czasu przychodził na występy drag queens na Duval Street, gdzie popijał key west sunset ale i podziwiał może nie tyle kabaretowy śpiew, broadwayowskie numery taneczne oraz egzotyczne stroje, ile sam fakt, że owe występy pokazywały, jak bardzo człowiek może zmienić się w kogoś zupełnie innego. Kameleony śpiewające na estradzie. Ciekawe, czy doceniliby to, co teraz planuję.

Piąty Student jechał trochę za szybko. Odwiedził kilka różnych sklepów z artykułami przemysłowymi, żeby kupić tam pojemniki – zawsze tego samego rodzaju, tyle że w sklepach rozrzuconych po dolinie, w której mieszkał. Za każdym razem płacił gotówką. Zaplanował także wyprawę do sklepu Radio Shack po staroświecki magnetofon kasetowy. Na liście spraw do załatwienia miał też odwiedziny w Home Depot po elektryczne kable i przełączniki, zakup dużego stojącego wiatraka, puszek z antyperspirantem, elastycznych linek z zaczepami, rzepów oraz żyłki wędkarskiej o udźwigu trzydziestu kilogramów. Typowe zakupy kogoś mieszkającego w wiejskiej okolicy.

Piąty Student bardzo martwił się tym, czy zostawił sobie odpowiednio dużo czasu na przygotowania, dlatego załatwiając wszystkie sprawy, unikał rozmów, nawet wymiany uprzejmości. Na głowie miał czapkę baseballową, na nosie okulary przeciwsłoneczne. Tak naprawdę nie obawiał się, że wyłowi go jakaś kamera monitoringu, jednak dokładne przygotowania wymagały szczególnego skupienia. Nie chciał zapomnieć o jakiejś prostej rzeczy, której brak pokrzyżowałby mu później szyki.

W sklepie turystycznym kupił używany jednoosobowy kajak. Był pomarańczowy, dawało się go łatwo wsunąć na tył furgonetki razem z resztą sprzętu. W sklepie myśliwskim nabył najtańszą strzelbę, jaką tam mieli. W tym wyborze kryła się pewna ironia, bo przecież zrobił odwrotnie niż Jeremy Hogan. Martwy psychiatra kupił pierwszorzędna broń, a ta zupełnie nic mu nie dała.

Zarezerwował samolot. Zarezerwował auto w firmie wynajmującej samochody reklamującej się hasłem „Podrzucimy cię" i wziął u nich najmniejszy pojazd, jaki mieli, umawiając się, że odstawią go na lotnisko.

Męczyły go dwie myśli:

Ile minie czasu, zanim się pojawią?

Ten drugi ja musi powitać ich na progu. I ten drugi ja musi pozostać z nimi na zawsze.

Wiedział, że odpowiedź na pierwsze pytanie brzmi „Wkrótce". Był pewien, że w Miami pozostawił wystarczająco dużo śladów, aby zaprowadziły ich prosto do zachodniego Massachusetts. Skojarzą ze sobą upuszczone prawo jazdy, czapkę baseballową i numer kierunkowy. Cały pomysł polegał na wytworzeniu atmosfery strachu, jednak takiego strachu, który nieubłaganie przyciąga, a nie takiego, który sprawia, że ucieka się z krzykiem.

„Pokaż komuś drzwi i zaproś go do środka". To była taka podstawowa zagrywka psychologiczna. Kompulsja.

Liczył na charakterystyczną dla Timothy' ego Warnera niemożność zatrzymania się, kiedy jest już blisko.

Myśl, że zbliżasz się do celu. Myśl, że wszystkie odpowiedzi, których szukasz, znajdują się zaraz za tymi drzwiami. Myśl, że niezależnie od tego, jakie może tam się kryć niebezpieczeństwo, musisz wejść do środka. Myśl, że tylko krok dzieli cię od sukcesu.

Bo będzie.

Tyle że nie takiego, jakiego byś się spodziewał.

W całym planie martwił go tylko jeden element. Znalezienie Drugiego Jego mogło stanowić nie lada wyzwanie. Wiedział jednak, gdzie szukać całkiem odpowiedniej kopii.

Żadne z ich trójki nie zabrało dużo rzeczy. Bieliznę na zmianę, kilka par skarpetek. Broń.

Na Lotnisku Międzynarodowym Miami Ćma miał dziwne wrażenie, że stawia kroki po śladach zabójcy. Zastanawiał się, czy obsługiwano go w tej samej kasie. Zastanawiał się, czy zabójca stał w takiej samej pozycji i prowadził taką samą rozmowę. „Jakiś bagaż do zgłoszenia?" „Nic, poza rozumem i inteligencją". Z kolei Andy Candy czuła się, jakby pozostawiała za sobą znacznie więcej niż tylko miasto, że każdy następny krok pcha ją coraz głębiej w dżunglę niepewności.

Susan Terry, kiedy doprowadziła się już do porządku na tyle, na ile była w stanie, zachowywała się praktycznie. Użyła służbowej odznaki prokuratora stanowego, aby wyjaśnić, co w jej bagażu robią dwie sztuki broni – magnum trzysta pięćdziesiąt siedem Ćmy i jej własny półautomat kaliber dwadzieścia pięć. Zaskoczyło ją, gdy Ćma opowiedział, jak przywiózł broń z New Jersey, podkreślając przy tym, że kontrola bezpieczeństwa na lotniskach to fikcja. Susan nie poinformowała personelu, że ją zawieszono, więc jej ulżyło, gdy ten szczegół nie wyskoczył w trakcie pobieżnego sprawdzania w komputerze.

Weszli do samolotu i w ciszy zasiedli na sąsiednich miejscach. Ćma uznał, że to dosyć interesujące, że ze sobą nie rozmawiają, nie czytają ani nie oglądają telewizji na malutkich monitorach umieszczonych z tyłu foteli przed nimi. Żadne nie potrzebowało niczego innego oprócz własnych myśli.

Andy całą podróż spędziła na wyglądaniu przez niewielkie okno w przestwór nocy. Ciemność wydawała się jej tajemnicza, pełna cieni niepewności i niezwykłych, nierozpoznawalnych kształtów. Od czasu do czasu dotykała dłoni Ćmy, chcąc się upewnić, że wciąż ma go przy boku. W połowie lotu uświadomiła sobie, że to nie noc jest groźna, ale te wszystkie wątpliwości skrywane przez czarne niebo.

Mniej więcej w tym samym czasie, gdy cała trójka wchodziła na pokład samolotu, Piąty Student stał na niewielkim wzniesieniu przy parkingu, zaraz obok restauracji Friendly's. Po drugiej stronie biegła droga dojazdowa prowadząca do dużego sklepu spożywczego. Na skrzyżowaniu z drogą główną było rondo i niewielki sygnalizator świetlny.

Na rondzie zbierali się bezrobotni i alkoholicy. Trzymali kartony z ręcznie wypisanymi ogłoszeniami: „Podejmę się każdej pracy", „Przyjmę wszystko", „Bezdomny i samotny", „Niech Bóg Cię błogosławi".

Tego wieczoru stał tam tylko jeden człowiek. Trzymał karton z napisem i błagał o pomoc kierowców mijających go aut wypakowanych jedzeniem. Piąty Student przyglądał mu się uważnie. Większość jadących ignorowało żebraka. Czasem ktoś odsuwał szybę i dawał mu parę drobnych albo jakiś banknot.

Takie miejsca można znaleźć w każdym mieście i miasteczku na całym świecie, pomyślał Piąty Student.

Poczekał, aż zelżeje ruch samochodów odjeżdżających ze sklepu spożywczego. Pod koniec dnia światło stawało się coraz słabsze, jednak nie tak bardzo, aby to, co zamierzał właśnie powiedzieć, pozbawione było sensu. Wrócił do furgonetki, gdzie na podłodze obok fotela dla pasażera trzymał dwie butelki taniej gorzały: szkockiej i dżinu. Miał też sześciopak najtańszego piwa, jakie tylko udało mu się kupić. Podjechał do mężczyzny trzymającego karton, który chyba już dawał za wygraną i zaczynał się zastanawiać, gdzie znajdzie ciepłe miejsce na noc.

Piąty Student opuścił szybę i zawołał:

– Hej, chcesz zarobić pięćdziesiąt dolców?

– No jasne – gorliwie odpowiedział bezdomny. – Czego trzeba?

Piąty Student wiedział, że teraz otworzyły się wrota do wszystkiego, od koszenia trawnika po zrobienie laski. I właśnie tej uniwersalnej odpowiedzi się spodziewał. Bezdomny był ofiarą społeczeństwa, własnych nałogów, choroby psychicznej, może pecha. To go czyniło całkiem bezbronnym.

– Chodzi o pocięte drewno, które trzeba załadować na pakę. Robiłem przy nim cały dzień i plecy bolą mnie jak cholera. Został mi już tylko jeden, może dwa takie ładunki. Zrobisz to za mnie i dam ci pięćdziesiąt dolców. Zgoda?

– Jasne, szefie – odparł mężczyzna.

Odrzucił swój karton z napisem, podszedł do auta od strony pasażera, otworzył szeroko drzwiczki i wskoczył do środka.

Piąty Student zobaczył, że mężczyzna zauważył alkohol na podłodze, szeroko otwierając oczy na ten widok.

Szybko się rozejrzał, upewnił, czy są sami. Na tym skrzyżowaniu nie ma żadnych kamer, pomyślał. I w ogóle nikogo w okolicy, kto zwróciłby na nas uwagę.

– Jak masz ochotę na piwko albo dwa, to się poczęstuj – uprzejmie zachęcił bezdomnego.

37

Zanocowali w tanim motelu w pobliżu lotniska, bo Susan Terry przekonała ich, że pojawienie się późnym wieczorem pod domem zabójcy, w dodatku podejrzewanego o wielokrotne morderstwa, nie jest najmądrzejszym pomysłem. Podkreśliła również, że ten człowiek wydaje się zdolny praktycznie do wszystkiego, z pewnością umie się obchodzić z bronią, a w razie konfrontacji bez wątpienia zareaguje jak dzikie zwierzę zapędzone w kąt. Żadne z nich jeszcze nie miało do czynienia z dzikim zwierzęciem zapędzonym w kąt, dlatego to upomnienie miało w sobie co nieco z ducha Animal Planet.

Kiedy Susan parę lat temu zaczynała pracę na stanowisku prokuratura, przeszła podstawowy policyjny kurs strzelecki, jednak Andy Candy i Ćma nie mieli żadnego doświadczenia z bronią. Zresztą w ogóle żadnego doświadczenia, które przygotowałoby ich na to, z czym, jak sądzili, teraz się zmierzą. Jedyne, co mieli, to pistolet, rewolwer oraz chwiejna determinacja. Wiedzieli, że na krańcu całej wyprawy czeka na nich bardzo niebezpieczny człowiek, który mocno wplótł im się w życie. Żadne nie sądziło, by usunięcie go okazało się równie proste, jak wyszarpnięcie luźnej nitki ze swetra.

Ćma uchwycił się swojej fantazji o zemście, chociaż ta już bladła. Jeszcze nie wiedział, czym mógłby ją zastąpić.

Andy Candy chciała działać ostro i zdecydowanie, połączyć strach ze wściekłością. Przede wszystkim pragnęła bezpieczeństwa, chociaż nie wiedziała, co z nim zrobi, gdy wreszcie je znajdzie.

Susan Terry wyobrażała sobie zadawanie trudnych pytań. Wyciągnięcie przyznania się do winy. Aresztowanie, które pozwoli jej odzyskać poczucie samokontroli i jednocześnie przywróci do łask szefa Prokuratury Stanowej w Dade. „Dzień dobry. Nie tylko zebrałam się do kupy i grzecznie chodzę na mityngi, ale także złapałam naprawdę nietypowego seryjnego mordercę. Może teraz jakiś awansik?"

W małym niechlujnym pokoju, w którym nocowali, stały tylko dwa łóżka. Początkowo, gdy wszyscy czuli się wyczerpani ciągłym napięciem, Susan Terry i Andy Candy położyły się do jednego łóżka, a Ćma padł na drugie. Jednak w środku nocy, nie mogąc zasnąć, Andy Candy wyślizgnęła się od Susan i wślizgnęła do Ćmy. Za czasów swojego licealnego romansu uprawiali seks, ale nigdy nie spędzili nocy w jednym łóżku. Ich spotkania były zawsze ukradkowe – w samochodzie, w domu pod nieobecność rodziców, na randce w kinie, na plaży. Teraz przez kilka chwil wsłuchiwała się w jego równy oddech i rozkoszowała dotykiem chłodnej skóry. Zastanawiała się, jak potrafi być taki spokojny – ale potem sama opadła w sen, mając nadzieję, że nie obudzą jej żadne koszmary.

Piąty Student przyglądał się swojemu domkowi przyczepie, myśląc, że to wszystko wydaje się bardzo skomplikowane jak na coś, co powinno być bardzo proste. Przede wszystkim mógłby zredukować to do „Bang! Bum! Nie żyjesz". Zapytał więc spokojnym, przeciągłym tonem zadowolonego robotnika:

– I co o tym sądzisz, Panie Bezdomny? Zadziała?

Bezdomny wydał z siebie dźwięk, który nie był krzykiem, ale wykraczał poza pomruk, zmierzając prosto ku panice i rozwijając się w bezradne charczenie.

– Myślę, że zadziała. Pomimo tak wielu części składowych. Wiesz, oparłem to na takim systemie, który jest sławny, trafił do książek i filmów. Zabójcy mafijni i postacie z serii *Piła*. Jak ktoś zna wszystkie węzły i połączenia, łatwo mu to poskładać do kupy. No i muszę sobie przyznać, że jednak jest też w tym odrobina geniuszu.

Mówił lekko, jak gdyby był majstrem złotą rączką opowiadającym o czymś nie bardziej skomplikowanym niż naprawa instalacji kanalizacyjnej. Spojrzał na bezdomnego.

– Nie wierć się, w ogóle się nie ruszaj. Zresztą, czy to nie jest oczywiste?

Bezdomny zaskamlał.

Piąty Student uznał, że zważywszy na okoliczności, to właśnie stosowna odpowiedź.

Bezdomny siedział przywiązany do taniego drewnianego krzesła, ręce i nogi miał skrępowane pasami bawełny z pociętego ręcznika, nasączonej jakimś parafinowym żelem. Więzy zaciśnięto tak mocno, że wrzynały się w ciało. Usta zaklejał kawałek taśmy izolacyjnej. Plecami odwrócony był do jedynych drzwi w pomieszczeniu. Pojedyncze okno wpuszczało nieco bladego światła świtu. Trwał wczesny ranek, noc już dawno przeminęła, a Piąty Student wiedział, że wciąż ma sporo rzeczy do zrobienia.

Bądź szybki, ale się nie spiesz. Później będziesz miał czas na odpoczynek. Teraz zachowaj czujność.

Bezdomny patrzył przed siebie i nieco w dół, prosto w lufę strzelby, która znajdowała się obecnie trzydzieści centymetrów pod jego podbródkiem, oparta na kilku płytkach rozmiarów dwa na cztery, zaklinowana w odpowiedniej pozycji książkami i poduszkami. Do spustu przywiązano żyłkę, którą następnie przełożono przez niewielki bloczek służący do podnoszenia i opuszczania zasłon, przyklejony taśmą do sąsiedniego stołu.

Piąty Student miał ochotę z góry go za wszystko przeprosić. „Przykro mi, stary. Na pewno życie było dla ciebie okrutne. To jest paskudne i w dodatku to kiepski sposób na to, żeby odejść. Doceniam twoją pomoc, naprawdę niezmiernie mi przykro, że kosztować to będzie twoje życie, ale nie będziesz sam. Dzisiaj umrze jeszcze parę osób".

Jednak nie powiedział tego. Zamiast tego zerwał taśmę z ust bezdomnego. Ten gwałtownie zaczerpnął oddech i wychrypiał:

– Stary, proszę. Ja nic nie zrobiłem…

Piąty Student go nie słuchał. Właśnie takich słów się spodziewał. Nikt nie sądzi, że zrobił coś, czym zasłużył na śmierć, a zwykle jest dokładnie odwrotnie.

Odpowiedział:

– Słuchaj, Panie Bezdomny. Wierzę, że jesteś niewinny. Mógłbym ci wyjaśnić, co się dzieje, ale to naprawdę długa historia i nie chciałbym marnować na nią tego czasu, jaki nam jeszcze pozostał.

Oczy mężczyzny śledziły każdy ruch Piątego Studenta.

– Spędzimy razem jeszcze trochę czasu. Nie wiem dokładnie ile, to się okaże. Jednak wykorzystywanie tych chwil na opowiadanie smutnych historii wydaje się ich stratą. Jestem pewien, że te historie są ciekawe, ale tak naprawdę co by nam dały?

Piąty Student ułożył w głowie psychologiczne równianie. Mówił sobie: Traktuj go bezosobowo. Uprzedmiotowiaj. Jeszcze o tym nie wie, ale kiedyś będzie sławny. Uśmiechnął się do swoich myśli. Kiedy skończę dziewięćdziesiątkę, napiszę pamiętniki.

Ponownie sprawdził węzły. Wiedział wystarczająco dużo, aby mieć świadomość, że musi utrzymywać stały poziom niepewności, zmieszania oraz wątpliwości. Te trzy elementy powinny być niczym muzyka w tle. Plan w dużej mierze opierał się na tym, że bezdomny zrozumie tylko tyle, ile zdoła przed sobą zobaczyć.

Strzelbę. Śmierć.

Poprawił niewielki mikrofon przymocowany do koszuli mężczyzny i oznajmił:

– Dobrze, teraz chciałbym, żebyś coś powiedział i ciągle powtarzał te słowa. Chcę, żebyś zmieniał intonację. Raz błaganie, raz płacz, krzyk, wrzask. Używaj różnych tonów. Musisz naprawdę iść na całość. Nie ograniczaj się. Zrób tak, żeby to było całkowicie wiarygodne. Sądzę, że tak naprawdę to będzie najłatwiejszy element twojego występu.

Mężczyzna szeroko otwierał przerażone oczy.

– Panie Bezdomny, jesteś na scenie. Poradzisz sobie?

Bezdomny pokiwał głową, bardzo wolno.

– Dobra. Chcę, żebyś teraz zawołał o pomoc. Chcę, żebyś zawołał: „Tutaj! Proszę, pomóżcie mi!" i „Ratunku, ratunku, ratunku!" Chcę mieć pewność, że ten ktoś po drugiej stronie drzwi usłyszy twoje krzyki i natychmiast na nie zareaguje. Nic poza tym. Tylko wołaj o pomoc. Rozumiesz?

Mężczyzna wydawał się zdumiony.

– Musisz wywrzeć presję na tego kogoś, ktokolwiek znajdzie się po drugiej stronie drzwi.

Bezdomny nadal wyglądał na zdumionego.

– Słuchaj – dodał Piąty Student. – Chcesz, żeby cię uratowano? Niedługo zjawią się tutaj ludzie, którzy mogą cię uwolnić. Robienie tego, czego od ciebie chcę, to jedyny sposób, żebyś wyszedł z tego wszystkiego żywy. Dasz radę. Wiem, że dasz radę. Po prostu staram ci się to ułatwić.

Tak naprawdę to nie ma dla ciebie nadziei. Ale uświadomienie sobie braku nadziei musi pojawić się w ostatniej chwili, bo bez czegoś, czego można się uchwycić, ludzie zaczynają zachowywać się w sposób niezrównoważony i nie robią tego, czego się od nich oczekuje. Zamykają się. Porzucają wszelkie starania, kulą się w pozycji embrionalnej, poddają i akceptują śmierć. Nie chciał, aby coś podobnego wydarzyło się przedwcześnie. Zachowajmy pozory.

Usta bezdomnego wyglądały na spękane, a Piąty Student wiedział, że mężczyźnie pewnie zaschło w gardle ze strachu. Wczorajszego wieczora nietrudno było go upić do nieprzytomności. Timothy Warner niewątpliwie znał takie zamroczenie. Piąty Student uznał, że w wykorzystaniu pijaka do zabicia pijaka kryje się zarówno ironia, jak i intelektualna symetria.

Otworzył kolejne piwo, zbliżył chłodną butelkę do ust mężczyzny.

Bezdomny pił szaleńczymi haustami.

– Lepiej?

Mężczyzna pokiwał głową.

– Chcesz coś mocniejszego?

Piąty Student uniósł dużą butelkę taniej whisky.

Mężczyzna znowu pokiwał głową, a Piąty Student szczodrze wlał mu alkohol do ust. Zastanawiał się: Czy on sobie teraz myśli, że skoro ma umrzeć, to równie dobrze może umrzeć pijany? Pewnie tak. To ma sens.

– Zrób, co ci każę, a dostaniesz więcej.

Mężczyzna spojrzał na niego z żalem.

– Dobre przedstawienie. Tego właśnie chcę. Chodzi mi o to, żebyś to robił przez pięć, nie, przez co najmniej dziesięć minut. Może ci się wydawać, że to dużo, ale rób tak cały czas. Nie przerywaj. Zrozumiałeś?

Mężczyzna skinął głową.

– Pomyśl o tym w ten sposób: Wołasz o pomoc. Jak nadejdzie pomoc, to cię uratuje. Dlatego włóż w to całe swoje serce i duszę. To twoja ostania szansa. – Wydawało się, że bezdomny już może zaczynać. – Dobra. Gotowy… Start!

Wdusił przycisk nagrywania na staroświeckim magnetofonie kasetowym i spojrzał na zegarek na przegubie.

Pierwsze „Ratunku" bezdomny wychrypiał tak, jak gdyby jego słowa przechodziły przez papier ścierny.

Piąty Student zaczął wymachiwać rękoma, wydawało się, że udaje dyrygenta. Popłynęły krzyki, szczere, od serca i przepełnione paniką, wznosząc się niczym aria rozpaczy.

38

Przejazd z motelu przy lotnisku w Hartford w Connecticut do Charlemont w Massachusetts zajął prawie dwie godziny, jednak zmiana krajobrazu z miejskiego na wiejski sprawiała, że przez cały czas Andy nie mogła oderwać oczu od widoków. Przez ostatnich dwadzieścia minut jechali równolegle do Deerfield River. Rzeka połyskiwała w blasku poranka. Ćma przypomniał sobie historię słynnej masakry, do której doszło w tej okolicy w osiemnastym wieku, kiedy tutejsi Indianie w dosyć nieprzyjemny sposób wykończyli paru osadników. Już miał o tym opowiedzieć, kiedy uświadomił sobie, że przypominanie o zabijaniu sprzed stuleci jest niezbyt dobrym pomysłem.

Mijali falujące wzgórza pokryte gęstym kobiercem z wysokich jodeł. W oddali majaczyły Zielone Góry Vermontu. Okolica stanowiła wręcz antytezę Miami – jego neonów, błyszczących świateł, betonu, palm i gorączkowej atmosfery. Tutaj była zupełnie inna Ameryka, inna nawet niż tereny uprawne i lasy, które zobaczyli w New Jersey, jadąc na spotkanie z Jeremym Hoganem. Okolica wyglądała niemal na pradawną. Andy Candy nie potrafiła dokładnie określić, na czym to polega, ale gdy wjeżdżali, pojawiło się takie dziwne poczucie izolacji. To dobre miejsce, żeby się schować, pomyślała i czuła wzrastające napięcie.

Miasteczko Charlemont okazało się jeszcze mniejsze, niż się spodziewali. Brudna stacja benzynowa. Pizzeria. Sklep. Kościół. Brakowało tam większości tego nowoangielskiego romantyzmu znanego z nieco zamożniejszych starych miast. Nie było zielonych trawników i dostojnych białych domów z długich desek, wzniesionych jeszcze w dziewiętnastych wieku. Miejscowość rozłożyła się po obu stronach drogi, w pobliżu rzeki. Były w niej sklepy dla kajakarzy, a w okolicy skromny stok narciarski, gdzie poza sezonem zjeżdzano na tyrolce. Nazwanie to tego miasteczka cichym stanowiłoby grube niedomówienie.

Samochód prowadziła Susan Terry. Wjechała na parking pod budynkiem z czerwonej cegły. Pośrodku gmachu wyrastała staroświecka dzwonnica. Na ścianie wisiała tablica z napisem „Urząd Miasta".

– Po prostu idźcie za mną – poleciła.

W budynku było chłodno i panował półmrok. Pracownik informacji pokierował ich od razu do Departametu Policji w Charlemont. Susan Terry zauważyła, że lista pracujących tam funkcjonariuszy składa się z czterech nazwisk. Przy jednym widniał dopisek „patrol rzeczny". Podejrzewała, że był to policjant umiejący najlepiej radzić sobie z ludźmi, którzy wpadli w kłopoty, wyprawiając się na kajaki bez kamizelek ratunkowych.

Przyjęła ich para umundurowanych funkcjonariuszy, kobieta i mężczyzna w średnim wieku. Kiedy weszła Susan Terry, a za nią Andy Candy i Ćma, unieśli wzrok.

– W czym możemy państwu pomóc? – uprzejmie zapytał mężczyzna.

Andy Candy doszła do wniosku, że jego zadaniem jest pomaganie przyjezdnym przy rozwiązywaniu różnych problemów typowych dla gości. Jesienią pewnie zjawiało się mnóstwo amatorów podziwiania lasów ozłoconych pożółkłymi liśćmi.

Susan Terry wyjęła odznakę. Uśmiechnęła się. Przyjaźnie, ale ze skupieniem.

– Przepraszam, że zjawiam się bez uprzedzenia – oznajmiła. – Ale potrzebujemy drobnej pomocy. Jestem z Prokuratury Stanowej Dade. Mieszkaniec waszego miasta to przypuszczalnie świadek ciężkiego przestępstwa, w którego sprawie prowadzimy dochodzenie u nas na Florydzie. Może być niechętny do składania zeznań. Sądzę, że aby go odpowiednio przesłuchać, będziemy potrzebowali towarzystwa jakiegoś waszego funkcjonariusza.

Kłamała bez wysiłku. Ćma wiedział, że ta umiejętność ma związek z zażywaniem narkotyków i alkoholizmem. Gdy ktoś już przywykł do okłamywania samego siebie, nietrudno mu było okłamywać innych.

Policjant z Charlemont pokiwał głową.

– Nieczęsto zjawia się tutaj ktoś z taką sprawą – oznajmił. – Jest pani pewna, że nie wolałaby funkcjonariusza spoza miasta? Niedaleko mają swoją jednostkę.

– Z prawnego punktu widzenia lepszy będzie przedstawiciel lokalnych organów ścigania.

– W porządku. O jakim poważnym przestępstwie mówimy?

– O zabójstwie.

Oboje policjantów się zawahało.

– Nigdy nie mieliśmy tutaj morderstwa, a przynajmniej nie jestem w stanie sobie żadnego przypomnieć – stwierdził mężczyzna. – Nie wiem, czy w ogóle kiedykolwiek mieliśmy tutaj do czynienia z zabójstwem.

– W Miami cały czas mamy z tym do czynienia – lekkim tonem odparła Susan.

– A kim są ci młodzi państwo? – zapytał policjant, wskazując Ćmę i Andy Candy.

– Inni świadkowie. Ważne, żeby przyjrzeli się tamtemu facetowi.

– On jest podejrzany?

– Nie do końca. Jest tylko osobą, którą interesuję się w związku ze sprawą.

– Spodziewa się pani jakichś kłopotów?

Susan uśmiechnęła się, wzruszyła ramionami.

– Nie każdy jest chętny, żeby pomóc w takiej sprawie, zwłaszcza poza granicami stanu. Właśnie dlatego zjawiliśmy się bez zapowiedzi.

Policjanci pokiwali głowami. To miało sens.

– Czyli chciałaby pani, żebyśmy…

– Żebyście mnie podwieźli. Zapukali ze mną do drzwi. Zapewnili mi konieczne wsparcie. Zachęcili go do rozmowy. Trochę takiego prężenia muskułów.

Susan starała się, aby nie wydawało się to czymś bardziej skomplikowanym od sprawy niezapłaconych mandatów. Tymczasem w jej głowie aż huczało od rozmaitych możliwych przebiegów wypadków. Wyobrażała sobie ucieczkę i nieobecność. A możne odmowę i trzaśnięcie drzwiami. Prawdopodobieństwo strzelaniny. Tak naprawę nie miała pojęcia, czego się właściwie spodziewać, ale uważała, że na pewno przyda się jej towarzystwo umundurowanego funkcjonariusza. Część niej nie pogardziłaby nawet oddziałem marines. Miała już do czynienia z wieloma kryminalistami, ale miała nad nimi przewagę: na sali sądowej albo gdy już siedzieli za kratami. Uważała, że teraz również ma przewagę – zaskoczenia oraz liczebną. Nawet do głowy jej nie przyszło, że mogłaby się mylić.

– Damy radę. Dokąd idziemy?

– Facet nazywa się Munroe, mieszka w….

– W tych starych domkach kempingowych z przyczep, przy Zoar Road, obok miejsca do rekreacyjnego połowu pstrągów. Wiemy, gdzie to jest – przerwała policjantka.

– Znacie go?

– Nie do końca – płynnie przejął wątek policjant. Andy Candy uznała, że to mąż i żona. – Od czasu do czasu widujemy tego faceta w jego furgonetce. To małe miasto, więc zna się wszystkich po nazwisku. Nie bywa tutaj często, dlatego myślę, że ma jeszcze jakiś inny dom gdzie indziej, chociaż nie wygląda na takiego, kto by miał tyle oszczędności, żeby starczyło mu na utrzymywanie więcej niż jednej chałupy. Jest taki spokojny, skryty. Nie przypominam sobie, żebym kiedykolwiek miał do niego jakieś wezwanie.

Odwrócił się do policjantki. Przechyliła głowę.

– Ja też nie – powiedziała. – Nie cierpię tych starych domków. Pułapki w razie pożaru i wielkie anteny satelitarne. Takie nasze slumsy. Chciałabym, żeby miasto to zlikwidowało. Jak już nas tam wzywają, to zwykle do domowych awantur. Wiecie państwo, ktoś za dużo wypije, zaczyna bić współmałżonka albo dzieciaki. Mieszkają tam głównie bardzo biedni ludzie, a tu i tak wszyscy nie są zbyt zamożni, nie tak jak w Williamstown.

– Kiedy zamierzacie zapukać do jego drzwi?

– Teraz.

Mężczyzna pokiwał głową.

– Dobra, młody, nasz najnowszy funkcjonariusz, jest na patrolu i pewnie już mu się nudzi. Wyślę go tam. Donnie jest w policji dopiero dwa tygodnie, cholera, tak czy siak jest nas tutaj tylko czwórka, ale może wykorzystać swoje doświadczenie.

– Byłoby świetnie – powiedziała Susan Terry. Była przekonana, że funkcjonariusz Donnie jeszcze przez dłuższy czas będzie odrzucać wszystkie upierdliwe wezwania.

Ćma i Andy Candy milczeli.

Nie chciałem iść tą drogą, ale po tym wszystkim, co się stało, to jedyne rozsądne wyjście, Żadna z tych rzeczy nie była MOJĄ WINĄ. Ale ci, których to była wina, dostaną to, co im się należy.

Piąty Student każde z tych słów pisał z dużym trudem, używając lewej ręki, a następnie zostawił kartkę na desce rozdzielczej swojej półciężarówki. Wątpił, by zawodowy grafolog sądowy dał się na to nabrać, ale wątpił również, żeby miejscowa policja miała w swoim niewielkim budżecie pieniądze na specjalistę z miasta. Zanim wrócił do domu, rozsypał na podłodze auta kilkanaście jaskrawoczerwonych tabletek pseudoefedryny, a na fotelu pasażera pozostawił na wpół opróżnione pudełko proszku do pieczenia.

Usłyszał zduszony kaszel dobiegający z sypialni. Nie odwrócił się, tylko nadal skupiał się na drodze prowadzącej do domu. Próbował obmyślić jakiś system wczesnego ostrzegania, ale nie przychodziło mu do głowy nic, co mógłby uznać za godne zaufania, dlatego sam pilnował – chociaż czuł się zmęczony, a mięśnie bolały go zarówno od ciężkiej pracy, jak i od napięcia.

Wiedział, że najważniejsze będzie zrobienie wszystkiego w odpowiednim czasie.

Trzy minuty. Może cztery. Może nieco mniej. Niewielkie szanse, że trochę więcej. Podjadą. Zatrzymają się. Wysiądą. Przyjrzą się domowi od frontu. Podejdą. Sto dwadzieścia jeden, sto dwadzieścia dwa... Liczył sekundy, wyobrażając sobie wszystko, co się wydarzy.

Zadbał o każdy detal. Trochę to przypominało planowanie futbolowej rozgrywki. Ten gracz idzie w jednym kierunku, a tamten w drugim, każdy działa według określonego planu. Ofensywny sukces. Defensywne zamieszanie. Uśmiechnął się. Przed meczem trenerzy zawsze pouczają zawodników: „Róbcie to, co do was należy". Schemat, w którym każdy wie, o co chodzi.

Piąty Student odegrał każdą czynność, którą, jak sądził, będzie musiał wykonać, starannie odliczając czas wszystkich poruszeń – aż dotarł do czterech minut. Czuł się trochę podenerwowany, bo miał wrażenie, że nie będzie miał czasu na różne nieprzewidziane sprawy. A zabijanie nauczyło go, że zawsze trzeba się spodziewać niespodziewanego.

Dodawał sobie otuchy: Dobrze się przygotowałeś. To przebiegnie tak, jak zaplanowałeś.

Dzień wcześniej kupił siedem butli propanu, takiego do butli gazowych. Poza tym jeszcze kilka dwudziestolitrowych plastikowych baniaków benzyny, kilka plastikowych rur i szklane butelki. Wszystko starannie porozstawiał w różnych miejscach domu, tak aby nie rzucało się w oczy. Duży wentylator miał szybko roznieść po wnętrzu budynku zapach i opary benzyny.

Dom stał się teraz fałszywą wytwórnią metaamfetaminy. A ta wytwórnia stała się bombą. Proste. Skuteczne. Na taki pomysł mógł wpaść każdy żyjący na tym zapuszczonym świecie. Nagle przypomniał mu się wielki Jimmy Cagney, stojący w *Białym żarze* na płonącym zbiorniku z benzyną: „Oto szczyt świata!"

Kiedy uniósł wzrok, zobaczył dwa zbliżające się auta. Pierwszym był wóz patrolowy policji z Charlemont, drugim mały wynajęty samochód. W tym drugim aucie dostrzegł trzy sylwetki.

Teraz, pomyślał.

Bez wahania ruszył do akcji.

Młody Donnie był chłopakiem stąd. Niecały miesiąc temu ukończył akademię policyjną, a wcześniej odsłużył dwie tury w Afganistanie. Nie wiedział, czy dobrze zrobił, podejmując służbę w rodzinnej miejscowości, zamiast zdecydować się na ciekawszą, ale trudniejszą pracę w policji stanowej. Posada w Charlemont oznaczała głównie wystawianie mandatów tym, którzy nie zauważyli ograniczenia prędkości do dwudziestu pięciu, a także pilnowania dzieciaków z miejscowego liceum szwendających się po okolicy i popalających trawkę pod kościołem. Od czasu do czasu uspokajał też mężów i żony kłócących się po pijanemu. Spoglądając w swoją przyszłość, widział coraz większy obwód w pasie, skromny dom, żonę przedszkolankę i wciąż to samo, dzień po dniu. Nie podobała mu się taka perspektywa.

Kiedy przez radio wezwano go do towarzyszenia wielkomiejskiej prokurator z Miami podczas odwiedzin u potencjalnego świadka morderstwa, uchwycił się tej szansy. Takie zadanie lepiej pasowało do wyobrażeń na temat pracy w policji.

Jeszcze nigdy nie był w Miami. Sądził, że jest tam zawsze słonecznie, ciepło i że pełno tam nietypowych przestępstw, narkotyków, spluw, zdesperowanych kryminalistów oraz glin często sięgających po broń. Strzelaniny, supermodelki i pościgi – taka wizja miasta rodem z telewizyjnego serialu, nie do końca dokładna, ale też nie do końca nieprawdziwa. Starał się więc pamiętać, aby wtedy, gdy pani prokurator już skończy przesłuchanie, zapytać ją o możliwość podjęcia pracy w policji hrabstwa Dade. Mówił sobie: Uciekaj z Wygnajewa i jedź do Dodge City.

Jechał powoli, aby trójka w aucie mogła za nim nadążyć.

Przed radio połączył się z posterunkiem.

– Hej, sierżancie – rzucił. – Zbliżamy się do celu.

– Zrozumiałem – padła zwięzła odpowiedź.

Uznał, że to najciekawsza rzecz, jaka przydarza mu się od wielu dni.

Włącz wentylator. Kręci się raz do przodu, raz do tyłu. Szumi.

Wylej benzynę. Płyn rozleje się po podłodze.

Odkręć butle z propanem. Będą syczeć, gdy gaz zacznie się ulatniać.

Zgaś płomienie na kuchence gazowej. Wyrwij tę elastyczną rurę, którą leci jeszcze więcej propanu z dużego starego pojemnika na zewnątrz. Eksplozja w kuchni stanie się nieunikniona.

Szybko do sypialni, z ponadtrzylitrowym dzbanem czystej wódki. Polej nią Pana Bezdomnego. Odkręć butlę z propanem przywiązaną do krzesła, której Pan Bezdomny nie może zobaczyć. Jeszcze więcej benzyny. Na łóżko. Na podłogę. Po ścianach.

Szybko, szybko, szybko.

– Dobra, Panie Bezdomny, nadeszła twoja wielka chwila – oznajmił Piąty Student.

Zanim mężczyzna zdołał cokolwiek odpowiedzieć, zakneblował go, wpychając w usta szmatę nasączoną benzyną. Teraz zrozumie. Nie ma szans. Nigdy nie miał szans. Nie spojrzał w jego stronę, szukając paniki na twarzy, jednak był pewien, że ona tam jest.

Wziął cztery wotywne świece i podpalił bezpieczną zapałką, mając nadzieję, że gdy to zrobi, wypełniające pokój opary natychmiast nie eksplodują. Nie wybuchły. Odetchnął z ulgą. Postawił świece na trzęsących się nogach mężczyzny.

– Nie chciałbyś, żeby upadły – oznajmił.

Oczywiście że to było niemożliwe. Upadną. To nieuniknione.

Włączył magnetofon.

Pokój wypełniły krzyki „Ratunku!".

Następnie chwycił żyłkę przymocowaną do spustu strzelby, starannie przywiązał do klamki i zamknął za sobą drzwi.

Ruszaj się! – poganiał się w duchu. Zaraz podejdą do drzwi wejściowych.

Jedna minuta. Dwie. Trzy. Stracił już rachubę, miał tylko nadzieję, że gdy ćwiczył, wszystkie czynności zabierały mu tyle samo czasu co teraz, kiedy wykonywał je naprawdę. Czuł się trochę jak sprinter na bieżni: godziny, dni, miesiące, lata treningu, wszystko dla dziesięciu sekund biegu.

W tylnych kuchennych drzwiach nawet się nie obejrzał.

Wyszedł tak cicho, jak tylko zdołał. Żadnego zgrzytu albo szarpania za drzwi. Żadnych pospiesznych kroków. Cisza. To był jedyny moment, którego naprawdę się obawiał, chociaż wątpił, aby jego goście mieli tyle rozsądku, żeby obstawić tylne wyjście. Tak zrobiłby profesjonalista, ale przecież nie student historii i jego była dziewczyna. To nie są zabójcy, to nawet nie są gliniarze. Co prawda Prokurator dobrze by wiedziała, co trzeba robić – lecz tylko gdyby zjawiła się przy przyczepie z całą armią policjantów. Ale się nie zjawiła.

Przez podwórko. W krzaki. Trzymaj się prawej strony. Nisko. Cicho. W ukryciu.

Przypomniał sobie niedźwiedzia widzianego na podwórzu.

Żadnego głośnego przedzierania się.

Gałęzie i ciernie szarpały go za ubranie, ale brnął dalej przed siebie.

Znajdź ten kajak, który zostawiłeś w krzakach przy brzegu. Płyń w dół strumienia na miejsce piknikowe, tam, gdzie zaparkowałeś samochód. Wytrzyj się perfumowanymi chusteczkami do mycia – tak usuniesz wszystkie pozostałości zapachu benzyny. Całe ubranie, a szczególnie buty wsadź do podwójnie zamykanej plastikowej torby. Pamiętaj, żeby ją wrzucić do tego wielkiego śmietnika obok McDonalda, niedaleko autostrady międzystanowej, tego, który codziennie opróżniają. Przebierz się w niebieski prążkowany garnitur z walizki na tylnym siedzeniu. Odjedź grzecznie i powoli, pamiętaj, żeby pomachać do wozów ochotniczej straży pożarnej, kiedy będą pędzić w przeciwnym kierunku.

Żegnaj, panie Munroe. Przez wiele lat był pan dobrą tożsamością, ale nadszedł pański czas. Zużył się pan. Minęła pańska data ważności. Przewrócono ostatnią kartę pańskiej historii.

Żegnaj, stary, smutny domu z przyczepy i żegnajcie Bratanku, Dziewczyno i Prokurator. Żegnajcie na zawsze.

Witaj nowe.

39

W samochodzie Susan Terry wprowadziła pocisk do komory nabojowej.

Przepełniał ją słuszny gniew, w połowie biorący się z tego, że człowiek z rozwalającej się przyczepy spieprzył jej życie, a w połowie z coraz mocniejszego przekonania, że właśnie zbliża się do zabójcy, któremu uszło płazem wiele morderstw, i zaraz go osaczy.

– Trzymać się za samochodami – poleciła. – Głowy nisko, cokolwiek się będzie działo. Jeśli ten facet zrobił to, co mówicie, potrafi celnie strzelać na daleki dystans. Nie wystawiajcie mu się na cel.

– Co zamierzasz zrobić? – zapytała Andy Candy. Głos miała zachrypnięty.

– Dowiedzieć się, kim jest naprawdę – odparła Susan. – Potem zabrać go do więzienia. A potem przycisnąć.

Nawet jeśli nie do końca był to jakiś plan, Ćma i tak czuł się zagarnięty przez to, co rozpoczął. Teraz, gdy wszystko miało się stać znaczne bardziej realne, niż kiedykolwiek sobie wyobrażał, nie był pewien, co powinien zrobić albo powiedzieć. Zaczął więc w myślach wertować znane sobie chwile, w których różni wielcy ludzie podejmowali decyzje. Starał się dociec, jak w takiej sytuacji mogliby zareagować Waszyngton, Jefferson, Lincoln albo Eisenhower. Jednak zupełnie nic mu to nie dawało ani nie przynosiło otuchy.

– Jeszcze jedna sprawa – powiedziała Susan. Głos miała poirytowany i lodowato zimny. – Jeśli rozpęta się piekło, użyjcie policyjnego radia i wzywajcie pomocy. Cokolwiek się wydarzy, nie pozwólcie temu facetowi uciec.

Spojrzała im obojgu w oczy.

– Kapujecie? – zapytała w sposób oznaczający, że tak naprawdę nie było to pytanie, lecz rozkaz.

Wyszli z wozu.

Donnie stał już na zewnątrz przy swoim radiowozie, spoglądając ku drzwiom wejściowym domu z przyczepy. Wydawało się, że jest tam cicho. Jego pierwszą myślą było: Opuszczony i pusty. Natychmiast zastąpił tę myśl wyrobioną w Afganistanie czujnością. Odwrócił się stronę Susan. W jej ręku dostrzegł pistolet.

– No, no – mruknął. – Co, do diabła…

– Ten człowiek może być niebezpieczny.

– Myślałem, że chodzi o świadka.

– Tak. Świadka. Albo kogoś więcej.

Donnie natychmiast wyjął broń służbową i również wprowadził pocisk do komary nabojowej.

– Jeśli spodziewa się pani kłopotów, powinienem wezwać wsparcie. Ma pani nakaz?

Susan potrząsnęła przecząco głową.

To mój show i nie życzę sobie go z nikim dzielić. Za kilka chwil wszystko w moim życiu wróci na właściwe tory. Albo będzie coś innego.

– Zapukamy. Zobaczymy, co się stanie. Ale bądź cholernie ostrożny.

Donnie spojrzał na nią lekko zdumiony.

– No, nie wiem – powiedział.

– Skoro już tutaj jesteśmy, zrobimy to teraz – odparła stanowczo. – Jeśli odejdziemy, możemy już nigdy więcej nie mieć takiej szansy.

Z doświadczenia wiedziała, że mordercy rzadko decydują się na strzelaninę w sytuacji, z której równie dobrze mogą się jakiś wyłgać. Opierała się na założeniu, że ten akurat zabójca wie, jak mało jest dowodów przeciwko niemu. A to, jak sądziła, mogło go uczynić aroganckim.

I gadatliwym.

Dodatkowo wzmacniało ją przekonanie, że mógł się nie spodziewać ich na własnym progu.

– W porządku – powiedziała. – Idziemy.

Susan zerknęła za siebie i zobaczyła, że Ćma i Andy Candy przycupnęli za wynajętym samochodem. Nie dostrzegła w ręku Ćmy magnum trzysta pięćdziesiąt siedem, ale spodziewała się, że je ma.

Donnie, weteran wojenny, nagle uświadomił sobie, że teraz nikt ich nie osłania, i nie był z tego powodu zadowolony. Przywykł do jasnych, wyraźnie określonych zadań, do tego, że prowadzili go doskonale wyszkoleni wojskowi profesjonaliści. To, co teraz robił, wydało mu się małomiasteczkowo głupie, wykonywane zupełnie bez głowy.

Ale nie dostrzegał żadnej innej opcji. Wiedział, że chce zrobić wrażenie na Susan Terry, i zachowywał się tak, jak wyobrażał sobie, że powinien się zachowywać policyjny weteran z Miami. Z rzeczy, które zrobił, sens miało skontaktowanie się z sierżantem zostawionym w niewielkim posterunku.

– Sierżancie, tutaj Donnie…

– Mów.

Radio umocowane na ramieniu było malutkie i trzeszczało od zakłóceń. Ukrywały zdenerwowanie, jakie wkradło się teraz do głosu Donniego.

– To może się okazać trochę bardziej skomplikowane niż zwykła rozmowy z opornym świadkiem – powiedział.

– Prosisz o wsparcie?

– Chodźmy już – niecierpliwie ponagliła Susan. Wpatrywała się w przyczepę, szukając jakichś oznak ruchu.

Donnie pokiwał głową i odezwał się do radia:

– Po prostu utrzymujmy łączność.

Był człowiekiem nawykłym do słuchania rozkazów, a właśnie otrzymał rozkaz.

Oboje ostrożnie podeszli do drzwi wejściowych. Susan zastanawiała się, czy gdzieś tam jest już karabin wymierzony dokładnie w jej pierś. Spodziewała się śmierci, a część niej całkiem się z nią pogodziła. Pomyślała, że stryj Ćmy pewnie uznałby takie nastawienie za oznakę skłonności samobójczych. Przerwała te rozważania, zastępując je skupieniem na mężczyźnie w środku. Na zabójcy. Na końcu wszystkiego. Dla kogoś.

Zachowywała znacznie większy spokój, niż powinna.

Z kolei Donnie czuł pod pachami zimny pot i na wpół teraz sobie wyobrażał, że znowu jest na wojnie, że zbliża się do jakiejś zakurzonej chaty z gliny i cegieł na środku zapomnianego przez Boga pustkowia, nie wiedząc, czy z jej drzwi wychyli głowę uśmiechnięty dzieciak, prosząc o cukierka, czy nagle ktoś zacznie strzelać z AK-47. Wraz z każdym krokiem Donnie stawał się coraz bardziej skupiony. Każdy nerw miał napięty, każdy zmysł – słuch, wzrok, węch – wyostrzony. Wyszkolono cię właśnie do takich rzeczy, powtarzał sobie. To się niczym nie różni. Te myśli dodawały mu pewności siebie.

Przycupnął z boku drzwi wejściowych. Nie pozwól, żeby przez drewno ktoś strzelił ci prosto w pierś. Już miał zapukać, kiedy usłyszał:

– Pomocy! Pomóżcie mi, proszę!

Głos był słaby, jednak słowa nie do pomylenia z niczym innym. Dochodziły gdzieś z głębi domku. Spojrzał na Susan Terry. Też usłyszała błaganie o pomoc. Wysunęła głowę do przodu. Wołanie rozległo się znowu.

– Tutaj! Proszę, ratunku!

– Skurwysyn – stwierdził Donnie.

Zamiast pukać, sięgnął po klamkę.

Otwarte.

Przekręcił gałkę i pchnął drzwi kilkanaście centymetrów do przodu. Zapamiętał to z zajęć w akademii policyjnej.

– Policja! – wrzasnął. – Wychodzić!

Jedyną odpowiedź stanowiły dalsze zduszone błagania.

Znowu pchnął drzwi, otwierając je nieco szerzej.

– Policja!

Chciał krzyknąć jeszcze coś innego, bardziej dramatycznego, ale nic nie przychodziło mu do głowy.

– Pokaż się! – To było najlepsze, na co wpadł.

Otworzył drzwi na całą szerokość. Wtedy uderzył go zapach. Benzyna i zgniłe jajka. Najpierw pomyślał, że to ostry smród jakiegoś trupa, który przeleżał swoje na słońcu po tym, jak wcześniej upiekł się w eksplozji. Potem jednak uznał, że to raczej bardziej miejski odór. Wyciek propanu.

– Jezu – powiedział.

– Ratunku! – wołał głos.

Donnie spojrzał na Susan Terry.

– Proszę się cofnąć – polecił.

– Nie ma, kurwa, mowy – odparła. Jedną dłoń trzymała na ustach i nosie, drugą na pistolecie.

Donnie, przykucnięty, trzymał broń oburącz. Wszedł do środka. Zobaczył wentylator obracający się raz w jedną, raz w drugą stronę, ale nie taki ruch starał się wypatrzeć. Szukał ludzkiego ruchu. Unoszonej broni, dobywanego noża.

– Proszę, proszę, proszę… – dobiegało wołanie.

Doszedł do wniosku, że słyszy je z miejsca, które, jak sądził, było sypialnią. Wciąż przygarbiony podszedł do drzwi, przestępując typowe w takich miejscach graty i śmieci, prawie krztusząc się smrodem.

Ostrożnie położył dłoń na klamce. Mając pistolet w ręku, gestem nakazał Susan Terry zająć pozycję za sobą. Potem otworzył drzwi.

Wystrzał.

Pierwsza eksplozja.

Andy Candy krzyknęła. Wydany przez nią dźwięk nie był żadnym rozpoznawalnym słowem. Ćma zesztywniał. Niemalże zastygł pochylony, osłaniając Andy własnym ciałem.

Druga eksplozja rozdarła powietrze z dzikością, która aż ich oszołomiła.

Ćma uświadomił sobie, że krzyczy, wyrzuca z siebie potok wulgaryzmów, pchanych przez szok i strach. W pierwszym odruchu chciał się ukryć i ukryć także Andy Candy, w drugim podniósł głowę, czując fascynację, bo cokolwiek się teraz działo, wyglądało prawie jak w kinie.

Dostrzegł, że z tyłu domku unosi się kłąb dymu, a przez dach buchają płomienie. Okna były potrzaskane.

Ćma zatrzymał się, jak gdyby zahipnotyzowany. Potem krzyknął:

– Stój tam!

Szokując takim zachowaniem samego siebie, podniósł się zza relatywnie bezpiecznej osłony samochodu i pobiegł w stronę płonącego budynku. Gwałtownie uniósł ramiona nad głowę, jak gdyby się spodziewał, że odłamki wyrzucone przez eksplozję już za chwilę zaczną na niego spadać.

Andy Candy nie posłuchała Ćmy. Kiedy popędził przed siebie, skulona rzuciła się do radiowozu, do drzwi od strony pasażera, które otworzyła szarpnięciem. Przed nią na haczyku wisiał mikrofon policyjnej radiostacji. Schyliła się, skoczyła do niego nad fotelem, złapała i pchnęła włącznik, tak jak widziała na tuzinach filmów w telewizji. Zaczęła krzyczeć:

– Potrzebujemy pomocy! Pomocy!

Natychmiast zabrzmiał czyjś głos.

– Kto mówi?

– Byliśmy u was dzisiaj rano... Poszliśmy z funkcjonariuszem do domu nad rzeką... – słowa Andy były pomieszane, poplątane, ale jej ton nie pozostawiał żadnych wątpliwości.

– Co się stało? – zapytał kobiecy głos, który wydawał się spokojny, co zaszokowało Andy.

– Jakiś wybuch. Ogień. Słyszeliśmy wystrzał...

– Gdzie jest nasz funkcjonariusz?

– Nie wiem. Wciąż jest w środku.

Powietrzem targnęła trzecia eksplozja.

– Są jacy ranni?

Andy Candy nie wiedziała, ale na pewno jacyś byli.

– Tak, tak. Przyślijcie pomoc.

– Zostań tam, gdzie jesteś. Policja, straż pożarna i karetka już w drodze – oznajmił bezcielesny głos z radia.

Andy uniosła wzrok. Zobaczyła Ćmę przedzierającego się przez płomienie liżące drzwi wejściowe domu.

– Nie! – krzyknęła, kiedy zniknął jej z oczu.

Pierwszy wybuch rzucił Susan Terry do tyłu, waląc nią o biurko, łamiąc rękę w dwóch miejscach i oszałamiając. Druga eksplozja jak gdyby zapaliła powietrze nad jej głową, przegrzała je płomieniami i zmieniła wnętrze domku w piekarnik. Susan uświadomiła sobie, że czuje ogromny ból i że prawie leży na plecach. Wszystko, co widziała, wirowało, przysłonięte dymem oraz ogniem. Pomyślała, że policjant Donnie, leżący kilka metrów od niej, nie żyje. Chciała sięgnąć w jego stronę, ale jej prawe ramię się nie poruszyło, a lewym tylko zamachała bezradnie.

Umieram? Tutaj? Teraz?

Wszystko poruszało się w zwolnionym tempie. Zobaczyła, że policjant drgnął, jak gdyby potrafił zwalczyć utratę przytomności. Zobaczyła też, że Donnie unosi się na kolana. Pomyślała, że to pokaz niesamowitej siły. Sama nie zdołałaby czegoś takiego zrobić. Chciała zamknąć oczy i poddać się żarowi oraz coraz głośniejszemu hałasowi, który echem odbijał się w jej uszach. Rumorowi pociągów towarowych i odrzutowych silników.

Kiedy policjant zaczął czołgać się w jej stronę, miała problem ze zrozumieniem, co się właściwie stało. Wiedziała, że jest w szoku, lecz umykało jej, co to dokładnie oznacza. Zakrztusiła się dymem, rozkasłała, chociaż nie była w stanie oddychać. Zastanowiła się, czy wrzasnęła. Widziała, że policjant porusza wargami i na pewno krzyczy coś ważnego, ale zrozumienie go wydawało się niemożliwe, jak gdyby każde słowo padało w obcym języku.

A potem poczuła, że sama się porusza.

Zdziwiła się, bo wiedziała, że przecież nie jest w stanie nadać jakiegokolwiek kierunku swoim ramionom, nogom albo swojemu tułowiu. Żaden mięsień na nic nie reagował. Czuła się bezwładna, jak z gumy, jak gdyby siła pierwszej eksplozji przecięła każde ścięgno. Pomyślała, że może czuje się tak, bo już nie żyje.

Dopiero po dłuższej chwili zauważyła, że to Ćma chwycił ją za tył koszuli i ciągnie w stronę wyjścia. Ból ramienia stał się gwałtowny, jakby ktoś bił ją bezlitośnie, wbijał w skórę zaostrzone kołki. Wtedy zawyła. Nagły ból wymieszał się z jej krzykiem i jeszcze wzmógł, kiedy Donnie chwycił ją za ramię. Razem z Ćmą, jak dwóch ratowników wyciągających wycieńczonego pływaka uchwyconego przez fale, zabierali ją ku bezpieczeństwu. Susan nie mogła dojrzeć wyjścia z domku, jedyne, co widziała, to czerwonożółte płomienie pędzące przez sufit niczym deszcz meteorytów. Malowidła Jacksona Pollocka utworzone z ognia.

Śmierć, pomyślała, potrafi być piękna.

Nie miała pojęcia, że właśnie ratowano jej życie.

40

Jeden z policjantów nazwał go bohaterem, ale Ćma nie sądził, aby miał rację. Bliższe prawdzie byłoby określenie „głupiec". Gdy sam się nad tym zastanowił, nie potrafił dokładnie określić chwili, w której zaczęła się jego głupota. Z pewnością wcześniej niż wtedy, gdy wbiegł do płonącego domu, żeby pomóc Donniemu wyciągnąć Susan Terry z płomieni. Może to było wtedy, kiedy ruszył na spotkanie z Jeremym Hoganem, chociaż to też mu się nie zgadzało. Przez chwilę sądził, że droga do naiwności zaczęła się od telefonu do Andy Candy, ale i to mu nie pasowało.

Kontynuował cofanie się przez wydarzenia i uznał, że chwilą, od której wszystko się zaczęło, była ta, kiedy odnalazł zabitego stryja i od razu wrócił do picia. Na tę myśl aż się wzdrygnął. Ostatecznie zaczął się przekonywać, że wszystko zaczęło się przed laty, w liceum, od rozstania z Andy Candy. Tam właśnie były korzenie jego głupoty, która obecnie zakwitła. Z pewnym smutkiem pomyślał, że stryj Ed, jako psychiatra, na pewno cofnąłby się jeszcze bardziej i o wszystko obwinił wymagających, nieobecnych oraz nieświadomie okrutnych rodziców.

Jakaś młoda sanitariuszka o miłym uśmiechu i dużej pewności siebie bandażowała mu ręce, mówiąc, że nawet jeśli wcale teraz źle nie wyglądają, to powinien od razu zobaczyć się z doktorem, bo oparzenia potrafią być podstępne.

Wątpił, czy to zrobi, ale stojąca obok Andy Candy oznajmiła:

– Dopilnuję, żeby do niego poszedł.

– Mogą zostać blizny – uprzedziła sanitariuszka.

Co do tego Ćma nie miał wątpliwości. Lecz na myśl przychodziły mu raczej takie blizny, których nie widać na skórze. Takie, jakie miał Ed.

W pobliżu odezwała się syrena karetki. Auto wiozło Donniego, który nie chciał odejść, dopóki nie rozkazał mu tego sierżant. Policjant miał oparzenia, które szybko się zagoją, ponadto nawdychał się dymu. Ćma zastał go na stopniach karetki. Oddychał przez maskę tlenową i szczerzył się do funkcjonariuszy z policji stanowej, do swoich kolegów z posterunku, do pielęgniarek oraz strażaków, wciąż poklepujących go po ramieniu ze słowami, że cholernie dobrze się spisał.

Nic, pomyślał Ćma, nie jest tak pięknie jak bycie żywym, kiedy powinno się być martwym. Susan Terry już zawieziono na oddział ratunkowy, przypuszczalnie na operację ręki.

Ćma poczuł, że Andy luźno obejmuje mu ramię, takim dziwnie zaborczym gestem. Wziął oddech i oparł się plecami o bok radiowozu. Na chwilę zamknął oczy, chcąc, żeby przyszła już noc i mógł zasnąć. Był jednak środek dnia, a okolicę zalewał słoneczny blask. Kiedy otworzył powieki, ujrzał trzech zbliżających się mężczyzn. Jeden miał na głowie hełm dowódcy straży pożarnej, z białym rondem. Drugim był sierżant z Charlemont, z którym spotkali się rano. Trzecim – policjant z policji stanowej, z małą plakietką na koszuli nad identyfikatorem z nazwiskiem. Widniało na niej: „Wydział zabójstw".

– Panie Warner – z wolna zaczął policjant – czy czuje się pan na siłach odpowiedzieć na kilka pytań?

– Jasne – odparł Ćma.

– Czy wiedział pan, że wewnątrz są zwłoki?

Policjant wskazał w stronę wypalonej skorupy domku.

– Nie – odparł Ćma. – Kto…

– Prawdopodobnie pan Munroe, właściciel. Ale ustalenie tożsamości zajmie koronerowi i laboratorium kryminalistycznemu jeszcze trochę czasu, o ile w ogóle zdołają tego dokonać. Ciało jest mocno zwęglone. Nasz funkcjonariusz mówi, że wystrzał, który usłyszał, padł wewnątrz tylnego pomieszczenia, gdzie najwyraźniej zaczął się pożar, jeszcze zanim wybuchły pojemniki z propanem i benzyną. Nigdy dotąd nie oglądałem eksplozji domowej wytwórni metaamfetaminy. Robi koszmarny bałagan. W każdym razie, to mógł być strzał samobójczy.

– A skąd pan to wie?

– Znaleźliśmy list w jego ciężarówce. Sekcja zwłok z pewnością wykaże śrut kaliber dwanaście.

Ćma pokręcił głową. To już koniec? Nie wierzył. To wydawało się o wiele za proste.

– Wytwórnia metaamfetaminy? – zapytał.

Policjant zignorował pytanie.

– A dlaczego wy tutaj byliście? – chciał wiedzieć. Spojrzał na Andy Candy. – Dlaczego oboje tutaj byliście?

Pytania. Odpowiedzi. Wątpliwości. Zeznania składane pod przysięgą. Kłamstwa i półprawdy. Oto biurokratyczne rozpatrywanie aktu przemocy, równoległe do bardziej znajomej i przewlekłej analizy kryminalistycznej. Zdawało się, że wszechobecna, żółta taśma z napisem „Miejsce przestępstwa – nie wchodzić" oddziela coś więcej niż tylko przestrzeń. Okrążała sortowanie i układanie według kategorii, wydzielała miejsce, gdzie to, co ktoś powiedział, łączyło się z tym, co ustalili naukowcy. I wszystko miało na celu stworzenie obrazu tego, co się wydarzyło, jak się wydarzyło oraz dlaczego się wydarzyło. Jednak w owym wizerunku zawsze były luki, puste miejsca; często zdarzały się niedobrane kolory i przeciwstawne wizerunki. Od czasu do czasu miejsce przestępstwa stawało się przykładem iluzjonistycznego malarstwa, gdzie to, co wydawało się czymś być, wcale tym nie było, i gdzie dominowały mylne kierunki.

– Cześć, Stephen.

Pauza.

– Cześć, Steve.

Zawahanie. Przebiegły uśmiech.

– Hej, Steverino, jak tam u ciebie?

– Nieźle. Całkiem nieźle. Miło, że pytasz.

Piąty Student wpatrywał się we własne odbicie w lustrze nad umywalką w swoim małym, przemeblowanym i przebudowanym domu przy Angela Street na Key West. Budynek stał dokładnie naprzeciwko cmentarza, umieszczonego na trzy-, może czterometrowym wzniesieniu i stanowiącego przez to jedno z najwyżej położonych miejsc w okolicy, zapewniające pobliskim rezydencjom nieco skromnej osłony przed huraganami. Dom Piątego Studenta był jednym z budynków nazywanych przez miejscowych „domkami fabrykantów cygar". Został zbudowany w latach dwudziestych i zajmowali go kiedyś kubańscy uciekinierzy, którzy często napływającym falami przebywali dystans stu pięćdziesięciu kilometrów, a potem doskonalili się w sztuce skręcania doskonałych cygar dla miejscowych Daddych Warbucksów. Domki były nieduże, jednokondygnacyjne, ciasne, z miejscowej sosny, odpornej na pogodę i termity. Wraz z upływem kolejnych dekad stały się szalenie popularne wśród zamożnych osób poszukujących letnich rezydencji. Często kosztowały ponadsiedmiocyfrowe sumy, jednak Piąty Student swój domek sprytnie kupił kilka wcześniej. Utopił spore pieniądze w metalowym dachu, centralnej klimatyzacji i mahoniowych blatach kuchennych. Wiedział, że gdyby chciał teraz sprzedać nieruchomość, wszystko zwróciłoby mu się podwójnie, nawet potrójnie.

Jednak nie miał zamiaru tego robić.

Podniósł kołnierz sportowej koszuli i założył drogie ciemne okulary Ray-Bana. Miał na sobie szorty postrzępione u dołu nogawek i podniszczone buty do biegania, które poznały kiedyś lepsze czasy. Gdy wyszedł, na zewnątrz było wilgotno i upalnie. Wiedział, że zanim przejdzie jedną przecznice, będzie lepił się od potu.

– I jak tam, Stevie, czujesz się bezpieczny?

– Skoro już o tym mowa, to owszem. Tak, czuję się bardzo bezpieczny.

– Myślę, że te drobne wskazówki nakierowujące na chałupniczą produkcję narkotyków były bardzo mądrym pomysłem.

– Też tak myślę.

– I jeszcze trup.

Przypomniał sobie kwestię wypowiedzianą przez Winstona Wolfe'a z *Pulp Fiction*: „Nikt, za kim będą tęsknić".

Piąty Student sądził, że umieścił w domu odpowiednią ilość niepasujących do siebie elementów. Miało to wywołać zamęt – tak, żeby policja nie wiedziała, w sprawie jakiego przestępstwa powinna prowadzić dochodzenie. A kiedy to już uporządkują – o ile w ogóle – znajdą ducha, człowieka, który nigdy nie istniał. Nic nie łączyło fikcyjnego i obecnie zmarłego Blaira Munroe z Charlemont w Masachusetts z emerytowanym narkotykowym przedsiębiorcą Stephenem Lewisem z Key West na Florydzie.

Miał nadzieję, że eksplozja razem z Panem Bezdomnym zabrała Bratanka, Dziewczynę oraz Prokurator. Sprawdził miejscowe wiadomości, które ciągle przekazywały zapierające dech w piersiach informacje na temat pożaru. Donoszono o co najmniej jednej ofierze śmiertelnej – tyle sam już wiedział – oraz o rannych, którzy trafili do szpitala. Niedobrze, co za pech. Ranni, ale żyją.

Na tym właśnie polega cały problem z materiałami wybuchowymi. Dokonują koniecznych zniszczeń, ale brakuje im tej niezbędnej intymności oraz pewności zapewnianej przez kulę.

To nie robiło żadnej różnicy. Już nakreślił zakończenie. To, że było to drugie zakończenie, do którego stworzenia został zmuszony, teraz już tylko lekko irytowało. Zniknął. A teraz jak noworodek oglądał świat po raz pierwszy.

Tak, ale jeżeli przeżyli...

Wewnętrzny uśmiech.

To coś się wymyśli.

Zerknął na zegarek. Wydobycie starego, zardzewiałego roweru – najodpowiedniejszego środka transportu na Key West – i przejazd na miejsce, gdzie mógł się zrelaksować, na wieczorny pokaz niezwykłości na Mallory Square, zajęłyby mu od piętnastu do dwudziestu minut. Widowiskowy zachód słońca co wieczór celebrowali tam akrobaci, połykacze ognia, gitarzyści oraz wszyscy ci, którzy doszli do wniosku, że mogą zarobić parę dolców na turystach z promu, robiąc coś dziwnego – na przykład pozując do zdjęć z iguaną wetkniętą pod jedno ramię i boa dusicielem owiniętym wokół drugiego.

Podobnie jak większość mieszkańców Key West, zazwyczaj unikał tego wieczornego rytuału. Celebracja kiczu i leseferyzmu stanowiła symbol tego miejsca: za dużo ludzi ściśniętych na małej przestrzeni, ruch aut zepchnięty na boczne ulice. Była to chwila głośno wyrażanej radości. Tego wieczoru Piąty Student ruszył jednak, aby wziąć w tym udział. To miejsce wydawało mu się najodpowiedniejsze do pożegnania się z nieistniejącą osobą, która przez tyle lat tak dobrze go traktowała.

Tak jak zachodzące słońce, wielka, jaśniejąca kula czerwieni i żółci spadająca w ogrom błyszczącej, błękitnej otchłani, znikał teraz Blair Munroe.

Chciał się napić. Spełnić za niego toast. A potem ruszyć dalej. Możliwości miał nieograniczone. Wybór należał tylko do niego. Horyzont był czysty.

Intensywny ból, a potem chowająca ten ból peleryna ze środków znieczulających. Spojrzenie w jaskrawe, nieubłagane światło. Odliczanie do tyłu. Sen. Pobudka. Jeszcze więcej bólu. Miarowe kapanie kroplówki. Zanikający ból, niczym ściszany dźwięk w stereo. I znowu sen.

Następnie przebudzenie do czegoś, co znacznie przewyższało bałagan, zbliżając się do poważnego przestępstwa. Kiedy Susan Terry wyłoniła się z pooperacyjnej mgły, ucieszyła się, że żyje. Może.

Do jej szpitalnego pokoju weszła pielęgniarka i odsunęła zasłony.

– Jaki mamy dzień? – zapytała Susan.

– Czwartek rano. Przywieźli panią we wtorek.

– Jezu.

– Boli panią?

– Nic mi nie jest – odparła Susan. Jasne, że to była nieprawda.

– Mnóstwo ludzi chce z panią porozmawiać – powiedziała pielęgniarka. – Kolejka zaczyna się od policji stanowej. Potem jest pani szef z Miami. I jeszcze para młodych ludzi, która była tu już z kilka razy, ale pani była wciąż nieprzytomna.

Susan odchyliła się na łóżku. Czuła delikatny zapach środka dezynfekującego. Zerknęła na rurkę kroplówki podłączoną do ramienia. Drugą rękę miała owiniętą białymi opatrunkami.

– Co dostaję? – zapytała.

– Demerol.

Wzięła głęboki oddech.

– Doskonały środek – powiedziała. Potem zebrała się w sobie i wypaliła: – Ale nie mogę go brać. Mam problem z uzależnieniem.

Pielęgniarka szeroko otworzyła oczy.

– Wezwę lekarza prowadzącego – oznajmiła. – Niech pani mu o tym powie.

Tym, czego Susan pragnęła najbardziej ze wszystkich rzeczy na świecie, była właśnie ta kroplówka. Chciała pławić się w oparach środków przeciwbólowych na bazie morfiny. Chciała pozwolić się im skusić do półsnu i do zapomnienia. Pragnęła, żeby to trzymało na dystans wszystkich ludzi zamierzających z nią porozmawiać. Może nawet tak, żeby w ogóle nie dało się z nią porozmawiać.

Wiedziała również, że to by ją zabiło. Skuteczniej niż zbiorniki benzyny i propanu eksplodujące w bombie domowej roboty.

Susan zazgrzytała zębami.

– Proszę przysłać lekarza prowadzącego – powiedziała.

Gdy tylko pielęgniarka się odwróciła, Susan wyszarpnęła z ramienia igłę kroplówki. Uznała, że to najlepsze, co teraz może zrobić.

41

Oczywiście tak do końca im nie uwierzono.

A naprawdę, to ledwie co im uwierzono. Ich słowa pełne były nieścisłości, rzeczy, które raczej skłaniały do zadawania następnych pytań, niż udzielały na nie odpowiedzi. Do tego jeszcze kilka całkowitych kłamstw wywołujących liczne wątpliwości i podejrzenia. Kiedy zakończono przesłuchania, w zeznaniach było tyle dziur, że aby je wszystkie wypełnić, potrzeba by grabarza z koparką.

Jednak śledczy z policji stanu Massachusetts nie znaleźli żadnego konkretnego powodu, aby dłużej ich przetrzymywać. Detektywi wiedzieli, że doszło do jakiego naruszenia prawa, ale nie potrafili znaleźć niczego, co wskazywałoby, że któreś z tej trójki popełniło przestępstwo.

Andy Candy znalazła się w szczególnie trudnej sytuacji.

Śledczy doszli do wniosku, że właśnie ona może stanowić najsłabsze ogniwo. Była najmłodsza. Jako jedyna nie odniosła obrażeń, chociaż oparzenia Ćmy goiły się szybko, a nawet bardzo szybko. Jej powiązania z mężczyzną z eksplodującego domu wydawały się najbardziej wątłe. Przesłuchiwano ją osobno, zaczynając od: „Jesteśmy twoimi przyjaciółmi", poprzez: „Wiemy, że kłamiesz, a my chcemy usłyszeć prawdę", aż po: „Zdajesz sobie sprawę, że zatajenie prawdy w sprawie morderstwa stanowi poważne przestępstwo i czy na pewno chcesz iść do więzienia, żeby ochronić swojego chłopaka i zawieszoną prokurator?"

Odpowiedziała:

– A jak myślicie, przed czym ich chronię?

Naciskali:

– No a po co tutaj jesteście?

Andy zaskoczyła samą siebie tym, że przez cały czas zachowywała spokój, który frustrował przesłuchujących, i wciąż trzymała się tej swojej, w zasadzie lipnej wersji zdarzeń.

– Mężczyzna w domku kempingowym mógł mieć związek ze śmiercią stryja Timothy'ego Warnera, tym samobójstwem, jednak pojawiły się pewne pytania i dlatego chcieliśmy uzyskać jakieś odpowiedzi, ale zanim zdołaliśmy o coś zapytać, to ten cały cholerny dom wyleciał w powietrze. Myślę, że wszystko dlatego, że ten facet w środku zobaczył umundurowanego gliniarza i pomyślał, że chodzi o narkotyki, i że pójdzie do więzienia na resztę życia. Dlatego wysadził w powietrze siebie oraz całą resztę, tak żeby wszystkim powiedzieć: „Pieprzcie się". Tak właśnie myślę. Chciałabym jakoś bardziej pomóc. Naprawdę.

Ale nie pomogła.

Linie Delta Airline przeniosły ich wszystkich do pierwszej klasy po tym, jak kobieta w kasie zobaczyła gips i temblak Susan. Przez większość powrotnego lotu do Miami milczeli. Susan regularnie zażywała dostępny bez recepty tylenol, ale to tylko trochę łagodziło ból nękający ją po operacji. Była z siebie dumna, że zdołała uniknąć natychmiastowego naćpania się, chociaż wolałaby dostać receptę na tylenol wzmacniany kodeiną. Uznała, że powinna wykorzystać łupanie w poskręcanym śrubami ramieniu jako pomoc w walce z nałogiem. Za każdym razem, kiedy nie brała narkotyku, ból przypominał jej, że jest czysta, co w zasadzie było dobre. Najlepiej, jak potrafiła, ignorowała ból przenikający ramię oraz pot perlący się na czole.

Poprawiając się na siedzeniu, spojrzała wzdłuż przejścia między fotelami w stronę Andy Candy i Ćmy. W kabinie samolotu panował półmrok. Silniki buczały jednostajnie. Mężczyzna siedzący obok Susan drzemał. Niewygodnie jej było się poruszać, ale nachyliła się w ich stronę.

– Czy uważacie, że mężczyzna, który tam umarł, to właśnie ten, na którego polowaliście? – zapytała wprost. Nie dodała: „Mężczyzna, który zakapował mnie mojemu szefowi i totalnie spierdolił mi życie".

Chciała, żeby to był on. Chciała, żeby już było po wszystkim. Chciała móc pójść wieczorem do Redemptora Jeden, spojrzeć na tych wszystkim uzależnionych i oznajmić: „To już koniec", a potem zrestartować swoje życie. Nie wierzyła, aby to było możliwe.

Nie była w stanie dostrzec, że sprawę anonimowego zabójcy połączyła z parciem przed siebie, odzyskaniem swojej pozycji prokurator, dla której źli ludzie stanowili zamiennik narkotyku. Ale podobnie jak gliniarze z Massachusetts, których zostawili już daleko za sobą, ciągle miała wątpliwości. Wszystko, czego nauczyła się na temat prawa, mówiło jej teraz, że gdzieś musi być jakiś głaz, który mogą odwalić, aby dostrzec to, co może uformować się w odpowiedź. Nie wiedziała jednak, gdzie go szukać.

Andy Candy nie odpowiedziała. Zamiast tego spojrzała ponad Ćmą przez okno, gdzieś w ciemną noc. Pustka tej nocy wydawała się kłamstwem.

Ćma popatrzył najpierw na Andy, potem na Susan.

– Chciałbym, żeby tak było – stwierdził. – Gdyby to był on, wszystko stałoby się prostsze.

Umilkł na chwilę, potem dodał:

– Jeszcze nigdy nie miałem takiego szczęścia.

– Szczęścia? – zapytała Susan.

– Trzeba mieć szczęście, żeby uzyskać proste odpowiedzi na skomplikowane pytania.

Andy Candy, słysząc to, nagle się uśmiechnęła. Oto on, pomyślała. Cały Ćma.

Mówił dalej, wpatrując się w Susan.

– Co robimy? Czekamy, aż zakończą sekcję zwłok i zrobią testy DNA, o ile w ogóle zdołają? Zakładam, że nigdy się nie dowiemy.

Ta możliwość go przerażała. Nie wiedział dokładnie dlaczego, ale niepewność wydawała mu się jedną z rzeczy, które pchałyby go z powrotem do picia.

Nie wypowiedział na głos tej obawy, ale domyślał się, że zarówno Susan, jak i Andy Candy doskonale o niej wiedziały.

Zamiast tego oznajmił:

– Musimy znaleźć jakąś konkretną odpowiedź.

I natychmiast uwiadomił sobie, o ile łatwiej coś takiego powiedzieć, niż zrobić. Odwrócił się od Susan i podążył za spojrzeniem Andy ku czarnemu niebu za oknem. Lecimy osiemset kilometrów na godzinę, a ja chciałabym móc wystawić rękę i uchwycić to, co należałoby teraz zrobić.

Andy Candy zauważyła, że Ćma zmaga się z jakimiś myślami. Dotknęła jego dłoni. W tej właśnie chwili tak naprawdę nie chciała, aby to już był koniec. Chciała, ale jednocześnie nie chciała. Koniec oznaczał bezpieczeństwo. Pomyślała jednak, że oznaczał również kres jej i Ćmy. On pójdzie swoją drogą, a ja pójdę swoją. Tak właśnie wygląda życie. Tym, co nas czeka, zawsze jest koniec. Wtedy był nasz pierwszy koniec. Tak samo stanie się z ponownym końcem.

Susan odchyliła się i zerknęła na zegarek. Minęło dziewięćdziesiąt minut od kiedy zażyła ostatnie dwie dawki środka przeciwbólowego, i jego działanie zaczynało już słabnąć. Zamachała na stewardesę, prosząc o butelkę wody. Bardzo się męczyła przy otwieraniu, aż wreszcie pomogła sobie zębami. Zażyła jeszcze dwie pigułki. Spodziewała się, że rano wyleci z pracy. Wiedziała, że tego bólu nie złagodzi żadne lekarstwo dostępne bez recepty.

Kiedy dom eksplodował, Susan straciła swoją broń. Technicy kryminalistyczni nie odnaleźli pistoletu wśród wypalonych i zalanych wodą zgliszczy. W torebce miała teraz trzysta pięćdziesiątkę siódemkę Ćmy – użyła swojej odznaki, żeby przejść z rewolwerem kontrolę bagażu – i pomyślała, że powinna mu ją oddać. Wiedziała, że bez trudu znajdzie sobie nową broń. Na południowej Florydzie nie stanowiło to większego problemu.

Dlatego po lądowaniu, zanim się rozdzielili, by pojechać każde w swoją stronę, weszły z Andy do damskiej toalety, żeby przełożyć rewolwer. Żadna nie miała pewności, czy Ćma rzeczywiście potrzebuje broni. Mógł potrzebować. Mógł również nie potrzebować. Andy Candy postanowiła, że ona zatrzyma broń, przynajmniej dopóki Ćma nie zacznie regularnie przychodzić do Redemptora Jeden.

Ciężar broni zdawał się wzbudzać w niej taki sam lęk jak to, co ta broń potrafiła zrobić. Pomyślała, że aby ją udźwignąć, wycelować w człowieka i nacisnąć spust, potrzebowałaby jakiejś specjalnej siły, wbrew tej całej propagandzie zwolenników broni palnej. Wcisnęła magnum do torebki i postanowiła o nim zapomnieć. Uświadomiła sobie, że to niemożliwe, więc po prostu trzymała buzię na kłódkę.

Wyłoniły się z damskiej toalety i zobaczyły Ćmę stojącego przy kasie. Wpatrywał się w kolejkę, na twarzy miał lekki rumieniec. Wyglądał, jakby zobaczył u swoich stóp jadowitego węża i teraz bał się poruszyć, aby nie sprowokować ataku.

– Czy coś się stało? – zapytała Andy.

Ćma wolno potrząsnął głową. Nie odwrócił się, ale cicho odezwał do Susan:

– Wiemy, że był tutaj, w Miami, prawda?

– Tak – odparła.

– Wiemy, że wrócił do Massachusetts. Musiał wrócić, prawda? Musiał przygotować eksplozję.

– Tak – powtórzyła, ale tym razem przeciągając to słowo.

– Na chwilę załóżmy, że tam w środku to nie był on. Że to było inne ciało.

– Dobra. Tak właśnie myślimy, ale…

– To zabójca z powołania. Czym byłby dla niego jeszcze jeden trup?

– Niczym. Dobra, mów dalej.

– Zatem wiemy, mniej więcej, ale jednak wiemy, kiedy musiałby polecieć z powrotem na północ, żeby dostać się tutaj przed nami.

Susan poczuła, że kręci się jej w głowie. I to wcale nie z bólu albo przez tylenol.

Andy Candy wyszeptała:

– Czyli znamy już ramy czasowe.

– Tak – powiedział Ćma. – I wiemy, gdzie są trzymane listy pasażerów. – Wskazał na kasę. – Jeżeli osoba na którejś z tych list jest Blairem Munroe, to już koniec. Załatwione. Ale jeśli nie…

Susan wydawała się lekko zmieszana. Podobnie Andy Candy.

– Do czego zmierzasz? – zapytała Andy.

Ćma starał się zachować pozory spokoju, ale jego głos nabierał coraz większego rozpędu.

– Wszyscy zawsze szukają jasnych i wyraźnych powiązań. Jednak w mojej dziedzinie znaczącym sygnałem bywa brak czegoś.

Wskazał nad blatem kasy.

– Człowiek, o którym wiemy, że był w Miami, kupił bilet do domu. Ten dom należał do mężczyzny o nazwisku Blair Munroe. Ale czy to Munroe dzwonił do Andy? Czy to on doniósł policji o dilerze Susan? Czy to właśnie on groził mojej ciotce? A może ten ktoś poleciał samolotem na północ?

Co za ironia, pomyślał. Jeśli ukrywał swoją tożsamość, to właśnie dzięki temu możemy się teraz dowiedzieć, kim jest.

Jestem historykiem. Ćma uśmiechnął się w duchu. Detektywem wyczulonym na subtelności.

42

Spotkanie z szefem miała dopiero nazajutrz o dziewiątej rano, ale wiedziała, że ochrona pracuje całą dobę. Kiedy weszła do urzędu Prokuratora Hrabstwa Dade, zbliżała się północ.

Ochroniarz za kuloodporną szybą śmiał się przy lekturze jakiejś zabawnej książki Carla Hiaasena. Jednak na widok Susan od razu spochmurniał.

– Jezu, panno Terry. Co się pani stało? – Ruchem głowy wskazał gips i temblak.

– Wypadek samochodowy – skłamała. – Jak to w Miami. Oczywiście, nieubezpieczony kierowca. Przejechał na czerwonym.

– To nie brzmi dobrze.

– Trudno, co mam robić. A jeśli pan myśli, że to już wystarczająco kiepskie... – wskazała na ramię – ...to niech pan sobie, cholera, obejrzy moje auto. Totalnie rozwalone. – Przede wszystkim miała nadzieję, że nie spojrzy na coś innego. Proszę, nie patrz w dół i nie zauważ dopisku ZAWIESZONA przy moim nazwisku na liście. Wiedziała, że musi cały czas odciągać jego uwagę. – Czy jeszcze ktoś dzisiaj pracuje za darmo po godzinach?

Ochroniarz się uśmiechnął.

– Tak, paru gości wciąż tu jest. Ekipa robiąca przy sprawie dużego bankowego przekrętu i dwoje prokuratorów zajmujących się tymi oprychami napadającymi na domy. Wszyscy inni już poszli.

– Szybko się uwinę – zapewniła, wciąż się uśmiechając i zachowując tak, jak gdyby nigdy nic. – Muszę tylko jeszcze raz sprawdzić parę dokumentów przed jutrzejszym przesłuchaniem. Wie pan, jak to jest. Siedzi się w domu, ogląda telewizję, zażywa środki przeciwbólowe... – zrobiła gest obandażowanym ramieniem – a w głowie wciąż sala sądowa i nagle człowiek sobie uświadamia, że o czymś zapomniał albo coś zostawił, albo nie wiem, coś schrzanił.

Powiedziawszy to, poprawiła włosy, skinęła głową i spokojnie ruszyła w stronę wejścia. Nie sprawdzaj, prosiła w duchu ochroniarza. Nie rób tego, co do ciebie należy. Po prostu bądź zmęczony, znudzony i nie zachowuj należytej uwagi w kolejną, rutynową noc pracy.

Ochroniarz sięgnął w dół zaznaczyć na liście, że Susan weszła do biura – wiedziała, że to zrobi, nie było możliwości, aby tego uniknąć – a następnie wpuścił ją na teren urzędu. Dźwięk elektronicznego zamka był ostry, ale życzliwy. Liczyła na to, że szef nie sprawdza listy z nocy – albo przynajmniej nie sprawdza jej bez jakiegoś dobrego powodu.

Możliwe, że w ciągu kilku najbliższych godzin znajdzie taki powód.

Kiedy tylko prześlizgnęła się przez drzwi, uskoczyła na bok, w cień pod kilkoma wysokimi regałami. Światła na suficie, zazwyczaj jaskrawe, teraz przygaszono. W całym biurze panowała upiorna cisza. Wysunęła głowę, bo wydawało jej się, że słyszy głosy dochodzące z drugiego skrzydła budynku. Inni prokuratorzy mogli przecież wiedzieć, że jest zawieszona. I jak każdy, kto zawodowo ma do czynienia ze światem zbrodni i kary, na jej widok mogliby stać się ciekawscy.

Może nawet podejrzliwi. Zapytaliby: „A co ty tutaj robisz?”, łagodnie, jednak kryjąc w tym wątpliwości. Nie uwierzyliby w żadną pokrętną wymówkę. Ktoś by potem napisał maila, który poruszyłby lawinę, i tak wszystko by się skończyło. Szef wpadłby w furię.

Nie, w coś gorszego niż furia. To byłoby coś zupełnie nowego, taki szał o czerwonej twarzy i ze zgrzytaniem zębów.

Zawahała się. Uderzyło ją nagłe poczucie straty. Biurka i pozamykane gabinety dookoła wydawały się spartańskie i bezbarwne, ale były dla niej domem bardziej niż jej własne mieszkanie. Właśnie tutaj czuła się jednocześnie najszczęśliwsza i najbardziej zestresowana, to było miejsce rozdrażnienia i radości. Przenikanie tych wszystkich sprzeczności bolało prawie tak mocno jak złamane ramię.

Odepchnęła uczucia prawie równie gwałtownie, jak na nią spłynęły. Ponownie zebrała się w sobie i nisko pochylona dalej skradała w stronę swojego gabinetu. Dywan tłumił wszelkie dźwięki, jakie mogłyby wydać jej buty do biegania. Wsłuchiwała się we własny oddech, mając nadzieję, że będzie równy. Był, ale obawiała się, że głośno dyszy.

Ten nocy kradła.

Na drzwiach wciąż widniało jej nazwisko. To dodało otuchy. Modliła się, aby nie zmienili żadnego z zamków. Właśnie tak by zrobiono, gdyby została wylana z pracy. Na szczęście klucz otworzył drzwi i odetchnęła z ulgą.

Wiedziała, że żadna z niej włamywaczka, ale to, co teraz robiła, z pewnością stanowiło pogwałcenie umowy z szefem i graniczyło z przestępstwem.

Zastanawiała się, czy jakiś trzeźwo myślący prokurator uznałby jej postępowanie za złamanie prawa. Przypuszczalnie. Może. Niewykluczone. Sama nie wiedziała. Czy aby na pewno? Zdawała sobie sprawę, że odpowiedź na pytanie brzmi „nie". Strach mieszał się jednak z determinacją, tworząc dziwną miksturę, którą można by opisać wulgarnym „A chuj z tym". Wpadła w coś po uszy i teraz, w tę godzinę w samym środku nocy, właśnie do niej należało znalezienie odpowiedzi.

Znalezienie mordercy. To by uchroniło jej posadę.

Wszystko, co do tej pory zrobiła i co zamierzała zrobić, wydawało się za to niewielką ceną. Pod warunkiem, że się uda. Nie chciała wyobrażać sobie alternatywy. Usunięcie z palestry. Aresztowanie. Proces.

I jeszcze gorzej. Upokorzenie, świadomość tego, że okazała się bezsilna, nie potrafiła zapobiec temu, żeby jakiemuś mordercy uszło płazem.

Susan po cichu zamknęła drzwi swojego gabinetu. Nie włączała światła, tylko w blasku miejskich świateł wkradającym się przez okno rozglądała się po pomieszczeniu. Wszędzie pusto, pomyślała. Jedynym sposobem, aby je wypełnić, było robienie tego, czym się właśnie zajmowała. Podeszła do biurka, uruchomiła komputer. Zmówiła krótką modlitwę o to, aby jej login i hasło pozostawały aktualne mimo zawieszenia w obowiązkach. Kiedy ekran komputera ożył, poczuła ulgę – chociaż część niej czuła się skonsternowana tak ogromnymi lukami w systemie bezpieczeństwa.

Nacisnęła kilka klawiszy. Przy każdym kliknięciu wzdrygała się nerwowo, mając nadzieję, że niczego nie słychać.

Wyświetliła się strona Urzędu Zabezpieczenia Transportu.

Wiedziała, że nie zdoła ukryć, że poszukiwania w sieci prowadziła Susan Terry. Każde naciśnięcie klawisza i każde hasło łączyło się tylko z nią, stanowiąc równie solidny dowód jak podpis na papierze. Trop prowadził prosto do niej. Każdy kompetentny śledczy umiał się dowiedzieć, gdzie, kto i dlaczego poszukiwał jakiejś informacji. Nawet gdyby użyła programu do czyszczenia dysku, niczego by nie wskórała. Jeśli chodziło o technologię komputerową, śledczy daleko wyprzedzali wszystko, czym dysponowała.

Ale tak naprawdę w ogóle jej to nie martwiło. Wiedziała że przy wszystkim, co teraz robi, ważny jest czas. Wyczuwała, jak upływa nieubłaganie. Jedna sekunda. Dwie sekundy. Trzy sekundy. Minuta. Godzina. Dzień. Ile czasu zajmuje odnalezienie mordercy?

Susan pochyliła się do monitora i wyszeptała:

– Do licha, Timothy Warnerze, liczę na to, że masz rację. To byłoby nawet miłe zaprzepaścić całą karierę, robiąc dla odmiany coś słusznego. Nawet jeśli przy okazji jest to całkowicie nielegalne.

Pomyślała, że to nawet zabawne. Ostrożne wysunęła prawą rękę z temblaka.

Przez chwilę wyobrażała sobie, że jest kryminalistą szukającym drugiego kryminalisty.

Pospiesznie stukała w klawiaturę, czasem lewą ręką, a czasem, pokonując ból, zmuszała prawą do ruchu do przodu, aby jak najszybciej przemieszczać się w elektronicznym świecie policji.

Ćma przyglądał się śpiącej Andy Candy.

Osunęła się na krzesło przy biurku. Przed sobą miała otwarty komputer, obok niej leżała torebka. Wiedział, że w środku jest magnum trzysta pięćdziesiąt siedem, ale na jakiś czas przestał zaprzątać tym sobie głowę.

Wiedział, że jest wycieńczona. Jak przed laty, gdy nagle zasnęła obok niego po takim naprawdę wyciskającym poty nastoletnim seksie. Byli wówczas na tylnym siedzeniu auta. Wiedział, że to banalne, ale właśnie tam znaleźli odrobinę prywatności. Andy leżała nago, a Ćma wykorzystał jej drzemkę, aby spróbować zapamiętać każdą krzywiznę i zakątek ciała. Przyglądał się jej tak jak teraz. Przyszło mu do głowy, że nie ma szans, aby dłużej ze sobą byli, bo przecież jedyne, co ich łączy, to mrok i przeżycia związane z morderstwem. W końcu na nich oboje padnie światło i ponownie się rozdzielą. Czuł przez to smutek i niepokój. Nie wiedział, czy zniesie ponowną utratę Andy, a to nie wydawało się specjalnie dojrzałe. Poczuł się okaleczony tym wszystkim, co dorosłość wniosła do jego życia. Picie. Beznadzieja. Otarcie się o śmierć. Zbawienie dzięki stryjowi. Zastanawiał się, czy pomszczenie Eda – wydające się prawie napoleońskim zamiarem – będzie go kosztowało bliskość z Andy.

Obawiał się, że tak. Poprawił się na krześle. Chciałby dołączyć do niej na wąskim łóżku, jednak czekał.

Rozległ się elektroniczny sygnał nadejścia maila.

To ona, pomyślał. Zastanowił się, czy budzić Andy. Wiedział, że mógłby teraz skorzystać z jej racjonalnego, logicznego podejścia do rozmaitych spraw. Jednak pozwolił Andy spać. Tylko chwilę dłużej. Otworzył pierwszego maila:

Nie ma żadnego Blaira Munroe.

Dwadzieścia możliwych lotów. Parę się łączy.

Wysyłam wszystkie listy.

Spotkamy się u ciebie o siódmej.

Zawahał się, potem otworzył wszystkie załączniki i przeniósł na pulpit.

Zapiszczał kolejny e-mail.

Natychmiast go otworzył.

Przeczytał:

Martwy?

Nie sądzę.

W wiadomości było zdjęcie Blaira Munroe wyciągnięte z Urzędu Rejestracji Pojazdów Silnikowych w Massachusetts. Powiększono je tak, aby zajmowało całą stronę.

Ćma wydrukował fotografię i wziął w dłonie.

Wpatrywał się w zdjęcie, mając nadzieję dostrzec zabójcę w oczach, w kształcie szczęki, może we fryzurze albo skrzywieniu warg. Jednak nie znalazł nic tak oczywistego. Wzdrygnął się. Powinien obudzić Andy, aby jej to wszystko pokazać, doszedł jednak do wniosku, że może poczekać. Jeżeli właśnie tego mężczyznę musiał zabić, nie było sensu popędzać jej do popełniania przestępstwa. Uznał, że może jej ofiarować jeszcze kilka minut niewinnego snu.

43

Ćma zasnął kilka godzin przed świtem. Wziął poduszkę ze swojego łóżka i położył się na dywanie obok Andy Candy. Zanim rozebrał się do bielizny i zamknął oczy, przyszła mu do głowy taka dziwna i pełna skromności myśl, aby jej nie przeszkadzać.

Andy obudziła się, gdy do mieszkania wkradły się pierwsze promienie porannego światła. Zobaczyła Ćmę na podłodze obok siebie. Ostrożnie go przestąpiła. Zrobiła kawę tak cicho, jak tylko potrafiła, i ochlapała twarz wodą w kuchennym zlewie. Potem podeszła do komputera i przeczytała twszystko, nad czym pracował Ćma. Zobaczyła wydruk maila od Susan i wyłowiła zdjęcie Blaira Munroe z prawa jazdy. Przez głowę przebiegło jej wiele myśli, takich samych jak te, które przed kilkoma godzinami rozważał Ćma. Wzięła swoją kawę i usiadła przy biurku, aby dokładniej przyjrzeć się listom pasażerów.

Najpierw wykluczyła wszystkie kobiety.

Następnie wykluczyła wszystkie oczywiste pary. Żegnajcie, państwo To Samo Nazwisko.

– Nie masz żony, prawda? – wyszeptała do fotografii. – Nie masz u swojego boku żadnej prawowitej małżonki współmorderczyni, takiej w stylu Bonnie?

Umilkła, pozwalając, aby pytanie zawisło przed ekranem komputera, a dopiero potem podała własną odpowiedź.

– Nie, nie sądzę. Zacząłeś jako samotnik i jako samotnik skończysz.

Rozumiała, że tylko spekuluje i tak naprawdę niewiele wie o mordercy. Jednak nie czuła się już całkowitym nowicjuszem w kwestii toku rozumowania, towarzyszącego poszukiwaniom.

Nauczyłaś się czegoś o zabijaniu, prawda? – zapytała sama siebie.

Na listach pasażerów z Urzędu Zabezpieczenia Transportu leżących przed nią na burku podano daty urodzenia. Natychmiast odrzuciła wszystkich za młodych i za starych. Zdecydowała się na zakres piętnastu lat, uznając, że w nim na pewno mieści się wiek polującego na nich zabójcy. Zdjęcie z prawa jazdy nie dawało jasnej odpowiedzi co do wieku przedstawionej na nim osoby. Mężczyzna wyglądał tak, że nie dało się określić wieku. Był starszy od Andy i Ćmy. Starszy od Susan Terry.

On jest w wieku Eda, uświadomiła sobie. Albo w zbliżonym.

Zakres poszukiwań coraz bardziej się zawężał.

Samotny mężczyzna. Podróżujący bez towarzystwa. Wiek od czterdziestu pięciu do sześćdziesięciu lat.

Cicho mówiła do siebie samej:

– Czy udawałeś biznesmena, który właśnie ubił jakiś poważny interes? Turystę zmęczonego zakazanymi szaleństwami na South Beach? A może dobrego syna wracającego do domu po wizycie u starszych krewnych w jakiejś lepszej dzielnicy północnego Miami? Jakiego siebie chciałeś pokazać światu? Bo przecież nie pokazywałeś ani trochę prawdy, co?

Przekreśliła wyeliminowane nazwiska. Gdy skończyła, lista skurczyła się do dwudziestu kilku mężczyzn samotnie podróżujących na północ, pasujących do tego skromnego profilu, jaki zdołała opracować.

Uświadomiła sobie, że jedno z tych nazwisk należy albo do zwęglonego ciała w domku z przyczepy w zapadłym miasteczku w Massachusetts, albo do mordercy rozkoszującego się uzyskaną właśnie wolnością.

Stawiała na to drugie.

Byliśmy blisko, ale nie tak blisko, żeby cię zabić, prawda? W jej głowie rozbrzmiewały pytania. Byłeś na tyle sprytny, aby zaplanować innym śmierć. Dlaczego nie miałbyś zaplanować też własnej śmierci? Wyobraziła sobie, że morderca staje przed nią na scenie, jak aktor. Kłania się, a potem schodzi z tej sceny wśród gromkich braw.

Ćma drgnął. Uniósł wzrok. Poruszał się sztywno.

– Dzień dobry – wesoło zawołała Andy Candy. – Zrobiłam kawę.

Ćma coś burknął. Wstał i zniknął w łazience. Gorący prysznic i energiczne szczotkowanie zębów usunęło z niego trochę odrętwienia, na które złożyło się dużo napięcia, za mało snu i coraz większe zdenerwowanie. Kiedy wyszedł, Andy zerknęła na jego wilgotne włosy.

– Myślę, że też tak zrobię – oznajmiła. – Jest tam jakiś suchy ręcznik?

Pokiwał głową.

– Zerknij na to, jak będę pod prysznicem – powiedziała, podsuwając mu przygotowaną przez siebie listę nazwisk.

Ćma, z filiżanką kawy, zaczął studiował listę, ale nasłuchiwał także odgłosów z łazienki, starając się nie zagłębiać we wspomnienia nagiego ciała Andy. Ten ich poranek wyglądał jak u starego małżeństwa, tyle że z jedną drobną różnicą.

Pogawędka. Porządki. Trochę gorącej kawy. Spokojne tempo dnia. Pora zaplanować morderstwo.

Minęło sporo czasu, od kiedy poczuł energię zemsty, która go przepełniła, gdy po śmierci stryja składał do kupy pozory swojego życia. Czytanie tej listy sprawiło jednak, że ponownie się wzdrygnął.

– Gdzie jesteś? – pytał każde nazwisko z listy. Potem zapytał jeszcze: „Kim jesteś?", a w końcu: „Jak mam cię znaleźć?" Każde kolejne pytanie szeptał coraz ciszej i coraz bardziej zachrypniętym głosem.

Susan Terry wahała się, nim zapukała do drzwi Ćmy. Przypomniała sobie, że kilka dni temu stała w tym samym miejscu ze spluwą w dłoni, gotowa go zastrzelić, ogarnięta zaćpaną wściekłością poplątanych myśli. Wierzyła, że ten student historii, ten pijak zadzwonił na policję i totalnie spieprzył jej starannie zrównoważone życie.

Wzruszyła ramionami i zapukała.

Kiedy Ćma otworzył, oznajmiła bez przywitania:

– Mam mało czasu. O dziewiątej muszę być na dywaniku u szefa. Wcześniej musimy zadecydować o naszym następnym kroku. Myślę, że o dziewiątej zero-zero totalnie skopią mi dupę.

Ćma zaprowadził ją do biurka, na którym leżały porozrzucane stosy papierów: wszystko, co zebrało się przez tygodnie, które minęły od śmieci jego stryja. Zauważył, że Susan zerka na ten bałagan, marszcząc brwi. Podsunął jej listę sporządzoną przez Andy i akurat wtedy Andy wyszła spod prysznica, szczotkując wilgotne włosy.

– Sądzę, że to jeden z nich – oznajmił. – Właśnie to wydobyła Andy, przeglądając wszystko, co przysłałaś. Może on tutaj jest.

Susan spojrzała na nich oboje. W tym połączeniu teraz, w tej właśnie chwili, było coś niezwykle czystego. Pomacała mentalnie, aby sprawdzić, czy nic się między nimi nie zmieniło. Niczego nie potrafiła wyczuć, więc zignorowała sprawę. Ale gdzieś tam w środku rozbrzmiał dzwonek zatroskania.

Odsunęła to od siebie równie szybko, jak się pojawiło. Walić to, pomyślała. Weź się do tego, do czego potrafisz się brać. Spojrzała na listę nazwisk.

– Samotni mężczyźni. Wszyscy mieszczący się w odpowiednim zakresie wieku.

Susan pokiwała głową.

– Andy, ty myślisz jak gliniarz – zauważyła.

Andy uśmiechnęła się.

– No tak. Ale dalej już nie dotarłam. Jak możemy to jeszcze bardziej zawęzić?

Cała trójka umilkła.

Ćma wpatrywał się w papiery, jednak ponad dokumentami obrócił oczy najpierw w stronę Susan. Potem na Andy Candy, a następnie znowu ku stosom papierów na biurku. Co zrobiłby z tym historyk? – pytał sam siebie. W jaki sposób spojrzałby na te okruchy i kawałki informacji i jak określiłby sposób, w jaki wpłynęły na wydarzenia?

Wziął głęboki oddech, na tyle głośno, że obie kobiety obróciły się w jego stronę.

– Wiem jak – oznajmił.

Strzelanie w ciemno, pomyślała Susan, przez labirynt biurek spiesząc w stronę narożnego gabinetu prokuratora stanowego. Ale jak na razie wszystkie strzały w ciemno były celne.

Sekretarka szefa zwykle strzegła wejścia niczym Cerber i rzadko kiedy się uśmiechała, ale na widok zbliżającej się Susan uniosła głowę znad komputera, kręcąc nią z zatroskaniem.

– Och, Susan, okropnie wyglądasz. Dobrze się czujesz?

Susan pomyślała, że najlepiej teraz obracać wszystko w żart. Udawać, że nic się nie stało.

– Powinnaś zobaczyć tego drugiego.

Sekretarka uśmiechnęła się nieznacznie. Wskazała drzwi wewnętrznego gabinetu.

– Już na ciebie czeka. Wchodź od razu.

Susan pokiwała głową, ale potem się zatrzymała. To był dokładnie zaplanowany element przedstawienia. Musiała to zrobić, zanim ją wyleją, oczywiście zakładając, że taki właśnie będzie wynik spotkania.

– Zastanawiam się… – zaczęła. – Pewnie to nic nie da, ale…

– O co chodzi? – zapytała sekretarka.

Susan ruszyła do natarcia.

– Mam nazwiska z list pasażerów samolotów. Muszę z każdym połączyć jego prawo jazdy – wskazała rękę na temblaku – a teraz cholernie mi ciężko pisać na komputerze…

– Och, ja to zrobię – zaproponowała sekretarka. – To nie powinno zająć więcej niż kilka minut. To część tego twojego śledztwa?

– Oczywiście – odparła Susan. Kłamstwo szefa o specjalnym dochodzeniu najwyraźniej rozeszło się po całym biurze. Dobrze, to się przyda. Uśmiechnęła się. Sekretarka miała dostęp do wszystkich baz danych organów ścigania w całym kraju. – Rety, nie wiem jak się odwdzięczę.

Wręczyła sekretarce listę sporządzoną przez Andy Candy. Teraz już tylko musiała przez najbliższych kilka sekund uniknąć wylania z pracy.

Błyskawicznie i skutecznie lawirowała między zmyśleniami a zaprzeczeniami.

– Wiem, co pan mi mówił, ale to była zamknięta sprawa, w której pojawiły się wątpliwości, a przy moich problemach związanych z uzależnieniem pozostawianie w takim stanie spraw dotyczących pracy mogło prowadzić do właśnie tych zachowań, z którymi się borykam – mówiła. Pozwalała, żeby słowa gładko mknęły jej przez jej usta, chciała być przekonywająca, ale nie chciała też zabrzmieć jak maniaczka, osoba niezrównoważona albo wycieńczona. To wszystko wymagało od niej aktorskich popisów. – Ci młodzi ludzie, z którymi tam byłam, byli uwikłani w całą sprawę i przedstawili kilka uzasadnionych wątpliwości związanych z dochodzeniem.

Uniosła wzrok, spoglądając na szefa i szukając na jego twarzy oznak tego, że jej słowa wywierają jakieś wrażenie. Zmarszczenia czoła. Uniesionych brwi. Pokiwania głową. Pokręcenia głową. Z nadzieją ciągnęła dalej:

– Wiem, że pan nie cierpi, kiedy ludzie zadają jakieś pytania po oficjalnym zamknięciu sprawy, i pomyślałam, że tak naprawdę to może być dla mnie dobra terapia. Wie pan, taka szybka wycieczka, żeby porozmawiać z potencjalnym świadkiem. Dostać zeznanie. Ponownie zamknąć sprawę, elegancko i dokładnie, bez żadnych luk. Koniec całej historii.

Zauważyła smutny uśmiech. Jej szef wiedział wszystko o „braku luk" oraz „końcu całej historii" i o tym, jak mało prawdopodobne było zaistnienie każdej z tych rzeczy.

– Chciałam powrócić do swojego cyklu rehabilitacji – parła dalej. – Wrócić do chodzenia na spotkania, do spotkań z terapeutą, właśnie tak, jak pan sobie życzył.

Teraz wzruszyła ramionami.

– Nie miałam pojęcia, że facet, z którym chcę się spotkać, prowadzi coś w rodzaju taniej, małej, ale groźnej wytwórni metaamfetaminy w starym domku kempingowym. Kiedy nas zobaczył, pomyślał, że zaraz zostanie złapany, i postanowił odejść w swoistym blasku chwały. Tak jak tamten facet z telewizji. Jezu, mógł nas wszystkich pozabijać, ale mieliśmy szczęście, a ten miejscowy glina, z którym tam byłam, okazał się cholernie dobry. Może warto by się zastanowić, czy go nie ściągnąć tutaj, do wydziału śledczego…

Każde wypowiadane przez nią słowo było obliczone na to, żeby rzecz morderczą zmienić w rzecz łagodną. Szczególnie zadowolona była ze swojej sugestii, że chodziło tylko to, aby upewnić się, że w trakcie dochodzenia nie popełniono żadnego błędu. Jak każdy wybitny prokurator, szef wyczulony był na cokolwiek związanego z jego fachem, co mogło wyewoluować w artykuł na pierwszej stronie, gdzie jego nazwisko pojawiłoby się obok słowa „niekompetentny".

– Szefie, wiem że to wszystko wygląda na pierwszorzędnie spieprzone, nie zaprzeczam, ale miałam dobre intencje…

Uwierzył jej.

Zdziwiła się.

Nie zmienił jej statusu, tylko ostrzegł, że nie mogą zdarzyć się żadne dalsze incydenty przeszkadzające w rehabilitacji. Wiedziała, że to nie jest czcza pogróżka.

Cienki lód zrobił się jeszcze cieńszy.

Ale dopóki nie będzie chodzić po nim zbyt szybko, nie wpadnie do lodowatej wody.

Gdy wyszła z gabinetu, aby, jak sądził szef, wrócić do procesu trzeźwienia i wychodzenia na prostą, sekretarka wręczyła jej dużą kopertę. Wymacała zebrane w niej strony, jak gdyby mogły przepalić dziurę przez papier, zanim wreszcie dotrą do zabójcy.

44

Susan oparła się pokusie natychmiastowego rozdarcia koperty, poczekała, aż wróci do mieszkania Ćmy.

Kładąc kopertę na biurku, zachowywała się dziwnie formalnie.

– No dobrze, panie Warner. Oto informacja, której pan się domagał. – Dostrzegła, że Andy Candy nieco blednie. Może niecała krew odpłynęła jej teraz z twarzy, ale dosyć sporo. Susan sądziła, że zawartość koperty oscyluje od całkowicie nieistotnej po ekstremalnie niebezpieczną. Otwarcie jej mogło pchnąć ich kursem, z którego w żaden sposób nie zdołają już zejść. Uświadomiła sobie, że jako osoba tutaj najstarsza i jedyny profesjonalista w kwestiach zbrodni i kary, musi zwrócić na to uwagę. – Na pewno chcesz do tego zajrzeć?

Ćma się zawahał.

– O to w tym wszystkim przecież chodzi, prawda? – rzekł wreszcie.

– Zgadza się. Aż do tej chwili żadne z nas nie złamało prawa, może tylko trochę je nagięło. To pewne, bo nie stała się żadna rzecz, przez którą ja albo ktokolwiek taki jak ja mógłby postawić w stan oskarżenia. Jeszcze nie.

– Ale ta chwila się zbliża?

– Tak. Otwórz kopertę, a potem rób to, co mówiłeś, że zamierzasz zrobić. To będzie już całkiem inna para kaloszy. Do głowy przychodzi mi określenie „spisek".

Susan mówiła takim samym tonem, jak wtedy, gdy po raz pierwszy przyjmowała Ćmę w swoim gabinecie.

Ćma nie odpowiadał. Po prostu wpatrywał się w kopertę.

Susan złagodziła ton, co w dużej mierze kłóciło się z szorstkością jej słów.

– Słuchaj, Timothy, mówiłeś, co chcesz zrobić, ale czy na pewno to przemyślałeś? Nie sądzę, żebyś był przestępcą, nie sądzę także, żebyś chciał zostać przestępcą. Ale zamierzasz nim zostać. Czy nie powinniśmy poszukać jakiegoś innego wyjścia?

– Inne wyjście już raz o mało nas nie zabiło – odpowiedział.

– Chcę tylko, żebyś to wszystko rozważył – zaczęła Susan, ale Ćma jej przerwał.

– A czy właśnie tego cały czas nie robimy? – zapytał cicho. – Codziennie. Zastanawiamy się, czy tego dnia pozostaniemy trzeźwi, czy to może dzień, kiedy zawiedziemy.

Susan milczała.

– Jestem już zmęczony byciem tym, kim jestem – dodał Ćma. – Chcę być kimś innym.

Jego ręka trochę drżała, kiedy sięgał po kopertę. Znał to drżenie: pojawiało się rano, po nocy spędzonej z butelką. Spojrzał na Andy Candy, która zamarła, bo to, co było dotąd raczej intelektualnym wyzwaniem, łamigłówką złożoną z tysięcy kawałków, czekających tylko, aby je do siebie dopasować, teraz stało się czymś odmiennym.

– Andy – powiedział Ćma. – Widzę, do czego zmierza Susan. To właśnie może być ten moment totalnego szaleństwa, o którym kiedyś mówiłem. Jeśli chcesz odejść, właśnie teraz jest dobra chwila, żeby wyjść przez drzwi, nie oglądając się za siebie.

Mówienie tego wszystkiego niemal przyprawiało Ćmę o mdłości. Przed oczyma przepłynął mu montaż ponurych przyszłości. Odchodzi, zostaję sam. Zostaje – i co robimy?

Andy Candy czuła bombardujące ją myśli.

Myślała: Idź, idź, idź, idź. A potem: Nie ma mowy.

Nie zgadzała się sama ze sobą. Jesteś głupia. Czy to jakaś nowość? Byłaś głupia od samego początku. Po co teraz to zmieniać?

Kiedy potrząsnęła głową, Ćma poczuł ogromną ulgę. Bez żadnych wyjaśnień wyjęła mu kopertę z rąk.

– Zobaczmy, co my tutaj mamy – odezwała się, niezbyt ufając swojemu głosowi. – Może go tu nie będzie. Może będzie. Może nie będziemy pewni. Dopiero potem będziemy mogli podjąć jakąś decyzję.

Perspektywa podjęcia decyzji jak gdyby odnowiła w niej pewność siebie. Sięgnęła po zdjęcie z prawa jazdy Blaira Munroe. To, czy był żywy czy martwy, tysiące kilometrów stąd ustalali właśnie technicy kryminalistyczni z Massachusetts. Ten być może martwy człowiek wydawał się bardzo odległy. Znacznie bliżej był człowiek, który do niej dzwonił i zepchnął na krawędź paniki. Położyła na stole zdjęcie być może martwego człowieka, a następnie otworzyła szarą biurową kopertę. Wyjęła z niej kartki, zachowując się przy tym trochę jak ktoś prowadzący telewizyjny show.

Cała trójka pochyliła się nad fotografiami, gdy Andy Candy układała je jedną przy drugiej.

Jakiś mężczyzna z przedmieść Hartford w Connecticut.

– Nie – powiedziała Susan. – Timothy?

– Zgadzam się. To nie on.

Kolejne zdjęcie.

Jakiś mężczyzna z Northampton w Massachusetts.

– Nie – powiedział Ćma. – Złe włosy. Złe oczy. Zły wzrost.

– Racja – stwierdziła Susan.

Trzecie zdjęcie.

Jakiś mężczyzna z Charlotte w Karolinie Północnej.

Nad tym zdjęciem się pochylili. Tutaj już widać było pewne podobieństwo, chociaż przysłonięte okularami. Andy Candy na chwilę wstrzymała oddech. Potem wolno odetchnęła, uświadamiając sobie, że to jednak nie ten mężczyzna, którego szukali.

– Dalej – ponaglił Ćma. – Następny.

Andy pomyślała, że trochę to przypomina dziecięcą grę w koncentrację, polegającą na tym, że na stole rozkłada się pięćdziesiąt dwie karty koszulkami do góry, a następnie odsłania się je po dwie naraz, próbując sobie przypomnieć, gdzie były poprzednio odsłonięte karty, żeby połączyć je w pary. Sięgnęła do koperty i wyjęła następne zdjęcie.

Mężczyzna z Key West na Florydzie.

Andy Candy się zachłysnęła.

Chciała krzyczeć. Unieść głos, dać upust uczuciom, nie przestawać, dopóki nie poczuje się całkiem wyczerpana. Zamiast tego po prostu odsunęła od siebie kopertę z pozostałymi dwudziestoma kilkoma kartkami. Podeszła do zlewu, nalała sobie szklankę wody. Wychyliła ją jednym haustem, nie potrafiąc nawet rozróżnić, czy woda była ciepła czy zimna.

Ćma nie miał pewności, jak długo milczeli. Mogło to trwać sekundy. Mogło i dłużej. Zdawało mu się, że zaczyna ślizgać się poprzez czas. Kiedy się odezwał, miał wrażenie, że jego głos odbija się echem albo dochodzi z jakiegoś innego źródła czy od innej osoby.

– Susan – zapytał cicho – co dokładnie powinienem zrobić, żeby uszło mi płazem morderstwo?

Andy Candy przypomniała sobie zajęcia z literatury, na trzecim roku college'u. Roku bez gwałtu. Całą masę seminaryjnych dyskusji o pisarstwie egzystencjalnym. „Jedyny prawdziwy wybór, jaki ma się w życiu, to czy się zabić czy nie". Próbowała sobie przypomnieć, czyje to słowa. Sartre'a, może Camusa? Na pewno jakiegoś francuskiego pisarza. Zerknęła na Susan Terry. Teraz znalazła się między młotem a kowadłem. To wydawało się niemal zabawne. Andy powstrzymała uśmiech. Nie odważyła się spojrzeć na Ćmę. Próbowała sobie wyobrazić, jak się czuje, patrząc na zabójcę stryja, oglądając go na czymś tak banalnym, jak zdjęcie z prawa jazdy. Miała dziwne wrażenie, że właśnie teraz poszczególne elementy składają się ze sobą i tam, gdzie dotąd panowało zamieszanie, różne części wślizgują się na swoje miejsca, łącząc się i zazębiając. Zerknęła na zdjęcie mordercy, lecz w jej wyobraźni zastąpiła je uśmiechnięta twarz tego studenta, który ją zgwałcił, zapłodnił i zostawił. Zabić ich wszystkich, pomyślała.

Krótka chwila ciszy.

– Timothy, nie mogę ci tego powiedzieć – odezwała się Susan Terry.

– Nie możesz, czy nie chcesz? – zapytał Ćma.

Susan zignorowała go.

– Powinniśmy zadzwonić do mojego szefa. Przekazać wszystko śledczym. Pozwolić im to poskładać w sprawę karną. Dokonać aresztowania. Jasne, to jest skomplikowane, ale możliwe. No dalej, Timothy, nie bądź taki uparty. Pozwól się tym zająć komuś, kto ma więcej doświadczenia.

Ćma westchnął.

– Kiedy prowadzi się dochodzenie w sprawie morderstwa – powiedział wolno – na pewno zdarza się, że gdy złoży się wszystko do kupy przed pójściem do sądu, to wie się, że jest taki czynnik, taka część, dowód, jakaś drobna rzecz, którą wystarczy usunąć, a cała sprawa runie. Osobą, która najlepiej wie, jak uniknąć aresztowania i więzienia, wcale nie jest kryminalista, bo on i tak jest już uwikłany w to, co robi. Taką osobą jest gliniarz, a może prokurator, taki jak ty, bo na wszystko patrzy z dystansu.

Susan Terry pokiwała głową.

– Tak. To rozsądne stwierdzenie… – zabrzmiała trochę jak wykładowca prawa.

– Czyli można też rozsądnie założyć, że jakiś doświadczony pracownik wymiaru sprawiedliwości, taki jak ty, mógłby, oczywiście czysto teoretycznie, wiedzieć, gdzie tak naprawdę znajdują się różne pułapki i miejsca, w których można coś spieprzyć.

Susan znów pokiwała głową. Czuła się tak, jak gdyby właśnie obudziła się na jakiejś obcej planecie, gdzie krew i śmierć stanowią tematy pracy zaliczeniowej.

– Dobrze – kontynuował Ćma, nieco nabierając rozpędu – porozmawiajmy więc o tym tylko hipotetycznie.

Susan bez trudu odgadła, dokąd to zmierza. Nie powstrzymała go, chociaż cześć niej, gdzieś głęboko, wrzeszczała, aby tak właśnie zrobić.

– Hipotetycznie i ogólnie – ciągnął Ćma. Głos miał zimny, przepełniony z trudem powstrzymywaną furią. – Gdzie konkretnie ludzie coś chrzanią tak, że potem zostają aresztowani pod zarzutem morderstwa?

Susan wzięła głęboki oddech. No tak, pomyślała. Już nie zdołam powstrzymać tej fali.

– Wedle mojego doświadczenia, podchodząc do tego czysto teoretycznie, oczywiście chodzi o powiązania. O kontakty.

Co łączy mordercę z ofiarą? Zazwyczaj się znają albo mają wspólne interesy. Policja sprawdza, jak bardzo to wszystko się ze sobą krzyżuje.

Ćma pochylił się do przodu, niemal jak drapieżca.

– Czyli morderstwa najtrudniejsze do rozwikłania to takie…

– …gdzie na pierwszy rzut oka nie widać żadnych powiązań. Pozostają ukryte. Albo przypadkowe. Nie mają świadków. Są czymś przesłonięte… Cholera, Timothy, wybierz sobie takie określenie, jakie ci pasuje. Chodzi o sytuację, w której motywy zabójcy nie są jasne. Ani to, w jaki sposób osoba A znalazła się w tym samym miejscu co osoba B. Z bronią.

Ćma pospiesznie się nad tym zastanawiał. Susan prawie widziała, jak wszystko obraca mu się w głowie.

Wtrąciła się Andy Candy:

– Chodzi ci o taką sytuację, że jakiś facet niepokoi i zabija członków grupy badawczej z wydziału lekarskiego wiele lat po tym, jak coś zrobili, cokolwiek to było, i gdy każdy z nich zajął się już czymś innym… każdy oprócz zabójcy.

W głosie Andy słychać było sporo cynizmu, który tak naprawdę nawet jej się podobał. Trochę to kojarzyło się z otwieraniem drzwi chłodni.

Susan próbowała ją zignorować. Mówiła do Ćmy.

– Istnieją też powiązania kryminalistyczne. Pamiętaj, co potrafią policyjne laboratoria. Oczywiście to nie wygląda tak, jak pokazują w telewizji. Wiesz, od razu to, od razu tamto i bingo, już wiemy, kto zabił. Mogą jednak porównać odciski palców, próbki włosów, DNA, co tylko zechcesz. Poświęcają temu sporo czasu i jeśli chodzi o wszystkie testy porównawcze, to są wiarygodni.

Ćma spojrzał na biurko, na oba zdjęcia. Uniósł fotografię Blaira Munroe z prawa jazdy z Massachusetts.

– Wiem, co mnie łączy z tym człowiekiem – oznajmił cicho.

Odłożył zdjęcie na biurko.

Wziął drugą fotografię, przyglądał jej się przez chwilę.

Stephen Lewis, Angela Street, Key West.

– Ale co łączy mnie z tym człowiekiem? – zapytał.

Susan zawahała się.

– Tylko ja i to, co zrobiłam – powiedziała cicho.

Ćma uniósł oba zdjęcia.

– A jak sądzisz, co dokładnie łączy tego człowieka z tym?

Susan gwałtownie odetchnęła, jak gdyby właśnie w tej chwili była w stanie dostrzec morderstwo. Ćma to zauważył.

– Przypuszczalnie nic, jeżeli był tak sprytny, jak sądzi.

Ćma się uśmiechnął.

– Do widzenia, Susan – powiedział. – Myślę, że tego wieczoru powinnaś pójść do Redemptora Jeden. Tak. Absolutnie. Na sto procent powinnaś być dzisiaj w Redemptorze Jeden. Upewnić się, że zabierzesz tam głos. Szczegółowo opowiedzieć o swoich problemach i zadbać, żeby zapamiętano wszystko, co powiesz. Aby nikt obecny na spotkaniu nie zapomniał, że na nim byłaś. Na wypadek gdyby ktokolwiek o to pytał.

45

Jednostronna rozmowa.

– Nie spiesz się.

– On może ci spieprzyć całą przyszłość.

– Złapią cię.

– Myślisz, że dam radę cię wybronić? Zastanów się raz jeszcze. Nie dam rady.

– Timothy, morderstwo to nie jest gra. To nie jest rodzaj akademickiego ćwiczenia. Morderstwo jest prawdziwe, paskudne i wymaga znacznie większej odporności, niż masz.

– Myślisz, że zdołasz spojrzeć temu mężczyźnie w oczy i go zabić? Właśnie takie pytanie postaw sobie w pierwszej kolejności. Coś takiego może być łatwe dla hollywoodzkich gwiazd w udawanych dramatach, ale w prawdziwym życiu to wcale nie jest tak cholernie proste.

– Sądzisz, że zdołasz pociągnąć za spust?

Pauza. Brak odpowiedzi. Ciąg dalszy.

– Timothy, gliniarze nie są głupi. I czas gra na ich korzyść. W sprawie zabójstwa nie ma limitu czasu śledztwa. I mają do dyspozycji takie środki, jakich nawet nie jesteś sobie w stanie wyobrazić.

Znowu cisza. Słowa eksplodujące w spokojnym mieszkaniu zdawały się nie wywierać na Ćmę żadnego wpływu.

– Dlaczego uważasz, że jeśli jutro wezmę gazetę i przeczytam tam o morderstwie w Key West, to nie pójdę od razu do wydziału ciężkich przestępstw i nie powiem: „Wiem, kto to zrobił?" A nawet jeśli samodzielne poskładanie tego wszystkiego do kupy zajmie im cholernie dużo czasu, to w końcu zrobią. Licz się z tym. Jeżeli postanowię im pomóc, to wcale aż tak długo nie potrwa. Timothy, zabij więc tego faceta i ciesz się swoimi ostatnimi czterdziestoma ośmioma godzinami wolności. Spędź ten czas na wyobrażaniu sobie, co mógłbyś zrobić w życiu. Kiedy będziesz czekał, aż zapukają do twoich drzwi, to będzie twoje najszybsze czterdzieści osiem godzin. I nie próbuj uciekać, to nic ci nie da. Nie obchodzi mnie, czy wydasz pieniądze stryja na najlepszego adwokata od spraw karnych w całym Miami. I tak pójdziesz siedzieć. A wiesz, co robią z ładnymi białymi chłopcami odsiadującymi wyrok za morderstwo? Timothy, wysil wyobraźnię, a gdy już sobie wyobrazisz najgorsze, co ci się może przytrafić w stanowym więzieniu, to pomnóż to razy dziesięć. Bo właśnie tak tam wszystko wygląda.

Znowu oczekiwanie na odpowiedź, która nie nadeszła.

– Proszę, Timothy, nie bądź głupi. Jesteś bystry i wykształcony. Przed tobą mnóstwo perspektyw. Nie odrzucaj ich przez głupią chęć zemsty.

Uśmiech. Kręcenie głową. Milczenie coraz bardziej narastało, niczym ryk syreny. Susan pozwoliła, aby do jej głosu wślizgnęła się pełna frustracji wściekłość, i w końcu podała swój najlepszy argument:

– Pogrążysz również Andy i może także mnie, nawet jeśli będę współpracować i zeznawać przeciwko tobie. Tym razem na pewno stracę pracę, a przypuszczalnie zaprzepaszczę też całą swoją karierę. Mogę nawet pójść siedzieć. Ale to nic w porównaniu z tym, co się stanie z Andy. Chcesz, żeby trafiła do więzienia?

Głęboki wdech. Odpowiedź Ćmy, prosta i nieprosta:

– Nie.

Znowu cisza. Ostatnie, rozpaczliwe pytanie Susan:

– To co?

Kłamstwo:

– Nie dopuszczę do tego. Do zobaczenia. Spotkamy się jutro w Redemptorze Jeden.

Ostatni wysiłek, gwałtowny skręt w innym kierunku:

– Andy, proszę. Nie pozwól mu na to.

Natychmiastowa odpowiedź Andy Candy:

– Nigdy mi nie wychodziło nakłanianie Ćmy do zrobienia czegokolwiek. Nieważne, dobrego czy złego. Kiedy już się na coś zdecyduje, jest uparty jak osioł.

Banał, ale prawdziwy.

Susan przyjrzała się im obojgu. Nagle wydali się jej bardzo młodzi.

– No dobra, w dupie z tym – stwierdziła. Odwróciła się, żeby wyjść, jednak w drzwiach spróbowała ostatni raz:

– Tylko nie mówcie, że was nie ostrzegałam.

Egoistycznie zaczęła teraz kalkulować własne ryzyko. Było całkiem spore. Spisek. Sprawstwo pomocnicze. To na pewno. Do tego jeszcze zatajenie faktów przed organami ścigania. Jej myśli zasypała cała masa zarzutów, takich, które to zwykle ona stawiała oskarżonym. Oczyma duszy widziała odpowiednie akapity w spisach precedensów, w razie potrzeby mogłaby nawet niektóre zacytować. Skryty w niej prawnik zastanawiał się, czy nie powinna szybko sporządzić jakiegoś pisemnego ostrzeżenia i dać im obojgu do podpisu. Oświadczenia zdejmującego z niej wszelką odpowiedzialność karną. Uznała to jednak za nierealne, zwłaszcza gdy Ćma powtórzył: „Do zobaczenia, Susan" i przytrzymał jej drzwi.

Miała ochotę go zdzielić, wbić mu rozsądek do głowy. Złapać za koszulę i potrząsnąć, aż wróci do rzeczywistości. Jednak się powstrzymała. Wyszła, a gdy zamknęły się za nią drzwi, poczuła się tak samotna, jak jeszcze nigdy dotąd.

Ćma wziął zdjęcie z prawa jazdy Stephena Lewisa z Angela Street na Key West i podszedł do swojego komputera. Jakiekolwiek informacje na temat tego człowieka zdoła jeszcze wygrzebać, dzieliło go od nich jedynie kilka kliknięć. Uniósł już palce nad klawiaturą, ale powiedział jeszcze:

– Wiesz, że ona ma rację.

– Rację co do czego? – odparła Andy Candy, chociaż dobrze wiedziała.

– Co do wszystkiego – stwierdził Ćma. – Co do ryzyka. Dylematów. Realiów. Nie powinienem się oszukiwać – dodał bez przekonania.

Umilkł, potem jeszcze powiedział:

– I też co do nas. Andy, ona miała rację, nie mogę cię już o nic więcej prosić. Powinnaś teraz odejść. Cokolwiek się stanie, musi stać się tylko mnie. Susan mówiła o perspektywach, o przyszłości.... o tym, żeby tego wszystkiego nie odrzucać. Właściwie podała każdy argument, jakiego tylko można by się po niej spodziewać. I każdy z tych argumentów miał więcej sensu niż to, co co planuję. Chryste, nawet nie wiem, czy zdołam to zrobić. Co do tego także miała rację. – Potrząsnął głową. – Muszę jednak spróbować.

Andy Candy uświadomiła sobie, że to, co ma teraz zrobić, absolutnie winien podyktować jej rozsądek. Uświadomiła sobie również, że nie podyktuje.

– Ćma – powiedziała cicho. – Nie zostawię cię teraz.

Wiedziała, że to jest zarówno najlepsza, jak i najgorsza rzecz na jaką mogłaby się zdecydować. Istnieją słuszne rzeczy, które są złe, i złe, które są słuszne, pomyślała. Najwyraźniej to jest jedna z nich. Nie wiedziała tylko, do której kategorii dokładnie należy.

– Jeśli w ogóle miałem jakąś przyszłość – powoli mówił Ćma – to dlatego, że zapewnił mi ją stryj Ed. Jeżeli oddamy to wszystko policji, on po prostu zniknie. Może jeszcze gdzieś ma jakąś tożsamość. Może ma ich dziesięć. Na pewno go nie znajdą, niezależnie od tego, jak bardzo naciskać będzie Susan i jak wiele listów gończych wyda FBI. Radykałowie z lat sześćdziesiątych poznikali na długie lata. A tamten gangster z Bostonu? Jego twarz była w każdym urzędzie pocztowym, na liście osób najbardziej poszukiwanych przez FBI, ale minęły całe dziesięciolecia, zanim ktokolwiek go odnalazł. A i tak głównie fartem. Ten facet, ten nasz facet, nie wydaje się kimś, kto w swoim życiu liczy na fart i przypadki.

Andy Candy chciała zachowywać się pragmatycznie.

– Ćma, on nas zabije. Wiem to. Może nie dzisiaj i nie jutro. Ale w końcu tak. Gdy już uzna to za stosowane. – To, jak wiedziała, stanowiło truizm. Mówienie tego na głos jedynie okrywało jej strach warstwą paniki. – Jezu – powiedziała, ale to nie była modlitwa.

Ćma pokiwał głową, na znak, że się z nią zgadza.

– Więc jaki jest plan? – zapytała. Zastanowiła się przez chwilę. Może będziemy mieli szczęście i jego nie będzie w Key West? A potem zaprzeczyła samej sobie: A może akurat to nie byłoby wcale szczęście?

– Tak – odparł, odwracając się do komputera, żeby poszukać tam informacji. I jeszcze dodał młodzieżowym slangiem: – Coś w ten deseń.

46

Przez Islamorada do Tavernier, potem na Long Key, Grassy Key, zahaczając o Everglades, następnie aż do Key West po meandrach autostrady Overseas Highway, po prawie tysiącu siedmiuset różnych wysepek. Spektakularne widoki: po jednej stronie Zatoka Meksykańska, po drugiej Atlantyk, wszystko lśniące w słońcu, woda w stu odcieniach niebieskiego. Ćma lubił słynny most Siedmiomilowy. Tak naprawdę, wbrew swojej nazwie ten most wcale nie miał siedmiu mil, tylko sześć przecinek siedemdziesiąt dziewięć. Nosił więc takie zwodnicze miano, zarazem prawdziwe i fałszywe. Miał prawie siedem mil, więc dlaczego nikt go nie nazwał „prawie siedmiomilowym"?

Prowadziła Andy Candy. Było już późne popołudnie, ale nie było dużego ruchu. Jechała ostrożnie, nie tylko dlatego, że jazda autostradą, która z czterech pasm zwęziła się do dwóch i przecinała centra handlowe oraz mariny, była niebezpieczna, ale również przez to, że rutynowe zatrzymanie przez drogówkę hrabstwa Monroe mogło im zniweczyć cały plan.

W plecaku na tylnym siedzeniu wieźli ubrania, starannie wybrane przez Ćmę, a do tego załadowane magnum trzysta pięćdziesiąt siedem. Mieli także podniszczoną baseballówkę, ciemne okulary, szerokoskrzydły słomkowy kapelusz, ulubiony przez starsze panie bojące się słońca.

Niewiele sprzętu jak na morderstwo.

Mogli wyglądać jak młoda para jadąca na nurkowanie, może na parasailing albo rejs przy zachodzie słońca. Jednak nią nie byli. Chociaż nie wyglądali na parę zabójców.

Zatrzymali się przy Marathon Key. Kiedy Ćma poszedł do sklepu z alkoholem, Andy Candy znalazła wilgotne, błotniste miejsce na rogu parkingu, wyjęła parę ubrań zapakowanych przez Ćmę i zaczęła szurać nimi po kurzu i brudzie, starając się jak najbardziej je podniszczyć. Rozejrzała się dookoła, upewniając się, że nikt jej nie widzi. Przypominała trochę ubogą praczkę z dawnych czasów robiącą ręczne pranie – tyle że na odwrót. Chciałaby znaleźć jeszcze coś śmierdzącego, jakiś stary pot, mocz, fekalia, może wydzielinę skunksa, coś, co dodałaby do tej mieszanki.

Kiedy uniosła wzrok, zobaczyła zbliżającego się Ćmę. Niósł zwykłą brązową torbę, w której stukotały dwie butelki.

– Nigdy nie sądziłem, że jeszcze kiedykolwiek to zrobię – powiedział. Próbował mówić z pewnością siebie, jednak Andy pomyślała, że jego głos jak gdyby drży. Nie była pewna, czy to przez alkohol, który trzymał w rękach, i wszystko, co ów alkohol mógł mu obiecać – czy może przez plan, który zdawał się obiecywać coś innego.

Nie do końca było tak, jak się spodziewał.

Piąty Student nalał sobie zimnego piwa i wycisnął do niego świeżo pokrojoną cytrynę, starając się odsunąć od siebie uczucie, które zakradło się dzisiaj rano i trwało przez cały dzień. Nagle poczuł się znudzony.

Blask słońca. Turyści. Wyluzowany, wyspiarski styl życia. W ogóle nie był pewien, czy mu to odpowiada.

– A niech to cholera – mruknął pod nosem.

Wziął piwo, na wpół zjedzoną paczkę czipsów i usiadł w swoim wygodnie urządzonym salonie. W środku było ciemno – w Key West, gdzie słońcu oddawano wręcz religijną cześć, pomieszczenie zaprojektowano tak, aby powstawał głęboki cień, dzięki czemu w uciążliwych letnich miesiącach robiło się chłodniej. W połączeniu z nieustającym szumem centralnej klmatyzacji i hiszpańskimi kafelkami w chłodnym odcieniu bordo tworzyło to w jego domu nastrój subtelnej ciszy.

Po raz pierwszy od lat Piąty Student naprawdę czuł się sam. Tak długo żył z ludźmi wyznaczonymi na jego ofiary. Teraz ich już nie było. Przypominało to utratę przyjaciół i towarzyszy. Poczuł chęć otwarcia okna na upał i uliczny zgiełk – chociaż każdy dźwięk wydawał się docierać z oddali. Piąty Student mieszkał dokładnie naprzeciwko cmentarza na Key West. Sprzedawca nieruchomości rzucił typowym żarcikiem: „Ciche sąsiedztwo". Sto tysięcy ludzi pogrzebano kilka metrów od jego drzwi. Mniej więcej tylu, nikt nie wiedział dokładnie, ile osób tutaj spoczywa.

Wyciągnął się na haitańskiej bawełnianej kanapie i przycisnął szklankę piwa do czoła. Poczuł ukłucie wściekłości. Powinieneś to przewidzieć. Co z ciebie za psycholog?

Zmarszczył brwi. Poprawił się na sofie. Próbował znaleźć jakąś wygodną pozycję, ale nie był w stanie. Łajał sam siebie.

– Gdzie byłeś w pierwszym dniu zajęć z podstaw psychologii? – powiedział na głos. – Nieobecny nieusprawiedliwiony. Nie uważałeś? Myślałeś, że już nie trzeba się uczyć?

Pomyślał, że to przecież najprostsze z emocjonalnych równań i powinien się czegoś takiego spodziewać. Fantazje o tym, co zrobi ze swoim życiem, stanowiły tylko paliwo pomagające utrzymać ogień obsesji. Prawdziwy motor jego życia stanowiła zemsta – lata oddania, poświęcenia jednemu ideałowi, udoskonalania rzemiosła. A teraz to się skończyło, łącznie z towarzyszącą wszystkiemu intelektualną stymulacją oraz intensywnością planowania.

Czuł się trochę jak stary, siwowłosy zgred pierwszego dnia przymusowej emerytury, po dekadach codziennego przychodzenia do tego samego biura, zasiadania przy tym samym biurku, wypijania takiego samego kubka kawy, jedzenia takiego samego lunchu wyjętego z brązowej torebki, o tej samej porze, w tej samej pracy, godzina za godziną, rok po roku.

– Niech to szlag.

Tyle że on nie dostał żadnej plakietki z napisem „Dziękujemy", nie dostał oprawionego w ramki zdjęcia, na którym podpisali się koledzy, ani taniego pamiątkowego zegarka. Szef nie poklepał go po plecach, nie uścisnął mu dłoni żaden młody facet mający go zastąpić za połowę jego pensji. Nie było łez co wrażliwszych współpracowników.

– Niech to szlag – powtórzył.

Ten zgred, którego sobie wyobraził, od razu by się zastrzelił. Był tego pewien.

– Sukinsyn – powiedział. Cenił się za swój zimny realizm, zarówno w podejściu do siebie samego, jak i do morderstw, ale teraz czuł się przygnębiony. Zagubiony.

A jeszcze przez kilka minionych tygodni przepełniała go energia.

Najpierw dręczył Bratanka, Dziewczynę i Prokurator. To była sama radość. Wyzwanie i uciecha.

Potem stworzył odejście jednego ze swoich żyć. To również był prawdziwy majstersztyk. Nie tylko dał mu wolność, ale także stanowił ćwiczenie dla wyobraźni. Wszystko zadziałało – każdy element dopasował się jak podczas tasowaniu talii kart przez zawodowego szulera.

Do Key West przybył więc pełen wigoru, otwarty ma nowe życie. I niemal od razu ześlizgnął się w pustkę. Od chwili, w której ujrzał eksplodujący tył głowy Jeremy'ego Hogana, nic nie działo się tak, jak sobie wyobrażał.

Piąty Student nie chciał czytać tanich powieścideł ani oglądać oper mydlanych w telewizji. Nie chciał wędkować, żeglować albo pływać, czy w ogóle robić którejkolwiek z tych rzeczy, jakie na Keys ściągały turystów. Nagle znienawidził przywożone promami tłumy, które głośno rozmawiając wieloma językami, tarasowały ulice, a także naciąganie i czatowanie na codziennie przybywające pieniądze. Wszystko, czym planował się zająć, jakoś się zepsuło.

– Co chcesz teraz zrobić, kiedy już jesteś wolny i możesz robić, co tylko zechcesz? – zapytał się ostro. – Teraz, kiedy już na jesteś na... emeryturze?

To ostatnie słowo wypowiedział jak obelgę. Zrobił przerwę i wyszeptał odpowiedź:

– Chcę zabić

A potem głośniej:

– W porządku. To ma sens. Ale kogo zabić?

Uśmiech, bo pytanie zadał trochę żartem, i odpowiedź:

– Dobrze wiesz kogo.

Całkiem nowy zestaw wyzwań. Przede wszystkim zastanowił się, kto stanowi zagrożenie. Kto może ukraść twoje życie? Wiedział, że prawdziwa odpowiedź na to pytanie brzmi: „Nikt", dzięki temu, w jaki sposób utworzył swoje tożsamości.

Jednak sama myśl o tym, że ktoś mógłby okazać się dla niego niebezpieczny po tym wszystkim, czego dokonał, wydawała się wręcz trująca. W duchu zaczął kalkulować.

Dziewczyna – to nie powinno być zbyt trudne. Młode kobiety zawsze robią jakieś głupoty, narażając się na wypadki. Podstawowe pytanie brzmi: Kiedy uderzyć? Za rok? Za dwa? Ile czasu minie, zanim jej wrodzone poczucie bezpieczeństwa oraz głupia, zbytnia pewność siebie zadziałają, sprawią, że dojrzeje?

To było całkiem intrygujące. Piąty Student w myślach od razu przeszedł do Timothy'ego Warnera.

Bratanek – to pijak, ale on już tak szybko nie osunie się w fałszywe poczucie bezpieczeństwa. Jest jednak młody i słaby, a to przytłumi ostrożność, jaką mógłby mieć na trzeźwo.

Prokurator…

Uśmiechnął się.

– To byłoby wyzwanie – powiedział na głos. – Prawdziwe wyzwanie. Ona jest skomplikowana, ale niezależnie od wszystkiego, niezależnie od swojego nałogu, stanowi element wymiaru sprawiedliwości, a oni swoich już dobrze pilnują. Planowanie jej śmierci będzie wymagało wysiłku. Większe ryzyko, prawda?

Sam sobie odpowiedział:

– Zgadza się.

Planowanie stosownej śmierci dla Susan Terry mogło okazać się intrygujące. Wypadek? Samobójstwo? Przedawkowanie? Wyobraź sobie tych wszystkich wrogów, jakich sobie narobiła, wsadzając ludzi za kraty. Całkiem zachęcająca łamigłówka.

Pociągnął solidny łyk piwa i podszedł do komputera. W skromnie urządzonym pokoju gościnnym miał niewielką przestrzeń do pracy. Tam podłączył laptopa. W kącie na podłodze stała drukarka. Poczuł przypływ energii i uspokajające poczucie celowości swoich działań. Równie dobrze można zacząć już teraz, pomyślał. W ciągu kilku sekund wpisał do wyszukiwarki „Prokuratora Stanowa Dade". Wszedł do działu z publicznie dostępnymi informacjami, zatytułowanego „Nasi pracownicy". Wydrukował zdjęcie Susan, notkę na jej temat, krótki życiorys oraz listę ważniejszych dochodzeń.

Coś do przestudiowania. Akurat tyle, żeby krew zaczęła szybciej krążyć, a umysł zabrał się do pracy. Już sama czynność stukania w klawisze, a potem słuchanie, jak z drukarki wypadają kolejne strony, dawały mu poczucie robienia czegoś. Ostatnim, co wyłoniło się z drukarki, był wydruk zdjęcia pani prokurator z internetowej strony prokuratora stanowego. Ładne, długie, falujące czarne włosy. Ciepły i życzliwy uśmiech. Mocna szczęka, szerokie usta oraz zielone oczy. Prawdziwa piękność.

– Cz-e-e-e-ść Susan – powiedział, przeciągając słowo rytmicznie. Nadejdzie dzień, w którym pożałujesz, że nie wyleciałaś w powietrze razem z moją przyczepą.

Zaczął nucić pod nosem jakiś taki żywiołowy rock'n'roll. Nie przerwał, aby zastanowić się dlaczego przyszła mu do głowy akurat ta piosenka. To niby był utwór o miłości, a tak naprawdę raczej o seksie, jednak Piąty Student zmienił słowa refrenu, nieudolnie imitując ponury głos Jima Morrisona, który, zdawało się, dobiegał teraz z jakiegoś grobu odległego o kilka metrów, a nie z leżącego tysiące kilometrów stąd cmentarza Père Lachaise w Paryżu. Słyszał wokalistę The Doors: *Kochaj mnie dwa razy, odchodzę...*

W głowie Piątego Studenta słowa piosenki zmieniły się w: *Zabij mnie dwa razy, odchodzę...*

47

Przez ostatnich kilka kilometrów, z Narodowego Rezerwatu Jeleni, przez marinę Stock Island i wjazd na teren miejscowego technikum, Ćma rozważał każdy szczegół planu. To mu pomagało skupiać się nad tym, czego, jak sądził, mogą potrzebować – a nie rozmyślać o tym, co zamierzali zrobić. Uznał, że to wszystko jest wręcz śmiechu warte – para studenciaków jadących do Key West, aby stać się mordercami.

Dobre w ich wakacjach morderców było to, że jechał w towarzystwie jedynej dziewczyny, którą tak naprawdę kochał, i co dziwne, chyba po raz pierwszy od lat nie myślał o tym, żeby się napić, mimo że zakup dwóch butelek alkoholu, szkockiej i wódki, nieźle nim wstrząsnął.

Andy Candy prowadziła pewnie, ostrożnie, chociaż im bliżej Key West, tym silniejsze odnosiła wrażenie, że powinna tym swoim małym autkiem zataczać się po drodze jak pijak. I generalnie powinna robić wszystko, co tylko mogło zwrócić na nich uwagę, oraz powstrzymać się od zrobienia tego, co planowali. Tak właśnie podpowiadał jej rozsadek. Brak rozsądku – o którym wiedziała, że przypuszczalnie jest słuszny – skłaniał ją z kolei do siedzenia cicho, trzymania się swojego pasa ruchu i podporządkowywania każdej zmianie świateł.

Miejsce do zaparkowania znaleźli na cichej uliczce zaraz obok Truman Avenue, dwie niedługie przecznice od cmentarza. Ich auto wślizgnęło się między samochody typowe dla Keys: kilka błyszczących, nieobitych i drogich porsche oraz jaguarów i pordzewiałe, poobijane dziesięcioletnie toyoty z naklejkami na zderzakach głoszącymi „Wolność dla Republiki Muszli" i „Czas na recykling!"

Ćma założył swój mały plecak z ubraniami, które specjalnie ubrudziła Andy, oraz butelką alkoholu i spluwą. Wspólnie poszli do najbliższej wypożyczalni rowerów – jednego z tuzinów takich miejsc na Key West. Z powystawianych na zewnątrz głośników dudniła muzyka reggae. Bob Marley śpiewał: *Every little thing's gonna be all right*. Ekspedient z dredami chętnie wypożyczył im dwa nieco podniszczone, ale sprawne rowery. Pokazał im też, gdzie je odstawić i przypiąć, jeśli zdecydują się je zwrócić dzisiaj wieczorem. Ćma powiedział mu, że jeszcze nie wiedzą, czy pobędą tutaj dzień, czy dwa. Andy Candy trzymała się z tyłu, starając się wyglądać na małą i niepozorną. Ćma płacił gotówką.

Na rowerach pojechali przez miasto na West Marine. Ćma wypożyczył mały nautofon – taki, jaki przyczepia się na dziobie każdej żaglówki wypływającej z Key West na Karaiby. W sklepie wędkarskim kupił jeszcze dwie chusty rękawowe, ulubione przez rybaków. Można je było naciągnąć tak, aby zasłaniały głowę i twarz, albo po prostu używać do chronienia karku przed słońcem. Andy Candy dostała różową, a on założył niebieską.

Już nic więcej nie przychodziło mu do głowy. Miał świadomość tego, jak wiele przygotowań poświęcił morderstwu człowiek, który zabił mu stryja, i pomyślał, że jego własne wysiłki są chaotyczne i liche. Miał jednak nadzieję, że okażą się wystarczające. Czuł się jak kucharz nowicjusz biorący się do przygotowania dania według jakiejś bardzo skomplikowanej, francuskiej receptury, przed niesłychanie ważną kolacją dla smakoszy, na której, od zrównoważenia smaku każdego kąska mogą zależeć jego kariera i przyszłość.

Pojechali na plażę w Fort Zachary Taylor, gdzie usiedli na podniszczonej pogodą drewnianej ławce pod palmami, dwadzieścia metrów od nieskazitelnie czystej wody. Przez kilka minut przypatrywali się jakiejś rodzinie kończącej właśnie dzień zabawy. Matka i ojciec starali się zebrać swoje zapiaszczone i poparzone słońcem dzieciaki. To był niesamowicie uspokajający widok. Andy prawie obezwładnił kontrast między rodziną na wakacjach a ich dwojgiem. Pomyślała, że powinna coś teraz powiedzieć, jednak siedziała cicho, podczas gdy Ćma podniósł się gwałtownie, spiesznie podszedł do ulicznego sprzedawcy, który wyglądał, jakby szykował się do odejścia, i kupił im po butelce wody.

Andy szybko połykała zimny płyn.

– Nie sądzę, że tak po prostu do niego pójdziemy i go zastrzelimy. Może nas przy tym zobaczyć za dużo ludzi. Będzie za dużo hałasu. Musimy go zapędzić w róg w jakimś odludnym miejscu – cicho mówił Ćma.

Kiedyś na zajęciach z historii filmu widział, jak coś podobnego zrobił Al Pacino w pierwszej części *Ojca chrzestnego*. Ale to było w innej epoce.

– To jest bardziej konfrontacja, niż zabijanie – dodał. Te słowa wydawały się dziwnie puste.

– Jasna sprawa – chłodno odparła Andy.

– Tylko jedno miejsce przychodzi mi do głowy – kontynuował Ćma.

– Jego dom – domyśliła się Andy. Sama siebie zaskoczyła nagłym chłodem w głosie. Czuła się jednocześnie przerażona i opanowana. Niewiele miało to dla niej sensu.

– Tym, co mnie martwi, jest ewentualny system zabezpieczeń. Chcę unikać kamer i alarmów.

– Jasna sprawa – powtórzyła Andy.

– Nie możemy się włamać. Nie możemy też po prostu zapukać mu do drzwi i poprosić, żeby nas wpuścił.

– Jasna sprawa.

– A więc do środka prowadzi tylko jedna droga.

Andy milczała, jej oddech zrobił się płytki. Astmatyczny.

– Słuchaj – powiedział Ćma – jeśli coś pójdzie źle, to mnie zostaw. Wracaj do auta, jedź na północ, spadaj stąd, jakby się paliło, a potem rób dokładnie tak, co mówiła Susan. Ona ci pomoże.

– A co z tobą? – zapytała Andy.

– Wtedy pewnie będzie mi już wszystko jedno – stwierdził. Nie powiedział „będę martwy", chociaż wiedział, że właśnie te słowa im obojgu wkradły się do głów. Ćma zastanawiał się, czy od chwili, gdy ujrzał zwłoki swojego stryja i uświadomił sobie, że jedyny człowiek utrzymujący go w trzeźwości i przy zdrowych zmysłach, nie żyje, cały czas nie popełnia jakiegoś dziwacznego samobójstwa.

– Nie zamierzam tego zrobić – powiedziała Andy. – Ja nie uciekam. Nigdy się nie cofam ani nie poddaję.

Ćma się uśmiechnął.

– Wiem. Ale teraz jest inaczej.

– Ćma, nie zostawię cię samego. Nie po tym wszystkim.

– Oczywiście, że zostawisz.

Andy Candy pokiwała głową. Nagle nie była już pewna, czy kłamie, czy mówi prawdę.

– Dobra, zostawię. Ale tylko jeśli…

Nie dokończyła. Nagle ogarnął ją zapał.

– Ćma, jeśli on cię zabije, to ja zabiję jego. Jeśli on mnie zabije, to zadbaj o to, żeby go zabić.

– A co, jeśli zabije nas oboje?

Logiczne. Zimne i bezpośrednie.

– Wtedy nie będziemy już musieli się niczym martwić, a może Susan wsadzi go do więzienia.

Ćma pomyślał, że to wszystko brzmi tak absurdalnie i szaleńczo, że powinno wydawać się zabawne. Potrząsnął głową, uśmiechnął się i wzruszył ramionami.

– Dobra, obiecuję. A ty?

– Też obiecuję.

Ich obietnice brzmiały trochę jak składane przez parę czternastolatków śluby wiecznej wierności – czyli totalnie nieprzekonywająco.

– Andy – odezwał się Ćma. – Jest trochę rzeczy, które chciałbym ci powiedzieć.

– I sporo rzeczy, o których z kolei ja chciałabym ci powiedzieć – odparła. Chwyciła Ćmę za rękę. Potem roześmiała się nerwowo. – Nie sądzę, żebyśmy byli parą kochanków – niekochanków, byłych kochanków, przyjaciół, dawnych znajomych z liceum. Ćma, sama nie wiem, czym my jesteśmy.

Ćma uśmiechał się szeroko, ale uśmiech szybko zniknął z jego twarzy.

– Może pasujemy do jakiejś osobnej kategorii. „Morderczy licealni zakochani". To by było odpowiednie. Można by z tego zrobić niezły artykuł na jakimś plotkarskim portalu. – Wziął głęboki oddech. Zerknął na zegarek. – Dobra. Czas na nas. Nie możemy pozwolić, żeby nas zobaczył. Wątpię, żeby cię rozpoznał albo żeby w ogóle nas się tutaj spodziewał, jednak nie ma co ryzykować. Nieważne, co się zdarzy, nie korzystaj ze swojej komórki. Wieża na Key West zarejestruje każde połączenie.

Wręczył jej chustę rękawową, którą założyła, przez chwilę naciągając jak maskę osiemnastowiecznego rozbójnika. Następnie podał jej miękki, szerokoskrzydły kapelusz starszej pani i nautofon. Włożyła urządzenie do torebki, a kapelusz naciągnęła na głowę. Uświadomiła sobie, że śmiesznie wygląda.

– Nie ma nas tutaj – rzekł Ćma. – Nie będzie nas tutaj później. Nigdy nas tutaj nie będzie. Pamiętaj o tym.

Andy Candy przytaknęła.

– Obejrzyjmy groby – powiedział Ćma.

Zaparkowali rowery na ulicy, a gdy wokół nich bladło już światło dnia, wślizgnęli się na cmentarz. Anioły w powłóczystych szatach, o rozłożonych skrzydłach, unoszące trąby do chłodnych jak kamień ust, roześmiane nagie cherubiny, zwiędłe kwiaty i wyblakłe nagrobki. To było miejsce pełne nieładu – wiele krypt wzniesiono na podwyższeniach, przez co powstał labirynt prostokątów. Na cmentarzu stał pomnik poległych z krążownika „Maine", mieściły się kwatery kubańskich bojowników o wolność oraz mogiły marynarzy z marynarki wojennej Konfederacji. Na niektórych nagrobkach pojawiał się czarny humor: „Tylko na chwilę przymknąłem oczy" i „Przecież mówiłem, że się źle czuję". Inne po prostu obwieszczały: „Bóg był dla mnie dobry".

Jak mógł być dobry, pomyślał Ćma, skoro skończyłeś w takim miejscu?

Cmentarz leżał trochę na uboczu szlaków uczęszczanych przez turystów, ale od czasu do czasu jakiś bezdomny pijak zasypiał w cieniu białej marmurowej krypty albo jakiś dawny pacjent zakładu psychiatrycznego medytował, wpatrując się z fascynacją w niekończący się zbiór imion zmarłych ludzi. Angela Street – gdzie mieszkał ich cel – była to pojedyncza, wąska i nieuczęszczana uliczka przy zachodniej stronie cmentarza.

Ćma i Andy Candy przycupnęli obok krypty jakiegoś szypra wynajmującego łódki i pozwolili, aby spłynęły na nich cienie. Spodziewali się policji z Key West albo jakiejś ochrony cmentarza. Ćma myślał, że można by sobie wesoło zażartować, opisując pracę tych ludzi. Ale nie próbował żartować.

Znieruchomieli, widząc, że w domu zapala się światło. Andy oddychała płytko. Przykucnięta, czuła, że drętwieją jej nogi, i nagle zmartwiła się, czy w razie potrzeby jej posłuchają. To wszystko wydawało się jej straszliwie głupie. Miała wrażenie, żeześlizguje się w katatoniczną niepewność, gdzie każda wątpliwość utrzymująca się w jej życiu groziła teraz, że zwinie ją w kulę i wkopie w bezkształtną masę. W tej samej chwili zapragnęła, aby w jej życiu istniała chociaż jedna prosta i solidna rzecz. Coś niebędącego skomplikowanym, przyprawiającym o zakłopotanie albo ulotnym. Oddałaby wszystko za jeden drobny posmak normalności.

Zerknęła ukradkiem na Ćmę i uznała, że jednak nie, nie oddałaby wszystkiego. Pomyślała zaintrygowana, że przecież jego może czekać bardzo dziwne życie. Może zostać profesorem, uczyć studentów historii, chodzić na spotkania wydziału, pisać biografie, które trafiają na szczyty listy bestsellerów, założyć rodzinę i osiągnąć wszelkie rodzaje najróżniejszych poziomów sukcesu oraz sławy – a przez cały czas milczeć o tej nocy, kiedy zabił człowieka. Miała nadzieję, że zabił słusznie. Zakładając, że w ogóle uda im się z tego wszystkiego wyjść cało.

Zakładając także, że nie wróci do alkoholu i po pijanemu nie wychlapie wszystkiego jakiemuś barmanowi.

To było pytanie, na które nie potrafiła odpowiedzieć. Nie umiała też sobie wyobrazić własnego życia. Przychodziło jej na myśl tylko jedno zakończenie, a stanowiła je właśnie ta noc.

Bała się umierania, lecz nawet w przybliżeniu nie tak bardzo, jak zabijania.

Z kolei Ćma nie miał odwagi spojrzeć teraz na Andy. Chciał, żeby uciekła. Chciał, żeby została przy jego boku. Wszystko, co mógł robić, to czekać, aż tafle nocy pomiędzy nimi staną się grubsze, czarniejsze i bardziej wilgotne. Pragnął się czymś zająć, bo takie czekanie sprawiało, że miał ochotę wyć jak potępieniec. Zaczął więc wyciągać z plecaka brudne ubranie.

Usłyszał, że Andy gwałtownie nabiera powietrza.

– Tam – wyszeptała. – O Boże.

Ćma ujrzał kontury człowieka, tego ich człowieka, obramowane światłem wypływającym przez drzwi małego bungalowu. Wychodził, zamykając za sobą drzwi.

Właśnie na to liczył Ćma.

– To on – powiedział zimno.

Poczuł, że język nagle całkiem mu wysechł. W środku wykrzykiwał sobie rozkazy: Działaj! Myśl! To jest okazja!

– Trzymaj się planu – wychrypiał. – Śledź go. Nie pozwól, żeby cię zauważył. Kiedy wróci, daj znać, jak będzie w odległości jednej, dwóch przecznic.

Ćma nie był pewien, czy bardziej niebezpieczne jest czekanie na zabójcę, czy obserwowanie zabójcy. Uświadomił sobie, że nie ma już wyboru.

Andy cicho wstała i z gracją baletnicy ruszyła między grobami równolegle do mężczyzny idącego Angela Street. Ćma mógł przez chwilę obserwować cel, który spokojnie skręcił w stronę miasta. Kilka sekund później zobaczył też miękki kapelusz podążający za nim w bezpiecznej odległości, od cienia do cienia, chowając się za rozłożystymi banianami, których poskręcane konary strzegły każdego chodnika. Potem zaczął zdejmować ubranie.

48

Piąty Student zjadł całkiem sympatyczną porcję fileta z chryzora, popijając kieliszkiem zimnego chardonnay. Posiłek zakończył słodkim i cierpkim kawałkiem placka limonkowego oraz małą filiżanką bezkofeinowego espresso. Siedział przy stoliku na ulicy, przyglądając się spacerującym parom. Było ciepło, wilgotno, a nocne powietrze wydawało się gęste. Próbował uchwycić skrawki rozmów – sporów, pogawędek, nawet ciętych dowcipów. Było nieco śmiechu i więcej niż jedno „pospiesz się", chociaż jedną z zalet Key West stanowiło to, że tutaj spieszono się bardzo rzadko. Od czasu do czasu ulicą przemykali młodzi ludzie na wynajętym skuterze, słyszał także beztroskie głosy unoszące się ponad pojazdami, bzyczącymi jak wściekłe pszczoły. Typowa noc w turystycznej miejscowości, pełna swobody i luzu.

Zapłacił kelnerce i wyszedł na chodnik, trochę żałując, że nie ma cygara, które mógłby sobie zapalić, aby uczcić tę chwilę. Chociaż już nie za bardzo wiedział, co właściwie czci.

Spokojnym spacerkiem przemierzając kilka przecznic dzielących go od domu, myślał, że przypuszczalnie powinien z tym czekać, aż znajdzie się przy cmentarzu. Spod stóp pierzchały mu salamandry. Czuł się niezmiernie zadowolony ze swojej decyzji. Ponownie nadał sens swojemu życiu.

Piąty Student, zajęty układaniem planów zabijania, ledwie zarejestrował daleki dźwięk nautofonu. Trzy ostre gwizdy rozpłynęły się gdzieś wśród rozgwieżdżonego nocnego nieba.

Andy Candy oparła się plecami o drzewo banian, kryjąc się w jego ciemnych zakamarkach. Słyszała, jak wokół niej rozpływają się dźwięki nautofonu. Nie wiedziała, czy dźwięk poniesie się odpowiednio daleko, aby ostrzec Ćmę. Powinien, ale nie miała pewności. Cierpliwie policzyła do trzydziestu, żeby dać swojemu celowi nieco czasu na zwiększenie dystansu, i na wypadek gdyby usłyszał odgłosy nautofonu, zainteresował się nimi i odwrócił, chcąc się rozejrzeć. Potem wrzuciła urządzenie do śmietnika, między torby z odpadkami i puste butelki po piwie. Jeszcze nie czuła się jak zabójca, ale uświadomiła sobie, że zaczyna się zbliżać do tego stanu.

Przyspieszyła krok do szybkiego marszu, mając nadzieję, że cicho i anonimowo zmniejszy dystans pomiędzy sobą a śmiercią.

Trzy odgłosy nautofonu stanowiły sygnał do akcji. Brzmiały jak dziwaczne, dalekie dźwięki gdzieś z zaświatów, wiedział jednak, co oznaczają: „Już idzie i jest blisko domu". Ćma starał się wymazać z głowy wszystko poza działaniem. Nie zastanawiaj się nad tym, co robisz. Po prostu to rób. Zaczął szorstko wydawać sobie rozkazy, jak sierżant świeżemu rekrutowi.

Wsadź czyste rzeczy do plecaka. Wsuń go za grób. Zapamiętaj nazwisko na nagrobku, numer rzędu nagrobków, odległość do cmentarnej furtki, tak żebyś mógł go potem znaleźć. Pospiesz się.

Wylej na ziemię wódę. Polej się po piersiach odrobiną szkockiej. Resztę wylej, żeby mieć dwie puste butelki. Nie upij się oparami alkoholu.

Sprawdź swoje magnum trzysta pięćdziesiąt siedem. Naładowane. Odbezpieczone. Trzymaj je mocno.

Biegiem.

Pobiegł między nagrobkami, przypominając sobie zajęcia z futbolu w licem, kiedy sadystyczni trenerzy karali zauważone błędy dodatkowymi okrążeniami. Słyszał, jak buty klapią mu po cmentarnych ścieżkach, raz o mało się nie przewrócił, W jednej dłoni trzymał broń, w drugiej dwie opróżnione flaszki. Biegł w stronę domu mordercy.

Dom miał niewielki ganek, na który wchodziło się po czterech schodkach. Od frontu był niewielki ogródek otoczony białym szczelnym parkanem sięgającym do wysokości ud. Płotek pełnił funkcję dekoracyjną, nie miał nikogo powstrzymywać, tworzył jedynie niewielką wydzieloną przestrzeń. Ćma go przeskoczył. Miejsce, gdzie był ganek, widać było po niewielkim stożku słabego światła, docierającego tylko do najwyższego schodka. Maleńki ogród zapełniały paprocie i duże plechy. Ćma opadł na kolana i wsunął się w zarośla, kuląc do pozycji embrionalnej. Mocniej naciągnął na głowę podniszczoną czapkę baseballową, podniósł też chustę rękawową, tak aby zasłaniała twarz. W prawej dłoni trzymał broń, chowając ją pod ciałem. W lewej, wyciągniętej w przypadkowy sposób, ściskał butelkę po szkockiej. Butelkę po wódce odrzucił jakiś metr dalej, na niewielką ceglaną ścieżkę prowadzącą do schodów.

Niewielu ludzi ma moje doświadczenie w wyglądaniu jak nieprzytomny pijak, przyszło mu do głowy.

Potem czekał. Serce waliło mu w piersi, czuł łomot w skroniach, oddychał płytko, pot gromadził mu się na czole, a nocna duchota przygniatała niczym wielki, rozpalony do białości kamień. Zamknął oczy. Pomyślał, że wkrótce i tak zaślepi go zdenerwowanie. Wyostrzył mu się jednak słuch, stając się wrażliwszy niż kiedykolwiek wcześniej.

Kroki. Zbliżające się.

Wziął głęboki oddech. Wstrzymał go.

Usłyszał:

– Niech to szlag. Pieprzeni pijacy.

Najpierw mnie kopnie, wiedział z doświadczenia.

Tego wieczoru zgromadzeni w Redemptorze Jeden wydawali się jacyś roztargnieni, zniecierpliwieni. Susan Terry wierciła się na krześle, a stali bywalcy po kolei wstawali, ogłaszając, ile mają dni trzeźwości i opowiadając o swoich najświeższych zmaganiach. Słuchała o typowych sukcesach i typowych porażkach, o nadziejach wymieszanych ze smutkiem. Pomyślała, że to taki typowy wieczór, tyle że podszyty niepokojem. Nie raz dostrzegała, jak pozostali zerkają na nią pytająco, wyczekując chwili, gdy zabierze głos.

Przemowę zakończyła Sandy, prawniczka z korporacji. Przedstawiła kolejną wariację swojego typowego tematu: czy jej nastoletnie dzieci nauczą się znowu jej „ufać". Susan sądziła, że „ufać" stanowiło eufemizm, że chodziło o „kochać".

Opowieść prawniczki stopniowo bladła, tracąc barwy i ciężar gatunkowy, aż wreszcie wygasła. Susan dostrzegła, że kobieta zerka na profesora filozofii, potem na inżyniera Freda, aż wreszcie, wymieniwszy się spojrzeniami właściwie z każdym obecnym na sali, popatrzyła na nią.

– Dosyć tych moich pierdół – rzuciła szorstko. – Myślę, że powinniśmy posłuchać Susan.

Rozległ się krótki pomruk aprobaty.

– Susan? – zapytał wikary, prowadzący spotkanie.

Susan Terry wstała, nieco chwiejnie. Przygotowała sobie różnorakie wyjaśnienia i wymówki, rozważała też wmieszanie do swojej opowieści odrobiny fikcji. Wszystko po to, aby za radą Ćmy zostać tej nocy dobrze zapamiętaną. W swoich myślach nie uformowała co prawda słowa „alibi", ale jako specjalistka pd prawa karnego wiedziała, że dokładnie o to jej chodzi. Kiedy jednak się rozejrzała po sali, nagle uświadomiła sobie, jak głupio zabrzmi wszytko, co wymyśliła.

Tak czy siak, musiała jakoś zacząć.

– Cześć, mam na imię Susan i jestem uzależniona. Mam kilka dni trzeźwości, ale nie wiem, od kiedy je liczyć, przez środek przeciwbólowy, który zapisał mi lekarz… – Wskazała złamaną rękę.

– Nie powinnaś niczego brać. Jak boli, to się zbierz w sobie i przetrzymaj – powiedział inżynier Fred, wcinając się między jej słowa z nietypową szorstkością.

Susan nie wiedziała, co dalej mówić. Gdy zaczęła się jąkać, szukając odpowiednich słów, profesor filozofii uciszył ją niecierpliwym machnięciem dłoni, jakby przywracał spokój wśród niesfornych uczniów.

– Gdzie jest Ćma? – zapytał ostro.

Andy Candy ruszyła sprintem.

Cokolwiek działo się teraz przed domem przy pogrążonej w ciemnościach Angela Street, wiedziała, że musi się tam znaleźć. Wyobraźnię miała przepełnioną obawami: zabójca, którego ścigali, pewnie jest uzbrojony; zabójca, którego ścigali, pewnie jest od nich znacznie sprytniejszy; zabójca, którego ścigali, ma od nich większą praktykę; jest przebiegły, doświadczony, nieprawdopodobne, aby w tej morderczej grze dał się wziąć z zaskoczenia parze nowicjuszy. Wyobraziła sobie Ćmę, zakrwawionego, jak strzela do kogoś, nie, jak kogoś dźga nożem, nie, jak rozrywa kogoś na ćwierci, aż po ostatni dech. Na litość boską, przecież jest studentem historii, co on może wiedzieć o zabijaniu? Ona przynajmniej mogła się przyglądać, jak jej ojciec weterynarz usypia całe tuziny zwierząt, co stanowiło łagodną formę zabijania. Była także u jego boku, kiedy odłączano te wszystkie podtrzymujące życie rurki, kable i urządzenia.

I to jeszcze nie było wszystko. Przecież zupełnie niedawno leżała pod jaskrawym szpitalnym światłem, z głową odchyloną do tyłu, z na wpół zamkniętymi oczami, przysłuchując się pielęgniarkom i lekarzowi, a z jej wnętrza zabierano życie. Nagle Andy Candy uzmysłowiła sobie, że to ona wie lepiej, co należy teraz robić. Prawie dała się ponieść panice. Przyszło jej do głowy, że to ona powinna dowodzić, to ona powinna to zorganizować. Uznała, że musi tam się dostać tak szybko, jak tylko się da, żeby poprowadzić Ćmę, zanim zostanie zabity.

– Ćma jest... – Susan Terry zawahała się. Powiodła wzrokiem po sali, przełknęła ślinę i oznajmiła: – Ćma robi swoje. Chce się skonfrontować z człowiekiem, o którym sądzi, że zabił jego stryja.

Nadal stała, ale teraz wokół niej wybuchła wrzawa. Wręcz zasypały ją okrzyki, niektóre mało konkretne, w stylu prostego: „Co, do cholery?”, inne zjadliwe, jak: „Na co ty mu pozwoliłaś?”

Kiedy pierwsze poruszenie i pierwsze gwałtowne reakcje zdawały się słabnąć, Susan spróbowała odpowiedzieć:

– Nie dał mi wyboru. Chciałam, żeby poszedł do władz i pomógł postawić temu człowiekowi zarzuty, na podstawie których można wytoczyć proces sądowy. On jednak był tak uparty i zdeterminowany, że nie wziął mojego zdania pod uwagę przy podejmowaniu decyzji…

– Zdeterminowany? – zapytał inżynier Fred. Głos miał chłodny i sceptyczny.

– Czy przychodząc na te spotkania, niczego się nie nauczyłaś o uzależnieniach? – odezwała się też Sandy.

Susan wydawała się zmieszana.

– Wszyscy tutaj polegamy na uczciwości i na sobie nawzajem. To nie tylko droga ku pokonaniu uzależnienia, ale w ogóle ważna droga. A ty porzuciłaś Ćmę? Pozwoliłaś mu działać na własną rękę? Dlaczego od razu nie dałaś mu butelki albo nie usypałaś mu kresek z koki? To tak samo by go zabiło – oznajmiła Sandy ze wzgardą.

– Całym sensem przychodzenia tutaj jest dla nas wzajemna pomoc w unikaniu ryzyka – ostro rzucił Fred. – A ty pozwoliłaś, żeby Ćma, który jest jednym z nas, wyruszył całkiem sam. Co ty sobie myślałaś?

Susan miała już powiedzieć o Andy Candy. Uznała jednak, że kierująca Ćmą potrzeba pomszczenia śmierci stryja należała tylko do niego. Kiedy mówiła, głos jej drżał:

– Timothy ma rację. Skazanie tego człowieka, tego mordercy, byłoby praktycznie niemożliwe. To moja opinia jako profesjonalistki. A ściganie tego człowieka… To coś utrzymującego Timothy'ego w trzeźwości. To jest… – przerwała. Jej słowa były albo niewiarygodnie prawdziwe, albo niewiarygodnie fałszywe. Sama już nie wiedziała.

Wtrącił się profesor filozofii.

– Jak myślisz, co teraz dzieje się z Ćmą?

– Teraz? – nagle uświadomiła sobie, że się poci. Poczuła, że jaskrawe światło pada jej prosto w oczy i ją oślepia. Wyszeptała odpowiedź: – Mierzy się z zabójcą.

Na sali znowu wybuchła wrzawa.

Najpierw było szturchnięcie dużym palcem.

Nie ruszaj się. Tylko trochę jęknij. Czekaj.

Potem było już mocne kopnięcie.

– Wstawaj, cholera. Wynocha z mojego ogrodu.

Jeszcze jedno udawane jęknięcie. Palec na spuście. Dwie możliwości. Albo kopnie po raz trzeci, albo się nachyli i tobą potrząśnie. Tak czy siak, bądź gotów.

– No, dalej…

Ręka na moim ramieniu. Mocne szarpnięcie.

Ćma poderwał się nagle, ze skulonego na ziemi pijaka zmieniając w zdeterminowanego zabójcę. Lewa dłoń wypuściła pustą butelkę szkockiej i wystrzeliła ku koszuli mordercy, wytrącając go z równowagi i ściągając w dół tak, że przykucnął na jedno kolano. Mężczyzna warknął zaskoczony, ale prawa dłoń Ćmy już pędziła do góry wraz bronią, podtykając mordercy lufę pod podbródek.

– Nie ruszaj się – powiedział cicho. Mimo spokojnego głosu czuł, że język ma sztywny jak kołek, a strach przebiega mu po plecach.

Zabójca próbował szarpnąć się do tyłu, jednak Ćma mocno go przytrzymał.

– Powiedziałem, nie ruszaj się – powtórzył. Nadal brzmiał jak ktoś znacznie bardziej pewny siebie, niż jest w rzeczywistości.

Kątem oka dostrzegł biegnącą ku nim Andy Candy. Przyciskając mężczyźnie broń do gardła, Ćma najpierw uniósł się na kolana, a potem na równe nogi. Obaj stali teraz blisko siebie, niczym zakochana para w wolnym tańcu.

– Do środka – polecił Ćma. Po raz pierwszy spojrzał bezpośrednio na zabójcę.

Mężczyzna wyglądał na nieco speszonego.

– Poznajesz mnie? – zapytał Ćma.

– Och, tak – odparł Piąty Student. Głos miał cichy, spokojny i zupełnie pozbawiony lęku, pomimo lufy przyciśniętej do podbródka. – Jesteś tym młodym człowiekiem, którego powinienem zabić już wcześniej, ale który umrze dzisiaj wieczorem.

49

Myśl jak morderca. Łatwo powiedzieć, trudniej zrobić. Młody człowiek, który umrze dzisiaj wieczorem. Domyślam się, że o mnie chodzi. No to dobra, pomyślał Ćma.

– Może tak, a może nie. Jeszcze zobaczymy – oznajmił z większą brawurą, niż naprawdę czuł.

Stali zwarci ze sobą, lufa magnum była mocno przyciśnięta do gardła Piątego Studenta. Sprytny morderca po prostu nacisnąłby spust i uciekł, pomyślał Ćma, potem jednak uznał, że tak byłoby źle. Może tak właśnie zrobiłby głupi morderca. Sam nie wiedział. Jego akademicki umysł nagle przeszyła myśl, że każde działanie stwarza wiele możliwości o dziesiątkach potencjalnych rezultatów. Mieszały się w nim fascynacja i strach – elektryczność i lód. Nadal jednak trzymał się opracowanego wcześniej schematu, nie bardzo mając pojęcie, czy z perspektywy zabójcy jest w tym sens. Wiedział, że wkrótce to się okaże.

– Do środka – polecił znowu.

Piąty Student uśmiechnął się krzywo.

– Chcesz, żebym cię zaprosił do swojego domu? Myślisz, że jestem aż taki uprzejmy? A dlaczego miałbym być?

– Nie masz wyboru – odparł Ćma, wykrzesując z siebie bezwzględność.

– Naprawdę? – powiedział Piąty Student. Szydził. – Zawsze jest jakiś wybór. Myślę, że student historii powinien wiedzieć o tym lepiej niż ktokolwiek inny.

Piąty Student nadal się uśmiechał. Ukrywał wzburzenie panujące teraz w jego głowie. Musiał wziąć kilka głębokich oddechów, aby przezwyciężyć pierwsze zaskoczenie lufą przyciśniętą do gardła, a potem uświadomieniem sobie, kto trzyma broń. Dzięki treningom jogi i zen zdołał zdusić szok i zastąpić go spokojem. Wiedział, że musi szybko zbić Bratanka z tropu i zmienić dynamikę śmierci. Potem rozważy, jak uzyskać przewagę.

Zaczął sobie wyobrażać różne scenariusze wypadków. Obserwował wydarzenia, jak gdyby oglądał horror wyświetlany w kinie w towarzystwie rozgorączkowanej publiczności, bezsilnie wykrzykującej wskazówki dla bohaterów, którzy i tak ich nie słyszą. Jedno wiedział na pewno: wraz z każdą sekundą, w której Bratanek opóźniał naciśnięcie spustu, on sam stawał się coraz silniejszy, a człowiek z bronią coraz słabszy. Zaczęła go napełniać jakaś dziwna pewność siebie.

– Gdzie są klucze do domu? – dopytywał się Ćma.

– Jeśli sądzisz, że to, co robisz, jest słuszne, to kimże jestem, aby stawać ci na drodze – stwierdził Piąty Student z cichym parsknięciem. – Prawa kieszeń z przodu.

Ćma skinął głową ku Andy Candy, która podeszła z boku i sięgnęła do tej kieszeni, macając w poszukiwaniu klucza.

– Tylko spokojnie, młoda damo – powiedział Piąty Student z kwaśnym uśmiechem. – Nawet nie zostaliśmy sobie przedstawieni, a już taka bliskość między nami.

Andy Candy, wyjmując klucz, dokładnie wsłuchiwała się w ton głosu zabójcy. Trochę to przypominało słuchanie piosenki śpiewanej gdzieś w oddali. Próbowała sobie przypomnieć każdą nutę ich wcześniejszej rozmowy.

– Już zostaliśmy sobie przedstawieni – odparła. Jej głos był piskliwy, kojarzył się z mocno naciągniętą gumką. – Przedstawiłeś się przez telefon.

Stanęła obok niego z kluczem w dłoni.

– W tych drzwiach może być alarm – ostrzegł Piąty Student, kiedy Andy je otwierała. – Nie wpiszesz właściwego kodu i za minutę albo dwie będą tutaj gliny. To mogłoby pokrzyżować wasze plany, cokolwiek planujecie na dzisiejszy wieczór, prawda?

Andy odwróciła się w jego stronę. Potrząsnęła głową.

– Nie – powiedziała z udawaną pewnością siebie. – Wzywanie policji na pomoc? To nie w twoim stylu, prawda?

Piąty Student nie odpowiedział. Ćma zmienił pozycję, przesuwając lufę wokół szyi zabójcy, i teraz lekko pchnął go w plecy.

– Do środka – powtórzył.

– Ciekawe podejście – stwierdził Piąty Student. – Ale nie wiecie, co może was tam czekać. – W mało zawoalowany sposób nawiązał do bomby, która eksplodowała w rzekomym laboratorium metaamfetaminy w Charlemont. Natychmiast też przeszedł do wzbudzania innych lęków. – A może mam dużego, wiernego psa, który tylko czeka, żeby skoczyć wam do gardeł?

– Nie – odparła Andy stanowczo. – To także do ciebie nie pasuje. – Wsunęła klucz w zamek. – Lubisz działać samotnie, prawda?

Przekręciła klucz i otworzyła drzwi, nie czekając na odpowiedź. Nie widziała cienia złości, który przemknął po twarzy Piątego Studenta, ani tego, że nagle zacisnął prawą pięść. Piąty Student nie lubił być kategoryzowany, co więcej, nie cierpiał, kiedy kategoryzowano go trafnie.

– Ruszaj się – popędził Ćma, przyciskając Piątemu Studentowi lufę do krzyża.

Wciąż połączeni naciskiem broni, wkroczyli do wnętrza domu, przechodząc przez słabe światło na ganku. Ćma zastanawiał się chwilę, czy ktokolwiek mógłby ich teraz zobaczyć. Przygotowując się, nie wziął pod uwagę żadnych wypadków losowych. Przechodnia, który zauważyłby broń i zadzwonił na policję. Jakiejś katastrofy. Przypomniało mu się stare powiedzenie: „Diabeł tkwi w szczegółach".

Andy Candy, niczym odźwierna eleganckiej restauracji, przytrzymała im drzwi, zapraszając do środka. Następnie wysunęła się na przód, gdy Ćma dźgnął lufą kark Piątego Studenta, jednocześnie podtrzymując go dłonią położoną na ramieniu.

– Salon jest z prawej – powiedział Piąty Student. – Rozgośćcie się…

Jak na człowieka z bronią przyciśniętą do głowy, głos miał zaskakująco spokojny i zrównoważony. Dla Ćmy stanowiło to pierwszą wskazówkę co do tego, z kim tak naprawdę ma do czynienia. Fantazja „Dam radę zmierzyć się z seryjnym zabójcą" kontra rzeczywistość „Za kogo ja się mam?" Poza bronią w ręku niewiele rzeczy dawało mu przewagę.

– … dopóki któreś nie umrze – Piąty Student dokończył zdanie.

Andy Candy pstryknęła włącznik światła, a potem podeszła do okien i zamknęła drewniane okiennice. Prywatność, pomyślała. Czego jeszcze potrzeba do morderstwa?

Wrzawa w Redemptorze Jeden stawała się coraz głośniejsza. Rozzłoszczeni nałogowcy, wściekli alkoholicy, podniesione głosy i bezustanne pytania – to wszystko biło prosto w Susan Terry. Trwała przed zgromadzonymi niczym kiepski komik, na którego buczy tłum gości nocnego klubu. W środku aż jej wirowało.

– Po prostu nie rozumiem, jak mogłaś pozwolić Timothy'emu, żeby próbował mierzyć się z mordercą. Przecież jesteś, do cholery, profesjonalistką. Wiesz, w jakie niebezpieczeństwo on się pakuje!

Te słowa padły z ust cichego architekta mającego pociąg do leków na bazie morfiny. Od kiedy Susan przychodziła na spotkania, ani razu się nie odezwał, ale teraz wydawał się szczerze poruszony.

– Racja – odezwał się dentysta. – Czy Timothy ma choćby blade pojęcie, na co się porywa? Aż nie potrafię uwierzyć…

Susan weszła mu w słowo:

– Jest zdolniejszy, niż wam się wydaje.

– Tak, to po prostu świetnie. Jasne, że jest – stwierdził Fred z sarkazmem. – Pięknie. Cudnie. Chryste! Co za kiepska wymówka!

Obrócił się na krześle, odwracając wzrok od Susan. Uniósł dłoń, wskazując prokurator.

– Gdyby to ona poszła skonfrontować się z tym facetem, na pewno by ze sobą zabrała całą pieprzoną ekipę antyterrorystów.

Salę zalały okrzyki „Racja!" i „No jasne!" Wikary prowadzący spotkanie starał się wprowadzić nieco spokoju.

– Moi drodzy, słuchajcie... Susan nie jest winna...

– Gówno prawda – rzuciła prawniczka Sandy, uciszając ugodowego księdza.

– A co ty – dopytywał się profesor – jako profesjonalistka – słowo to wypowiedział z pogardą – myślisz o szansach Timothy'ego na przetrwanie tej nocy?

Tym pytaniem, które dotykało samego sedna sprawy, uciszył całą grupę. Miało tym większą wagę, że padło z ust człowieka wyczulonego na wieloznaczne interpretacje niejasności.

Susan zawahała się, zanim odpowiedziała:

– Są nie za duże – odparła szczerze.

Usłyszała, że kilku stałych bywalców gwałtownie wzdycha.

– Proszę, zdefiniuj „nie za duże" – spokojnie kontynuował profesor.

Wszyscy nadstawili uszu. Poczuła wokół siebie napięcie, jak gdyby każde wypowiadane przez nią słowo było podłączone do gniazdka elektrycznego. Spojrzała na ludzi, których spojrzenia się w nią wwiercały, i uświadomiła sobie, że Timothy Warner dla każdego z nich znaczy więcej, niż kiedykolwiek sądziła. Spoglądanie na Timothy'ego Warnera i postrzeganie w nim, jak w zwierciadle, swojego młodszego ja miało dla nich wielką moc. Był dzieciakiem zagubionym tak jak niegdyś oni. Jego rekonwalescencja stanowiła ich rekonwalescencję. Jego życie – po jednym dniu naraz – nadawało dodatkowe znaczenie ich życiu i każdemu z nich dawało dodatkowy bodziec do działania. To było coś więcej niż lojalność, coś zbliżającego się do oddania. Timothy prostujący sobie życie oznaczał, że i oni mogą prostować własne poplątane ścieżki. Timothy odnajdujący miłość, robiący karierę, czujący satysfakcję inną niż dawana przez butelkę oznaczał, że i oni to wszystko znajdą albo odzyskają coś, co kiedyś mieli. Przetrwanie Timothy'ego oznaczało, że oni również zdołają przetrwać. Zmagania Timothy'ego odzwierciedlały ich zmagania. Jego młodość dawała im nadzieję.

A tej nocy wszystko znalazło się w niebezpieczeństwie.

– „Nie za dobre" oznacza dokładnie to, co powiedziałam, czyli nie za duże. Ćma stanął przeciwko sprytnemu, sprawnemu, profesjonalnemu i całkowicie pozbawionemu skrupułów socjopacie, który zabił co najmniej sześcioro ludzi, chociaż dokładna liczba jego ofiar jest kwestią otwartą. Stanął przeciwko ekspertowi od zabijania.

W sali ponownie zawrzało.

– Mogę tutaj usiąść? – zapytał lekkim tonem Piąty Student. – To mój ulubiony fotel.

– Tak – odparł Ćma.

– Poczekaj chwilę – wtrąciła się Andy Candy.

Podeszła do miękkiego, tapicerowanego fotela. Zdjęła siedzisko, sprawdziła, co jest pod nim, potem uklękła i sprawdziła jeszcze tył. Żadnego ukrytego pistoletu ani noża. Obok stał niewielki stolik z lampą i wazonem z suszonymi kwiatami. Odsunęła go, tak żeby Piąty Student, nawet rzucając się w tamtą stronę, nie zdołał go dosięgnąć. Czy szklany wazon może być bronią? Uznała, że odpowiedź brzmi „tak".

Piąty Student trzymał ręce w górze i czekał, przypatrując się temu, co robi Andy Candy.

– Ta młoda dama staje się coraz mądrzejsza – zauważył. – Wybiega myślami do przodu. Timothy, powiedz mi, czy ty tak naprawdę wszystko przemyślałeś?

Ćma odpowiedział krótkim:

– Siadaj.

– Jesteś pewien, że on nie ma broni? – zapytała Andy.

Ćma zaklął w duchu. Nie przyszło mu do głowy, żeby to sprawdzić.

– Przeszukaj go – polecił, trzymając broń przy karku zabójcy.

Andy podeszła do Piątego Studenta od tyłu i przesunęła dłońmi po jego kieszeniach. Wyjęła mu portfel, pomacała pod pachami, sprawdziła buty i skarpety, nawet poklepała w okolicy krocza.

– Teraz to już zdecydowanie poznajemy się bliżej – oznajmił ze śmiechem, jak gdyby go połaskotała.

Chciałaby odpowiedzieć jakąś ciętą ripostą, taką, która od razu by go usadziła, nic jednak nie przyszło jej do głowy.

– To bardzo źle – kontynuował Piąty Student – że postanowiłaś przyjść tutaj dzisiaj wieczorem. Ale wciąż jest jeszcze czas, żeby się wycofać. Możesz odejść. Być bezpieczna. I nie żałować.

Typowa zagrywka mordercy, pomyślał Ćma. Godne uwagi. Nie ważył się spojrzeć na Andy Candy z obawy, że to co zaproponował zabójca, może jej się wydać całkiem sensowne.

– Ja nie jestem… – zaczęła Andy.

– Dobrze się zastanów nad tym, co robisz – przerwał jej Piąty Student. – Decyzje, które podejmiesz w ciągu najbliższych kilku minut, mogą zaważyć na całym twoim życiu.

Gestem wskazał fotel, a Ćma lekko pchnął go w jego stronę.

Piąty Student usiadł, ignorując wycelowany w siebie rewolwer i wbijając spojrzenie w Andy.

– Andreo, nie wyglądasz na taką, która puszcza mimo uszu dobre rady, niezależnie od ich źródła – rzekł.

Zmroziło ją, że z taką zażyłością użył jej pełnego imienia.

– Pamiętaj, jeszcze masz czas. Niewiele, ale jeszcze trochę.

Dobry będzie nawet mały klin wbity między tych dwoje, pomyślał Piąty Student. Rozgrywaj ich niezdecydowanie. Ja doskonale wiem, co robię, nawet bez broni. Ale oni nie wiedzą, nawet myślą inaczej. Więc kto tak naprawdę jest uzbrojony?

Ta zgrabna konstatacja sprawiła, że aż się szeroko uśmiechnął.

Andy Candy uświadomiła sobie, że Ćma wciąż stoi i wydaje się zagubiony, zbity z tropu. Wzięła krzesło z kąta i postawiła naprzeciwko zabójcy, metr od niego, żeby Ćma mógł na nim usiąść.

Ćma i morderca wpatrywali się w siebie jak para na pierwszej randce, która nie przebiegała zbyt dobrze. Taśma klejąca, pomyślał Ćma. Powinienem był kupić taśmę klejącą, żeby skrępować mu dłonie i stopy. Czego jeszcze zapomniałem?

– Tak naprawdę – zaczął profesor filozofii spokojnym, zdecydowanym głosem, jak na wykładzie – najpilniejsze, co mamy do zrobienia, jest proste. Co w tej dokładnie chwili możemy zrobić, aby pomóc Timothy'emu?

Odpowiedziała mu cisza.

– Gdziekolwiek teraz jest i cokolwiek robi – dodał.

Nadal nikt się nie odzywał.

– Jakieś pomysły? – zapytał profesor.

– Tak. Niech to szlag, musimy wysłać mu jakąś pomoc – powiedział inżynier Fred. – I to natychmiast.

– To wcale nie jest takie proste – oznajmiła Susan. Zbytnio się nie rozwodziła. Nadal stała przed zgromadzonymi, ale ci już nie przeszywali jej spojrzeniami, lecz odwracali się wzajemnie do siebie, a potem wyrzucali z siebie rożne możliwości.

Prawniczka Sandy zaproponowała.

– Od razu zadzwońmy na policję. Susan na pewno wie, gdzie ich posłać.

Wygrzebała komórkę ze swojej torebki od Gucciego.

– Wtedy zaaresztują nie tego, kogo trzeba – powiedziała Susan. – Nie zrozumiałaś mnie.

Sandy zmarszczyła brwi.

– Czego nie zrozumiałam? – żachnęła się. – Co masz na myśli?

– To, że dzisiaj w nocy Timothy jest zabójcą.

I znowu sala wybuchła sprzeciwem. Wypełniły ją: „Nie ma mowy", „Nie wariuj", „To głupie". Płynął wartki potok niezgody.

– To Timothy ma broń, motyw i to właśnie on dzisiaj wieczorem łamie prawo. Z premedytacją. Wszyscy znacie to słowo. Nie mówimy teraz o tamtym złym facecie, bo akurat teraz jest niewinny. Więc jak myślicie, kogo gliny wezmą do aresztu, kiedy się zjawią? Właściciela domu czy tego, kto tam się włamał, uzbrojony i niebezpieczny? Zakładając, że Timothy podda się od razu. Ja bym wolała tego nie zakładać.

– No tak, może masz rację – odparła Sandy. – Jednak telefon od ciebie mógłby ich nakierować na właściwego faceta...

– Bez żadnych dowodów? Tylko z jakimiś dziwacznymi podejrzeniami? Mam im powiedzieć: „Hej, nie aresztujcie faceta, który chce zamordować z zemsty, tylko tego drugiego"? To nie zadziała. A nawet gdyby, to jak zdołają zatrzymać go w areszcie? A jeśli nie zdołają, to jednego jestem pewna.

– Czego?

– Zniknie.

– Przecież można będzie go wyśledzić, tak jak Timothy go wyśledził.

– Nie, niekoniecznie. To był jego ośli upór i więcej niż odrobina farta. Ale ten facet nie popełni drugi raz takiego samego błędu. Zniknie. Tak właśnie może się stać. Mogę się założyć, że jest na to przygotowany. Tak naprawdę to wcale nie byłoby trudne. Więc weźcie po uwagę jedną rzecz: cokolwiek się dzisiaj stanie Timothy'emu, to jeśli człowiek który zabił jego stryja, za kilka godzin wciąż będzie żył, już wtedy dawno zniknie.

Znowu zapadła cisza. Susan wydawało się, że słyszy własny oddech.

– I to zakładając, że ktokolwiek, kogo spróbujemy tam wysłać, zjawi się w porę – dodała łagodniej.

– Musimy do kogoś zadzwonić – powiedział dentysta.

Znowu cisza. Te nagłe chwile ciszy w Redemptorze Jeden wydawały się ciężkie niczym z żelaza. Zgromadzeni rozważali poszczególne możliwości.

– A co – odezwał się inżynier Fred – jeżeli to ty pojedziesz?

Susan potrząsnęła głową.

– Miał możliwość zabrania mnie ze sobą. Nie skorzystał z niej. Tak naprawdę to mnie z tego wykopał, cokolwiek planował.

Pomyślała, że jest teraz jak najbardziej szczera, ale jednocześnie w jej głowie formowało się słowo „tchórz". Sądziła, że pod koniec nocy może to być najodpowiedniejsze określenie jej postępowania. Ujrzała całą ironię sytuacji. Dla niej najlepszym wyjściem byłoby nierobienie niczego. Dałoby jej usprawiedliwienie, możliwość zaprzeczenia, miałoby kluczowe znaczenie, gdyby zamierzała ratować swoją karierę i swoją przyszłość. Jej świat zaśmiecały ciężkie przestępstwa, a jej priorytet stanowiło rozpoczęcie ich unikania. Oczywiście rozumiała, że to może oznaczać, że tej nocy ktoś umrze.

– I co? Powinniśmy go chronić, nawet gdyby to oznaczało chronienie go przed samym sobą? Bo właśnie to teraz staramy się zrobić, prawda?

Rozległ się pomruk aprobaty.

– A co, jeśli wszyscy tam pojedziemy? – spytał ktoś.

– Już na to za późno – odparła Susan.

Kolejna chwila ciszy. Potem odezwał się profesor filozofii, chłodnym, bardzo stanowczym tonem.

– Co masz na myśli, mówiąc, że jest już za późno?

Susan zawahała się.

– To – powiedziała powoli – że powinniśmy zaufać Timothy'emu, że zrobi to, co trzeba.

Nikomu ze zgromadzonych w Redemptorze Jeden nie musiała definiować słów „co trzeba". Przez sekundę sądziła, że będzie mogła już odejść, zanim jednak zdołała się poruszyć, przez salę popłynęła kolejna fala oburzenia i wściekłych wulgaryzmów.

Ćma siedział naprzeciwko zabójcy. Przeszyła go pełna ironii myśl: To jest jak siedzenie naprzeciwko stryja Eda. Ten sam wiek, ta sama stawka. Rewolwer w jego dłoni wydawał się teraz cięższy. Wiedział, że ukończył już pierwszą fazę morderstwa. Teraz musiał szybko zrobić następny krok.

– Andy – powiedział, starając się zachować w swoim głosie twardość i zdecydowanie – może przeszukasz ten dom? Zobacz, co tu możesz zrobić.

– W porządku – odparła.

Piąty Student uśmiechnął się do niej. Nauczyciel i wiercący się uczeń.

– Niczego nie dotykaj – radził życzliwym tonem.

Zatrzymała się, przyjrzała mu uważnie, jak gdyby nie zrozumiała jego słów.

– Odciski palców – wyjaśnił. – Pocisz się? To pozostawi trochę DNA. Powinnaś założyć lateksowe rękawiczki. Zauważyłem, że nosisz niezwykle atrakcyjny kapelusz, chroniący przed słońcem. Nie zdejmuj go. Może wyrwać ci kilka włosów. Nie powinnaś tutaj zostawiać włosów, bo po nich można by cię wytropić... – Zwrócił się do Ćmy: – Te butelki... Przez nie wyglądałeś jak jeszcze jeden pijak z Key West śpiący w krzakach. Podobało mi się to. Sprytne. Widać, że się przyłożyłeś. Ale odciski palców? Pomyślałeś o tym? A co z tym podmokłym terenem, tam, gdzie są rośliny? Zostawiłeś tam odcisk buta? To byłoby źle. Gliniarze potrafią zidentyfikować odcisk prawie każdej podeszwy, a mogę się założyć, że twoje są dosyć popularne. A wiesz, że tutaj, w Key West, ziemia ma inny skład niż gdzie indziej? I tak oto technik kryminalistyczny badający podeszwy twoich butów, bez trudu zdoła połączyć cię dokładnie z tym miejscem.

Piąty Student wiedział, że to ostatnie jest już naciągane. Przypuszczalnie stanowiło nieprawdę, ale dobrze brzmiało i był z tego zadowolony. Zakładał, że większość posiadanej przez Bratanka i Dziewczynę wiedzy o morderstwach oraz prowadzonych po nich śledztwach pochodziło z programów telewizyjnych, dalekich od dokładności.

Andy Candy zerknęła na swoje dłonie. Poczuła się jak żołnierz idący po polu minowym. Zastanawiała się, czy zdradziłaby siebie i Ćmę, po prostu pozwalając teraz, aby na podłogę upadła kropla potu. Nie wiedziała, która część jej ciała, albo ciała Ćmy, mogła zrujnować im życie. Nie istnieje gorszy strach niż ten, który wiąże się nagłym odkryciem, iż wkracza się w groźne, czarne wody siegające wyżej niż głowa. Strach mógł stworzyć wyczerpanie, zmieszanie i wątpliwości. Wszystko to właśnie zalewało Andy, a jej chciało się krzyczeć.

Ćma powiedział bardzo spokojnie:

– Andy, nie przejmuj się. Wszystko będzie w porządku. Tylko tak mówi, to nic nie znaczy. Po prostu się rozejrzyj.

Głos Ćmy jej pomógł. Nie była pewna, czy naprawdę ma wszystko pod kontrolą, ale tak właśnie brzmiał.

– Dobra – powiedziała, dusząc w sobie pragnienie, aby krzyczeć. – Daj mi minutę, może dwie.

– To co, będziemy po prostu tak siedzieć i czekać? – zapytał sardonicznie Piąty Student. Wzruszył ramionami.

– A czemu nie? – odparł Ćma. – Śpieszy ci się do śmierci?

50

Piąty Student doskonale rozumiał, że znalazł się w samym środku jakiejś śmiertelnej gry. Jednak do czegoś takiego był dobrze wyszkolony. Morderstwo, w samych swoich podstawach, opierało się na psychologii, tak złożonej jak szachy, tak prostej jak warcaby. Na każdym etapie przepełniały je podteksty, aż do rzeczywistego aktu. Morderstwo mogło być nagłe, mogło być wyrafinowane. Mogło być pospieszne, impulsywne albo starannie zaplanowane. Mogło być spowodowane psychozą albo zespołem stresu pourazowego. Miało tyle odmian, ilu jest ludzi. To właśnie była lekcja, którą pobrał zarówno jako morderca, jak i student psychiatrii.

Piąty Student wiedział, że musi ograć siedzącego przed nim początkującego historyka. Czasem ludzie patrzą w lufę i wiedzą, że to już nieodwołalne, że przed kulą nie da się uchylić, myślał. Tej nocy jest inaczej. Chociaż tej nocy będzie śmierć. Przypuszczalnie dwie, jeśli zabiję także Dziewczynę.

Oczyma duszy widział szarpaninę, widział wypadający pistolet. Wyobraził sobie, jak czuje go w dłoni. Szarpnięcie odrzutu w górę po naciśnięciu spustu. Miłe i znajome uczucie. Potem już by się nie spieszył. Dwie dłonie na rękojeści, postawa strzelecka – i koniec wieczoru. Jego przekonanie, jego instynkt oraz jego pragnienie, to wszystko poprowadziłoby właśnie do takiego scenariusza. Był pewien, że dokładnie tak wszystko by się rozegrało.

Już układał zakończenie.

Zostaw za sobą wszystko oprócz śmierci. Pożegnaj się ze Stephenem Lewisem, tak jak pożegnałeś się z Blairem Munroe. Szybko jedź na północ. Odleć z Miami. Ruszaj do innego, nieoczekiwanego miejsca, Cleveland albo Minneapolis, a potem wsiądź w kolejny samolot. Phoenix? Seattle? Na dzień albo dwa zatrzymaj się w jakimś hotelu. Obejrzyj sobie spokojnie parę widoków i zjedz co najmniej jeden dobry posiłek, zanim spokojnie ruszysz z powrotem na wschód, na Manhattan. Pozwól, żeby Nowy Jork cię połknął. Natychmiast zacznij pracować nad nowym zestawem tożsamości. Zacznij od nowa. Sądzę, że całkiem miło może być w Kalifornii. W San Francisco, nie w Los Angeles.

Wyobraźnia Ćmy rykoszetowała szaleńczo w niekontrolowany sposób. Jego myśli zdawały się trząść. Bał się, że się wzdrygnie, dlatego oparł palec o osłonę spustu w swoim magnum. Nie chciał przypadkowo wystrzelić. Mięśnie miał jak z gumy, bezużyteczne. Przez tyle dni, tyle kilometrów i tyle obsesji całą uwagę skupiał najpierw na zidentyfikowaniu człowieka, który zabił jego stryja, potem na znalezieniu go, na znalezieniu go raz jeszcze, a następnie na spadnięciu na niego znienacka niczym w zasadzce rodem z Dzikiego Zachodu.

Morderstwo prawie zawsze dotyczy przeszłości – to jednak miało dotyczyć także przyszłości. To było takie łatwe, kiedy leżało się w ciemnościach i myślało: Zabić go, zabić go, zabić go.

Teraz właśnie nastał czas zabijania. Ćma uświadomił sobie, że wszystko, czego dokonał, zaprowadziło go właśnie do tego miejsca, jednak nie dalej. Przypomniał sobie ostrzeżenie Susan Terry: „Czy zdołasz nacisnąć spust?"

Tak sądzę. Mam taką nadzieję.

Może.

I to był właśnie problem, który teraz zatrzymał mu dłoń z bronią, chwytając ją w nieznośnej, niewzruszonej blokadzie. Wziął głęboki oddech i spojrzał przez muszkę, nieco mrużąc oko i celując w pierś mordercy.

– Dlaczego zabiłeś mojego stryja? – zapytał.

Potrzebuję odpowiedzi, pomyślał. Ta odpowiedź pokaże mi co teraz robić.

Ćma osuwał się prosto w wir niezdecydowania. Człowiek siedzący naprzeciwko niego bez wątpienia mógłby mu powiedzieć, że nie jest to najlepszy stan do tego, aby zabijać.

Obelgi i furia wokół Susan Terry w końcu zaczęły słabnąć, niczym ostatnie krople rzęsistej ulewy. Milczała, dopóki atmosfera w Redemptorze Jeden nie zmieniła się w ciężką ciszę.

– Dobrze – powiedziała wreszcie – nie zostało już nic innego do zrobienia, niż czekać i patrzeć, co się wydarzy.

Takie czekanie, jak wiedziała, graniczyło z ciężkim przestępstwem. Tym, co należało zrobić, było natychmiastowe powiadomienie władz. I było to również tym, czego nie należało robić. Susan balansowała na granicy prawa. O granicy moralności nawet nie chciała myśleć.

– Sugerujesz więc, opierając się na swoim wykształceniu prawniczym, znajomości z Timothym, rozeznaniu w sytuacji, w jakiej się znalazł, i na wszystkich innych odpowiednich czynnikach, że mamy po prostu tutaj siedzieć i patrzeć, co się stanie? – zapytał profesor filozofii z tą swoją dydaktyczną manierą.

– Tak właśnie to można ująć – odparła Susan.

Profesor wstał, jak gdyby właśnie miał zacząć opowieść o swoim uzależnieniu, tyle że teraz zwrócił się do zgromadzonych w inny sposób.

– To jest po prostu nie do zaakceptowania – oznajmił, jeszcze dodał: – Czy ktokolwiek się ze mną nie zgadza?

Salę wypełnił cichy pomruk. Niezrozumiałe słowa, które narastały do pojedynczego „nie".

– Skoro nie jesteśmy w stanie pomóc Timothy'emu zrobić to, cokolwiek dzisiaj robi – kontynuował profesor – musimy mu pomóc, kiedy już to przetrwa.

Salę wypełnił pomruk zgody.

– Bo wierzę, że on przeżyje – mówił dalej profesor, a jego głos dźwięczał pozbawioną podstaw pewnością. – Tak jak każdy z nas przezwycięży wszystkie demony i wady, które sprowadziły nas tutaj dzisiaj wieczorem.

Susan rozejrzała się dookoła. Nikt nie sprzeciwiał się profesorowi. Miała wrażenie, że salę przepełnia coś w rodzaju ożywczej pasji, takiej, która towarzyszy żywiołowej modlitwie „Chwalmy Jezusa".

– Jesteśmy odpowiedzialni za Timothy'ego – oznajmił profesor. – Czy nam się to podoba, czy nie.

Ostatnie słowa wraził w Susan jak sztylety.

– Tak jak on przychodził tutaj dla nas, tak my musimy tutaj być dla niego – dodał stanowczo. – O to właśnie chodzi w przychodzeniu do Redemptora Jeden. To miejsce, gdzie jesteśmy bezpieczni ze swoimi problemami, gdzie możemy się wzajemnie wspierać. I sądzę, że dzisiaj wieczorem Redemptor Jeden oraz wszystko, co dla nas znaczy, wykroczył poza ściany tej sali.

– Cholernie proste – powiedziała Sandy, korporacyjna prawniczka. – Dobrze powiedziane.

Profesor wziął głęboki oddech, zrobił pauzę, by poprawić okulary, i oblizał wargi.

– Jeśli wyjdzie z tego żywy, musimy obmyślić, jak go chronić.

Powitano te słowa kiwaniem głów.

– Mamy do tego pewne środki – zauważył profesor.

– Środki? – rzuciła Susan.

– Tak – odparł, gwałtownie odwracając się w jej stronę i wskazując prosto na nią. – Na przykład ciebie.

Susan nie wiedziała, co ma powiedzieć.

Sandy wstała i ponownie wtrąciła się do rozmowy.

– Albo jesteś częścią tego zgromadzenia, albo nie jesteś. To, co się tutaj dokonuje, jest rekonwalescencją. To, co się dzieje poza tym miejscem… – machnęła w stronę drzwi – … już nią nie jest. Wydaje mi się, że musisz zdecydować, czy jesteś nałogowcem, czy byłym nałogowcem.

Susan się zawahała.

– Chcesz jeszcze kiedyś tutaj wrócić? – spytała Sandy.

W głowie Susan kłębiły się myśli. Nie zastanawiała się nad takim pytaniem.

Inżynier Fred podniósł się, stając ramię w ramię z profesorem. Sięgnął obok niego i chwycił Sandy za rękę.

– Na początek – powiedział, krzywiąc się – myślę, że wszyscy możemy zgodzić się co do jednego…. – przerwał, bacznie przyglądając się każdemu z członków zgromadzenia, a potem długo patrząc na Susan Terry. – Jeśli ktokolwiek, na przykład policjant, zapytałby nas, to sądzę, że wszyscy tutaj by powiedzieli, że Timothy dzisiaj wieczorem był tu z nami.

Nikt się nie odzywał, ale członkowie grupy z Redemptora Jeden wstali, nawet ksiądz.

Andy Candy miała ochotę usiąść, a może oprzeć się o ścianę, może nawet osunąć się na parkiet i zamknąć oczy. Jednocześnie chciała stąd wybiec, robić przysiady i pompki, skacząc do góry, albo znaleźć skakankę i poskakać na niej przy jakiejś rytmicznej dziecięcej rymowance: *Niebieskie dzwoneczki, małe muszeleczki, a na wszystkim bluszcz*. Była wyczerpana i rozsadzana energią, przerażona, ale spokojna.

Cicho chodziła po kuchni i nie widziała niczego oprócz kuchni. W łazience nie widziała niczego oprócz łazienki. To był mały dom, niewiele większy od mieszkania, miał tylko dwa pokoje przy pozbawionym okien korytarzu. Pootwierała szafki. Jedyna, w której coś znalazła, stała w sypialni, a było w niej tylko kilka ubrań. Wzięła sobie trochę chusteczek higienicznych i przez nie otwierała szuflady, a potem grzebała w środku. Bielizna mordercy, jego podkoszulki i skarpetki. Nie miała pojęcia, czy te chusteczki zabezpieczą ją przed pozostawieniem śladów. Wątpiła, ale nie potrafiła wymyślić niczego innego.

Andy nie chciała czuć się wystraszona, lecz wraz z każdą kolejną minutą rósł w niej strach. Nie przez to, że szperała w domu mordercy, ale dlatego, że mogła nie znaleźć tutaj niczego, co mogło powiedzieć, kim naprawdę jest ten człowiek siedzący teraz w swoim ulubionym fotelu.

Nie do końca wiedziała, czego może się spodziewać. Może szafki pełnej broni? Ściany z malowidłami poświęconymi zabójcom, od Kaliguli, przez Wlada Palownika aż po Johna Dillingera i Teda Bundy'ego? Nie miała pojęcia, czego szukać, chociaż wiedziała, że te jej poszukiwania z jakiegoś powodu są niezbędne. Przegrzebywała swoje wspomnienia, wśród obrazów z filmów, popularnych powieści, telewizji i teatru, ale nie potrafiła sobie przypomnieć niczego naprawdę umiejscowionego w domach morderców, gdzie pokazywano by rzeczy jednoznacznie wskazujące na to, kim byli i co zrobili. „Proszę, coś tutaj musi być". To nie było coś takiego jak spodziewanie się książek prawniczych na biurku u prawnika albo tekstów medycznych na półkach w gabinecie lekarskim. Na ścianie nie wisiał dyplom architekta ani żaden certyfikat. Nie było nawet zawieszonego na honorowym miejscu menu z restauracji.

W drugim pomieszczeniu urządzono pokój gościnny. Czy mordercy zapraszają do siebie przyjaciół? Cicho weszła do środka. Stała tam wersalka przykryta różnobarwną kapą, a także niewielkie biurko i krzesło. Pomieszczenie urządzono skromnie, prawie jak w klasztorze. Andy już miała się odwrócić, kiedy zauważyła laptopa.

To już coś, pomyślała. Rozejrzała się i zobaczyła jeszcze drukarkę bezprzewodową w kącie na podłodze. Obok luzem leżało kilka kartek.

Obchodziła się z tymi rzeczami tak, jak gdyby były niebezpieczne i mogły pokaleczyć.

– Dlaczego zabiłem twojego stryja? A dlaczego uważasz, że to ja go zabiłem?

– Nie wykręcaj się, tylko mi powiedz.

– Uważasz, że jestem zdolny do morderstwa, ale nie jestem zdolny do tego, aby cię okłamać?

– Nie sądzę, żeby ludzie chętnie kłamali, patrząc na naładowany pistolet – odparł Ćma.

– I tu się mylisz Timothy. To właśnie wtedy ludzie kłamią. Kłamią entuzjastycznie. Z zapałem. Proszą i błagają. Kłamstwa, kłamstwa, same kłamstwa. Ale zostawmy to. Dlaczego uważasz, że prawda ci pomoże?

Zabójca mówił rozbawionym głosem. Nieco przesunął się do przodu, tak że zawisł na krawędzi fotela. Ćma poczuł się nieswojo, jeszcze bardziej podenerwowany. Na karku zbierał mu się pot. Mówiąc, starał się udawać chłodny spokój, aby ukryć swoje roztrzęsienie.

– To ja tutaj zadaję pytania – rzucił sztywno. Lekko poruszył lufą pistoletu, aby podkreślić znaczenie swoich słów. Pomyślał, że mówi tak, jak gdyby wyjęto go z jakiegoś westernu Johna Forda z lat czterdziestych. „Grzeczniej albo kula w łeb”.

Dzielił ich od siebie mniej więcej metr. Jedyne źródło światła w pokoju stanowiła lampa na stole, przez co większość pomieszczenia tonęła w mroku. Ćma pomyślał, że każde wypowiadane słowo zwiększa tę ciemność. Nad nim leniwie obracało się śmigło wentylatora, poruszając powietrzem, które zdawało się nienaturalnie spokojne.

Piąty Student wpatrywał się w niego. Unosił spojrzenie ponad lufą pistoletu, zupełnie jakby potrafił ją zignorować i sprawić, że zniknie.

– W porządku – powiedział. – Nie zabiłem twojego stryja.

– Nie chrzań. Wiem, że…

– Co ty wiesz, Timothy? – powiedział Piąty Student, nagle zmieniając ton na szorstki i podkreślając każdą sylabę imienia Ćmy: „Ti-mo-thy". – Nic nie wiesz. Ale pozwól, że wyrażę się prościej, może nawet tak prosto, żeby zrozumiał to student historii. A może tak, żeby zrozumiał pijak. Nie zabiłem twojego stryja.

Ćma poczuł, że kręci mu się w głowie. Pokój zdawał się wirować. Zdołał jednak mówić dalej.

– Zastanów się nad tym. To wyjaśnienie stanowi jedyną rzecz dzielącą cię od śmierci.

Raz jeszcze Ćma zaskoczył sam siebie determinacją w swoim głosie. Nie miał pojęcia, skąd się wzięła, to brzmiało trochę tak, jak gdyby mówił ktoś inny. Było całkowicie fałszywe.

– Twój stryj sam się zabił – oznajmił Piąty Student.

Susan Terry spojrzała na grupę otaczających ją alkoholików i narkomanów stojących ramię przy ramieniu. Niektórzy trzymali się za ręce, co dla każdego patrzącego z zewnątrz wyglądałoby na modlitwę. Wiedziała jednak, że to nie ma nic wspólnego z błaganiem Najwyższego o pomoc. Rozumiała, że teraz wymaga się od niej, aby rozważyła swój kolejny ruch. Mogła się przyłączyć albo odejść. Wstrzymanie się od decyzji nie wchodziło w grę. Wydawało się, że patrzy na swoje dwa całkowicie różne życia. Oba niebezpieczne. Oba wypełnione kompromisem i bólem. Mogła ulec swoim słabościom. Mogła znaleźć siłę. Jakie to proste. Jakie to skomplikowane.

Wzięła głęboki oddech.

Wybieraj! – krzyknęła na siebie w duchu.

– To obłęd – wyrzucił z siebie Ćma.

– A czy zachowuję się jak ktoś obłąkany? – zapytał Piąty Student.

– Nie. Ale ja wiem, że go zabiłeś…

Piąty Student wzruszył ramionami.

– Byłem tam. Może nawet pociągnąłem za spust. Ale twój stryj sam się zabił.

Piąty Student skrył uśmiech. Każde ziarno zmieszania i wątpliwości, jakie tylko mógł zasiać, stanowiło punkt zdobyty w tej psychologicznej rozgrywce. Przypomniał sobie scenę z filmu, oskarowego obrazu nakręconego, jeszcze zanim urodził się Timothy Warner. We *Francuskim łączniku*, Gene Hackman grał policyjnego detektywa o nazwisku Popeye Doyle. Podejrzanym zadawał pytanie: „Byłeś na melinie w Poughkeepsie?" To było takie cudownie nonsensowne, całkowicie niezrozumiałe pytanie. Sprawiało, że przesłuchiwanemu nagle odbierało mowę i zdumiony starał się opanować zmieszanie, żeby odpowiedzieć w końcu, że nigdy nie był w Poughkeepsie w stanie Nowy Jork i nie ma pojęcia, o co chodzi z tą meliną.

Piąty Student wykorzystał teraz wariację na ten temat.

– Zabiłeś też innych – powiedział Ćma.

– Nie. Oni również sami się zabili.

– To nie ma sensu.

– To zależy od perspektywy. Zgodzisz się, że każde działanie ma swoje konsekwencje?

– Tak.

Piąty Student machnął rękoma.

– To, co zrobili mi w przeszłości, zdefiniowało ich przyszłość. Zabili mnie. A raczej zabili tego, kim byłem, i tego, kim zamierzałem być. To jest to samo co bezpośrednie morderstwo. Robiąc tak, skutecznie podpisali swoje wyroki śmierci. To jest tak samo, jak zabić się własnoręcznie, prawda?

Ta logika zemsty i morderstwa zawirowała w głowie Ćmy. Potrafił zrozumieć taki argument. Chciałby się z nim nie zgodzić, ale nie mógł.

– Czyli, Timothy, twój stryj Ed tylko spłacił swoje zobowiązanie, które był mi winien od lat. Ni mniej, ni więcej. Będąc psychiatrą, w swoich ostatnich chwilach doskonale to rozumiał.

Ćma czuł się jak obijany pięściami. Morderca przedstawia swoje racje z taką niepodważalną precyzją, że sam nie wiedział, co ma mu odpowiedzieć. Poczuł się słaby i jeszcze bardziej zaniepokojony, już nie tylko tym, co robił, ale również tym, co zamierzał zrobić. Chwiał się na znajomej krawędzi zwątpienia, a to zwykle skutkowało wyprawą do baru i taką ilością alkoholu, żeby zdołał zapomnieć, po co robi to, co robi. Wiedział, że musi zmienić bieg rozmowy. Jeżeli chcesz zabić tego człowieka, pomyślał, to najlepiej wymyśl coś innego.

Jego umysł biegł właśnie przez różne możliwe odpowiedzi, gdy Andy Candy wróciła do pokoju. W dłoni trzymała pojedynczą kartkę.

– Zabij go – powiedziała drżącym głosem. – Zabij go od razu.

51

Nie myśl. Wyceluj. Naciśnij spust.

Nic nie zrobił.

Jakakolwiek była przyczyna tych naglących słów Andy, wiedział, że miała rację. Powinien strzelić, chwycić Andy za rękę i uciec. Nie oglądając się za siebie.

Ćma natychmiast pożałował, że od razu tak nie zrobił. Część niego rozumiała, że aby zabić, powinien działać impulsywnie. Odpowiednia chwila nadeszła i minęła, a on, oszalały, zupełnie nie wiedział, czy zdoła ją odtworzyć. Czy jestem zabójcą?

dopytywał się w duchu. Nie tak dawno całkiem nieźle sobie radziłem z zabijaniem samego siebie. Ale, to nie to samo, prawda? Opatulony w kłócące się ze sobą myśli, dostrzegł drgnięcie w spokojnej, wyluzowanej fasadzie tego mężczyzny. Przez chwilę morderca naprzeciwko niego był wystraszony. To już coś, uznał. Ale jeszcze nie wiedział, co dokładnie.

Andy Candy weszła głębiej do pokoju. Poruszała się powoli, jak gdyby nie chciała zbytnio się zbliżać.

– Zabij go od razu – powtórzyła, ale tym razem miękko, jakby blaknąc pod spojrzeniem tamtego człowieka.

– Andy, o co chodzi? – cicho zapytał Ćma.

Zdawało się, że Andy się chwieje. Zatoczyła się w stronę Ćmy i rzuciła przed niego kartkę.

Był to wydruk ze strony wydziału ciężkich przestępstw prokuratury stanowej w Dade. Susan Terry, główny asystent. Ładna kolorowa fotografia, podobna do takiej z klasowego tableau, a obok biogram i lista kilku najważniejszych dochodzeń. Podobne strony można było znaleźć na każdym portalu internetowym. Jednak tę wyróżniał pewien oczywisty szczegół: miał ją morderca.

– To jest Susan – drżącym głosem oznajmiła Andy. – Ale i my też – dodała jeszcze, całkiem trafnie.

Ćma zrozumiał, o co jej chodziło. Coś stanowiącego dotąd tylko spekulację zmieniło się w rzeczywistość. Spojrzał na mordercę.

– Jezu – powiedział. – Ty już zacząłeś.

Piąty Student, zanim odpowiedział, przez chwilę oceniał sytuację.

Bratanek się waha. Dziewczyna się rozpada. Opadły go wątpliwości. Ona się wystraszyła. Zachowaj spokój. Twoja chwila nadejdzie.

Kiedy się odezwał, z jego głosu zniknęły pozory rozbawienia. Stał się lodowato zimny, a każde słowo było ostre jak brzytwa.

– Lubię wiedzieć, kogo mam przeciwko sobie – oznajmił.

Zapadła cisza. Ćma czuł, że obok niego Andy ciężko oddycha.

– Czy ty chociaż wiesz, kim jestem? – zapytał Piąty Student.

Ćmie wirowało w głowie. Sądził, że dowiedział się już mnóstwa rzeczy, ale właśnie w tej chwili uznał, że o niczym nie wie.

Andy Candy wydukała odpowiedź:

– Nazywasz się Stephen Lewis. Zabiłeś co najmniej sześcioro ludzi...

– Nie – spokojnie odpowiedział Piąty Student. – Stephen Lewis nikogo nie zabił.

Andy przesunęła się do przodu, machając dłonią tak, jak gdyby mogła odpędzić tę jego odpowiedź.

– Byliśmy tam, kiedy dom wybuchł i...

– Tamten człowiek nie żyje. Ten, który tam mieszkał.

– Byliśmy przy tym, jak zastrzeliłeś doktora Hogana...

– Człowiek, który popełnił to morderstwo, nie żyje.

– Kiedy umarł stryj Ćmy...

– Wszyscy nie żyją.

Głos Andy stawał się rozgorączkowany. Zamachała rękoma.

– To są gówniane argumenty, które nic nie znaczą...

– Mylisz się, panno Martine. Jesteś całkowicie w błędzie. One znaczą wszystko.

Zatrzymała się w połowie gestu.

– Człowiek, którego przed sobą widzicie, nie ma żadnego związku z tymi zabójstwami. Teraz jestem Stephenem Lewisem, szczęśliwym handlarzem narkotyków, który nigdy nie skrzywdził nawet muchy, raz tylko zdołał ubić świetny interes, jak niejeden człowiek tutaj. Wycofał się, a teraz jest niezależnym, zamożnym mieszkańcem Angela Street na Key West, a przypadkowo również praworządnym obywatelem stanu Floryda. Jestem członkiem Greenpeace'u oraz ważnym dobroczyńcą rozmaitych postępowych inicjatyw. Nie macie absolutnie żadnego prawa ani powodu, żeby mnie zabijać.

– Wiemy, kim naprawdę jesteś – odparł Ćma. Nieco z tego gorączkowego tonu, który słyszał u Andy, wkradło się także do jego głosu.

– I sądzisz, że to usprawiedliwia to, co robicie?

– Tak.

– Zastanów się jeszcze raz, studencie historii.

W pokoju zrobiło się cicho, a Piąty Student kontynuował:

– Wygrałem, zanim tutaj w ogóle przyszedłeś. Wygrałem na każdym etapie – ponieważ ja miałem słuszność, robiąc to, co robiłem, a ty jej nie miałeś. Timothy, nie masz już żadnego wyboru. Broń, którą trzymasz w dłoni, jest bezużyteczna, bo jeśli pociągniesz za spust i mnie zabijesz, to odbierzesz sobie życie równie skutecznie, jak mi. Tego wieczora, to ty jesteś przestępcą, nie ja. W tym stanie jest kara śmierci. Ale może tylko pójdziesz do więzienia na resztę życia. Kiepski wybór.

I znowu cisza. Ćma uświadomił sobie, że morderca mówi prawie dokładnie to samo, co prokuratur Susan. To samo ostrzeżenie, z dwóch przeciwstawnych źródeł.

– A nawet jeśli w sądzie oznajmisz, że zabiłeś mnie, kierując się poczuciem sprawiedliwości, to czy po prostu nie usłyszysz, jak sędzia mówi: „A kto panu pozwolił własnoręcznie wymierzać sprawiedliwość”?

Ćma najpierw nie odpowiedział. Intensywnie się zastanawiał, a potem oznajmił:

– Ty własnoręcznie wymierzałeś sprawiedliwość.

– Nie, wcale nie. Ludzie, których ścigałem, nie złamali żadnego prawa. Byli winni czegoś znacznie większego. Dokonali swoich wyborów, a potem spłacili swoje długi. Nie taka jest sytuacja, w jakiej teraz się znajdujesz, prawda, Timothy?

Ćma głośno przełknął ślinę. Rozważał sporo rzeczy związanych z tym wieczorem – jednak konwersacja o prawdach psychologicznych splatających się z prawdami prawnymi nie była tym, nad czym się zastanawiał. Zagubiłem się, pomyślał.

– Nie, Timothy, prawda jest taka, że czego byś nie zrobił, to masz przerąbane. Miałeś przerąbane, od kiedy się tutaj zjawiłeś.

– A jeśli odejdziemy... – zaczął Ćma. Słabo.

Piąty Student pokręcił głową.

– Wszystko, co wiemy, możemy przekazać policji – kontynuował Ćma. Jeszcze słabiej.

– Czy wcześniej coś ci to dało?

– Nie.

– A jeśli oni pójdą tropem tego, co im powiesz, co znajdą, jeśli naprawdę posłuchają tej twojej wariackiej historii?

Ćma nie odpowiedział, więc ciszę wypełnił Piąty Student.

– Znajdą kilka śladów niewinnego człowieka, który już nie będzie istniał. I na tym skończy się ich trop.

W pokoju znowu zapadła cisza. Właśnie wtedy Andy wychrypiała:

– Zamierzasz nas zabić?

Piąty Student rozpoznał zawartą w tym pytaniu prowokację. To było ostatnie, najważniejsze pytanie. Wiedział, że jeśli odpowie „nie", to mu nie uwierzą, nieważne, jak bardzo by chcieli. Jeżeli powie „tak", mogą pociągnąć za spust, bo już nie mają gdzie uciekać, nie zostanie im żadna inna możliwość ruchu na szachownicy śmierci. Dlatego zdecydował się na niepewność.

– A powinienem? – zapytał, powracając do nonszalanckiego tonu, chociaż naprężał każdy mięsień ciała.

Ćma czuł się tak, jak gdyby pływał, wycieńczony, ledwie zdolny unieść głowę ponad ściemniałe morze wątpliwości. Próbował wyobrazić sobie martwe ciało stryja, z nadzieją, że ta wizja da mu siłę do zrobienia tego, co, jak wiedział, musiał zrobić, nawet jeżeli to było niewłaściwe i dotykało tego samego zła, które popychało go przez całą drogę, aż do tego pokoju.

Andy Candy czuła się, jakby ktoś zadał jej cios w brzuch. Nic nie było właściwe. Nic nie było fair. Wszystko, co kiedyś sobie wyobrażała w związku ze swoim życiem, teraz wyparowało. Otacza mnie mgła, pomyślała. Jestem uwięziona w płonącym budynku, ogarnięta wielkimi chmurami dymu. Jedyna przyszłość, jaką miała, patrzyła teraz na nią z drugiego krańca pokoju.

– Zabij go – wyszeptała bez przekonania.

– Nie jesteście zabójcami – stwierdził siedzący przed nimi morderca. – Nie powinniście próbować być tym, kim nie jesteście.

– Zabij go – powtórzyła Andy jeszcze bardziej miękko. Czy Ćma zdoła wystrzelić do raka, który zabił mojego ojca? Czy może wypalić do aroganckiego gwałciciela, który wrzucił mnie w otchłań rozpaczy? A może zabić naszą przeszłość, żebyśmy mogli zacząć na nowo?

– Sądzę, że ten wieczór, aczkolwiek interesujący, dobiegł już końca. Timothy, zabierz swoją przyjaciółkę Andreę i wyjdź. Trzymaj się nadziei, że już nigdy więcej się nie zobaczymy.

– Możesz to obiecać?

– Nie ma takiej obietnicy, do uwierzenia w którą zdołałbym cię nakłonić. Możesz chcieć w to uwierzyć. Możesz próbować nakłonić siebie do uwierzenia. Ale to wszystko jedynie ułuda. Tak naprawdę możesz mieć tylko na to nadzieję. A nadzieja... nadzieja jest dla ciebie najlepszym wyborem.

Ćma spojrzał na broń w swojej dłoni. Prowadząc studia nad wielkimi ludźmi i wielkimi wydarzeniami, wiedział o ryzyku i niepewności. Nigdy nic nie było pewne. Każdy wybór miał nieprzewidziane rezultaty. Jednak wybór, aby niczego nie robić, był jedynym całkowicie złym wyborem.

Uniósł wzrok.

– Panie Lewis, albo ktokolwiek, kim postanowisz być jutro, jeżeli cię nie zabiję, pozwól, że zadam ci pytanie. Pytanie psychologiczne. Czyja to naprawdę wina?

Pytanie egzystencjalne. Pytanie psychologiczne. Dokładnie takie, na które zabójca kazał odpowiedzieć stryjowi.

Piąty Student widział, że jedyna właściwa odpowiedź brzmi: „Moja wina".

I dokładnie w tej samej chwili zrozumiał także, że gra, w której uczestniczy, nagle się zmieniła. Gdyby odpowiedział prawidłowo, dałoby to siedzącemu przed nim historykowi licencję mordercy. A nie istniało żadne odpowiednie kłamstwo mogące przesunąć to pytanie w jakieś bezpieczne rejony.

– Czyja to wina? – powtórzył Ćma.

Czekał na odpowiedź.

– Zabij go – powtórzyła Andy po raz trzeci. Ale tym razem dodała jeszcze: – Proszę...

Nie sądziła, aby miała jeszcze siłę powtórzyć te słowa. Wypadły z jej usta niczym żwir. Głos Andy brzmiał słabo, jak gdyby zaraz miała zemdleć.

W tej samej chwili Ćma popełnił pierwszy i najgorszy błąd. Usłyszał ból w głosie Andy i rozproszony przez potok emocji odrobinę odwrócił się w stronę dziewczyny, którą kiedyś kochał, którą kochał teraz, i sądził, że kochałby zawsze, spuszczając przy tym z oczu siedzącego przed nimi zabójcę.

Piąty Student zawsze szczycił się swoją zdolnością szybkiego działania. Nawet przy całym swoim planowaniu, układaniu intryg, analizie, wiedział, że istnieją takie chwile, gdy po prostu trzeba ruszać do akcji. Nagle dostrzegł swoją szansę. Odwrócony wzrok. Chwilowy brak skupienia. Palec obok spustu, a nie na nim.

Psychicznie i mentalnie przygotowywał się do tej chwili, widział ją w swojej głowie przy niejednej okazji. Teraz się więc nie zawahał.

Eksplodował.

Skoczył z fotela, przebywając metr, dzielący jego pierś od lufy.

Andy nie wrzasnęła – ale krzyknęła z szoku.

Ćma także krzyknął z nagłą paniką. Próbował sobie powiedzieć: Strzelaj! Jednak odpowiedni moment minął.

A potem on i Piąty Student już zwarli się ze sobą.

Krzesło, na którym siedział Ćma, poleciało do tyłu, a oni potoczyli się po podłodze. Jakieś zabłąkane ramię i szaleńczo machająca ręka walnęła Andy w grzbiet nosa. Dziewczyna poleciała na bok, osuwając się po ścianie. Ogarnęła ją panika i wywołany bólem szok. Przycisnęła dłonie do uszu, jak gdyby odgłosy walki mogły ją ogłuszyć. W jej wizji pośród cieni Ćma i zabójca stali się teraz jednym bytem, morderczą bestią podobną hydrze toczącą się po podłodze. Widziała kopnięcia, uderzenia pięścią, zadawane ciosy – jednak straciła z oczu broń. Rewolwer zniknął, uwięziony między dwoma walczącymi.

Ćma znalazł się pod zabójcą, czuł, jak przygniata go ciężar Piątego Studenta. Kopnął w górę, próbując dosięgnąć kolanem krocza, zrobić cokolwiek, co dałoby mu przewagę w walce. Wiedział jedno – nie mógł rozluźnić uchwytu na broni, chociaż ledwie potrafił stwierdzić, czy w ogóle ją jeszcze trzyma. Jego myśli były niczym prąd elektryczny trzaskający iskrami.

Broń to śmierć.

Cokolwiek się zdarzy, nie wypuszczaj jej.

Prawą dłoń miał oplecioną wokół rękojeści, trzymał ją w uścisku, śmiertelnym na wiele sposobów. Próbował uwolnić lewą dłoń, tak aby odeprzeć kaskadę spadających na siebie ciosów. Jednocześnie poczuł, że ręka mordercy okrąża jego rękę zaciśniętą na rewolwerze, wściekłe wykręcając mu palec wskazujący, grożąc jego złamaniem. Poczuł też kciuk zabójcy starający się przedrzeć do osłony spustu. Lufa się poruszyła, odsuwała się od mordercy, kierując w stronę jego własnej piersi. Zrozumiał, że tylko milimetry dzielą go od umierania.

Ćma próbował krzyknąć, lecz słowa uwięzły mu w gardle, kiedy morderca walnął go wolną dłonią, a potem odnalazł jego szyję i zaczął dusić.

Piąty Student walczył – wszystkie kosztowne treningi taekwondo i jogi uczyniły go wyjątkowo silnym i dobrze zaznajomiły z wrażliwymi punktami ciała. Żylaste mięśnie Ćmy sprawiły jednak, że starcie okazało się dziwnie wyrównane. Piąty Student bił się z furią. Jedną ręką chwycił magnum – Złap za broń! Zabij oboje! – drugą próbował otoczyć szyję przeciwnika i zdusić go tak, by stracił przytomność.

Piąty Student, używając całej swojej wagi i siły, szarpnął się do dołu, poczuł stal broni i już wiedział, że tylko sekundy dzielą go od wepchnięcia lufy w brzuch Ćmy oraz wystrzału.

Spodziewał się, że przy okazji może zranić również siebie, ale nie bał się obrażeń. To niewielka cena. W ogóle się nie bał, tylko chłodno dążył prosto do celu. I wiedział, że wygrywa.

Ćma poczuł, jak skrada się ku niemu ciemność. Otchłań zdawała się bliska. Teraz tutaj umrę. Szarpnął się, łapiąc się wszystkiego, cokolwiek jeszcze mu zostało, i próbując skupić na broni we własnym ręku. Ale czuł, jak to wszystko mu się wyślizguje. Z butelką w ręku stawiał już czoło tylu swoim końcom. Myślał, że tak właśnie umrze. Te wszystkie chwile okazały się kłamstwami.

To była śmierć.

Poczuł, że oczy zaczynają mu się wywracać białkami do góry. Spróbował wciągnąć ostatni oddech, płuca wołały o powietrze.

Chciał krzyczeć: „Nie, nie, nie, nie zasłużyłem na to!" Nie był jednak w stanie. I właśnie wtedy jakaś nagła, zabłąkana fala pchnęła go z niezwykła mocą.

To Andy Candy walnęła mordercę z boku. Najpierw uderzyła barkiem, tak jak wyobrażała sobie, że robi futbolowy linebacker. Cała trójka splątała się na podłodze. Andy owinęła ramiona wokół karku Piątego Studenta, ciągnąc do tyłu tak mocno, jak tylko mogła, myśląc tylko o tym, że musi oderwać zabójcę od Ćmy, zanim chłopak, który był jej jedyną miłością, zostanie zamordowany.

W tej sekundzie dokonała się zmiana w morderczym równaniu. Piąty Student wydał z siebie pomruk, będący prawie wrzaskiem. Uwolnił dłoń, puszczając gardło Ćmy, potem sięgnął za siebie, chcąc smagnąć Andy Candy paznokciami. Ale rozerwał jej koszulę.

Ćma gwałtownie zaczerpnął powietrza. Czarną otchłań zastąpiła czerwona furia.

Andy trzymała dłoń na szyi zabójcy. Gwałtownie złapała go za nadgarstek, odciągając mu rękę. Była silna – nie tak silna jak Piąty Student, ale wystarczająco, aby zrównoważyć jego szarpanie za broń.

Cała trójka, spleciona, szarpiąca się, walcząca, zagubiła wszystkie pomysły i plany. Teraz stali się zwierzętami. To już był po prostu bój o przetrwanie.

Przez chwilę wydawało się, że wszyscy balansują na krawędzi przepaści. Dwoje przeciwko jednemu. Dwoje młodych, naiwnych i zdezorientowanych. Jeden zdeterminowany, doświadczony.

Ćma poczuł, że broń zmienia pozycję, uwięziona między nimi a zabójcą. Z całej siły napierał na rewolwer, rozpaczliwie starając się wyobrazić sobie, w co jest teraz wycelowany. Nie wiedział, czy w tej sekundzie nastała jego pierwsza okazja, jego jedyna okazja, czy też w ogóle nie ma żadnej okazji. Nie wiedział, czy wystrzał – właśnie teraz! – zabije rozwścieczonego mordercę, zabije jego dawną miłość, czy zabije trzeźwiejącego alkoholika. Ale i tak szarpnął za spust, bojąc się śmierci, licząc na życie.

Huk wystrzału był jak wielkie „Łup!", które rozeszło się po pokoju. Splecione ciała przytłumiły większość hałasu.

Ćma przez chwilę myślał, że nie żyje.

Andy Candy wyobraziła sobie ścianę bólu, krew wypływającą ze swojego ciała.

Piąty Student zdołał pomyśleć: To niemożliwe.

Impet pocisku uniósł go kilka centymetrów, kiedy kula uderzyła w jego wnętrzności, przedzierając się przez żołądek, jelita i płuca i wreszcie sadowiąc gdzieś obok serca. Po prostu spustoszyła mu tułów.

Poczuł się jak lalka, której właśnie odcięto sznurki. Nie bolało. Miał jednak wrażenie, że w środku cały się zapada. Wziął trzy płytkie oddechy. Na ustach od razu pojawiły się krwawe bańki. Przewrócił się na bok silnie pchnięty przez Ćmę, który zużył na to swój ostatni gram energii. Ćma i Andy, niczym dwa pierzchające pająki, odsunęli się od drgającego mordercy. Piąty Student uniósł wzrok, zobaczył wirujące nad sobą śmigło wentylatora i pomyślał: To nie w porządku – zabiły mnie dzieci. Potem drgnął i umarł.

Andy Candy chciało się krzyczeć albo płakać, jednak trwała w kalekiej ciszy. Przemoc z tego pokoju była niczym wodospad hałasu i wściekłości, wymieszanych ze strachem i adrenaliną.

Ćma wpatrywał się w martwą postać na podłodze, a jego jedyną myślą było: Już nie zdołam zawrócić. Ale do czego zawróci, nie mieściło się już w tym mentalnym rozrachunku.

Oboje wiedzieli, że coś muszą zrobić. Zareagować. Działać. Jednak w tej właśnie chwili trwali bez ruchu.

Ćma rozkazał sobie: Myśl. Minął czas, który można by liczyć zaledwie w sekundach, ale im obojgu wydawał się znacznie dłuższy, gdy wreszcie zachrypiał:

– Andy, musimy stąd iść. Ktoś mógł usłyszeć… – umilkł. To było tak, jak gdyby znaleźli się w filmie, w którym nie znali scenariusza, nie nauczyli się swoich kwestii, ale wokół wszystko działo się z szybkością naddźwiękową.

Andy uniosła wzrok znad ciała na podłodze, łącząc się spojrzeniem z Ćmą. Wiedziała, że odpowiedź brzmi „tak", ale nie potrafiła ułożyć w ustach nawet takiego prostego słowa.

Wreszcie zdołał wstać. Cisza panująca w pokoju i otaczająca zwłoki zabójcy była przytłaczająca, niczym ciężar gniotący piersi. Chciał uciekać, lecz wiedział, że musi zachować chociaż te strzępy panowania nad sobą, jakie jeszcze mu pozostały.

– Chodź, Andy – powiedział łagodnie.

Podszedł do niej, chwycił za rękę i uniósł. Nie potrafił określić, czy ta dłoń była rozgrzana, czy może zimna.

Nadal nic nie mówiąc, Andy Candy sięgnęła po kartkę ze zdjęciem Susan Terry i informacjami na jej temat. Chwyciła także laptopa. Czuła się tak, jak gdyby wślizgiwała się do świata robotów.

– Musimy iść – powtórzył Ćma. – Niczego za sobą nie zostawiaj – polecił.

Andy Candy przytaknęła, a potem zatrzymała się. W głowie zaświtał jej pewien pomysł, jak gdyby wypowiedziany głęboko w środku przez naprawdę złowrogą moc.

– Nie – powiedziała. – Musimy najpierw coś zrobić.

Pośpieszyła do kuchni. Na blacie stał tam słoik z kilkoma długopisami i ołówkami, obok notatnika i pod przymocowanym do ściany telefonem. Taki typowo kuchenny wystrój.

Chwyciła duży czarny marker i wróciła do salonu, gdzie stał Ćma, zesztywniały, blady, ciągle z bronią w dłoni.

– Powiedział: „szczęśliwy handlarz narkotyków" – wyszeptała. – Gliniarze powinni znaleźć tutaj nieszczęśliwego handlarza narkotyków.

Podeszła do pustej białej ściany i markerem napisała na niej dużymi drukowanymi literami: „Nabrałeś nas. Skorpiony zawsze płacą swoje długi".

To była jedyna nazwa gangu narkotykowego, jaką potrafiła sobie przypomnieć. Pochodzili z Meksyku, działali na terenie Kalifornii, a tutaj mogli ich nie znać, nie sądziła jednak, żeby to robiło jakąś różnicę.

Schowała marker do kieszeni. Ćma przyjrzał się napisowi, pokiwał głową i podszedł do zwłok zabójcy. Gwałtownie oderwał z jego piersi kawałek poplamionej krwią koszuli. Wziął materiał i nasmarował na ścianie krwawy ślad, podkreślając nazwę „Skorpiony". Takie artystyczne upiększenie. Może podpis. Odwrócił się do Andy i zobaczył, że dziewczyna wyciąga ku niemu rękę – takim samym gestem, jak tonący w stronę ratownika siedzącego na łodzi.

Trzymając się za ręce i podtrzymując się wzajemnie wyszli z domu.

Jeden krok. Dwa kroki. Trzy.

Noc wydawała się przytłaczająco ciężka, astmatyczna, chorobliwa. Spodziewali się usłyszeć w oddali wycie policyjnych syren zbliżających się w ich stronę. Jednak nic takiego się nie działo. Spodziewali się usłyszeć jakieś obce glosy wołające: „Wy dwoje, stać, nie ruszać się, ręce do góry!" Nie usłyszeli.

Cztery kroki, pięć.

Chcieli biec.

Nie pobiegli.

Sześć. Siedem. Osiem.

Opatuliła ich ciemność. Ćma zdołał wychrypieć:

– Nie oglądaj się za siebie.

Nad nimi skradało się po niebie słabe światło ze śródmieścia, taki żółty blask pod szeroką przestrzenią rozgwieżdżonej nocy. Jednak na ulicy były tylko cienie. Skręcili w stronę cmentarza, pozdrawiając szeregi umarłych jak starych znajomych, wdzięczni im za dające osłonę nagrobki. Ćma znalazł swój plecak i włożył do niego broń i dwie puste butelki, przed pozostawieniem których ostrzegał go morderca. Z tamtego domu zabrał również wydruk ze zdjęciem Susan oraz latopa. Także wrzucił je do plecaka. Tylko raz spojrzał na Andy i zastanowił się, czy też jest taki blady pośród gęstego czarnego powietrza.

Wsiedli na rowery, które zostawili za grobami, i pojechali z powrotem do wypożyczalni. Ćma starannie je tam przypiął, dokładnie tak jak prosił rastaman–właściciel.

Potem ruszyli bocznymi uliczkami, mijając kilka oświetlonych domów, słuchając głosów dobiegających z rozkręcających się, wieczornych imprez. Minęli starszą panią wyprowadzającą na spacer dwa mopsy. Znacznie bardziej niż Ćma i Andy Candy interesowały ją psy, załatwiające swoje nocne sprawy.

W milczeniu wrócili do auta. Andy Candy wślizgnęła się na fotel kierowcy, niepewna, czy da radę prowadzić. Owładnął nią instynkt. Po chwilowym zmaganiu się z kluczykami, wewnętrznym rozkazie, żeby przestać się trząść, nawet jeśli drżą jej ręce, a ciało jest bliskie konwulsji, kilka głębokich oddechów nieco pomogło. Potem ruszyli.

Ćma nie musiał przypominać Andy, żeby jechała powoli i ostrożnie.

Jeden kilometr. Dwa kilometry.

Nie potrafiła zmusić się do spojrzenia we wsteczne lusterko, ze strachu, że zobaczy migające światła policyjnego radiowozu.

Cztery kilometry. Pięć kilometrów. Sześć.

Nie odważyła się spojrzeć w bok, na Ćmę.

Po przejechaniu niecałych czterdziestu kilometrów znalazła dogodne miejsce na poboczu i się zatrzymała. Otworzyła drzwiczki, wychyliła się, a potem poddała mdłościom, wymiotując raz za razem.

Otarła usta, wrzuciła bieg i pojechali dalej.

Przejechali po moście Siedmiomilowym. Sześć i siedemdziesiąt dziewięć setnych mili, pomyślał Ćma. Zobaczył światło księżyca odbijające się od połyskliwej czerni wody.

Jedna godzina. Dwie.

Jakiś zniecierpliwiony mężczyzna w sportowym bmw przemknął obok nich na jednopasmowej części drogi, ledwie wymijając zbliżające się przednie światła ciężarówki.

W południowej części Islamorady minęli Whale Harbor, a potem Bud and Mary's Marina, gdzie nad wejściem wisiał wielki biały rekin z plastiku. Ćma pomyślał, że jakoś tak dziwnie tutaj pasuje: sztuczna ryba z gatunku, który raczej nie odwiedzał tych wód, występująca w roli zaproszenia.

Trzy godziny.

W ciszy jechali po Card Sound Bridge i przemknęli skrajem Everglades, gdzie noc gładko łączyła się z bagnem, potem przez miasteczko Homestead, aż wreszcie zjechali do jaskrawych świateł wytyczających South Dixie Highway prowadzącą do Miami.

Ćma miał ochotę powiedzieć: „Nie dałbym rady bez ciebie", ale wydawało mu się to jakieś nie na miejscu. Chciał też powiedzieć: „Już po wszystkim", jednak obawiał się, że dopiero się zaczęło.

Andy Candy zatrzymała auto na parkingu, pół przecznicy od mieszkania Ćmy. Nadal nic nie mówiąc oboje wysiedli i niepewnym krokiem ruszyli ulicą. Wydawało się, że wzajemnie utrzymają się w pionie. Weszli do budynku, wspólnie wspięli się po schodach. Ćma odszukał klucze, otworzył drzwi i przytrzymał je dla Andy. Upuścił plecak na podłogę. Andy Candy natychmiast poszła do łazienki i przez kilka minut wpatrywała się w swoje odbicie w lustrze, przyglądając się każdemu centymetrowi twarzy w poszukiwaniu śladów, które mogła pozostawić na niej ta noc. Dorian Gray wpatrujący się w swój portret, przemknęło jej przez głowę.

Wiedziała, że teraz jest inna, i patrząc na siebie, szukała tego wyraźnych oznak. Wreszcie, jeszcze nie do końca przekonana, że ktoś obcy nie dostrzeże, co stało się z jej twarzą, gwałtownie ochlapała wodą usta, oczy, policzki i czoło. Wcale nie poczuła się przez to czysta.

W tej samej chwili Ćma pochylał się nad zlewem w kuchni, myjąc ręce. Jeden raz. Drugi. Trzeci. Starał się oczyścić je z morderstwa.

Wspólnie padli na łóżko Ćmy, spleceni ramionami. Przez ulotną chwilę Andy Candy pomyślała, że są jak rzeźba ukazująca walkę stoczoną tej nocy. Uświadomiła sobie, że stali się sobie bliżsi, niż gdyby uprawiali seks. Wycieńczona, zamknęła oczy. Pomyślała, że sen może być taki jak śmierć. Ale powitała go chętnie, zaraz obok absolutnej niepewności życia.

Przez kilka sekund Ćma wdychał zapach jej potu, wsłuchiwał się w równy oddech, głaskał skórę na ramieniu. Ostatnia myśl, która przyszła mu do głowy, zanim również zasnął, była całkiem prosta: Nie wiedział, jak mogliby ze sobą dalej być. I nie wiedział także, jak kiedykolwiek mogliby się rozdzielić.

EPILOG

Nazajutrz i później:

Dwadzieścia cztery godziny po śmierci:

– Cześć – powiedział Ćma. – Mam na imię Timothy i jestem alkoholikiem.

– Cześć, Timothy – odpowiedzieli zgromadzeni w Redemptorze Jeden. Zazwyczaj taka odpowiedź była zwykłą formalnością, wymamrotaną i stanowiącą jedynie element składowy wieczornego spotkania. Ale dzisiaj wieczorem przepełniał ją entuzjazm, kiedy wyrwała się ust wszystkich stałych bywalców, a Ćma poczuł w tym pozdrowieniu wzbierającą falę energii otuloną ulgą.

– Timothy, cieszymy się, widząc cię tutaj – oznajmił profesor filozofii. Nie dodał „żywego", chociaż o tym właśnie wszyscy myśleli. Ta odpowiedź – znacznie odbiegająca od typowej – rozbrzmiewała powtarzana po całej sali.

– Cieszę się, że tutaj jestem – powiedział Ćma. – Ja... – zawahał się. – Tak naprawdę to nie wiem dokładnie, ile mam dni trzeźwości. Sprawy się skomplikowały. Myślę, że trochę. Nie jestem już w stanie tego określić.

Na chwilę zrobiło się cicho.

– Jesteś bezpieczny? – zapytała Sandy rzeczowym tonem korporacyjnego prawnika.

– Tak sądzę – odparł Ćma. – Skąd można wiedzieć?

Mógł mieć na myśli wszystko, począwszy od czyhającego na niego mordercy, poprzez system prawny gotów go dopaść i osądzić, aż po bezustanne pragnienie, żeby się napić. Nikt ze zgromadzanych tak naprawdę nie wiedział. Ćma wciąż stał.

Sandy spróbowała jeszcze raz.

– Timothy, jesteś bezpieczny?

Wyraźnie podkreśliła słowo „bezpieczny", jak gdyby wypowiadała je wspólnie ze wszystkimi zgromadzonymi.

– Tak – odparł. Mógł powiedzieć: „Nie został już nikt próbujący mnie zabić, może poza mną samym". Nie powiedział.

– Mam pewien pomysł – oznajmił inżynier Fred. – Nazwijmy ten dzień „Dniem Pierwszym".

Ćma się uśmiechnął. To miało dla niego naprawdę sporo sensu. Liczył, że było prawdziwe. Tym, na co naprawdę liczył i czego starał się go nauczyć stryj, było bycie wojownikiem.

– Cześć – powtórzył – mam na imię Timothy i pierwszy dzień jestem trzeźwy.

– Cześć, Timothy – odpowiedziała grupa.

Kiedy wreszcie zjawiła się w domu, matka siedziała przy pianinie, ćwicząc gamy przed przyjściem kolejnego ucznia. Te ciągłe ćwiczenia często irytowały Andy Candy, ale tym razem nuty wydawały się jej jakieś lekkie i melodyjne. W górę i w dół, krzyżyki i bemole. Rutyna niezbędna u nauczycielki muzyki. Tak samo było z przepychającymi się, niuchającymi, merdającymi ogonami psami. Spodziewana. Szczęśliwa. Muzyczna.

Matka uniosła wzrok. Obawiała się pytać, obawiała się też nie pytać, kompletnie nie wiedziała, co ma powiedzieć albo robić, nie mając pojęcia przez co przeszła jej córka. Zastanawiała się, czy w ogóle kiedykolwiek się dowie. Wątpiła w to.

– Wszystko w porządku? – zadała neutralne pytanie.

– Tak – odpowiedziała Andy Candy. Pomyślała, że to może być prawdą, ale może być też kłamstwem. Wkrótce sama się dowie.

– Czy jest coś, o czym powinnyśmy porozmawiać?

O wszystkim? O niczym? O morderstwie i śmierci? O przetrwaniu?

– Czy Ćma...

O miłości i lojalności.

– Nic mu nie jest – powiedziała. – Nic nam nie jest.

Ale się zmieniliśmy. Nie powiedziała tego na głos.

– Wróciliście do siebie?

– Tak jakby – odparła.

Ruszyła w stronę prysznica, mając nadzieję, że to, że wygląda na taką wymiętą, niemalże podniszczoną, zbytnio nie wystraszyło matki. Zza ramienia zawołała:

– Myślę, że wrócę na uczelnię.

Wiedziała, że ją tym uszczęśliwi.

Chrzanić tego gwałciciela. Chrzanić razem z całym jego złem. Dorwę go w końcu. Może nie w tym tygodniu ani nie w przyszłym roku. Ale któregoś dnia. Wszystko się wyrówna. Karma to suka.

Była tego absolutnie pewna, chociaż nie zastanawiała się, kto ją tego nauczył.

– Muszę dokończyć ostatni semestr – rzuciła przez ramię.

Pianino. Psy. Jej dom. Znajome pluszowe zwierzaki na łóżku, na ścianach rodzinne zdjęcia w ramkach. Wszystko było tak normalne, że niemal ją przytłaczało.

– Zrobię dyplom. Pójdę dalej przed siebie – oznajmiła cicho, niepewna, czy matka ją słyszy.

I, jak sobie uświadomiła, musiała się jeszcze sporo nauczyć o sprawach znacznie różniących od tego, co studiowała przez ostatnie dni.

Cztery tygodnie po śmierci:

Susan, szczęśliwa po powrocie do pracy, wpatrywała się w komputerowy wydruk swojego zdjęcia i biogramu. W rogu kartki była plama krwi. Obok jej komputera stał laptop zabójcy, ale dopiero miała go otworzyć, uruchomić i spróbować przyjrzeć się temu, co zawiera. Nie chciała wiedzieć. Jej zdjęcie oznajmiło wszystko, czego potrzebowała. Podniosła słuchawkę i wybrała numer urzędu szeryfa hrabstwa Monroe. Po kilku szybkich, elektronicznych przełączeniach mogła rozmawiać z naczelnikiem Wydziału Zabójstw.

– Chciałabym wiedzieć – powiedziała, kiedy już się przedstawiła, twardym i nieznoszącym sprzeciwu tonem podając nazwisko oraz stanowisko służbowe. – Czy robicie jakieś postępy w sprawie tego zabójstwa przy Angela Street sprzed kilku tygodni.

– Niezbyt, pani prokurator – w głosie naczelnika słyszała rezygnację. – Jasne, że tam była jakaś piekielna bijatyka. Wszystko było nieźle porozwalane. Jasne jest, że facet nie chciał strzelić. Wie pani, zwykle te morderstwa związane z gangami narkotykowymi są takie... no „czystsze". Jeśli wie pani, co mam na myśli. Zwykle znajdujemy gościa ze śladami przypaleń na genitaliach, tego typu rzeczy. Albo pływającego wśród mangrowców. Nie za często mają szanse się trochę odgryźć. Ale dopóki nie będziemy mieli konkretnego podejrzanego... No, nie mamy dużo, żeby iść dalej. Wygląda na to, że jeśli chodzi o tego martwego faceta, o nim też za dużo nie ma. Naprawdę odwalił kawał dobrej roboty, żeby ukryć, kim jest. Może pani zdoła jakoś pomóc? Wie pani coś?

Susan Terry wiedziała mnóstwo. Jednak odparła:

– Nie, tak naprawdę to nie. Nazwisko tego faceta pojawiało się przy innych dochodzeniach narkotykowych, wie pan, tak na obrzeżach. Właśnie sprawdzałam, czy są jakieś powiązania.

– I co pani myśli?

– Może są. Może nie ma. Przypuszczalnie kolejne uganianie się bez sensu. Nie ma co tracić czasu. Jeśli o czymś usłyszę, to na pewno zadzwonię.

– Dzięki. – Detektyw się rozłączył.

Raczej nie zorientował się, że kłamię, pomyślała. Podeszła do niszczarki i ostrożnie wsunęła w nią zakrwawiony wydruk.

Sześć miesięcy po śmierci:

Susan czekała. Wiedziała, że to tylko kwestia czasu, zanim w sądowym świecie przyległym do biura prokuratora pojawi się odpowiednia sprawa z odpowiednimi dowodami. Okazał się nią napad na sklep, który wyjątkowo źle poszedł. Sprzedawca zginął, dwóch podejrzanych zaaresztowano w ciągu kilku minut. Groziło im dożywocie. Kiepski interes za trzysta dwadzieścia trzy dolary, które próbowali ukraść.

Wyrok ogłoszono na otwartym posiedzeniu. Susan siedziała dwa rzędy dalej. Za nią szlochały rodziny, zarówno ofiary, jak i rabusiów. Sędzia potwierdziła wyrok, uderzyła młotkiem i było po wszystkim.

Susan poczekała, aż wszyscy wyjdą. Gdy została tylko protokolantka, krzątająca się gdzieś z tyłu, podeszła do niej.

– Witam, panno Terry – powiedziała protokolantka. Była już starszą kobietą i pracując w sądzie, widziała niejedno. – Co panią tutaj sprowadza? W tej sprawie nie ma nic szczególnego.

Susan pokiwała głową.

– Owszem, co do tego ma pani rację. Chciałam po prostu sprawdzić parę dowodów. Mam przeczucie, że ci faceci mogli dokonać jeszcze jakichś rabunków, które mam u siebie na biurku. Mogę na to spojrzeć?

Wskazała pudło z dowodami leżące na stole protokolantki.

Kobieta wzruszyła ramionami.

– Proszę bardzo. I tak to wszystko idzie do archiwum.

Protokolantka dalej zajmowała się swoimi papierami, a Susan zaczęła grzebać wewnątrz pudła. To, czego potrzebowała, leżało na samej górze, w zamkniętej torbie z wypisanym na czarno numerem sprawy. Rewolwer Magnum trzysta pięćdziesiąt siedem – dokładnie taki sam jak ten, który dał jej Ćma. Jedyną różnicę stanowił numer seryjny broni. Susan schowała broń Ćmy do podobnej plastikowej torby z wypisanym identycznym numerem sprawy. Kiedy tylko protokolantka zajęła się czymś tak, że odwróciła na chwilę wzrok, Susan wykonała delikatny ruch ręką, zabierając z pudełka magnum, którym popełniono zbrodnię, i położyła na to miejsce rewolwer Ćmy. Drugą spluwę schowała do torebki. Gotowe.

– Dziękuję – powiedziała. – Mam już to, czego potrzebowałam.

Wiedziała, że ta broń stanowiła jedyny twardy dowód mogący połączyć Ćmę z zabójstwem na Angela Street. Nigdy nie lekceważyła specjalistów od balistyki.

Rewolwer z napadu na sklep przetrzyma sześć miesięcy, a potem zamieni go z jeszcze innym, z innej sprawy. Ponowna zamiana skutecznie usunie wszelkie tropy, jakimi mógłby podążyć nawet najbardziej dociekliwy detektyw.

Uśmiechnęła się. Żegnaj, ostatni kluczowy dowodzie. Do tej pory w miejscowym salonie Apple'a zdążyła już wyczyścić twardy dysk laptopa, którego potem zostawiła na składowisku odpadów komunalnych hrabstwa Dade. Jedynym, co zostało, a mogłoby wskazać na obecność Ćmy w tamtym pokoju razem z zabójcą, było DNA – jego i Andy Candy. Co do pierwszego, ostrzegła Ćmę: „Nigdy nie pozwól się aresztować i wprowadzić do jakiejś bazy danych". Co do drugiego, pewnie nawet nie było o czym wspominać.

Domyślała się, że dzisiaj wieczorem spotka Ćmę w Redemptorze Jeden, ale nie zamierzała mu powiedzieć, co zrobiła. Jedyne, o czym powinien wiedzieć, to jej trzeźwość. Sto osiemdziesiąt trzy dni i będzie więcej, pomyślała z dumą.

PORT RICHEY 10 AM
St. JAMES THE APOSTLE
8400 MONARCH DR.